Outras Notas Musicais

Arthur Nestrovski

Outras Notas Musicais

Da Idade Média à Música Popular Brasileira

PubliFolha

Editor-assistente
Thiago Blumenthal

Coordenação de produção gráfica
Soraia Pauli Scarpa

Produção gráfica
Mariana Metidieri

Capa e projeto gráfico
Paula Astiz

Editoração eletrônica
Laura Lotufo/ Paula Astiz Design

Ilustrações de capa
Alex Cerveny

Preparação
Maria Sylvia Corrêa

Revisão
Luciana Lima e Ana Maria Barbosa

Índice remissivo
Cacá Mattos

Dados Internacionais de Catalogação na Publicação (CIP)
(Câmara Brasileira do Livro, SP, Brasil)

Nestrovski, Arthur [1959]
Outras notas musicais: da Idade Média a música popular brasileira / Arthur Nestrovski. – São Paulo : Publifolha, 2009.

ISBN 978-85-7914-099-0

1. Folha de S. Paulo 2. Jornais – Seções, colunas etc. – Música 3. Música – História e crítica I. Título

09-07142 CDD-780.9

Índices para catálogo sistemático:
1. Música : História e crítica 780.9

A grafia deste livro segue as regras do **Novo Acordo Ortográfico da Língua Portuguesa.**

Imagem da p. 2: Manuscrito original de "An Die Musik", de Schubert (sobre versos de F. von Schober), 1817.

PUBLIFOLHA
Divisão de Publicações do Grupo Folha
Al. Barão de Limeira, 401, 6º andar
CEP 01202-900, São Paulo, SP
Tel.: (11) 3224-2186/2187/2197
www.publifolha.com.br

Sumário

Nota de Entrada

Quase todos os textos deste livro foram escritos no calor da hora e publicados na *Folha de S.Paulo*. O primeiro é de maio de 1999; o último, de junho de 2009. Ao longo desse arco de tempo, muita coisa aconteceu e muita coisa mudou.

Para além das mudanças e acontecimentos que definem o curso da música na primeira década do milênio, cabe ressaltar uma transformação na vida musical da cidade de São Paulo. O marco simbólico e concreto dessa mudança foi a inauguração da Sala São Paulo, sede da nova Osesp, em julho de 1999.

A criação da Sala, associada ao projeto da orquestra, teve consequências tão amplas que, em retrospecto, fica até difícil lembrar do que eram as condições reinantes. Para além do exemplo musical da orquestra, ela adotou um modelo de funcionamento jamais aplicado sistematicamente entre nós. Isso abrange, para dar só um exemplo, a criação de assinaturas anuais de concertos – coisa que agora virou rotina em virtualmente todos os quadros estáveis da cidade e em muitos de outros lugares do país.

A história é conhecida e está sumariamente registrada nas linhas e entrelinhas de muitas das resenhas aqui reunidas. De mais importante, essa mudança propiciou o estabelecimento de uma nova vida musical *da cidade de São Paulo*; quer dizer: uma atividade regular de concertos, apresentados em nível cotidianamente alto, pelas forças locais. A metrópole sempre foi palco de importantes artistas brasileiros e estrangeiros, que passaram e passam por aqui. Mas nunca, como agora, desfrutou de tamanha produção, com tamanho empenho e competência, por obra de seus próprios músicos. (Isso explica uma diferença em relação ao livro anterior, de 2000: *Notas Musicais* privilegiava resenhas de discos; neste, agora, a grande maioria é de críticas de apresentações ao vivo.)

Que haja público para tanta música serve de alento, em tempos de pobreza, como são quase sempre os tempos da cultura. Que a cidade não tenha deixado de atrair grandes artistas de fora também pode ser motivo de alegria, e reafirma a natureza cosmopolita da capital – essa "superprovíncia conectada com o grande mundo", como gosta de dizer Caetano Veloso. Que o público, mesmo assim, continue proporcionalmente pequeno será sempre verdade, provavelmente, e um desafio para todos os que têm na música mais do que um prazer e um consolo – o que já não é pouco, mas não dá conta do que pode ser sonhado e realizado.

Entre as mudanças no correr desses dez anos, não se pode aqui deixar de anotar, também, uma mudança grande não na vida musical da cidade, mas na do crítico. Deve ser bem raro um crítico de música clássica que a certa altura vira artista profissional na área da música popular. Mas o Brasil é um país onde, tudo somado, as divisões intelectuais e estéticas são mais naturalmente maleáveis, e esse tipo de cruzamento pode se dar, afinal, sem maior dificuldade.

Atuar regularmente como músico ensina muito ao crítico. Por um lado, o exercício diário dos ouvidos e dos dedos apura a sensibilidade. Por outro, o embate com as condições objetivas da prática musical reforça o senso de realidade. Por outro ainda, a experiência de fazer música com outros músicos e na frente de uma plateia não permite esquecer a dimensão mais importante de todas, que é a da criação conjunta de sentidos: sentidos humanos, vividos em tempo real e do modo mais intenso, por cada um e todos nós enquanto intérpretes e/ou ouvintes, por ocasião da música.

O grande crítico literário Harold Bloom não cansa de repetir que a literatura só faz sentido se *nós* fazemos sentido. Pode-se trocar literatura por música e completar: a música só ganha importância quando nós lhe damos importância. E ainda, vendo a coisa por outro viés: a música é uma das formas de buscar sentido para si mesmo. Por trás de cada nota existe *outra* nota musical, que cada um de nós precisa inventar para ser capaz de ouvir. Naquele ponto de fuga, onde tudo se cruza, música, escuta e escrita não guardam mais diferença. Outras notas vão entrar, mas a base é uma só. A consequência, no caso, está aí para ser lida, parte de uma história muito maior do que a sua, e que não para de mudar.

Sviatoslav Richter

Richter, O Enigma

Vídeo NVC/ Warner, 1999

É uma tomada estranha: Richter visto de cima, sentado ao piano num ambiente caseiro, contra um tapete de padrões geométricos. Por alguns segundos, ele não faz qualquer gesto. Subitamente joga um lenço no tampo do instrumento e ataca o *Estudo* op. 10/4 de Chopin com uma vitalidade tão enorme e uma certeza tão cega que parece mais um caso de possessão.

Esse gesto de entrega súbita e total à música é característico e se repete algumas vezes no filme: um golpe vindo do nada na *Balada* nº 4 de Chopin, um mergulho sem preparação numa *Fantasia e Fuga* de Bach, inúmeros pequenos lances no *Prelúdio* "Ce Qu'a Vu le Vent d'Ouest" de Debussy. "Um elemento de surpresa é essencial", comenta Richter já idoso, numa das entrevistas que servem de guia para o documentário. Mas o que há de teatro nessas surpresas logo se converte em outra coisa, algo de mais protegido e mais forte, que se alegoriza no lábio inferior cerrado sobre o de cima, ou no olhar de concentração e transcendência desse pianista entregue aos dedos: converte-se em música ou, mais precisamente, na música de Sviatoslav Richter.

Falecido em 1997, aos 82 anos, Richter foi para muitos o maior pianista do século. Preso ao bloco comunista e transformado em lenda no Ocidente até sua primeira turnê americana em 1960, conquistou logo depois uma estatura genuína e universal. Sua fama permaneceu justificada não só pelos concertos, que ele jamais cansou de tocar, mas também pelas dezenas de gravações, abarcando fatias generosas de um repertório que se pode resumir numa palavra: tudo.

A "Coleção Richter" da gravadora Philips (sintetizada em *The Essential Richter*, cinco CDs, bem como no álbum triplo com a trilha do filme) serve de testamento "autorizado" da genialidade e da audácia deste pianista que desautorizava qualquer tipo de formalismo. Richter não se adaptou de todo à espécie: visitou o planeta nas asas da música, sem paciência para o que não fosse autêntico e intenso. Sua passagem ganha outro monumento, agora, nesse vídeo extraordinário dirigido por Bruno Monsaingeon. Incluído numa série que já rendeu filmes sobre o violinista David Oistrakh e o barítono Dietrich Fischer-Dieskau, *Richter, o Enigma* realiza, melhor do que qualquer outro –

incluindo até o antológico *Gould Plays Bach*, do mesmo diretor –, a aspiração quase impossível de traduzir, ou complementar, a música em imagens.

Para quem, como Richter, não gostava de câmeras, a quantidade de tomadas pessoais é surpreendente: festas em casa, passeios na floresta, ensaios numa cabana, viagens de carro, de trem, de barco. Encontros com outros músicos (Rostropovich, Oleg Kagan, Benjamin Britten). Encantamentos e alegrias com a cantora Nina Dorliac, que ele conheceu na década de 40 e de quem nunca mais se separou. Concertos, recitais, ensaios; sozinho, com grupos de câmara, com orquestras; em grandes salas, num quarto, ou, como ele mais gostava, num palco praticamente escuro, com uma única lâmpada iluminando a partitura.

Monsaingeon vai acompanhando, com essas e outras cenas, as memórias do velho Richter, falando livremente ou lendo em voz alta trechos de seus diários – recém-publicados numa edição francesa, *Sviatoslav Richter, Écrits, Conversations* (Actes Sud). Em contraponto com isso, o filme reúne um número impressionante de imagens de arquivo: desde o enterro de Stálin (onde Richter foi obrigado a tocar) e da destruição, por ordem do Partido, das torres das igrejas em Odessa (cidade onde seu pai, descendente de alemães, foi assassinado), até o dia a dia na Rússia comunista, ou epifanias domésticas dos compositores Shostakovich e Prokofiev, ou depoimentos de outros pianistas como Artur Rubinstein ("Richter me fez chorar... ele me fez escutar um instrumento que eu nunca tinha ouvido") e Glenn Gould ("Richter foi o exemplo supremo, no nosso tempo, de um músico capaz de nos dar a ilusão de vínculos diretos entre a interpretação e a música").

"Richter" e "música" se confundem muito nessas histórias, o que é apenas um dos ensinamentos do filme. Pois o sentido de tantas lembranças, tantos episódios, tantas imagens, tantas pessoas, tantas perdas, tantos absurdos, tanto sofrimento e até uma parcela de amor e alegria, parece convergir para o tanto de música que as mãos de Richter vão fazendo soar, ao longo dessas duas horas, como ao longo de seus 82 anos. Mas o inverso também não é verdade? O sentido da música não se materializa na presença fugidia desses pontos de luz – expressões de um rosto, dedos em movimento, um corpo meio desengonçado – e *bytes* de som –, um murmúrio, uma voz, um tom da fala?

O significado intensamente pessoal da música como arte do tempo ganha conotações proustianas, também, na mera alternância de imagens do pianista e de sua mulher, recolhidas em décadas diversas. O efeito fica entre a melancolia e a sabedoria, para além da devastação. Um sentido intensamente pessoal do tempo como arte da música era, a propósito, outra marca de Richter. Seu virtuosismo era mais da imaginação do que dos timbres, e mais dos timbres do que das velocidades. E a imaginação, no caso, é uma disciplina temporal, uma ordem humana de acelerações e retardos, que vai ganhando corpo nas linhas e acordes da música. Golpes súbitos e vertigens de rapidez estão num extremo; notas isoladas (em Schubert, por exemplo), melodias suspensas (Schumann), veladuras e afastamentos do som (de Beethoven a Rachmaninov) estão no outro. Seu compositor predileto – que surpresa! – era Haydn, onde tudo se equilibra.

Três episódios e uma imagem sintetizam as lições do pianista. Já com mais de 70 anos, Richter partiu em viagem de carro, de Moscou a Tóquio. No caminho, foi parando e tocando em cada cidadezinha, cada vilarejo. Levou seis meses nesse percurso. Detestava planejar a própria vida, quanto mais concertos nas grandes salas, com anos de antecedência. Preferia o interior da Sibéria, ou a espontaneidade de um recital de improviso em Vladivostok. E para ele qualquer piano servia: seu gosto pela música era maior do que a paixão pelo piano, que ele modestamente relegava ao papel de um "instrumento".

Além de planos, Richter detestava duas outras coisas: "as análises e o poder". Foi por isso que nunca se tornou regente, explica numa entrevista. Sua aversão pela vaidade dos músicos fica manifesta não só nos comentários desabonadores de colegas como o maestro Karajan ou o jovem pianista Andrei Gavrilov, mas também, de outro modo, pela impiedade de suas censuras aos próprios concertos e gravações.

"Qual o segredo de Mozart?", pergunta a si mesmo, nos diários. Lê a pergunta para a câmera, ergue os olhos e não tem o que dizer. Nesse cenário tão simples – uma mesa e uma cadeira de madeira, uma parede caiada – a pergunta ganha a mesma eloquência triste da sobriedade do rosto do pianista. "Ainda não achei a chave para Mozart", comenta noutro ponto.

Uma última cena dá ao filme outra tonalidade que, em retrospecto, desinterpreta o que passou. "Acho tudo muito perturbador", diz Richter num tom vacilante. "Não estou só falando de música, mas da vida em geral." E conclui, mais para si mesmo do que para nós: "Não gosto de mim". E cobre o rosto com as mãos, abaixa a cabeça. É um comentário inesperado e desesperançado, mas que confere, quem sabe, outra dignidade, mais alta ainda, ao enigma de Sviatoslav Richter.

3.5.99

Les Percussions de Strasbourg

Cultura Artística, 18.5.99

Era uma floresta de instrumentos, iluminados de baixo por uma luz verde. Tambores, gongos, sinos, xilofones, mais centenas de pequenos e grandes objetos não identificados. Tudo faria prever uma noite de exuberância e exaltação; e uma noite de muito barulho.

Mas o concerto de Les Percussions de Strasbourg, anteontem no Cultura Artística, foi quase o contrário: um exemplo de delicadeza e controle, se bem que também de uma elegância no limite da frieza.

Composta há 70 anos, *Ionisation* de Edgar Varèse (1883-1965) soa hoje como exemplo acabado do primitivismo modernista. É a irmã espiritual das máscaras africanas de Picasso. Mas Les Percussions fez dela uma peça muito menos carregada de símbolos e muito mais rica de música. O menos agora é mais: menos sirene, menos teatro, menos futurismo.

A mesma discrição só fez aumentar o interesse também de *First Construction in Metal* (1939), de John Cage (1912-92). Mas o menos nem sempre é tamanha virtude. E composições mais recentes, como *Darkness*, de Franco Donatoni, e *Drus, Flous, Debridés, des Bouts S'ebrouent*, de Jean-Marc Singier, sofreram, nalguma medida, com o resguardo dos percussionistas. Ambas resistem ao desejo de misturar timbres e querem fazer dos instrumentos de percussão instrumentos de pensamento. Mas o resultado está mais próximo da paisagem do que da meditação sonora; e a plateia escutou com admiração, mais do que com entrega.

Até aí teria sido só um bom concerto; mas a última peça mudou tudo. Composta há quatro anos, *Métal*, de Philippe Manoury, trouxe o que se espera de uma peça contemporânea: assombro, outra ideia de som, outra ideia de narrativa e aquela beleza estranha que vem junto com o novo.

São 12 metalofones, de afinação variada, que enchem os ouvidos de escalas fugidias, arpejos distribuídos no espaço, lindos corais de acordes e ressonâncias e melodias em uníssono. Os dois planos principais – um veludo de fundo, que deve às texturas da música eletroacústica, e golpes fortíssimos, que vão surgindo à nossa frente – mesclam-se em ritmos irregulares, para não dizer dramáticos.

E foi só aqui que Les Percussions de Strasbourg conseguiu saltar do plano do perfeitamente controlado para o do descontroladamente perfeito. Depois de um concerto inteiro de elegância e refinamento, mas também de uma certa distância, *Métal* serviu para nos lembrar que, na música, afinal, não existe inteligência mais funda do que a das emoções. E que isso vale para a música de qualquer época: inclusive a nova, inclusive a nossa.

20.5.99

Philharmonia Quartett Berlin

Teatro Alfa Real, 1.6.99

Três movimentos muitos diferentes: um "Andante" de Mozart, velado e distanciado, a música do lado de lá da música; um "Allegretto" de Brahms, determinado e agitado, a música do lado de dentro da música; e um "Andante" de Schubert, exasperado e maravilhado, a música do lado da música. Os três foram pontos altos no concerto que o Philharmonia Quartett Berlin apresentou anteontem no teatro Alfa Real.

Era o compositor Schoenberg quem gostava de distinguir os músicos da "corporação" – os verdadeiros entendidos na prática da música – dos amadores (mesmo profissionais), para ele uma espécie de sonâmbulos. *Spallas* de seus naipes na Filarmônica de Berlim, os membros do Philharmonia Quartett pertencem schoenberguianamente à primeira categoria. Com uma fluência que não é só da técnica, os quatro se dão para a música com aquela confiança que têm os que sabem que a música se dá para eles. A música que tocam está à altura de músicos que estão à altura dessa música. Eles sabem disso; a música também.

No *Quarteto* K. 168 de Mozart (1756-91), podem-se ouvir tantas coisas que dá pena resumir tudo em duas: Haydn e Mozart. Mas a história do *Quarteto* é essencialmente essa, Haydn transformado em outra música, e Mozart aprendendo a ser Mozart com Haydn.

Elegias não têm data; e nem a alegria contrapontística do final poderia alterar, em retrospecto, as comoções do "Andante", no coração do *Quarteto*. No coração do conjunto ficou a viola, que também ficava no coração do compositor.

A inteligência de Brahms (1833-97) é de outra ordem. Abençoado e atormentado pela perda da inocência mozartiana, seu *Quarteto* nº 3 é uma lição de modernidade: como escrever movimentos amplos a partir de materiais mínimos, sem se valer de cadências simples e repetição periódica.

O Philharmonia tocou Brahms com uma consciência digna de Schoenberg. No coração do quarteto também fica a viola; no coração da forma, pequenos temas; mas no coração dessa música não fica nem puro som nem pura forma, mas uma melancolia enorme, ou algum outro afeto sem nome, que agora se chama Brahms.

Quatro músicos desse nível são sempre um prazer e um ensinamento. O entusiasmo dos estudantes na plateia acabou rendendo mais ensinamento e mais prazer: Ravel, pizzicatos, harmonias. E o Philharmonia chegou no limite possível do descontrole, para além da fluência e do alto artesanato.

Nesses momentos, a música compensa tudo, e um quarteto parece mais que o bastante para justificar os dias.

3.6.99

Quarteto Beethoven de Roma

Cultura Artística, 9.6.99

Paixão e inteligência, na música, são uma coisa só. Mas a inteligência da paixão é maior do que a paixão da inteligência na música de Gabriel Fauré (1845-1924), interpretada com muita paixão e inteligência pelo Quarteto Beethoven de Roma, terça-feira passada no teatro Cultura Artística.

"Por que não se toca mais Fauré?" Deve ser a pergunta que estava na cabeça de todos, depois do concerto. Uma resposta é que Fauré não se deixa tocar: não é qualquer pianista que pode aspirar à vivacidade, nem à maturidade, nem às ironias musicais de Carlo Bruno. Virtuose sem ostentação, músico inteiramente natural e generoso, Bruno é uma inspiração para quem ouve e também para seus companheiros de quarteto.

Fauré, que era agnóstico, foi um grande compositor religioso. Agnóstico também da modernidade, ele escreve uma música que chega a ter a sofisticação harmônica de Debussy, enquanto guarda as elaborações franco-wagnerianas mais típicas do fim de século. No

Quarteto nº 1, da década de 1870, ainda está mais próximo de seu contemporâneo Saint-Saens do que de seu sucessor Ravel; mas já inventou um tempo próprio para si, onde se cruzam correntes distintas, nos acentos únicos de uma personalidade.

O Quarteto Beethoven é um intérprete ideal desse tardo-romantismo quase-modernista de Fauré. O som cheio, a articulação sem maneirismos, o fraseado à antiga: aquilo que foi a grande virtude do antigo conjunto I Musici (onde tocavam o violinista Felix Ayo e o violista Alfonso Ghedin), tornou-se depois uma falência, quando confrontada com as novas virtudes da interpretação "autêntica"; e retorna, agora, traduzida para este repertório, onde faz mais sentido e enche os ouvidos de novo como uma revelação.

A grande frase em uníssono das cordas, no terceiro movimento, serviria de emblema do conjunto: corajosa, fogosa, ao mesmo tempo sabendo aonde quer chegar e chegando aonde nem sabe.

"Mas é um Beethoven menor", comentava alguém no intervalo, sobre o *Quarteto* WoO 36/3. Juridicamente, sem dúvida: Beethoven tinha só 15 anos quando escreveu este quarteto, em 1785. Comparado ao Beethoven da maioridade, é um Beethoven adolescente; vale dizer, mozartiano. Mais precisamente, um Mozart beethoveniano, o que dá a medida do gênio do compositor mais jovem, capaz de pôr um adjetivo em Mozart. Os italianos estavam só aquecendo; mas com muita simpatia, muita elegância melódica e humana, e uma franqueza de quem nem é mais capaz de tocar uma única nota sem a grandeza acumulada em anos e anos de música.

Bohulav Martinu (1890-1959) é um daqueles compositores um pouco à margem do cânone, que sempre se escuta com curiosidade e vontade de gostar. Sempre se sai um pouco frustrado; mas não demais. Seu *Quarteto* nº 1 foi escrito em 1942, nos Estados Unidos, onde o compositor se exilara, fugindo do nazismo. Combina traços de barroquismo com acentos e métrica jazzísticos, num contexto de outras densidades, mais europeias.

Nos melhores momentos, o *Quarteto* de Martinu é digno de comparação com Prokofiev. Em outros, soa como um sonho ambicioso e confuso de Dave Brubeck. Ouvido sozinho, teria menos efeito. Mas no meio deste programa, e tocado com tanta eloquência, foi uma audácia de escolha e uma escolha interessante.

Como é tantas vezes o caso, o bis foi outro ponto alto do concerto: o "Andante" do *Quarteto* de Schumann (1810-56), com um lindo solo do violoncelista Mihai Dancila.

Estranho ano, até aqui. Muitos concertos, todos de alto nível, mas nenhum ultrapassando os limites da excelência. Vida de ouvinte é assim mesmo: é preciso ir a dez concertos, ou vinte, para escutar um que deixe uma marca no calendário. Mas está muito longe de ser um sacrifício escutar um conjunto como o Quarteto Beethoven de Roma; e o próximo concerto, quem sabe, não faz a diferença.

11.6.99

Osesp/ Nelson Freire
Roberto Minczuk

Teatro São Pedro, 16.6.99

Há tanto tempo tanta gente falava tanto da nova Osesp, que qualquer crítico iria para o concerto com um pé atrás. Mas o crítico, mais uma vez, estava errado: não há como não se render à evidência de que a Osesp é hoje, provavelmente, a melhor orquestra do país. Seja sozinha, seja acompanhando Nelson Freire, deu um concerto caloroso e apaixonado no Dia dos Namorados, no Teatro São Pedro.

Sob a regência de Roberto Minczuk, a Osesp foi, no mínimo, uma orquestra com muito sentido de conjunto. Caberia reconhecer que o máximo não é tão distante do mínimo nesse caso.

Interpretando a *Sinfonia* nº 104 de Haydn (1732-1809), a orquestra parecia mais dedicada ao grande contorno do que às minúcias da música. Mas "sentido de conjunto" não é pouca coisa, como se sabe; significa não só andar junto, mas pensar junto também. Se a leitura da sinfonia não chegou a ser transformadora, ou memorável, foi com certeza um prazer ouvi-la.

Deslizes de afinação nos violinos, no início, não chegaram a comprometer a impressão final. Faltou ironia? Faltou. Faltou elasticidade? Faltou. Mas a orquestra, em sua nova formação, tem pouco mais de um ano; e só um ouvinte sem qualquer ideia das dificuldades de fazer música no Brasil poderia deixar de se entusiasmar com o resultado.

É de se supor que a identidade musical da Osesp – ainda um pouco neutra – vai se definir melhor não só com o tempo, mas com a mudança de casa. Espremida no palco e espremida pela acústica do

Teatro São Pedro, a orquestra só pode crescer com a inauguração da Sala São Paulo (Estação Júlio Prestes), no próximo dia 9 de julho.

Da perspectiva da orquestra, o ponto alto do concerto foi a fantasia *Uma Noite no Monte Calvo*, de Mussorgsky (1839-81), orquestrada por Rimski-Korsakov. E não só pelo brilho feérico dos metais ou pela coreografia das madeiras. Como bem notou a plateia – educadíssima, musicalíssima, entusiasmadíssima, a melhor plateia de São Paulo –, foi no final, na suspensão sonhadora de sinos e acordes velados, que a orquestra mostrou aonde pode chegar, e já está chegando.

Da perspectiva de todos nós, o ponto alto foi mesmo a interpretação de Nelson Freire da *Rapsódia Sobre um Tema de Paganini*, de Rachmaninoff (1873-1943). Seria de imaginar que o pianista mineiro estivesse no auge da carreira. Mas quem pode dizer o que ele ainda nos reserva? Recém-canonizado pela inclusão na coleção "Grandes Pianistas do Século 20", Nelson Freire parece estar tocando melhor a cada visita à cidade.

Em breve, não haverá mais adjetivos no dicionário para falar bem dele como merece. Numa fala simpática, abrindo a segunda parte, o maestro Minczuk afirmou ser pura coincidência a programação da *Rapsódia* (famosa por seu grande tema romântico), para o concerto do Dia dos Namorados.

Coincidência ou não, só um namorado de pedra não se comoveria com a interpretação de Freire. Seu virtuosismo já não causa surpresa, mas a capacidade de fazer dessa música, nalguma medida, uma outra música, é sempre motivo de admiração.

A orquestra nem sempre foi capaz de acompanhá-lo nesse plano mais intangível. E a acústica, às vezes, fez com que o piano desaparecesse. Mas, de modo geral, ela esteve sempre presente ao lado do pianista que acompanha com evidente prazer.

O mais importante de tudo talvez tenha sido o ambiente: um concerto pode ser excelente sem ser um grande concerto, mas também pode ser um grande concerto sem ser perfeito.

A Osesp e Nelson Freire deram um concerto vibrante, aberto, cheio de dedicação e entusiasmo. Não há um nome preciso para essa combinação; mas a palavra certa talvez seja simplesmente "música". "Para o Brasil, é um milagre", comentava um amigo no intervalo. Ele tem razão.

18.6.99

Arnaldo Cohen

Teatro Arthur Rubinstein, 10.8.99

Chopin é o mais popular, mais acessível, mais diretamente emotivo dos compositores românticos. Chopin é o mais refinado, mais recôndito, mais idiossincrático dos compositores românticos. Na visão da musicologia atual, nenhuma das frases está errada; e a dificuldade para qualquer pianista é mostrar que também não são incompatíveis. Acessível e recôndito, expansivo e concentrado, o Chopin de Arnaldo Cohen é um modelo desse gênio ambíguo, como ficou claro em seu lindo concerto, no teatro da Hebraica, segunda-feira.

As ambivalências de Chopin (1810-49) não se restringem ao domínio da expressão. A própria estrutura da música se nutre de fontes diversas, combinadas de modo original. Contraponto barroco e ópera lírica italiana podem se mesclar com lembranças da música popular polonesa e a sofisticação dos salões parisienses. No caso das *Baladas*, interpretadas por Cohen, são essas quatro influências que vêm se unir num gênero novo.

Narrativa e lírica parecem ser o contrário uma da outra, mas não aqui. Cada *Balada* conta uma história, mas onde nada acontece, apesar da expressão elegíaca. Nem forma-sonata, nem simples alternância de verso-e-refrão, a balada, para Chopin, é um meio para a exploração de melodias repetitivas, encantatórias, que aparecem e reaparecem no fluxo contínuo da música.

Arnaldo Cohen, nunca menos do que um pianista generoso e nunca menos do que muito claro, revelou-se um grande artista das transições, que são sempre as passagens menos generosas e mais artificiosas da composição. Tocou as *Baladas* com um sentido pessoal da forma: muito elástica, a música cedendo ao empuxo das modulações e dos temas. Que isso não se traduza jamais em mascaramento das notas, nem mesmo nos arpejos mais virtuosísticos, é uma dessas virtudes que a gente tende a aceitar como natural – natural para ele.

Esse foi o Chopin mais moderno do programa. Na segunda parte, ainda se ouviriam mais dois. O primeiro foi o Chopin-que-todo-mundo-gosta, uma seleção incluindo o *Noturno* op. 9/2, a *Fantasia-Improviso* e três *Estudos*. Não parece ser o Chopin que o pianista mais gosta: foi bonito, mas não memorável, e não chegou a iluminar essas peças tão conhecidas com alguma luz desconhecida.

A grande surpresa estava reservada para o último Chopin, dos

Scherzi nºs 1 e 2. A mistura de gêneros, que já se escutava nas *Baladas*, atinge aqui um idioma ao mesmo tempo mais íntimo e mais público. A música de Chopin é, aliás, uma das primeiras a ser concebida como espetáculo, pensada para uma plateia, embora nem sempre para o grande piano das grandes salas de concerto. (Certamente não para esse piano, tão prejudicado pela acústica dura do teatro – e pelos arranjos de flores!)

Reconhecido internacionalmente como um grande intérprete de Liszt, Arnaldo Cohen teve a coragem de fazer dos *Scherzi* uma música mais lisztiana, o que hoje soa, mais uma vez, como audácia. Diabolismo, intemperança, gestualidade: não é o que se associa imediatamente, agora, à música de Chopin. Mas faz sentido e é, no mínimo, tão legítimo quanto tocar Liszt à maneira de Chopin, como tem sido o caso nos últimos anos. As ironias de Chopin têm muito a ganhar com isso. Nenhum compositor quer permanecer preso à própria consciência; mas liberação, ou transcendência, são aspirações que só se realizam em alguns instantes, e de certos modos. Um dos modos, para Chopin, é Liszt, como agora se sabe, novamente, graças a Arnaldo Cohen.

Para ser perfeito, faltaria só uma transcendência última do próprio pianista, cuja generosidade e clareza, às vezes, soam também como impedimento. Mas quem pode reclamar de um concerto tão bonito? Acessível e refinado, virtuosístico sem afetação, Arnaldo Cohen é sempre um prazer de se ouvir, e uma educação.

12.8.99

Quarteto Vermeer/ Alex Klein

Cultura Artıstica, 30.8.99

Os gestos mais musicais nem tinham som: a mão esquerda do oboísta Alex Klein, perdida no ar, no final de um "Adágio" de Mozart, e o rosto do violoncelista Marc Johnson, um sorriso de satisfação a cada intervalo entre movimentos. O embevecido e o contentado deram uma forma ao que não tem forma: o que está por trás das formas da música, tão bem tocada por Klein e o Quarteto Vermeer, em seu concerto de anteontem, no Cultura Artística.

Alex Klein está para o oboé como Antonio Meneses para o violoncelo ou Nelson Freire para o piano. É, por consenso, o brasileiro de maior destaque em seu instrumento, e faz da música de câmara território ideal para os ideais meio sem território do oboé.

Há um mistério particular em notas que se sustentam no limite do silêncio. O mistério se duplica quando essas notas vêm do oboé, onde a vertigem não é só espiritual, mas mecânica. Essas notas de Klein já justificam qualquer concerto; são a contraparte introvertida das extroversões de escalas, arpejos e trinados.

Oboístas têm um inveja compreensível de seus vizinhos de naipe, os clarinetistas, para quem Mozart (1756-91) escreveu um quinteto e um concerto. O *Quarteto Para Oboé e Cordas* não extrapola os limites do que é mozartiano e lindo. "A música de Mozart nos dá permissão para viver", escreveu o teólogo Karl Barth. Viver imprevisivelmente, em profundidades novas; ou previsivelmente, com doçura, como nesse *Quarteto*, que Klein tocou de coração, na companhia afetuosa de um trio Vermeer.

O Quarteto Vermeer completo voltou ao palco para interpretar o *Quarteto* op. 44/1 de Mendelssohn (1809-47). Por que não se toca mais Mendelssohn é uma pergunta que deve ter ficado na cabeça de todos. Descrever o seu caráter não é fácil, embora seja tão fácil de reconhecer. Tem o lirismo de Schubert, sem a intensidade; e o encantamento de Mozart, sem o drama.

O Vermeer traduziu Mendelssohn para um idioma intermediário, um meio-tom nacarado, mas com espaço para pequenos surtos de notas repetidas e "scherzandos". Seguro, à vontade, o Vermeer pode não ser o quarteto que mais impressiona, em primeira audição; mas é uma companhia para se cultivar pelo resto da vida.

Do ponto de vista estritamente musical, o concerto podia ter acabado aí. Na segunda parte, Klein e o Vermeer interpretaram um quinteto de Antonin Reicha (1770-1836), compositor tcheco mais conhecido como professor de Berlioz e Liszt. Reicha teve grande sucesso em Paris, onde seus tratados teóricos lhe valeriam uma cátedra no conservatório. Os tratados são interessantes até hoje, ao contrário da música, que é convencional.

O quinteto não foge à regra. Rendeu a Klein, ainda assim, outra oportunidade para desenhar melodias, com a concentração de um predestinado da música. O repertório pode ser minguado; mas não existe música de câmara mais bem tocada. E quem sabe o exemplo de Klein e o Vermeer não servem de estímulo para compositores à altura? Seria um alento para os oboístas, para os quartetos e para o resto de nós.

1.9.99

Quarteto Gershwin

Teatro Municipal, 31.8.99

Jazz negro do início do século, reinventado na década de 30 por um judeu do Brooklyn e transfigurado 70 anos depois por quatro pianistas suíços se apresentando para uma plateia em São Paulo. A sequência é tão insólita que até poderia dar certo. Mas o concerto do Gershwin Piano Quartet, anteontem no Teatro Municipal, foi um exemplo de como a heterogeneidade nem sempre vem para bem – também vem para mal.

Heterogeneidade é a palavra de ordem com Gershwin (1898--1937), que inventou uma vida inteira de música entre a "alta" e a "baixa" cultura. Canções e canções e canções: quase todas têm forma, harmonias e melodias simples, em que pesam as modulações, as linhas cromáticas do contraponto e os ritmos irregulares. A simplicidade não explica o que faz dessas canções um repertório que é virtualmente um gênero próprio, assinatura musical de uma cidade (Nova York), que nessa música passa a ser uma capital do afeto.

Formado em 1996, o quarteto se dedica exclusivamente a Gershwin, com arranjos novos de canções como "Our Love Is Here to Stay" e "A Foggy Day", e se aventurando por peças sinfônicas, como *An American in Paris.* Os pianistas têm dedos para qualquer coisa e coragem para se arriscar. Fica faltando pouco para ser um grande conjunto: estilo, gosto, graça, propósito e alma.

Descrito de fora, parece sedutor. Roupas modernas. Toques de experimentalismo (cordas tocadas dentro do piano, acordes de mão espalmada). Leves toques de teatro (pianistas que passeiam pelo fundo do palco enquanto um colega toca). Precisão irretocável. Entendimento perfeito. Senso de conjunto.

Ouvido de dentro, isso tudo se combina para criar efeitos, não conteúdos: tudo sugere muito mais do que é. Gershwin ensinou gerações de compositores a simplificar os meios, sem simploriedade. O quarteto faz o que pode para ornamentar o simples. Faz pensar mais em Liberace do que em Jerome Kern e Cole Porter, entre outros contemporâneos do compositor. Para não falar em John Cage, entre nossos contemporâneos, cujo "piano preparado" chega aqui a seu ponto mais baixo de diluição.

Dá pena ver tanto talento se esvaindo nesse *shopping center* de Gershwin. André Desponds, o fundador do grupo, tocou "Oh, Lady Be Good" com enorme energia, demais para o bem da canção. E Marlis Walter fez de "Somebody Loves Me" um bombom lisztiano. As outras peças da primeira parte foram um conjunto repetitivo de cascatas de notas e acordes calculadamente explosivos, no clímax bombástico do que não é bombástico. O *swing* suíço tem a falsidade dos sorrisos trocados entre os pianistas e toda a malícia do jogo de luz: azul para o delicado, vermelho para o amor.

Existe um nome para a arte que vive de efeitos e quer angariar mais do que de fato pode dar. O nome é *kitsch*. O *kit kitsch* do quarteto resume o que pode ser a destruição do que é bom e simples nas afetações do espetáculo.

A segunda parte só traria mais do mesmo, com "Summertime" e *Rhapsody in Blue*. Há ocasiões em que a única forma possível de escuta é se recusar a escutar. Pode-se fazer isso ao vivo ou à distância. A maior parte da plateia ficou. Sem a companhia do crítico, que foi cuidar do mau humor em casa, escutando Gershwin.

2.9.99

João Gilberto/ Caetano Veloso

Credicard Hall, 29.9.99

Foi uma noite estranha. Pouco festiva e pouco inaugural, com aplausos mornos para a sala e vaias estridentes para o mestre. Isso importa pouco: a sala há de fazer ou desfazer seu nome com a música que se fizer lá dentro. De importante, então: a música de João Gilberto e Caetano Veloso, momentos de música, no burburinho da destemperança.

"Saudosa Maloca" foi o improvável ponto alto e serviu bem para demonstrar as virtudes complementares de João e Caetano. No encantamento da beleza de sua própria voz, Caetano Veloso é um cantor que vai se entregando para o espaço. Canta para fora, com a naturalidade do sol. João é o oposto: quando começa a cantar, a música volta para dentro, na direção do que tem de mais calado.

João Gilberto canta como João Gilberto e só como João Gilberto. É uma referência pura para si mesmo, um ideal que ele persegue obsessivamente, atravessando os desconfortos. É Caetano (e virtualmente só Caetano) quem ressoa com ele, resguardando a dimensão mais aberta do canto. No centro da música há uma memória, ou resposta a João, a partir da qual vêm se expandir os círculos da sua própria voz. Escutar um e outro cantando alternados é uma lição sobre o que passa, e o que se ultrapassa, na arte, e o que se transforma e se cria.

Não há cantor mais sofisticado do que Caetano Veloso hoje no país. Mas mesmo ele parece relativamente simples quando se depara com a simplicidade antinatural de João Gilberto. Este é o cantor silábico e metafísico, destinado às intensidades de cada segundo. Ninguém respira como ele, e uma linha musical, cantada por João, vira uma aventura e um risco – para ele, que canta num limite do ideal, e para nós, que vamos seguindo o canto como crianças.

Nada disso fazia muito sentido no Credicard Hall. É muito estranho, para quem não está acostumado, ir escutar música e se ver sentado num bingo, em mesas de fórmica com baldes de gelo em cima e garçons ao redor. A distância do palco acaba obrigando a olhar para os telões também. Que ideia esquisita: sair de casa para ver televisão e escutar o vizinho da mesa ao lado cantar. É preciso esforço para encontrar a música no meio disso tudo.

Para quem estava no palco, a vida ficou estranha também. Tinha razão João Gilberto ao reclamar uma, duas e 300 vezes do eco no retorno de som? Provavelmente, embora a forma e a hora não fossem as mais simpáticas, para dizer o mínimo. Foi Caetano quem teve a elegância de acalmar os ânimos sem contemporizar.

A *luna rossa*, operística lua vermelha de uma canção em dialeto italiano [gravada por Caetano no disco *Omaggio a Federico e Giulietta*, de 1999], marcou o ponto de virada desse show tão arrevesado. Mesmo em seu mau humor, e atormentado pelo eco, João Gilberto teve sempre a grandeza de fazer grande arte onde ela já parecia ter desaparecido, como em "Garota de Ipanema". Mas foi a lua de Caetano que dispensou raios de benevolência sobre todos e salvou o espírito da música. A partir daí (com uma hora transcorrida, e outra pela frente), a noite ficou magnetizada, e só não ouviu maravilhas quem não quis.

Foi uma noite estranha. Mas que foi se desestranhando aos poucos, até o final, sem clímax. Inaugurada por João e Caetano, foi como se a nova sala tivesse sido castigada e abençoada pelos dois orixás. A bênção e o castigo foram merecidos, e com essa memória o teatro, agora, que comece a fazer seu nome com música.

1.10.99

Arcadi Volodos

LIVE AT CARNEGIE HALL

CD Sony, 1999

A música vem das profundezas: um arpejo rápido nos graves, seguido de três acordes. Rachmaninov é inconfundível; e inconfundível também passa a ser, a partir desse disco, o pianista russo Arcadi Volodos.

"Ao vivo" seria a tradução correta para "*Live at Carnegie Hall*", mas "Vivo no Carnegie Hall" diz melhor o que se preserva aqui: uma vida de música, recriada na vida mais efêmera do piano, e reinventada na vida ainda mais efêmera de cada um de nós, quando se está tão vivo assim de música.

A música vem das profundezas, nesse "Étude-Tableau" póstumo de Rachmaninov (1873-1943); e permanece nos abismos até a passagem miraculosa que a transporta para além da nostalgia e da melancolia. Daqui para a frente, tudo é uma vertigem de confiança, uma convicção sem fim, uma persuasão do amor em meia dúzia de acordes e pedaços de linhas.

Arcadi Volodos. O nome exótico, a origem russa, o *hype* da mídia, tudo contribui para a gente manter um pé atrás. Mais um novo gênio do piano: quem acredita? Mas Kissin não era Kissin, afinal? E Volodos é quase o contrário do que se espera. Virtuosístico, um pianista de espetáculo, com repertório acessível; mas também dono de uma imaginação única, que se traduz numa arte inteligente e fina, que se molda num tempo pessoalíssimo, que faz dele uma presença rara na música.

As intensidades de Rachmaninov são muito diferentes das paixões de Robert Schumann (1810-56), de quem Volodos interpreta as

Bunte Blätter (Folhas Coloridas). É instrutivo comparar a gravação de Volodos com a de seu compatriota Vladimir Ashkenazy, no volume 7 da integral de Schumann (Decca).

Não é possível comparar. Ashkenazy soa superficial na intenção e pesado nos dedos. Mas ele não é nenhuma dessas coisas, e a impressão se deve mesmo ao gênio de Volodos.

Como é difícil descrever o tempo que se suspende entre duas notas; por exemplo, entre a primeira, solta no ar, e a segunda, que cai arpejo abaixo na direção do acorde, onde o pulso se firma e a gente já está em pleno enlevo de Schumann. Quem fosse capaz de explicar isso estaria dizendo muito – quase tudo – sobre Schumann, Volodos e a arte da música.

O tempo de Liszt (1811-86) é bem outro. Outro tempo e outro gosto, que hoje se escuta com um pouco mais de justiça. O "bom gosto" não entra em questão numa peça como a *Rapsódia Húngara* nº 15, a "Marcha Rákóczy". Nem Liszt está preocupado com a fineza de seus materiais. Textura, som, gestualidade e forma são mais relevantes. E se Volodos responde com sutilezas a esse outro teatro da música, tanto melhor para Liszt e para todos nós.

Seu apego a Scriabin (1872-1915) faz bem, igualmente, a Scriabin. Mas nem todo o mundo deve se convencer com as neurastenias proféticas da *Sonata* nº 10, cujo sintoma mais característico é um trinado sem fim. Volodos toca Scriabin com acentos visionários e ritmos decadentistas. É uma versão que revisa Scriabin e revisa também a interpretação antológica de Horowitz.

O disco ganha outro caráter a partir dos três *Tableaux* de Rachmaninov. "Cada peça musical tem um ponto culminante", escreveu Rachmaninov numa carta. "Este ponto pode estar no final ou no meio, pode ser forte ou delicado, mas o intérprete tem de saber como chegar lá, com a mais absoluta consciência, a mais absoluta precisão, porque se passar por ele ao acaso a construção inteira desaba..."

Ninguém ilustra melhor esse comentário do que o novo prodígio russo. Que o "ponto culminante" da música seja também o ponto de maior intensidade afetiva pode parecer uma obviedade. Mas não é óbvio, não para todo o mundo, e a sabedoria de Arcadi Volodos é tanto mais eloquente por conta dessa sua certeza, que não é só da música. Que grande pianista, que revelação, que revelações.

19.10.99

Osesp/ Nikolai Demidenko John Neschling

Sala São Paulo, 16.10.99

Era Mário de Andrade quem falava do "arroubo constante" de Villa-Lobos, que salva sua música da "falta de lucidez". Arroubo inconstante e lucidez o tempo todo foram as marcas do bom concerto da Osesp, sábado na Sala São Paulo. Ainda não se tornou repetitivo dizer que a Osesp é a melhor orquestra do país; e a Sala São Paulo vai rapidamente se transformando na casa de todos nós.

Que mistura estranha parecem agora as *Bachianas* de Villa-Lobos (1887-1959). Um coração enorme desses pediria outra forma de expansividade, bem distante do contraponto barroco, muito mais livre que uma fuga. Mas o sonhado Brasil dessa geração ganha voz nas melodias avassaladoras que vão surgindo de dentro, ou por fora das linhas cautelosas de uma fuga como a da *Bachiana 9*.

Regidas com segurança por John Neschling, as cordas da Osesp tocaram Villa-Lobos com afinco e afinação. Faltou, talvez, o sonhado Brasil, exceto nos momentos inconstantes de arroubo. Mas esse Brasil falta mesmo ao Brasil, que ia ser tão lindo e não foi.

Mais arrebatado, e arrebatador, foi Nikolai Demidenko, solista no *Concerto* nº 2 de Prokofiev (1891-1953). Pouco tocado – muito menos do que merece –, o *Concerto* é um monumento do modernismo (o que, a essa altura, não é mais uma contradição de termos).

A cadência do "Andantino" foi o ponto alto desse pianista de som enorme e musicalidade natural. Não é justo pedir a músico algum que seja diferente do que é; muito menos a um pianista desse quilate. Mas a música, aqui e ali, especialmente nos dois últimos movimentos, depois do moto-perpétuo brilhante do "Scherzo", parecia pedir um pouco menos de brilho e um pouco mais de sombra, ou ironia. Palmas para a orquestra, uma acompanhante atenta e cheia de imaginação.

O bis do pianista (Wagner-Liszt) foi um prato cheio para seu estilo sem timidez. O virtuosismo aqui é da essência: ao invés de atletizar a música, é o atletismo que se transcendentaliza. Demidenko foi espetacular.

Virtuosismo atlético da orquestra e atletismo transcendental da composição servem para falar do balé *Petrouchka* de Stravinsky (1882-1971), uma das obras capitais desse século. (Daqui a quatro meses, passa a ser uma obra-prima da música "do século passado", como lembrou Neschling.) Tanta coisa começa ali, a cada vez que se escuta essa peça de vitalidade incrível.

Não faltou vitalidade à orquestra; mas faltou, ainda, o algo-a-mais: eletricidade, ebulição, selvageria no fio da navalha. Maravilhamentos da orquestração nem sempre fizeram sua mágica; e a orquestra estava em dia com as notas, mas nem sempre livre de pensar nelas. Nada disso comprometeu o efeito geral; nem os desequilíbrios de volume, especialmente na relação entre os metais e o resto. O fato é que a Osesp chegou a um ponto tal de excelência que obriga a plateia a rigores desse tipo.

Tudo somado, esse concerto de arroubos foi um arroubo de concerto. Assistir a uma orquestra dessas, numa sala dessas, em pleno centro de São Paulo, já é uma vitória contra a barbárie. Que Free Jazz, que nada. Não tem melhor programa na cidade.

19.10.99

João Carlos Martins

BACH: OBRAS COMPLETAS PARA TECLADO

19 CDs Concord

Maria Lúcia Nogueira

BACH: SEIS PARTITAS

3 CDs Eldorado, 1999

Edwin Fischer

BACH: PRELÚDIOS E FUGAS, FANTASIA CROMÁTICA E OUTRAS PEÇAS

2 CDs Philips, 1999

Ideia para um conto à maneira de Henry James: um jovem pianista brasileiro atinge a fama tocando *O Cravo Bem Temperado* em concertos nos Estados Unidos. Sofre um acidente num jogo de futebol, que o deixa afastado do instrumento. Retorna aos palcos depois de anos de esforço e se põe a reconstruir a carreira. A música de Bach permanece um destino e um desafio. Assaltado na Bulgária, leva uma pancada que o deixa novamente afastado do piano. E mais uma vez, com dedicação única, ensina o cérebro a comandar os dedos, a ponto de completar a gravação da integral das obras para teclado de Bach.

A gravação fica pronta. O pianista, chegando aos 60 anos, não tem dúvida do próprio talento; mas a crítica se divide. As extravagâncias do intérprete podem ser uma expressão de genialidade; mas talvez não passem de uma coleção fulgurante de equívocos. O final da história só pode deixar o juízo em aberto. Escrita por James, essa seria uma alegoria da vocação do artista, correndo sempre grandes riscos na avaliação de si mesmo; e uma fábula a ser lembrada por todo ouvinte e todo crítico, correndo sempre riscos na avaliação dos outros.

Em linhas gerais, a história resume a carreira de João Carlos Martins, que chega a um ponto decisivo com o lançamento da integral de Bach, em 19 CDs. Combinando registros gravados nos Estados Unidos há vinte anos com gravações num estúdio da Bulgária, antes do atentado (1985) e depois (1997), a coleção tem ambições proporcionais à força de vontade desse pianista pouco festejado em seu próprio país.

Que o pouco reconhecimento se deva à atuação política – Martins foi duas vezes tesoureiro de campanha de Paulo Maluf e acabou processado por irregularidades – é provável e compreensível. Mas a gravação terá força o bastante, quem sabe, para promover uma escuta mais atenta de sua arte. Isso não garantiria, necessariamente, uma aceitação maior: talvez até pelo contrário, mas João Carlos Martins é um pianista, no mínimo, muito diferente dos outros, e sua interpretação serve para sublinhar a diferença desses outros, o que não é pouca coisa.

Numa entrevista à revista *Bravo!* há alguns meses, ele falava em tons reverenciais da música de Bach; e explicava sua teoria de um ponto-chave a ser descoberto em cada obra, definido pelas proporções áureas (aproximadamente: 2, 3, 5, 8, 13, 21 etc.). Rigores matemáticos, e suas conotações simbólicas e teológicas, são um clichê da musicologia bachiana. Mas a interpretação de Martins, afinal, é muito mais livre do que isso pode sugerir.

A liberdade aproxima-se da arbitrariedade, por outro lado, na escolha do tempo, ou no tratamento da dinâmica. Veja-se a ária das *Variações Goldberg*, que Martins transforma num grande "crescendo", até o final em acordes retumbantes. A mesma ideia rege sua versão do "Prelúdio" da *Partita* nº 1; e em ambos os casos vai contra as convenções de interpretação barroca.

Isso não é, *a priori*, nem bom bem ruim. Pode ser instrutivo comparar, por exemplo, a gravação de Martins com a nova integral das *Partitas* pela cravista Maria Lúcia Nogueira (Eldorado). Nogueira toca tudo com enorme cuidado: estudou a música com afinco de especialista, e não há uma nota aí que não seja pensada. Mas o resultado se ressente, nalguma medida, da falta de audácia. Tudo o que em Martins é aberração e excesso, em Nogueira tende a pecar pela neutralidade.

Ninguém pode reclamar de uma gravação tão correta; é uma antologia que vale a pena ter na estante, como instrumento de comparação, que seja. Mas dificilmente será a gravação de cabeceira de ninguém; ao contrário da de Martins, que deve encontrar ouvidos receptivos à sua paixão e seu delírio.

Nesse contexto, cabe lembrar as interpretações do grande pianista austríaco Edwin Fischer (1886-1960), integrando a coleção *Great Pianists of the 20th Century*. Professor de Alfred Brendel, entre outros, ele foi o primeiro pianista a gravar uma integral do *Cravo Bem Temperado*, na década de 30. Um número representativo desses prelúdios e fugas, além de fantasias e concertos, foram restaurados no CD duplo e confirmam a mitologia de Fischer, como um dos intérpretes mais originais dessa música que já passou por tanta originalidade.

Chama a atenção, para além dos *pianissimos* lendários, e das intervenções autorais na partitura (baixos dobrados, trocas de registro), uma presença temporal que tem a autoridade das coisas mais naturais. Mesmo quando a música se desacelera lentamente, ao final de várias peças, esse gesto (que vem da música dos compositores românticos, bem posteriores a Bach) incorpora-se ao contraponto barroco de modo muito menos extravagante do que seria de se imaginar. Tudo somado, Fischer é um intérprete modesto frente às enormidades da música; e as enormidades da música são pequenas para as enormidades intimadas por ela e reverenciadas por Bach, em tons que a interpretação de Fischer torna impossível desprezar.

Outra forma de reverência – pela própria música de Bach – talvez explique o que há de mais vulnerável nas leituras de João Carlos Martins. Ela se traduz numa expressão do tempo que quer, justamente, fazer soar a música das esferas em cada compasso. O resultado tende a uma música de efeito, mais do que de substância.

Uma continuação possível para o pastiche de Henry James seria a constatação penosa de que toda a genialidade do pianista só o compeliu, afinal, a tomar a via errada, o lado errado da música, em cada caso. Uma espécie de genialidade às avessas, ou avesso exuberante da arte. Outra faria de seus ouvintes uma plateia de surdos, sem generosidade ou gênio para escutar a revelação. Cada um, no fundo, terá de escrever a conclusão da história por si. O que fazer do Bach de João Carlos Martins? – oxalá as respostas fossem tão instigantes quanto essas gravações, que bem ou mal nos obrigam a definir o Bach de cada um de nós.

18.12.99

Concerto Italiano

Bach: A Arte da Fuga

CD Opus 111, 1999

"Nesta obra se encontram as mais recônditas belezas possíveis na arte da música." A frase vem do prefácio de Friedrich Marpurg à segunda edição da *Arte da Fuga*, de 1752; os termos são de época, mas expressam um consenso dos músicos até hoje. Publicada postumamente, inacabada e sem instrumentação definida, *A Arte da Fuga* está num limite do que pode a música – ela mesma é esse limite, para as doze gerações de compositores depois de Bach (1685-1750). Gravada e regravada dezenas de vezes, recebe agora o que, a essa altura, pareceria impossível: uma interpretação original, pelo Concerto Italiano, regido por Rinaldo Alessandrini.

Em 1746, Bach foi eleito membro da Sociedade de Ciências Musicais de Leipzig. Para continuar pertencendo, cada membro deveria apresentar à Sociedade uma composição nova por ano, que desse mostra de sua ciência e arte. Bach escreveu uma série de cânones em 1747, a *Oferenda Musical* em 1748 e provavelmente tinha intenção de apresentar *A Arte da Fuga* no ano seguinte. Uma catarata, que o levou à cegueira, impediu para sempre a conclusão da partitura.

O que se tem é virtualmente a obra completa: 13 fugas (duas delas em duas versões: normal e "espelhada"), mais quatro cânones. A décima quarta fuga, verdadeira apoteose, combinaria três temas novos com o tema original do ciclo inteiro. É precisamente este tema que fica faltando quando a partitura se interrompe. O fato de o terceiro tema corresponder às letras do nome BACH (si bemol-lá-dó-si, em notação alemã) dá um sentido fatídico, quase fantasmagórico, à mais impessoal das composições. "Bach" entra na música: a música se cala: ele também.

A fuga não é uma forma fixa. Assim como a "forma-sonata" (uma abstração, ou média de todas as sonatas, sem existência real), a fuga só pode ser descrita como um certo modo de compor e uma certa textura da música. O que a define é o emprego sistemático do contraponto – a sobreposição de melodias –, a partir de um tema. Suas origens remontam à Idade Média: *fuga* é latim para o que os italianos chamavam *caccia* e os franceses *chace*. Uma voz segue, ou "caça", a outra; o tema vai passando entre as vozes, seja no desenho original ou invertido, de trás para diante, espichado, encolhido, transposto.

O nível de complexidade do contraponto em Bach torna sua descrição amedrontadora. Inversões, retroversões, espelhos; vozes que repetem a melodia de outra, de cabeça para baixo e com os tempos dobrados, peças divididas em duas partes, onde a segunda inverte rigorosamente a primeira – como é possível que isso tudo dê certo e o resultado seja música? Geometria e matemática tinham conotações teológicas para um compositor luterano barroco alemão. Mas nem geometria nem matemática explicam o caráter ao mesmo tempo tão abstrato e tão humano dessa música, que soa para além de qualquer artifício ou engenho.

É em fins de século 17 que a fuga chega ao seu auge. Frescobaldi, Sweelinck, Buxtehude, Pachelbel e Händel, entre outros, foram todos mestres da fuga. Mas é com Bach que ela atinge outro plano. A sofisticação técnica da composição é de tal ordem que Carl Philip Emanuel Bach (seu filho, compositor de grande importância também) pode dar o nome de "Arte" ao manuscrito. Vale lembrar que "arte", no caso, tem conotações antigas: significa sistema e princípio de organização. A "arte", de fato, está mais próxima do que hoje chamamos "ciência".

Ciência e arte se confundem, também, na história da interpretação da *Arte da Fuga*. Dessa perspectiva, a maior virtude da nova gravação está justamente na coragem de liberar a música de Bach de uma série de constrangimentos habituais. Levados em parte pela ausência de instruções sobre a instrumentação e em parte pela natureza "científica" da partitura, não são poucos os intérpretes que fazem da *Arte da Fuga* uma espécie de dissertação sonora. A *Arte da Fuga* de Alessandrini combina, inusitada mas justificadamente, o rigor contrapontístico com as levezas do "estilo galante", que já dominava a composição europeia por essa época e tinha no próprio Bach um expoente.

Há uma ironia nisso. O estilo galante era atacado por Marpurg, em nome de outros teóricos, como uma inovação leviana (o termo que ele usa é "feminina"). Mas a *Arte da Fuga*, tocada aqui por um conjunto de cordas, flauta, oboé, fagote e cravo, e com acentos de arte francesa, ganha uma vivacidade e um encantamento que não roubam nada das abstrações, e acrescentam muito às superfícies da música – que é a própria música, afinal. A ciência do contraponto vira uma arte da caça, e vem à luz então todo um jogo inesperado de seduções e sugestões. Que esse lado galante pertence mesmo à música fica fácil, agora, de ver; mas até ontem não era, e só por isso a versão do Concerto Italiano já merece destaque.

Desde 1927, com a transcrição orquestral de Wolfgang Gräser, que a *Arte da Fuga* vem sendo tocada por conjuntos, não só no cravo ou órgão. Alessandrini escolheu um grupo de forças empregadas rotineiramente por Bach. Cada fuga é interpretada por uma combinação diversa de instrumentos (ou de músicos, nos raros casos em que a instrumentação se repete). Há um drama implícito na sequência, que parte de violino, duas violas e cravo, e vai introduzindo outros instrumentos, fuga a fuga, até a versão gloriosa da fuga nº 7; depois do que, os instrumentos vão sendo subtraídos, sem regra rígida. Os quatro cânones ficam por conta do cravo solo.

Os 250 anos da morte de Bach estão favorecendo a reedição de outras gravações da *Arte da Fuga*. Valeria a pena, por exemplo, comparar a versão do Concerto Italiano com a gravação do cravista Davitt Moroney, incluída na "Edição Bach" da Harmonia Mundi. Vale sempre a pena voltar a Kenneth Gilbert, outro cravista, que gravou a *Arte da Fuga* há dez anos (Archiv). Valeria ainda seguir o instinto de curiosidade e escutar a pianista inglesa Joanna MacGregor, que combina Bach com três cânones do compositor contemporâneo Conlon Nancarrow (Collins Classics).

Início da *Arte da Fuga*, pelo Concerto Italiano: a primeira viola ataca docemente o ré. A melodia sobe até a quinta, desce pela terça: são só as notas de um acorde de ré menor, uma depois da outra e todas com a mesma duração. O violino retoma o tema, uma quinta acima. Desde Marpurg que ninguém escuta o início da *Arte da Fuga* sem se sentir carregado para um outro mundo, mais fundo e mais alto que esse. Que ele seja também um mundo criado de quase nada, que tanta música e tanta ciência possam nascer de uma mera sequência de notas de um acorde tonal, é mais uma lição que a arte de Bach nos ensina, a cada vez, e o Concerto Italiano tem a ciência de ensinar de novo, como nenhuma vez.

29.2.00

Marcus Roberts Trio

IN HONOR OF DUKE

CD Columbia, 1999

A última faixa é um bom lugar para começar. Notas destacadas, frases elásticas, harmonia incomum mas natural, um novo velho *blues* no piano, que vai pouco a pouco incorporando bateria e contrabaixo até as exaltações retumbantes do fim – ou quase. No final, resta uma nota grave, solta, no seu próprio tempo, até perder o tempo. Marcus Roberts é um dos mais aventurosos, imaginativos, virtuosísticos, originais e engajados instrumentistas de jazz da atualidade. Cinco adjetivos não é demais: seu novo disco, "em honra de Duke Ellington", deixaria o Duke honrado, embora um tanto surpreso também.

O começo é outro bom lugar para começar. A bateria de Jason Marsalis (irmão de Wynton e Branford) entra sozinha: entra pela porta do lado, com obliquidades de métrica. O contrabaixo (Roland Guerin) responde, com melodias de borracha e seda. Baixo e bateria confundem timbres e acentos. O piano só chega depois do diálogo avançado, com harmonias bem cortadas e pedaços sugestivos de frase. Dali em diante, os três meditam breques, tocando juntos como raramente se toca.

É uma experiência inusitada ver o retrato de Duke Ellington (1899-1974) gradualmente se formando por trás dessas paisagens. Imagine um grande músico de jazz: sóbrio, elegante, modesto, econômico, tranquilo, sedutor. Imagine outro: narcisista, bizarro, ambicioso, gastador, exuberante, autocentrado. Que o segundo possa traduzir o primeiro, em seus próprios termos, que o espírito bem conhecido de um passe pela música estranha do outro é algo de verdadeiramente novo, nesse domínio de tanta novidade sem novidade.

Uma novidade especial é a presença do percussionista e baterista Antonio Sanchez. Em "Take a Chance", de modo particular, mas de um jeito ou outro ao longo do disco todo, Sanchez e Marsalis reinventam a ideia da bateria – como instrumento melódico, não só rítmico. Para tocar bateria assim é preciso, antes, não tocar bateria: não tocar mais como se toca, deixar para trás uma relativa incomunicabilidade, meio bruta, de quem só escuta pulso. A bateria aqui canta e pensa no mesmo plano das ideias e melodias de um piano ou contrabaixo, embora na sua própria língua.

Abstrações de ritmo e invenções livres de metro se casam bem com o talento de Marcus Roberts para abstrair fundo e forma do homenageado. Assim como também recria, no idioma descentrado de outra geração, os descentramentos de John Coltrane e Thelonious Monk – outros homenageados, mesmo se em caráter menos explícito. Em "Groove Until You Move", ele está à vontade o bastante para reinventar a música cubana. A faixa-título, "In Honor of Duke", cria espaço para uma impressionante batucada brasileira. "The Beauty of the Spirit" vem de melodias de igreja. Qualquer gênero se molda aos propósitos de Roberts, e qualquer espectro pode projetar sua sombra sobre o branco e preto cheio de cores desse teclado.

Quer dizer: qualquer espectro, não. Roberts escolhe, com a consciência, ou presciência de um músico tão forte assim, os precursores que vai deixar falar. Nenhum poderia ser mais apropriado do que o grande duque, até pela incompatibilidade aparente. As aparências não enganam; mas o incompatível, no caso, é mais um elemento a favor da música inovadora e exigente de Marcus Roberts.

29.2.00

Philip Glass

DRACULA

Quarteto Kronos
CD Nonesuch, 1999

O Conde Drácula é o mais clássico dos vampiros, e o *Drácula* de Bela Lugosi, estreado em 1931, permanece o clássico dos clássicos. Cinéfilos preferem o *Nosferatu* de Murnau (1922), que serviu de inspiração também para o filme de Werner Herzog. Mas na imaginação coletiva é o húngaro Bela Lugosi que encarna o vampiro romeno. E é esse filme que ganha agora (pode-se dizer?) sangue novo, com a trilha sonora especialmente composta por Philip Glass.

Criptas, tumbas, mantos de seda vermelha, caninos afiados, jugulares pulsantes: tudo isso tem seu charme. E o que já foi simples sugestão erótica ganha tons de alegoria amorosa, numa era em que o "vampirismo" virou um substantivo comum para certo tipo de comportamento afetivo. Vampiros são tema corrente de teses de teoria literária, feminismo, psicanálise e estudos da cultura.

Entre as virtudes de Philip Glass está sua capacidade camaleônica de vestir o espírito dos tempos. Grandes compositores vivem num tempo próprio – que só em retrospecto era o nosso. Sobra lugar bastante para outro tipo de artista, mais confortável com o que Baudelaire, em meados do século 19, chamava de "moda": o encontro entre a arte e o momento. Agora que a moda Glass já saiu de moda e o minimalismo deixou de ser o estilo mais imitado de composição, fica mais fácil e mais difícil para o próprio compositor escrever algo de novo. A trilha de *Drácula* espelha bem o dilema: ótima trilha (até porque o estilo já ficou tão fácil de ouvir), mas inexpressiva como composição.

Se algum aluno talentoso fosse escrever um quarteto de cordas à maneira de Philip Glass, o resultado provavelmente não ficaria distante do que o próprio Glass escreveu. O que há 20 anos era, ou parecia ser, uma inovação e uma liberação – o emprego, sem apologia, de acordes tonais; a composição por módulos; os pequenos motivos rítmicos e melódicos servindo de base para a multiplicação das frases; a importação do rock para a música de concerto; a repetição como essência e aparência da música –, transformou-se em maneirismo, automatismo, banalidade. Cada nova partitura de Glass é só mais uma imitação de Glass, composta pelo próprio.

Não que o resultado não seja competente. Ou até mais do que isso, como nas várias passagens em *pizzicato* da trilha (piscando o olho para o quarteto de Ravel). Ou nos interlúdios líricos, que fora de contexto fariam pensar em mestres românticos do Leste europeu, como Smetana ou Dvorák, mas no contexto fazem dessa música, precisamente, uma música fora de contexto. As frases se erguem sugestivamente, mas não vão a lugar nenhum – o que, no caso, não é erro, é errância mesmo.

Que o Quarteto Kronos toque tudo como se fosse Dvorák ou Smetana só ajuda a ressaltar o efeito de estranhamento, que de outro modo poderia passar despercebido. Mas não é tão fácil decidir onde acaba a ironia, porque a própria música mantém boa dose de ambiguidade em seus vampirismos da tradição.

Existe repetição e repetição. Repetição como destino e repetição como indústria: o emprego sistemático de elementos que aparecem em todas as obras de Glass, como os arpejos rápidos, para cima e para baixo nalgum acorde, ou as quiálteras travadas numa terça, ou a sequência harmônica que leva da tônica menor para a relativa também menor (experimente em casa: lá menor-fá menor, ou mi menor-dó menor). E existe ainda uma outra repetição, como, por exemplo, quando Glass faz uso, na faixa 22, da partitura que ele mesmo escreveu para *Sete ou Oito Peças para um Balé*, do Grupo Corpo (a "dança das cabeças"). Nada se perde, neste universo de repetições de repetições. Por enquanto, também, pouco se cria.

Mas *Drácula* é, no mínimo, uma trilha que se deixa escutar com bom humor. E não é justo julgá-la independentemente do filme. Como acompanhamento, deve funcionar muito bem. Serve ainda como indicativo musical dos tempos. No início de janeiro, a "Escola Holística de Oráculos" anunciava, em São Paulo, um curso de "proteção psíquica e vampirismo". Alunos e simpatizantes já têm aqui a música certa para animar suas criptas e tumbas.[1]

7.3.00

---

1 Ver também resenha de concerto do Philip Glass Ensemble abaixo, 18.9.01.

Earl Wild

THE ART OF THE TRANSCRIPTION

2 CDs Philips, 1999

Arpejos lindos, dezenas de notas rapidíssimas, levíssimas, para cima e para baixo do teclado. O que seria isso? Ravel? Não, não: a harmonia é diferente. Rachmaninov? Talvez – está mais perto. Mas o que é essa melodia, agora? Será que é mesmo... "Embraceable You"?! Gershwin? Sim: e não: transcrita por Earl Wild, a canção se transforma, vira uma memória e um futuro de si, e faz de Gershwin o Ravel que ele mesmo, a uma certa altura, teve a ambição de ser.

Esse exemplo dá a medida do que está em jogo nessa grande antologia da *Arte da Transcrição*, exercida em seu plano de virtuosismo máximo pelo pianista americano Earl Wild. Arranjos e transcrições fariam o ouvinte mais refinado torcer o nariz, até bem pouco tempo. Mas a repulsa às interferências na autonomia de uma obra composta é um fenômeno virtualmente exclusivo das plateias do século 20. Dentro de uma gama ampla, que vai da simples transferência das notas, de uma voz ou instrumento para outro, até a paráfrase mais livre do original, a arte da transcrição tem mais ou menos a mesma idade da arte da música.

No século 19, em particular, a transcrição passa a ser um gênero favorecido pelos primeiros praticantes do concerto público, com entrada paga – artistas profissionais, exibindo proezas da imaginação e dos dedos. O virtuosismo e o espetáculo são mesmo fundamentais para a integração de muito do que há de mais "experimental" e "moderno" na obra de compositores como Liszt e Paganini. A definição, no início do século passado, de uma identidade da música intimamente associada ao som de cada instrumento, interrrompe esta tradição. Mas ela se preserva em nichos: nos concursos, por exemplo, ou como peças de bis.

Nascido em Pittsburgh, em 1915, Earl Wild conquistou fama cedo, como intérprete da *Rhapsody in Blue* de Gershwin. No curso de sua longa carreira, sempre foi um advogado de compositores menos conhecidos; ressuscitou concertos de Scharwenka (1850-1924) e Paderevski (1860-1941), entre outros. E sempre foi um grande intérprete de transcrições e paráfrases, muito antes de esses conceitos gozarem de uma nova nobreza, no contexto de teorias do pós-modernismo aplicadas à musicologia. Agora, quando a recriação, a releitura e o comentário chegam a ganhar ascendência teórica sobre a própria criação, Earl Wild aparece como o vingado cavaleiro da reciclagem, canonizado em vida com esse CD duplo, que integra a coleção "Great Pianists of the 20th Century".

O primeiro disco traz a gravação ao vivo (até hoje inédita) de um concerto no Carnegie Hall, em 1981. O repertório vai desde a pequena "Melodia de Orfeu", de Gluck, transcrita por um aluno de Liszt, Giovanni Sgambati, até monumentos como a *Tocata e Fuga*, em ré menor, de Bach, que Wild toca não na conhecida transcrição de Busoni, mas noutra, do compositor polonês Carl Tausig. Idiossincrasias particulares no reino da idiossincrasia geral: "Morte de Isolda", de Wagner, na transcrição não de Liszt, mas de outro polonês do século 19, Moszkowski. Há uma distância de séculos entre a música para cravo do mestre barroco francês Jean-Philippe Rameau e as composições de um russo romântico, como Glazunov, ou Balakirev; dois séculos, para ser preciso, que desaparecem na transcrição de Rameau pelo virtuose Leopold Godowsky.

Earl Wild nomeia o pianista Sergei Rachmaninov como uma de suas maiores influências; e o homenageia em grande estilo, interpretando suas transcrições de Rimski-Korsakov e Kreisler e, com brilho especial, do "Scherzo", do *Sonho de Uma Noite de Verão* de Mendelssohn. Fica difícil lembrar que o original é para orquestra, quando se escuta uma peça tão idiomática no piano. Mas lembrar é fundamental, para poder esquecer com arte.

O segundo CD traz fantasias e paráfrases de Johann Strauss, Glinka, Rossini e Donizetti. É um universo delirante, onde tudo é possível, e a música se multiplica em música, com maior ou menor sentido. Mas quem resiste às *Metamorfoses Sinfônicas Sobre "Vida de Artista"* por Godowski? Lembranças de Liszt, intuições de outro Strauss (Richard), cascatas de notas borbulhantes como champanhe, num festival de extravagâncias e charmes. A extravagância vale tanto quanto o controle na interpretação dessas peças; e Earl Wild faz jus ao nome, tocando como um conde (*earl*) – mas um conde selvagem (*wild*).

Assim como nos melhores ensaios de filosofia ou crítica, o ponto alto do disco fica no fim. São os *Sete Estudos Virtuosísticos*, compostos pelo próprio Wild, sobre canções de Gerswhin. Em alguns deles – "The Man I Love", "Embraceable You", "Oh, Lady Be Good" –, a "arte da transcrição" realiza, em ambiente de sonho, seu sonho de apropriação e vida nova. Gershwin se deixa escutar como um fantasma bom, em visita à sala de estar da música. Parece satisfeito, tranquilo. Parece estar gostando do que ouviu. Nesses momentos, não é mais possível dizer quem inventa quem. Gershwin queria ser Ravel. Virou Earl Wild. Foi uma das tantas vidas, e uma das mais bonitas, que o nosso tempo lhe deu.

21.3.00

Tethered Moon

Chansons d'Edith Piaf

CD Winter & Winter, [2000]

As gravações são antigas, cheias de chiado. Mas há outro chiado, sem data, da própria voz. Uma sílaba basta, entoada por ela, para que a voz ganhe presença e nome. É uma presença que volta, sem corpo e sem voz, nessas recriações das canções de Edith Piaf (1915-63).

"Lua no Limite" seria uma tradução possível para o nome do trio (Tethered Moon), que reúne o jovem pianista Masabumi Kikuchi e os veteranos Gary Peacock (contrabaixo) e Paul Motian (bateria). "Lua Pendurada" é um sentido mais habitual; mas nada é habitual nessa fantasmagoria, ou encantamento, de Piaf. Ninguém pensa nela como a voz da Lua; mas quem sabe não é esse o seu canto, traduzido num limite de humanidade e nostalgia?

Nunca o grão da voz foi tão granuloso. A infância num bordel, o trabalho nas ruas com o pai, um primeiro breve romance e uma primeira criança perdida, anunciando uma sucessão de romances e mortes. O empresário e protetor assassinado, o namorado boxeador morto num desastre de avião; as paixões de Yves Montand, do ator Eddie Constantine e do pintor Douglas Davies, entre vários outros, até o casamento, no último ano de vida. A guerra e a ocupação alemã de Paris. Drogas, bebida, cigarros, bebida, drogas. Tudo isso deixa marcas, difíceis de definir no vocabulário da musicologia, mas evidentes na voz da cantora mais francesa da França.

Não é Piaf quem volta, nessas canções e improvisações, mas uma memória dela. Em seus melhores momentos, é como se o canto, abstraído no piano, fosse se formando aos nossos ouvidos. A bateria faz menos um desenho do ritmo do que um halo da Lua. O baixo comenta o piano, em surtos de inspiração ou lembrança. Um repertório assim fica sempre no limite do *kitsch*. Cantado por Piaf, o *kitsch* transcende a si mesmo e confere dignidade ao que, noutra voz, seria só efeito e equívoco.

No piano de Kikuchi, essa expressão vai se traduzir para outra esfera, ambígua. Em alguns casos ("La Vie en Rose", "L'Homme de Berlin"), o que é desfocado ou entrecortado não chega a recuperar sentidos. Soa desfocado, apenas, ou entrecortado; e os gemidos constantes do pianista não seduzem qualquer ouvinte.

Mas na maior parte do disco o resultado é de uma estranheza natural; o sentimentalismo é tema, não instrumento da música. O que é mitológico em Edith Piaf retorna, aqui, legível noutro tempo, e por outras vias como se a história, e não a mitologia, fosse agora o contexto de escuta.

A primeira faixa, "L'Accordeoniste" – sucesso de Piaf às vésperas da guerra (1939) –, só ganha contorno definido ao fim de alguns minutos de música lunar. A melodia da canção surge nesse cenário tão imprevista e previsivelmente como uma grande atriz que entra no palco.

Passado e presente coincidem, então, nesse instante de reconhecimento. A figura da cantora se forma, por alguns compassos, no espaço dobrado da música. Depois desaparece, num silêncio seco, onde cada um de nós terá de achar e perder Piaf de novo.

2.3.00

Osesp/ Antonio Meneses Roberto Minczuk, Uri Mayer

Sala São Paulo, 6.5.00 e 11.5.00

Um concerto foi quase o contrário do outro. Sábado passado a grande estrela da tarde foi a própria orquestra, maior que qualquer solista e maior, nas circunstâncias, até do que a música. Já o concerto de quinta-feira teve seu ponto alto no bis do violoncelista Antonio Meneses, tocando sozinho duas peças de Bach.

Seja regida por Roberto Minczuk ou pelo maestro convidado Uri Mayer, a Osesp começa a dar mostras do que será sua personalidade. Nem toda orquestra chega a ter som e caráter reconhecíveis. É possível até ser um bom conjunto sem isso; mas não é possível ser uma grande orquestra. Ainda é cedo para achar os adjetivos que a Osesp vai tornando seus. Mas a orquestra avança rápido a caminho de si e é um privilégio poder assistir a isso também, na música e para além dela.

Ninguém teria imaginado, há algum tempo, que se pudesse escutar na Sala São Paulo uma interpretação como a de sábado, do poema sinfônico *Till Eulenspiegels lustige Streiche*, de Richard Strauss (1864-1949). Humores fáceis e amores difíceis se alternam com uma vivacidade estonteante. A orquestra sacode como um bicho. Eletricidade cruza o palco. A Osesp tocou um Strauss de referência, sem fazer referência ao de ninguém. Destaque especial para trompas e sopros; parabéns para metais. Minczuk brilhando.

As palmas para as cordas pode-se guardar para o concerto de quinta passada. Para o "Adagio" da *Sinfonia* nº 6 de Dvorák (1841-1904), por exemplo, quando o som próprio do naipe já aparecia para todo o mundo ouvir. É um som de outono, mas com bastante luz; na fronteira do sentimento aberto, paulistanamente atrevido e paulistanamente precavido.

Nada paulistano é o som de Antonio Meneses, que faz tanta música, e tão bonita, que a gente só pode entregar os pontos: a linguagem nem chega perto de lá. É verdade que a *Fantasia* de Villa-Lobos (1887-1959) é uma obra menos de inspiração do que de ambição trabalhada. E Villa-Lobos, quando não tem a grandeza da espontaneidade, fica muito diminuído. Mas a *Fantasia* não poderia ter sido mais bem tocada, por um músico que se esforçou ao máximo para fazer essa música ser melhor do que é.

Grandes melodias, no "Largo", deram espaço para o grande som desse violoncelista de profundezas. O moto-perpétuo infernal do segundo movimento fez até Meneses suar, nas alturas vertiginosas da corda lá. Mergulhos, corredeiras, tremolandos; prazer atlético da música. O violoncelista ganhou.

A plateia, que conhece música, achou um tempo perfeito para os aplausos. Ficou claro que se estava aplaudindo Meneses, muito mais do que a música. E ele retribuiu o carinho, tocando uma "Giga" e uma "Sarabanda" de Bach (1685-1750). O violoncelo encheu de música a Sala. Na "Sarabanda", foi lindo ver, não só a plateia retida no som de uma corda, mas em especial os violoncelistas da orquestra, transfixos pela arte do colega. Era como se estivessem tocando o silêncio da plateia.

Nessas horas, todo o mundo fica pequeno, na sombra universal da música. Até Antonio Meneses, que é grande o bastante para ter essa modéstia transcendental.

Ninguém é maior do que a música. Mas há certos momentos em que os músicos chegam a ter a estatura do que estão tocando. A maior bênção é que a gente cresce junto com eles; e carrega depois a memória da música, amuleto forte contra a truculência dos dias.

13.5.00

Elisa Freixo

Sé de Mariana, 14.5.00

Ouvir Bach é sempre uma alegria. Ouvir Bach, tão bem tocado por Elisa Freixo, no órgão barroco da Sé de Mariana (MG), é uma alegria de outra ordem e uma educação que passa além da música.

Em seu concerto de domingo passado, a organista paulista (radicada em Mariana desde 1988) interpretou peças de três gerações da família Bach. Começando com o *Concerto*, em fá maior, de Johann Sebastian (1685-1750), na verdade a transcrição para órgão de um concerto italiano para cordas. Elisa Freixo tem uma naturalidade rara e uma segurança proporcional. Toca fácil, sem medo da música, deixando as cintilações e veludos da polifonia descerem da tribuna como um maravilhamento. Mas sem mistério: sua arte é compreensivelmente humana, generosa e clara em pleno espaço do incompreensível.

"Cintilações" e "veludos" são só aproximações para as indefiníveis virtudes desse órgão. Construído pelo organeiro alemão Arp Schnitger (1648-1719), foi enviado pelo rei d. João 5º a Mariana em 1751. Schnitger foi um dos mais renomados construtores de órgão de todos os tempos, comparável a um Stradivarius ou Guarnieri; e o instrumento que está em Mariana é hoje um dos mais importantes órgãos barrocos fora da Europa. Tem dois teclados e 194 tubos. O som é invariavelmente lindo, em qualquer combinação dos 18 registros; chamam a atenção, em especial, os timbres brilhantes de trombeta e os tenores amistosos e tranquilos.

De Johann Christoph Bach (1642-1703), um tio de Johann Sebastian, Elisa Freixo tocou uma *Ária e Variações*. Simpática e bem-

-ordenada até a variação final, envereda depois por harmonias aberratórias, cheias de cromatismos e italianismos. O bloco do meio do concerto teve ainda três peças curtas de Carl Philip Emanuel Bach (1714-88), para "relógio" (isto é: realejo). Carl Philip é sempre engenhoso e charmoso. E engenho e charme, juntos, definem os propósitos da geração rococó, contra os encantos mais severos da inteligência barroca.

Foi de C. P. E. Bach, também, a peça final, uma *Sonata* em lá menor. Ainda distante dos humores pré-românticos que marcariam suas peças mais conhecidas, a *Sonata* mesmo assim deu chance ao Schnitger para falar em tons variados, do mais íntimo e confidente ao luminoso e sem ambivalência. A Sé de Mariana tem o tamanho perfeito para esse órgão perfeito e não tem afãs de ajudar a música com eco. (O órgão pode ser ouvido num bom CD de Freixo para o selo Paulus: *Órgãos Históricos do Brasil*, Vol. 2; mas nada se compara ao som ao vivo, no espaço vivo da Sé.)

Seria só mais um concerto bonito, num domingo bonito, numa cidade bonita de Minas. Mas representa muito mais: que alguém tenha essa competência e dedicação, para fazer música nesse nível, deveria ser motivo de orgulho nacional. Hoje está mais para o desalento. Dá tristeza pensar que o projeto da Fundação Cultural da Arquidiocese de Mariana, responsável pela reativação desse órgão, corre sério risco de ser interrompido. Com 13 anos de atividade e cerca de mil concertos realizados, não é beneficiário de nenhuma espécie de patrocínio.[2]

Não existe instrumento comparável a esse órgão no Brasil. Constitui patrimônio prioritário para quem se preocupa com música no país. Nas mãos de Elisa Freixo, é um patrimônio vivo, renascido toda semana em forma de música. Por algum tempo ainda, não há melhor programa de domingo ao meio-dia do que escutar o concerto da Sé. Oxalá esse tempo se estenda, para preservar com dignidade a arte tão digna de Elisa Freixo no órgão de Mariana.

20.5.00

---

2 O projeto recebeu posteriormente patrocínio da Petrobras.

The English Concert

Cultura Artística, 23.5.00

No princípio era Bach, e Bach estava com Deus, e Bach era Deus. Assim começa o evangelho dos músicos, há mais de 200 anos; e é o que dá vontade de dizer, depois do concerto do English Concert, anteontem no Teatro Cultura Artística.

Foi o segundo de três concertos, em que o grupo de câmara apresentou a integral dos *Concertos Brandemburgueses* e das *Suítes para Orquestra* de Bach (1685-1750). Se fosse possível resumir tudo numa palavra: alegria. Regidos do cravo por Trevor Pinnock, os ingleses tocam com uma vitalidade arrebatadora e um senso raro de bem-estar.

É um Bach que dá todo o devido crédito ao barroco italiano – representado mais diretamente, nessa noite, pelo *Concerto Para Fagote e Cordas* de Vivaldi (1678-1741), com o solista Alberto Grazzi. A alegria veneziana tem toques de melancolia, que a saúde luterana de Bach vai deixar de fora. E não poderia ter sido mais bem tocada do que foi, por esse virtuose do fagote barroco.

Sem chaves nem nada, além de madeira e furos, é um instrumento particularmente difícil; mais difícil ainda é o trumpete antigo (sem válvulas), um pesadelo para afinar. Os três trumpetistas do English Concert abriram a noite em grande estilo, solando um concerto de Telemann (1681-1767); e fecharam com brilho, na "Réjouissance" da *Suíte* nº 4 de Bach. Tradução: regozijo.

Um dos mistérios de Bach é sua capacidade de combinar estilos diversos sem qualquer sugestão de conflito. As luzes mediterrâneas se mesclam com os candelabros rococó, da Alemanha ou da França, como se fossem todos emanações da grande luz soberana do contraponto. Nenhum compositor é mais seguro do que Bach para botar a mão na música. Nenhum ego é mais inquebrantável. A verdade da música flui na polifonia como se não houvesse outra possibilidade de expressar a humanidade em sons.

A combinação de estilos não é empecilho para a novidade. O *Concerto Brandemburguês* nº 5, por exemplo, virtualmente inaugura o concerto moderno, com seu solo para cravo. Trevor Pinnock tocou tudo com enorme naturalidade. Não tem a imaginação livre de outros cravistas mais novos; mas seu sentido de movimento é contagiante e leva a orquestra adiante com fôlego de atleta.

O English Concert é, de fato, um grupo muito mais de empuxo

e energia do que de veludos e ironias. Mas imaginação não falta à violinista Rachel Podger, *spalla* da orquestra e solista no *Brandemburguês*. Trinta anos de trabalho com as técnicas de interpretação autêntica são o bastante para que essa nova geração de músicos chegue agora ao repertório sem os maneirismos do início. Podger faz valer ao máximo as virtudes do violino antigo: a microvida das notas é um teatro musical em si, servindo à música com refinamento barroco.

O virtuosismo nem sempre está onde mais se escuta. Nos tímpanos, por exemplo, fazendo música riquíssima só com tônica e dominante.

No final era Bach, e Bach esteve com Deus, e Bach foi Deus. A alma lavada nesse rio de notas, cada um foi para casa feliz, procurar uma rima possível para a alegria da música.

25.5.00

Stanislav Bunin

Cultura Artística, 13.6.00

Por que Chopin? Cada pianista responde como sabe e como pode. Stanislav Bunin pode mais do que sabe. Sua integral das *Baladas* e *Impromptus*, terça-feira no Cultura Artística, foi uma demonstração dessa potência, traduzida em velocidade e volume.

Bunin tocou mais notas numa noite do que a maioria dos pianistas toca numa semana. É verdade que ficou devendo, também, bom número delas, nos torvelinhos da *Balada* nº 1, em particular, e de algumas outras peças ao longo da noite. Quando as coisas ficam difíceis, ele baixa a mão esquerda com força espetacular; baixa o pedal também, e a renda delicada e aristocrática de Chopin (1810-49) desaparece numa borrasca.

Nada disso chega a comprometer sua interpretação, porque não chega a ser incoerente com ela: seu Chopin é menos o poeta refinado das ambiguidades do que um visionário à procura de revelações. E as revelações se confundem com esse drama de gestos impetuosos, ataques à sensibilidade que a própria música acordou.

A organização do programa é uma evidência de que Bunin tem ambições mais altas. A sequência da primeira parte, intercalando duas

Baladas e três *Impromptus*, compôs uma progressão cromática das tonalidades, da tônica à dominante. E a segunda parte fez o retorno, por outra via, nos deixando a um passo de voltar ao início. Isto é informação para especialistas, mas o efeito deve ser perceptível para qualquer bom ouvinte. A música fez uma viagem circular.

Esse tipo de engenho formal, no entanto, não ganha muito espaço na arte de Bunin. Ainda bem: porque ele é um pianista mais impulsivo do que analítico. Infelizmente: porque seus impulsos nem sempre multiplicam os sentidos da música.

Boa parte do interesse (ou, para usar uma palavra do outro campo, da "mágica") das *Baladas*, por exemplo, vem da apropriação da narrativa oral, da fábula popular, para a música sem palavras. E não foi sempre que essa dimensão literária das *Baladas* se deixou ouvir na sua interpretação. Também a heterofonia (o mesmo tema soando, fora de fase, em duas vozes), que é onde Chopin mais demonstra sua inspiração bachiana, não chegou a ter maior interesse ali.

Bunin teve muitos momentos de grandeza. Nem sempre os mais exuberantes; até, talvez, o contrário. Seu *Impromptu* nº 3, abrindo a segunda parte, ou o início da *Balada* nº 4 traduziram Chopin para um mundo de contornos menos definidos, suspenso em harmonias sem chão. E as explosões e tumultos foram impressionantes, a manopla esquerda tirando trombones do piano, e a direita um vendaval.

Mas, tudo somado, a impressão é de que ele sabe menos do que pode. Pode-se admirar um pianista como Bunin; mas não é um músico que fica na memória, muito menos no coração. (E não só pela antipatia pessoal, assinada com o gesto desnecessário de fechar o tampo do piano logo após o bis, concedido a contragosto.)

Não comoveu. Não iluminou. Foi mais um Chopin, entre os infinitos que cabem para sempre nessa música.

17.6.00

Quarteto Alban Berg

Cultura Artística, 6.7.00

Música assim, e tão bem tocada, deixa a gente sem palavras. "O opus 130 de Beethoven, interpretado pelo Quarteto Alban Berg": uma frase como esta só aponta, neutramente, para as abstrações e afetos da memória. Mas a memória fala: em seu concerto, quinta-feira passada no Teatro Cultura Artística, o Quarteto fez da música um ideal de maturidade e fez de cada um de nós também, por algumas horas, um ouvinte mais maduro e musical.

Relativamente pouco conhecido, o *Quarteto* em lá menor de Mendelssohn (1809-47) é uma das mais sofisticadas homenagens a Beethoven, de uma geração que, num certo sentido, não fez outra coisa senão homenageá-lo. Composto aos 18 anos de idade, o *Quarteto* revela os caminhos enviesados pelos quais Mendelssohn vai chegar a si mesmo, através de Beethoven.

As referências ao op. 132 do precursor são muito claras; há outras, também, ao op. 95 e ao op. 130 (que o Alban Berg interpretou na segunda parte). O emprego da fuga, num contexto de formas livres; a metamorfose de recitativo em polifonia e a transformação de pequenos motivos em grandes asserções; os ecos e ressonâncias entre um movimento e outro: tudo isso é uma façanha, entre original e reverencial, do criador adolescente. E o Quarteto Alban Berg suspendeu a música sofisticadamente nesse intervalo ambíguo entre as gerações.

A metamorfose, aqui, é a lei da composição. Metamorfose é a palavra-chave, também, para o *Quarteto de Cordas* nº 4, "Le Temps Ardent", do compositor polonês Zbigniew Bargielski (1937). Uma nota grave do violoncelo, em *pizzicato*, tira a música do nada; e ao término de um percurso variado, passando por texturas que vão se transformando gradual ou subitamente umas nas outras, ela fecha o círculo, retornando ao silêncio.

O Quarteto – um dos raros conjuntos deste porte que se dedica sistematicamente à música contemporânea – extraiu o máximo de música dessa música que não chega ao máximo de si. Passagens em harmônicos, num sonho de cristal, foram especialmente bem tocadas. Tudo muito bom de ouvir. Mas passou.

O que não passa, na lembrança de ninguém, é o *Quarteto* op. 130 de Beethoven (1770-1827), que o Alban Berg interpretou incluindo a "Grande Fuga" como último movimento. O Quarteto já gravou o op. 130 duas vezes: numa integral "ao vivo" dos quartetos de Beethoven e noutra, mais recente, em estúdio (ambas pelo selo EMI). Mas um disco é um disco é um disco; e um concerto é um concerto é um concerto. Nenhum gravador entende o que é o som desses dois violinos, viola e violoncelo.

A maturidade de voz, tão perseguida pelos poetas do romantismo, atinge nos últimos quartetos de Beethoven seu ponto de maior abstração e ao mesmo tempo de maior simplicidade. Mas é preciso um quarteto tão vivido quanto o Alban Berg para dar conta desta gravidade leve, uma sabedoria maior do que qualquer palavra e, afinal, maior do que a própria música.

Tocada por eles, a "Grande Fuga" dá corpo e voz a essa sabedoria sem nome.

O estilo chega aqui a um ponto enigmático, para além de classicismo e modernismo. Mas que nem por isso deixa de se enriquecer das nuances individuais do quarteto, que faz valer cada compasso como se fosse uma profecia.

O tom outonal das cordas, típico do Alban Berg, colore de humanidade o que já deixou o humano para trás. O quarteto toca para além da inspiração. Todo o teatro de pequenos retardos e acelerações, de acentos rasgados e notas na fronteira do inaudível, tudo isso soa natural e necessário, vindo de dentro da música, nunca de fora.

Música assim deixa a gente sem palavras. Deixa a gente sem precisar de música por algum tempo. Deixa cada um cheio de música em que pensar, recompondo lentamente a vida sem música ao redor.

10.7.00

Leif Ove Andsnes

Haydn:

Concertos Para Piano e Orquestra nos 3, 4 e 11

Norwegian Chamber Orchestra
CD EMI, 2000

Na galeria de encantamentos da música existe um corredor tranquilo e bem iluminado, onde a gente passeia sem pressa, gozando um bem-estar europeu. É a ala Haydn (1732-1809), recanto de sabedoria e humor, na vizinhança de grandes comoções. Num canto ficam os *Concertos Para Piano e Orquestra*, relativamente mal conhecidos hoje. Tanto maior a satisfação de deparar com esse novo disco do pianista norueguês Leif Ove Andsnes interpretando os *Concertos* nº 3, 4 e 11, acompanhado da Norwegian Chamber Orchestra.

À sombra das 27 obras-primas de Mozart no gênero, os *Concertos* de Haydn brilham com estilo próprio, e cristalizam o que no período clássico ainda não estava cristalizado: o estilo clássico. A compreensão da música em termos de grandes movimentos tonais e a articulação paralela de um drama sem palavras, a atribuição de pesos harmônicos diversos para cada seção de um movimento, o espelhamento desses equilíbrios no equilíbrio interno de cada frase – tudo isso se escuta nos *Concertos* de Haydn, enriquecido pelas idiossincrasias do compositor.

A coerência interna dessa música é um dos maiores legados do Iluminismo; mas não seria nada sem a exuberância da superfície e sem as faíscas de absurdo e loucura que marcam a música de Haydn tanto quanto a inteligência e o artesanato fino. É uma arte que olha, ao mesmo tempo, para a frente e para trás. Na leitura de Andsnes, olha mais para trás, para meados do século 18, do que para o pré-romantismo das décadas de 1780 e 1790, quando se começa a inventar a música da modernidade.

Haydn escreveu, ao todo, 14 concertos para teclado. Desses, só três são tidos sem dúvida como concertos para cravo ou pianoforte (os outros são mais provavelmente para órgão). E são exatamente estes três que formam o repertório do disco.

O *Concerto* nº 4, em sol maior, foi composto por volta de 1770, para uma pianista austríaca cega, com o nome (verdadeiro) de Maria Theresia von Paradis ("do Paraíso"). A Norwegian Chamber Orchestra, regida pelo pianista, abre o concerto e dá o tom, desde logo, do disco. Este é um Haydn de câmara, um compositor de pequenos espaços, cultivado e cosmopolita, para além de sobressaltos. Tudo se sustenta num plano um pouco acima do chão: e um pouco acima do chão da música, os ornamentos fazem a felicidade do pianista.

Existe um prazer especial em ouvir escalas, arpejos e mordentes tão bem articulados no piano. Andsnes não é um artista de fulgurações e se joga em Haydn com a impetuosidade de um relojoeiro. Mas seus relógios marcam um outro tempo, que não é mais o nosso, e onde a vida parece se dar na dimensão do entendimento – em que pesem todas as dissonâncias. Ele é um pianista calmo, para um Haydn calmo – em que pesem todas as sugestões de tempestade, nunca inteiramente neutralizadas neste contemporâneo de Goethe e Schiller.

O *Concerto* nº 11 permanece o mais popular de todos, merecidamente, e forma o ponto alto do disco também. O segundo movimento é uma dessas bênçãos que se escuta aqui e ali nas óperas de Mozart e que Haydn recria na língua pura da música instrumental. É música que a gente não acredita não ter ouvido antes, quando nunca ouviu antes; e jamais se cansa de ouvir de novo, depois.

Vale a pena comparar a interpretação do norueguês com a versão de Martha Argerich, gravada em 1994 (DGG). O que para ela é amplo, sugestivo, noturno, apaixonado, para Andsnes é vespertino e carinhoso. E há outra diferença marcante entre as duas gravações: a cadência (quando o solista toca sozinho, como se estivesse improvisando). A cadência tocada por Andsnes explora a polifonia e avança rapsodicamente, numa sequência de texturas que ninguém teria escrito se quisesse imitar uma cadência de Haydn. Mas foi escrita pelo próprio Haydn.

Já a cadência tocada por Argerich foi composta por Wanda Landowska, pioneira da interpretação da música antiga, que compõe aqui uma fantasia incrível. Muito superior à original, essa cadência acena, sem incoerência, para Ravel; para nós, agora, acena também para momentos inspirados de um pianista de jazz como Brad Mehldau.

Argerich, como seria de esperar, toca o último movimento, "all'Ungarese" (à húngara) com tremendo sentido de ritmo. É um abandono e uma festa. Já Andsnes suaviza as notas dobradas e modera os ímpetos do Leste europeu (o tema "húngaro", incidentalmente, vem da Croácia). Seu Haydn é um mestre da ironia e um cortesão da Áustria, nos tempos em que a Áustria era um dos lugares mais civilizados do mundo. Talvez não seja o Haydn mais original; mas é de convívio fácil e bom de ouvir.

Haydn é *sempre* bom de ouvir. É bom de manhã, é bom de tarde. Pode ser o compositor ideal, na noite ideal. É sempre bom de ouvir – desde que se esteja pronto para esse bem-estar todo. Estar pronto para Haydn é uma educação preciosa, que pode começar, ou se renovar, neste disco de Leif Ove Andsnes.

2.8.00

Daniel Barenboim

Sala São Paulo, 9.8.00

Os discos não lhe fazem justiça. Ele é um pianista da cor e do espaço e é um pianista da imanência e da presença: nenhuma dessas qualidades sobrevive à transformação do som em raio *laser*. Daniel Barenboim deu um concerto espantoso na Sala São Paulo anteontem. Foi um grande momento da música e um acontecimento na vida de quem teve a sorte de estar lá.

Um pianista deste porte se reconhece ao primeiro acorde. Antes: no primeiro passo, palco adentro. Barenboim tem a confiança de quem já se levou ao limite da sua arte e é capaz, agora, de usufruir com tranquilidade o que ela tem para lhe dar. Na confluência de 3.200 olhos, sentou-se ao piano calmo e concentrado; e concentrado e calmo irradiou música para 3.200 ouvidos.

Primeira parte: Itália. *Anos de Peregrinação – 2º Ano*, de Liszt (1811-86). É uma lição não só musical perceber, agora, a mudança no entendimento dessas peças. Até poucos anos, Liszt era um compositor do "gosto médio", música de exibição. Hoje é um dos nomes mais inspiradores do século 19, pioneiro das modernidades, um gênio das formas livres e da combinação de materiais. Migrou para os extremos: música para quem não ouviu nada, ou quase tudo.

Mesmo quem já ouviu bastante teria muito com o que se surpreender na interpretação de Barenboim. Um termo técnico, como *diminuendo*, não dá a noção do que foi o *diminuendo* ao final do "Soneto de Petrarca nº 104". E "suspensão da nona"? Isso é uma média ideal, um conceito, e não tem como transmitir a qualidade de uma suspensão particular da nona, a nota dissonante vibrando sozinha no teatro imenso, até se resolver na tônica.

O tempo, ali, vai se modelando noutra dimensão, num universo paralelo, que a gente chama, por simplicidade, de música. Esse domínio torna-se mais complexo quando se tem muitas linhas. Barenboim toca em múltiplos planos. Está aqui e ali e lá ao mesmo tempo. Exemplo: uma melodia bem à frente, baixos nas profundezas e uma camada média, também rica em nuances. Michelangeli fazia coisas assim. Barenboim faz de outro modo, amplo e orquestral.

Segunda parte: Espanha. Os dois primeiros cadernos de *Iberia*, de Albéniz (1860-1909). Imagine uma música altamente sofisticada e ao mesmo tempo entregue ao que há de mais concreto na experiência. A terra, o sol, a luz; corpos e rostos; cantos e sons; até cheiros e horas. Se o poeta Rilke fosse feliz e músico, talvez tivesse escrito essa *Iberia* (Rilke morou em Ronda, inspiração para a "Rondeña").

Um detalhe: o "coro" de "Corpus Christi en Sevilla", desfilando na procissão transcendental de acordes. Outro: o bom humor dos ritmos quebrados da "Triana". Barenboim tocou Albéniz como se fosse um Liszt da Espanha; mas também tocou Liszt como um Albéniz húngaro. Um e outro são criações, ou revelações do pianista.

Ovação, plateia em pé. Bis: Chopin. Bis: Villa-Lobos. Bis: Ginastera. Foi um grande momento da vida e um acontecimento na música, que nem sempre anuncia esses milagres e revelações.

11.8.00

Europa Galante

Cultura Artística, 14.8.00

Fabio Biondi e Europa Galante ganharam renome internacional com sua interpretação das *Quatro Estações*, de Vivaldi (1678-1741). Merecem. Em seu concerto de segunda-feira, no Cultura Artística, eles fizeram da mais batida peça do mais batido compositor barroco uma novidade, ou descoberta, ou revelação. *As Quatro Estações* será propriedade imaginativa deles por muitas estações, o que é boa notícia para Vivaldi e para todos nós.

Vivaldi é um compositor mais importante do que se imagina: definiu um modelo de concerto, com as alternâncias entre solista e orquestra claramente marcadas em termos tonais; explorou as diferenças entre "maior" e "menor" com ousadia; foi um grande orquestrador e um dos compositores mais inventivos para cordas; está na raiz da sinfonia clássica, também.

Nas mãos do violinista Fabio Biondi e seu conjunto, *As Quatro Estações* torna-se um compêndio de tudo isso e mais. Seu Vivaldi tem a textura do pão italiano e do vinho. Mas é também um Vivaldi da minúcia, de um espírito irônico, veneziano. O programa das *Quatro Estações* torna-se um verdadeiro teatro musical, ou filme: um Vivaldi-Boccaccio, ou Vivaldi-Pasolini, mais que um compositor "galante". É um *barock-and-roll*, com direito a solos eletrizantes do violino e dezenas de efeitos especiais.

Segundo movimento da "Primavera": o pastor que dorme na melodia do violino, o murmúrio das folhas no corpo das cordas, suavíssimo, e o cão que ladra na viola, em fortíssimo – textura digna de Sciarrino ou Berio, entre outros compositores italianos do nosso tempo.

Moscas e moscões no "Verão": zumbido incrível das cordas. Nada substitui os instrumentos antigos aqui. O arco mais leve permite acentos que não têm tradução moderna. Chuva de verão: velocidade vertiginosa do conjunto, precisão transcendental. Canto dos aldeães, no "Outono": uma nota "sensível" (última antes da tônica), saindo do meio do acorde, suspendendo fantasticamente a dissonância. Bater de dentes, no "Inverno": arco batendo mesmo, na pontinha. Vento siroco e vento do norte, no fim: todos os ventos, o vento. Para cima, para longe, no ar.

Comparada à escola holandesa, essa escola italiana do barroco – não dá para comparar. Na Holanda, fazem leite: saudável, doméstico, vitaminado. Na Itália, fazem vinho: embriaga.

O resto do programa (a primeira parte) foi uma quase homenagem a Vivaldi, por seus discípulos (Locatelli, Sammartini) e seu rival (Corelli). Tudo tocado com esse mesmo bom humor e vitalidade, e a mesma capacidade de invenção, ali onde a nossa invenção já parecia ter se esgotado.

Energia, calor, sutilezas, espírito, fogos de artifício. Um concerto é isso. Nem sempre é isso: mas quando acontece, que felicidade. Vivaldi – quem diria? Foi uma felicidade.

16.8.00

Matthias Goerne

Schubert: Die Schöne Müllerin

Cultura Artística, 22.8.00

A voz não parece, a princípio, especialmente bonita. É quase neutra. Mas mesmo isso já faz parte da sua sabedoria, que é tanto vocal quanto dramática. Um ciclo de Schubert não é só uma coleção de canções: é um teatro em música, em que os afetos vão se alterando. Como se alterou, também, num milhão de minúcias e com senso trágico de direção, a voz do barítono Matthias Goerne, em seu recital anteontem, no teatro Cultura Artística.

Die Schöne Müllerin (A Bela Moleira) é o primeiro dos três grandes ciclos de canções de Schubert (1797-1828). Os outros dois são *Die Winterreise* (Viagem de Inverno), que Goerne canta na próxima segunda, e *Schwanengesang* (Canto do Cisne), que canta hoje à noite. Ouvir um ciclo inteiro já não é comum. Ouvir os três é uma educação. Ouvir todos assim, cantados neste nível de seriedade musical, será uma experiência e tanto.

Composto em 1823, quando o compositor já sabia que estava com sífilis, *Die Schöne Müllerin* faz dos poemas de Wilhelm Müller (1794-1827), hoje de interesse só histórico, uma iluminação que incendeia os calendários e aquece cada um de nós com o fogo frio dessa paixão. Em vinte canções curtas, cabe a enormidade do amor de um homem, malfadado desde o início.

O *Lied* é uma arte dos detalhes: a música lê a poesia de dentro e a traz para fora em nuances. Goerne canta essas canções com tamanha riqueza que o mais justo seria descrever o que ele faz. Mas isso é impossível, não só pela falta de espaço, mas também porque boa parte da riqueza está nas inflexões de tom. É a música da música, que se faz escutar num simples intervalo de terça menor, cantando *liebt* (ama), no final feliz da sexta canção, ou *ade* (adeus), com triste autoironia, na canção 17, ou no falsete incrível de *sie* (ela) nas "Flores Ressecadas", depois que o pior aconteceu.

As modulações de Schubert são um instrumento quase banal para tornar versos quase banais uma poesia máxima do trauma e da memória. Quem canta essas canções já morreu: está no fundo das águas do riacho, que é o seu grande interlocutor (inclusive musical) ao longo do ciclo. O grande interlocutor da voz é o piano, transformado em paisagem, ou natureza, ou seja que alegoria for. E o grande interlocutor do barítono foi o pianista Eric Schneider, tocando como quem escuta.

Última canção: volta à neutralidade, voz branca, um afeto sem nome, depois da catástrofe. Amor jogado fora, perambulando sozinho até se gastar, transformado em palavras sem sentido. O céu, que aparecia no fundo do rio quando tudo era bom, voltou à impassividade do alto. A voz de Goerne voltou também ao início. Um registro neutro, que guarda em si todos esses mistérios.

A arte de Goerne é uma arte delicada e séria, onde tudo tem importância, tudo tem peso. Goerne cantando Schubert: foi uma educação e muito mais que isso. Por falta de outra palavra: foi música.

24.8.00

London Mozart Players/ Nelson Freire

Teatro Alfa, 11.9.00

O concerto foi muito bom... com reticências. Muito bom: mas não maravilhoso. Nelson Freire é sempre um prazer de ouvir e sempre interessante. Os London Mozart Players são um prazer, também, mas... menos interessantes. Com um programa tão conhecido, o prazer ficou devendo interesse – o que ainda é muito melhor do que o contrário.

Sturm und Drang: tempestade e paixão, mas não é o que se imagina. Na *Sinfonia* nº 49 de Haydn (1732-1809), a paixão é, em boa medida, um teatro de semitons e a tempestade, uma precipitação de colcheias. E é justamente entre uma coisa e outra – entre a experiência e a música – que o compositor se equilibra, com ironia.

Tocar devagar tende a ser mais difícil do que tocar depressa. Tocar Haydn devagar é ainda mais difícil, porque o espírito fica suspenso nesse intervalo. Os London Mozart Players começaram vacilando um pouco, no adágio. Mas a tempestade chegou logo e, dali em diante, a orquestra foi ficando à vontade.

O conjunto tem altos (literalmente: as violas) e baixos (as vítimas de sempre: as trompas). Toca com um som cheio e muita energia, num estilo direto, um tanto anacrônico, se se pode falar em anacronismo na música.

Fundada em 1949, sua identidade musical parece de 30 anos depois, que hoje são quase 30 anos atrás. Foi bem regida por Jonathan Grieves-Smith, que é direto, energético, sincrônico.

A música mudou de registro com a chegada de Nelson Freire, interpretando o *Concerto Para Piano e Orquestra* nº 9, de Mozart (1756--91). Estranha combinação: ninguém pensa em Freire tocando Mozart.

Deveria pensar. Sua legendária fluência faz das escalas e arpejos desse concerto um festival de vivacidade, sem com isso perder a melancolia. Em Mozart, tudo é exposto, não há onde se esconder. A profundidade está na superfície. Foi um prazer especial ouvir este Nelson Freire matinal e solar.

Nas cadências do terceiro movimento, em particular, o pianista encontrou uma medida pessoal de reticência: uma reticência exuberante, ou exuberância mineira. A primeira delas trouxe Mozart para a companhia de Ravel; a segunda o levou de volta para o colo de Haydn.

Nelson Freire nunca é menos do que interessante de ouvir. Às vezes, é bem mais. Anteontem, tocou lindamente, mas (para seus padrões) do lado de cá do gênio. Aplaudido espontânea e expressivamente pelos músicos da orquestra, ficou ao lado deles, um músico entre músicos, e modestamente não deu bis.

Resto do programa: uma peça dispensável do compositor inglês Paul Patterson (1944) – Bartók revisitado, com alguns efeitos "poloneses". Ou: alguém sonhando com Tippett sonhando com Bartók. E a indispensável *Sinfonia* nº 29 de Mozart, que a orquestra tocou com vontade.

Tudo somado: foi bom de ouvir? Foi. Era Mozart e Haydn? Mozart e Haydn. Teve Nelson Freire? Teve. Então... podemos esquecer as reticências? Não... mas não é motivo para não lembrar com prazer e interesse esse concerto sem muito interesse, mas que nos deu muito prazer.

13.9.00

Sinfônica de Praga/ Dezsö Ranki Jirí Belohlávek

Sala São Paulo, 19.9.00

Não se fazem mais orquestras como antigamente? Eis aí a Sinfônica de Praga, preservada, sabe-se como, durante quatro décadas de regime comunista (1948-89) e renascida para o Ocidente depois da queda do Muro de Berlim. É uma orquestra que vai direto à música, sem disfarce; deu um lindo concerto anteontem na Sala São Paulo.

Não se fazem mais regentes como antigamente? Tanto melhor: Jirí Belohlávek tem a mesma autoridade natural da orquestra, mas nenhum dos histrionismos que já foram a marca dessa arte, especialmente na Europa do Leste. Desde *O Moldávia* de Smétana (1824-84), que abriu o programa, regeu tudo com aquela clareza e simplicidade que vem da compreensão íntima das coisas.

O Moldávia nasce como um riacho nos sopros e vira um Amazonas das cordas. É a grande peça de Smétana, em que pesem os milhões de execuções. Foi um cartão-postal da República Tcheca? Foi. Diplomacia? Foi. Isso importa? Não, quando o resultado é música fluindo de verdade.

Já o *Concerto Para Piano e Orquestra* nº 2, de Liszt (1811-86), é música que flui para além de verdades nunca esclarecidas. Nas mãos do solista húngaro Dezsö Ranki, o compositor vira menos diabólico do que tende a ser o caso, sem chegar a ser o profeta da modernidade em que tem se travestido de 20 anos para cá. É um grande compositor experimental de meados do século 19.

O *Concerto* nº 2 continua menos tocado do que o primeiro, um tanto injustamente. Talvez porque o tratamento dos temas, ali, seja ainda mais difuso do que o normal; uma espécie de música abstrata, em que os materiais importam menos que os processos, e estes tendem para a dissolução.

Ranki tocou com confiança e garra, mais do que brilho. É um pianista que se escuta com segurança; mas nem no Liszt, nem muito menos no Schubert do bis (*Impromptus* op. 90/2) chegou de fato a habitar as regiões de inteligência e sensibilidade que ele mesmo nos faz adivinhar.

As grandes surpresas ficaram, surpreendentemente, para a segunda parte, com *A Bruxa do Meio-Dia*, de Dvorák (1841-1904), que é um pequeno poema sinfônico perfeito, a despeito do enredo. E a *Sinfonia* nº 4 de Martinu (1890-1904), uma revelação, que deu espaço também para as revelações da orquestra.

Acordes dissonantes maravilhosos nos sopros, corais aberratórios nas cordas. Um *scherzo* brilhante, eletrizante, tonitroante. É pena (para nosso gosto hoje) que Martinu acabe se rendendo a resoluções convencionais, no final das contas. Mas, no meio das contas, há muito com o que se maravilhar. As sonoridades, em si, já são um maravilhamento, e a Sinfônica de Praga foi uma maravilha tocando essas maravilhas.

O programa não sugeria tanto, mas foi mesmo um ótimo concerto. Sem alarde, sem pompa, essa é uma orquestra de músicos, senhores da música. Os escravos da música agradecem.

21.9.00

Filarmônica de Dresden/ Camillo Radicke Gerd Albrecht

Sala São Paulo, 27.9.00

O que faz de Schumann Schumann? Pergunta difícil, mas uma possível resposta é: a obsessão com temas que não acabam, pequenas melodias que se lançam à frente e ficam em suspenso, até começar de novo. Tocar Schumann exige essa capacidade de se jogar no futuro, com a crença de um desejo sempre novo. Em seu concerto de quarta-feira, na Sala São Paulo, a Orquestra Filarmônica de Dresden fez de Schumann mais Schumann, acentuando essas ânsias com a carne do som.

O que faz de Schumann Schumann? Outra resposta (parcial): Beethoven. Não exatamente o Beethoven da primeira fase, mas mesmo ali, numa peça como o *Concerto Para Piano e Orquestra* nº 1, já se escuta a ausência de Schumann, que a música de Schumann nos obriga a escutar no precursor. A interpretação do pianista Camillo Radicke puxou Beethoven, não menos legitimamente, para o outro lado – para Mozart. É um pianista refinado, delicado, apurado. Mas não chegou a ser iluminado. É estudado, bem-comportado. Talvez demais: faltou alguma explosão. Faltou um pouco da falta de Schumann.

Não na orquestra. A Filarmônica de Dresden acompanhou Radicke como só raramente se vê. Cada *pizzicato* tinha forma e conteúdo. Afinação linda, no centro das notas. O conjunto inteiro pensando a música, com entusiasmo. Dresden é ótima. Boa parte do crédito se deve, visivelmente, ao maestro Gerd Albrecht. Aos 65 anos, Albrecht tem larga experiência, acumulada em orquestras como a da Ópera Alemã de Berlim, a Tonhalle de Zurique e a Filarmônica Tcheca. Mas experiência é questão de intuição, como dizia Oscar Wilde; e mais bonito do que o domínio da música é a música que se faz, de novo, à nossa frente, em gente que se deixa dominar assim por ela.

O que faz de Schumann Schumann? Outra resposta (talvez a mais definitiva): Clara. Toda essa música, que gira e regira em si: ela. Todos esses temas, como na *Quarta Sinfonia*, em particular, que vêm e revêm, inventando uma forma enquanto se repetem e reinventam, porque não vão nunca cansar de ouvir: ela. Todo o impulso, ou empuxo, que leva a música à música, ao mesmo tempo em que tira a música de si: ela. Schumann só chega a Schumann quando está com ela, ou sente a falta dela. Intuição, no amor, nalguma medida, é uma questão de experiência. E a experiência amorosa, em Schumann, é também uma intuição genial da música.

Isso não descreve o som da filarmônica, mas dá algum indício da inteligência musical e afetiva em jogo. É uma grande orquestra, sem ser grandiosa. Excetuando umas infelicidades dos metais na passagem do terceiro para o quarto movimento – tanto mais infelizes, porque é um dos momentos mais incríveis da música de Schumann –, a orquestra foi um exemplo do ideal ex-leste germânico de um som aberto e franco e de equilíbrio dos naipes. Violoncelo e oboé: um par perfeito, na "Romanza". Casal de violas, sorrindo um para o outro ao longo da *Sinfonia*, encantados com a própria música: foi lindo, também, de ver.

A Filarmônica fez amizade musical com a plateia desde o primeiro compasso. Não se expõe: impõe-se, com naturalidade. O que faz de Schumann Schumann? Resposta final: uma orquestra, um maestro, uma plateia. E a intuição de uma experiência, que tem na *Quarta Sinfonia* um de seus maiores monumentos.

30.9.00

Osesp
John Neschling

Teatro Colón (Buenos Aires), 30.9.00

Foi um concerto histórico. Não só pelo que significa, musical e diplomaticamente, a presença de uma orquestra brasileira no maior teatro da Argentina (embora tenha esta importância também). Mas pelo que significou para a própria orquestra: uma prova de fogo, um desafio não só à competência, mas à personalidade. E a Osesp, regida por John Neschling, deu um grande concerto. Depois de tocar como tocou sábado, no Teatro Colón, em Buenos Aires, a Osesp pode tocar onde quiser.

Um concerto começa antes da primeira nota, e o da Osesp começou muito bem. Na entrada do maestro, a orquestra inteira se pôs de pé, como de hábito – e virou-se para a plateia. O efeito foi eletrizante. Não é preciso ser muito patriota para se comover com o espetáculo desses cento e tantos rostos conhecidos no palco do Colón, encarando com simpatia e confiança uma plateia de 3 mil pessoas.

A escolha de Villa-Lobos (1887-1959), para abrir a noite, seria óbvia; mas não o *Uirapuru*. Mas havia um motivo especial: composto em 1917, o *Uirapuru* só teve sua estreia em forma completa, de balé, em 1935, no próprio Teatro Colón, regido pelo compositor, com a presença de Getúlio Vargas na plateia. Difícil imaginar o que Getúlio pode ter achado dessa partitura audaciosa, que faz da Amazônia um arsenal de estranhezas e delicadezas.

Musicalmente, foi um gesto de coragem começar com isto. Texturas camerísticas, combinações de solistas (saxofone e contrabaixo), trêmolos no agudo, vazios e escuros se sucedem, com uma lógica toda especial, aos grandes encantos naturais da massa de som. A música vai para os lados, mais do que para a frente. Aposta no estranho que retorna.

Quem tinha ouvidos para ouvir ouviu. Mesmo quem não tivesse, não poderia deixar de ouvir, com o corpo inteiro, a *Sexta Sinfonia* de Mahler (1860-1911). A *Sexta* é a mais pessoal de todas as 9 e ½ sinfonias de amor (a *Décima* ficou inacabada). Devolve a vida à arte, porque a arte agora é capaz de abrigar romances inteiros, tramas de ambivalência, choques, impossibilidades. As sinfonias de Mahler são uma espécie de arte romanesca da música; e a *Sexta* é um romance na "primeira pessoa", que se esforça para derrubar as aspas e nos fazer enxergar, no fundo, sem disfarce afinal, a fisionomia do narrador.

Para chegar a tanto, é um longo caminho, quase 80 minutos de música. Nos primeiros 40, a Osesp tocou como a grande orquestra que não chega a ser talvez só pela falta de mais noites como essa. Experiência faz diferença. Dá peso. Dá leveza.

Nota especial para o *spalla* Claudio Cruz, que deu um concerto particular em cada solo. Sopros: 10. Metais: 10 (o maior show para os portenhos, que sofrem muito neste departamento). Cordas afinadíssimas, calorosas. Opinião pessoal: mesmo tocando muito bem, as cordas ainda não acharam o que será seu som. Aqui e ali – num aparte das violas, num rasga coração dos violoncelos, num ataque dos violinos – a gente escuta outra música, que está no casulo. Quem tocou especialmente bem foram os contrabaixos, beneficiados pela acústica famosa do teatro.

O "Andante" é o coração da sinfonia. E o "Finale" uma sinfonia dentro da outra, subdividida em capítulos. A essa altura, algum cansaço já minava a orquestra; mas só um crítico mal-intencionado poderia reclamar de enganos nas trompas (instrumento de mártires), ou de oscilações na concentração afetiva do conjunto. Nem seria legítimo falar de detalhes, porque a gente não escuta detalhes com lágrimas nos olhos.

Escuta, depois, as palmas: os sete andares do teatro vibrando. Neschling voltou ao palco oito vezes. Regeu de bis o "Prelúdio" das *Bachianas Brasileiras* nº 4. Só cordas, tocando num registro que foi do mais expressivo e "brasileiro" até um distanciamento novo, que contaminou Villa-Lobos de lembranças de Mahler.

Foi uma noite e tanto. Para todos que estavam lá (incluindo vários brasileiros, de jornalistas e diplomatas a assinantes da orquestra), e especialmente para a orquestra. Música incrível, cercada de Teatro Colón por todos os lados, cercado de Buenos Aires, que é um limite lindo para tudo na música dos dias.

3.10.00

Orquestra Sinfônica de Chicago Daniel Barenboim

Sala São Paulo, 6.10.00

Só o "Scherzo" já seria música o bastante para justificar a noite. Uma fantasmagoria, ou alucinação, o espírito modernista a galope em vários cavalos: realismo, gótico, simbolismo, decadentismo. Em seu concerto de sábado, na Sala São Paulo, a Orquestra Sinfônica de Chicago, regida por Daniel Barenboim, fez de Mahler (1860-1911) o compositor por excelência da passagem de século. Não só do 19 para o 20, mas do 20 para o próximo – que começa mal, como todos, mas terá, como todos, na música um grande consolo.

A *Sétima* de Mahler é a menos conhecida de suas dez sinfonias. Mahler chega aqui a um ponto extremo de elaboração. Não é possível resumir a forma dos movimentos, porque nenhum é simétrico e nenhum se baseia no retorno ou recuperação das coisas, como na sinfonia clássica. Tudo aqui é transformação e dissolução. Mesmo o uso de elementos "banais" – um bricabraque, incluindo temas folclóricos, valsas, sinos de vaca, mandolim de tratoria –, muito ambíguos no contexto, vai corroendo de dentro o que se conhece por "sinfonia".

O difícil, para qualquer orquestra, é encontrar um ponto de equilíbrio. Não é justo, talvez, mas é natural associar a Sinfônica à sua cidade; e a mistura de modernidade e ceticismo, de pragmatismo e uma sentimentalidade explosiva, que se confundem na alma de Chicago, parece feita sob medida para interpretar Mahler.

É um Mahler mais voltado para frente do que para trás. Menos de Viena e mais – pode soar estranho, mas é verdade – de Chicago. O humor, ou malícia, o *Witz* vienense, perde, na regência de Barenboim, o direito de reger quase tudo. As cordas da Sinfônica atacam a música por outro lado. São impressionantes: tocando de dentro da música, como se ela explodisse para fora de si, impossível de ser contestada. Antes que se possa reagir, a música está dentro da caixa da cabeça e dentro da caixa do tórax.

Cada entrada das trompas, ou dos trombones, ou dos trompetes torna-se um evento memorável, no palco magnetizado das cordas. As trompas são quase perfeitas. Os trompetes são perfeitos. Os trombones são geniais.

É uma orquestra séria. Habita um universo raro, onde a compreensão da música atinge seu plano mais alto. Se não exala exatamente entusiasmo, é porque o entusiasmo já está contido em outro domínio expressivo. E o maestro Barenboim comanda esse gigante maravilhoso de 120 cabeças com naturalidade, seriedade, compreensão total, autoridade de intenção e gestos.

Os Wagner do bis (prelúdios dos terceiros atos de *Os Mestres Cantores* e *Lohengrin*) serviram para mostrar do quanto mais Chicago é capaz. As ironias implícitas nesse Wagner – praticamente citado em Mahler e agora filtrado, nalguma medida, para o seu universo – são demais para uma resenha tão curta. A vida é curta. A arte é longa. Nessas condições, a Sinfônica de Chicago é um trunfo.

10.10.00

Yara Bernette

Fundação Maria Luisa e Oscar Americano, 8.10.00

Jean Louis Steuerman

Sala São Luiz, 9.10.00

Dois concertos, de dois grandes pianistas brasileiros, dois dias seguidos em São Paulo: Yara Bernette domingo, na Fundação Oscar Americano, e Jean Louis Steuerman anteontem, na Sala São Luiz. Um é quase o oposto do outro. O que para Bernette é uma travessia da emoção, para Steuerman é a rota da ascese. Mas um e outro querem chegar ao centro da música, chegar àquilo que a música faz intuir, para além das paixões, do controle, do piano e de si mesma.

A octogenária Bernette continua sempre uma artista do arrebatamento. Nervos, gripe forte, dedos que às vezes a traem: nada disso tem importância. Ela é uma presença, musical e humana. Seu programa, que incluiu peças de Scarlatti (1685-1757) a Villa-Lobos (1887--1959), passando por Beethoven, Brahms, Mendelssohn e Chopin, teve momentos lindos – em particular, na seção inicial do *Intermezzo* op. 117/2 de Brahms (1833-97), tocado num tempo suspenso e num tom velado, e no *Noturno* op. 48/1 de Chopin (1810-49), tocado num tempo firme e num tom pleno.

Muito pedal, muitos contrastes, pressão das melodias. Bernette só foi prejudicada, um pouco, pelo tamanho da sala. Ela é uma pianista de grandes espaços e sua música é do tamanho dos jardins da Fundação, que a gente vê do lado de cá do vidro.[3]

A sala pequena, pelo contrário, foi ideal para Jean Louis Steuerman, que veio tocar mais uma vez as *Variações Goldberg* de Bach (1685-1750). (No ano passado, ele tocou o mesmo Bach na série de inauguração da Sala São Paulo.)[4] Nenhum pedal: literalmente nenhum pedal, do início ao fim da hora e tanto de música, interpretada com enorme disciplina e concentração. Steuerman quer o Bach essencial, "*echt* Bach", uma música inteiramente livre de efeitos, reduzida a uma espécie de neutralidade mais-que-humana.

É um estilo dificílimo de sustentar. Tudo se expõe, tudo é transparente. Steuerman toca as *Variações* bem mais rápido do que o

---

3 Yara Bernette morreu em 2002, aos 82 anos de idade.

4 Em 2002, Steuerman gravou as Variações Goldberg *pelo selo francês Actes Sud.*

habitual, mas deixa escutar muito mais também. Faz pensar no filme de Jean-Marie Straub, *Crônica de Anna Magdalena Bach*, em preto e branco, com longas tomadas fixas de Bach ao cravo ou ao órgão, num tempo próprio, num silêncio próprio.

O controle das linhas é tudo, quando o contraponto vira a linguagem divina da música. Que isto não seja mal compreendido. Há muita nuance nesta interpretação. Mas seu Bach escapa a qualquer galanteria, mesmo quando o estilo galante é da música. É um Bach que faz pensar num copo ideal de água, ou num pão de campanha, ou nos tamancos de Van Gogh. Houve momentos, anteontem, em que Steuerman tocou um dos Bachs mais bonitos que há.

Ela: paixões transcendentais, para chegar à santidade da música. Ele: santidades de Bach, para chegar à paixão transcendida. Nós: espanto e música.

11.10.00

Concerto Köln
René Jacobs

Théâtre des Champs Elysées (Paris), 16.10.00

Todas fazem assim? É uma pergunta clássica do repertório libertino, que Mozart responde com ambiguidade e humor. A montagem em cartaz no Théâtre des Champs Elysées, em Paris, sob a regência de René Jacobs, acrescenta sua própria dose de ambivalência a essa história de duplicidade amorosa, atualizada com acentos de orientalismo. Mas faz soar, subjacente a tudo, uma nota que equilibra o desassossego. É uma confiança nova, que mostra Mozart como um primeiro romântico, não o último dos libertinos.

Composta em 1789, *Così Fan Tutte* é a terceira ópera de uma trilogia escrita por Mozart (1756-91) em colaboração com o libretista Lorenzo da Ponte (as outras são *Le Nozze di Figaro* e *Don Giovanni*). Aqui, em particular, a música se instala no universo de "ligações perigosas" de autores como Laclos e Marivaux. Quem dá as cartas é um filósofo, embaralhando corpos com um ceticismo alegre. Os homens testam sua sedução, à custa da fidelidade; as mulheres testam sua liberdade, à custa da autodeterminação. Todos saem perdendo. A comédia faz rir para não chorar.

No ano passado, René Jacobs lançou uma gravação brilhante de *Così* (CDs + CD-ROM, Harmonia Mundi), com a mesma orquestra. A montagem parisiense estreou em julho, no festival de Aix-en-Provence, e traz seis cantores de destaque da nova geração.

Não há, a rigor, um papel principal: são seis solistas que se revezam e combinam, seguindo musicalmente um esquema de permutações que já é do domínio da libertinagem. Mas, em cena, quem leva a noite é a soprano canadense Alexandra Deshorties, recém-chegada de um primeiro papel no Metropolitan (em *Aïda*), para encenar uma Fiordiligi ao mesmo tempo recatada e sexy, a mistura favorita do Marquês de Sade.

Sua primeira cena é arrebatadora: um dueto, com a irmã Dorabella (a argentina Bernarda Fink), as duas deitadas na grama (de mentira), ao lado de um lago (de verdade). Estamos num verão ideal, que as *chinoiseries* do cenógrafo Chen Shi-Zeng na verdade isolam de qualquer tempo e lugar. Que recursos da ópera chinesa – como os auxiliares de cena mudos ou a ênfase em gestos estilizados – possam fazer sentido em Mozart nos diz menos sobre Mozart do que sobre as plateias cosmopolitas e irônicas do ano 2000.

Cenário: jardim chinês, imutável, mas que muda o tempo todo, por obra da luz (André Diot). Um cenário-luz, concentrado sobre uma região demarcada por fitas, literalmente uma quadra onde se vão dar os jogos amorosos.

E os homens (Stephan Genz, Jeremy Ovenden, Pietro Spagnoli)? Ótimas vozes, mas um pouco mais presos à teatralidade rasa que continua sendo a sina da ópera. Não chega a causar incômodo aqui, onde as personagens carecem de densidade psicológica. É teatro do século 18, não 19. Mais um motivo para justificar o artificialismo autoconsciente da cenografia.

Mesmo a música, afinal, carrega uma carga de convenção que ela vai contestar de dentro, em momentos cruciais. Num certo sentido, essa ópera é isso: a história da música rompendo seus próprios e maravilhosos disfarces, para fazer soar algo mais. Fora de contexto, seria impossível dizer se a música que está sendo cantada é uma expressão sincera ou falsa. A música é a mesma, quer os amantes estejam falando como eles mesmos ou dramatizando um papel. Chorar para não rir seria o comentário de poetas da geração seguinte, mas Mozart é ainda mais sábio.

E René Jacobs, não por acaso, escolhe, de dentro da orquestra, uma voz em particular para assumir tanta sabedoria. É a viola, instrumento favorito do compositor, explorada de modo único. Há um momento das violas que vale a montagem. Em pleno trio da despedida ("Soave Sia il Vento"), em meio às ondas do mar, figuradas pelo resto da orquestra, as violas têm uma nota longa. Normalmente, mal se escuta, é mero recheio da harmonia. Jacobs traz a nota para a frente: e é incrível escutar esse som sustentado, um ponto de apoio perfeito, em meio a tudo o que vacila.

A última cena deixa os seis personagens reconciliados, mais consigo mesmos do que propriamente uns com os outros. Cada cantor isolado, de braços abertos. É a imagem politicamente correta para uma montagem astuta e antichauvinista. Mas não faz eco (nem pode fazer) ao que a música foi capaz de nos dar.

A ópera acaba, e a gente sai do teatro cheio de Mozart. A Place d'Alma é linda, com a Torre Eiffel iluminada ao longe. A cidade brilhante e cética fervilha ao redor. Mas o que a gente escuta, afinal, pelo resto da noite, e com sorte pelo resto dos dias, é aquela nota da viola.

A tragédia é curta. A comédia passa. A viola fica.

19.10.00

Osesp/ Barbara Hendricks John Neschling

Sala São Paulo, 21.10.00

Três, talvez quatro segundos de silêncio. Cantora, orquestra, plateia, todos tragados na antimatéria da música, num rastro de coisas indizíveis. Foi depois do segundo bis: "Sometimes I Feel Like a Motherless Child", um *spiritual*, que Barbara Hendricks cantou sem acompanhamento, num nível de concentração humana e entrega musical que o resto do seu programa, bonito como foi, não chegou a ter. Mas o *spiritual*, por si, valeu o concerto. E o Mendelssohn da orquestra foi uma felicidade.

Composta, em parte, no ano de 1826, quando Mendelssohn tinha só 17 anos, a suíte *Sonho de Uma Noite de Verão* subverte qualquer análise, com as energias de uma juventude perpétua. Este é, de um lado, o Shakespeare romântico alemão, o poeta da consciência total, o grande mestre irônico dos irmãos Schlegel e dos irmãos

Grimm. Mas, de outro, é um Shakespeare da música, que se enriquece de Mozart e Schubert. Nas palavras da peça: "estranho e admirável" que a mistura atinja tal "constância"; admirável e estranho que um menino tenha transformado o maior sonho do maior poeta no maior sonho, também, da música.

Não é comum escutar a suíte inteira, com coro e solistas. Pena, porque, entre outras coisas, deixa-se de ouvir o "Intermezzo", com seus crescendos maravilhosos e uma tensão amorosa bem conhecida do "Scherzo". E como é bom escutar essa música ao vivo. Como é bom tocar: a Osesp fez a *Suíte* com gosto, se deliciando no revezamento dos naipes, e fazendo render cada *staccato* nos sopros, cada linha quente das violas. Bodas felizes com o coro e as solistas (Peterlevitz, Minczuk).

E que alívio, afinal, para um crítico, poder elogiar as trompas! Não só no *Sonho*, mas também em *Oberon* de Weber (1786-1826), que abriu a tarde em chave de Shakespeare. E nos Strauss.

Depois de Mendelssohn... Strauss? As ironias não são só da música e se somam a outras, implícitas na mera presença de uma cantora negra norte-americana para interpretar as *Quatro Últimas Canções*. O "caso" Richard Strauss (1864-1949) permanece enigmático: envolvimento com o nazismo, personalidade obtusa, autismo estilístico, tudo se traduzindo numa música ao mesmo tempo manipulativa e de uma sinceridade única, provavelmente uma obra central do século 20.

Depois da interpretação fulgurante da "Dança dos Sete Véus" de *Salomé*, que John Neschling regeu com virtuosismo, mas (tanto melhor) sem levá-la inteiramente a sério, Barbara Hendricks cantou as *Canções* com a maior seriedade, sem fulgores nem exuberâncias. Cantou para dentro quase mais do que para fora.

A sequência tem seu clímax na terceira canção, "Beim Schlafengehen", com o solo de violino saindo da voz para que os sentidos "mergulhem no sono" de uma noite que não é mais de verão. Que uma cantora construa sua interpretação para favorecer um silêncio, chega a ser comovente. Ela praticamente diminuiu a própria voz, a serviço dessas canções de despedida e morte. O risco é que a voz soe simplesmente menor do que é, com menos nuance do que pode.

Foi só depois do bis, "Morgen" – a mais linda canção de casamento, fazendo ecoar em Strauss as núpcias de sonho de Mendelssohn –, que a voz de Barbara Hendricks migrou para um outro eixo. Cantando o *spiritual*, ela nos fez entender como e por que cantou o Strauss assim. Mas o entendimento é uma transcendência pequena para grande transcendência da voz, que veio sozinha dizer o que sabe e o que é, na matéria da música.

24.10.00

Bach-Collegium Stuttgart/ Gächinger Kantorei
Helmuth Rilling

Cultura Artística, 23.10.00

Palavras que vêm à mente, depois deste concerto: sólido, justo, sério, vigoroso, maduro. Palavras que não vêm: inspirado, comovente, exuberante, original. O Gächinger Kantorei é um grande coro, o Bach-Collegium é uma boa orquestra barroca, e Helmuth Rilling um dos intérpretes de referência da obra de Bach (1685-1750). Mas sua interpretação da *Missa em Si Menor* teve algo de protocolar, ou neutro, muito embora os protocolos fossem altos e a neutralidade, divina.

Escrita ao longo de mais de 25 anos – na verdade, uma coletânea de peças compostas em várias ocasiões –, a *Missa* é uma espécie de catedral em música, um edifício espantoso, que engrandece e diminui cada um de nós. É excepcional até no contexto da música de Bach. Juntamente com a *Paixão Segundo São Mateus* e a *Paixão Segundo São João*, forma a trilogia máxima da música sacra barroca.

Virtudes primeiro: o coro é espetacular. Encheu o teatro de música. As 30 vozes valem por 300, mas cantam com a integração de três. Rilling, de sua parte, é um maestro de grandes massas, mais do que de delicadezas; e isto vale mesmo para a interpretação das fugas, conduzidas com fluência (o que não é fácil) e honestidade (o que não é comum: quase todo o mundo esconde notas).

Maior virtude: os trompetes. Em particular o primeiro, Eckhard Schmidt, que também tocou o corne *di caccia* no "Quoniam". Os trompetes barrocos são ainda mais difíceis do que os modernos; e o corne está no limite do sacrifício. O trio de trompetistas não quebrou uma nota, não desviou um quarto de tom. Foi brilhante, prestativo, ornamental, conforme o caso. Do outro lado da orquestra, os fagotes responderam à altura.

Menos brilho tiveram os cantores solistas (nomes novos, do circuito médio). Cantaram bem. Mas faltou o algo-a-mais que inscreve a música na memória. Dos quatro, a contralto Birgit Remmert tem notadamente a maior experiência, mas canta como se a única experiência que contasse fosse a musical. O "Agnus Dei" pede mais.

Os lindos solos do flautista trouxeram à luz um desequilíbrio que explica, em parte, a estranha falta de impacto para um concerto que tinha tantos motivos para causar impacto. Flauta de metal (não madeira, como hoje é regra), interpretação à maneira francesa antiga (respiração no final das frases, pulso caindo para trás). O Bach-Collegium parece um tanto incerto entre momentos e escolas. Não completamente voltado para o passado, mas não inteiramente para o presente, Helmuth Rilling rege numa coalizão de centro-esquerda musical.

Nestes dias de fim de século, quando se vive de exuberâncias e nuances e originalidades, o gosto médio não cai no gosto médio de quem vai ao teatro escutar a *Missa em Si Menor*. Cai numa neutralidade da escuta, que nem mesmo o brilho das fugas e os floreios dos metais são capazes de mobilizar.

A plateia aplaudiu muito, com respeito e admiração por esses músicos tão sérios. Mas ninguém gritou "Bravo". O ouvido do povo talvez não chegue a ser o ouvido de Deus, mas é o que se tem, e ficou carente de um outro Bach, menos interior-da-Alemanha, mais próximo de nós.

25.10.00

Filarmônica Estatal da Renânia/ Antonio Meneses Theodor Guschlbauer

Cultura Artística, 13.11.00

A tempestade foi boa. A bonança, menos: a Sinfonia "Pastoral" sendo uma das obras mais conhecidas de Beethoven (1772-1827), seus pastores e riachos precisam, agora, de uma dose extra de imaginação para voltar à vida. Mas, afinal, ninguém foi ao teatro Cultura Artística anteontem para escutar a Filarmônica Estatal da Renânia. Foi para escutar Antonio Meneses. Que nunca é menos que Antonio Meneses e nesta noite foi até um pouco mais.

Indo de trás para diante. Exemplo do que pode um grande músico: a nota final da *Elegia* de Fauré (1845-1924), que Meneses tocou de bis, é um dó grave, a quarta corda solta do violoncelo. Tecnicamente, você e eu podemos tocar esta nota. Mas que diferença quando um músico desses constrói a chegada no dó como ele construiu. Um dó é um dó é um dó? Não para Meneses, que fez convergir para essa nota longa e escura todo o sentido da elegia, todo o sentido da música.

O mesmo pode ser dito do final do *Concerto Para Violoncelo e Orquestra* de Dvorák (1841-1904). Um fá sustenido, simples, parado, que começa lá longe, sem lustro, e vem crescendo, com a intensidade de um sentimento, até pular para o si, que arrebata o concerto, o violoncelista, a orquestra e cada um de nós. São só duas notas, a dominante e a tônica. Tocadas assim, guardam tudo o que há para dizer.

O *Concerto* é fácil de ouvir e difícil de tocar. Extraordinariamente difícil até, nalgumas passagens. Uma das virtudes de Meneses é não fazer tudo parecer fácil, embora ele vença as dificuldades com a franqueza natural de quem saboreia um copo d'água. A dificuldade faz parte da experiência da música. Um concerto é para ser visto também, e a dimensão atlética da música só não entusiasma quem nunca tocou um instrumento. Arabescos e arpejos nas alturas da primeira corda são uns dos tantos exercícios transcendentais que essa música impõe para quem quer chegar ao entendimento.

Uma outra dimensão, menos óbvia, de transcendência é o tempo. E desta perspectiva a orquestra ficou devendo bastante ao solista. Meneses tem um sentido maravilhoso da plasticidade da música, não apenas dentro de cada frase, mas na grande ideia de cada movimento, e até na sequência desses. A música tem zonas de intensidade e zonas de relaxamento, áreas de aceleração e compactação, espaços de descanso e devaneio. São sutilezas, que a Filarmônica da Renânia acompanhou sem chegar a acompanhar de verdade. O maestro Theodor Guschlbauer é claro e eficiente; a orquestra é segura e afinada. Um e outro cresceram na vizinhança de Meneses; mas não o bastante para mudar de mundo.

Até a plateia cresce, escutando um músico que enche a música de música como Meneses. Sai cada um com música dentro, amuleto e bálsamo para a batalha dos dias.

15.11.00

Osesp/ Emma Schmidt Günter Neuhold

Sala São Paulo, 18.11.00

Quem conhece Alfred Schnittke? Muito renomado, mas pouco tocado entre nós, o maior compositor russo da segunda metade do século 20 permanece mal conhecido até mesmo do público regular de concertos. Sorte do público, então, que teve chance de escutar o seu *Concerto Para Piano e Orquestra de Cordas* (1960), interpretado por Emma Schmidt e a Osesp, sábado à tarde na Sala São Paulo.

Schnittke é compreensível e comovente mesmo para os ouvidos menos afeitos à música do nosso tempo. Sua compreensibilidade não tem nada de programático, nem muito menos de condescendência. É da estrutura dessa arte o jogo com materiais conhecidos, justapostos ao que ela tem, também, de espantoso e desconhecido.

O próprio Schnittke (1934-98) falava em "poliestilismo" para descrever essa combinação de música trivial e erudita, de tonalidade e atonalismo. Há sempre conflito entre o que vem "de fora" e o que sai "de dentro" dessa música. No contexto de época, ela implicitamente põe em xeque a ideologia dominante (o presidente Brejnev chegou a proibir a execução de suas obras na União Sovética). Mas o contexto passou, e a música não passa. Se a circunstância vive ainda, é porque foi traduzida em termos que vão além de qualquer contingência.

Essa noção explica, nalguma medida, a interpretação cuidadosa, mas um tanto contida da pianista austríaca Emma Schmidt. Ela responde com muito maior empatia às interioridades do que à carnavalização. O *Concerto* começa com o piano tocando uma sequência de intervalos simples, que se vão fazendo mais e mais cromáticos e gerando "campos" da harmonia, até a entrada quase inaudível das cordas. Do inaudível ao tumultuoso é um progresso interrompido, mas certo. O processo se inverte 25 minutos depois, num final que articula várias sequências similares, em um ambiente de desespero calmo, ou cultivada resignação.

Poucos compositores dos últimos quarenta anos têm tamanha e tão imediata presença na música quanto Schnittke. Oxalá se possa escutar este concerto mais vezes. Faz parte da missão formativa da Osesp apresentar composições contemporâneas; mas a orquestra terá de decidir o que é melhor: introduzir o maior número de peças ou repetir algumas, para consolidar escolhas? No caso desse *Concer-*

to, a segunda opção parece justificada. Nossa educação mal começou, e só esta orquestra tem a autoridade e a audácia (sem falar na competência) para bancar a entrada de uma composição dessas no nosso repertório.

Não se pode dizer o mesmo das *Variações Sobre um Tema Brasileiro* de Francisco Braga (1868-1945). Braga escreveu muita música, mas será lembrado para sempre como o autor do *Hino à Bandeira*. As *Variações* são um bibelô ameno de brasilidade, nos termos cordiais do início do século. Não fazem mal a ninguém, mas também não fazem diferença.

Segunda parte: a *Sinfonia* nº 3 de Mendelssohn (1809-47). Regida pelo maestro convidado Günter Neuhold, a Osesp fez a "Escocesa" soar muito leve e simples. Talvez haja virtudes nisso: a juventude ideal de Mendelssohn esconde o virtuosismo do compositor, capaz de inventar outras vias para a sinfonia, depois de Beethoven. A Osesp, de qualquer modo, pode bem mais do que o maestro pediu.

Quem está reclamando? Só o Schnittke já valeria a tarde. O resto foi bônus; e um bom concerto, mesmo sem as maiores excelências, já é um prêmio para qualquer um de nós.

21.11.00

Les Arts Florissants

Desmarest: Grands Motets Lorrains

CD Erato, 2000

No que diz respeito à música, todo o mundo tem os melhores motivos para confiar na tradição. Os melhores motivos são: Bach, Mozart, Beethoven e tantos outros que formam o cânone estabelecido da música de concerto. O tempo, quase sempre, é um bom juiz. Mas será que não deixa nunca para trás algum grande compositor? O que dizer, por exemplo, de Henry Desmarest (1661-1741), prestigiado mestre barroco em sua época, hoje ausente até mesmo dos dicionários e notas de rodapé?

Desmarest foi pajem de capela, na corte do rei Luís 14. Aprendeu contraponto com dois grandes professores, Pierre Robert e Henry du Mont (outros dois espectros, agora, da musicologia). Participou como cantor de montagens de óperas de Lully (1632-87), bem como dos *grands motets* – composições de grande escala, para solistas, coro e orquestra, que definem um gênero sublime da liturgia, nessa era de vastidões e esplendores.

Tinha tudo para ser um dos músicos centrais do barroco na França. Se não chegou a tanto, isso se deve, em boa medida, às tribulações de uma vida digna de algum caudaloso romance oitocentista. O essencial resume-se a esta sequência:

Desmarest trabalhou dez anos como *ghost-composer* de um abade da corte do rei, até a fraude ser descoberta, em 1693. Talvez por isso mesmo não tenha sido o escolhido para assumir o lugar do abade (e sim Delalande, que faria grande carreira). Perdeu a primeira mulher aos 35 anos. Compôs seis "tragédias líricas" e duas "óperas-balés" que fizeram sucesso em Paris; mas um caso amoroso com uma aluna, Marie-Marguerite de Saint Gobert, filha de um oficial de impostos, lhe renderia um processo por sequestro e a condenação à morte. Exila-se, então, nos Países Baixos.

Aí começam décadas de viagens por diversas cortes, de diversos países, incluindo, em particular, uma temporada na Espanha, onde se casa com Marie-Marguerite e integra-se a um grupo notável de músicos do rei Felipe 5º. De Madri, onde a situação política é conturbada, Desmarest se muda para a corte de Leopoldo 1º, duque de Lorraine (Lorena, Noroeste da atual França), onde finalmente conquista a "superintendência musical" em 1707.

Nunca mais sairia de lá, nem mesmo depois da morte da mulher, em 1727, e da suspensão da condenação na França. Suas expectativas de suceder Delalande na corte francesa são frustradas. Desmarest se aposenta. Acaba a vida afastado, morando na campanha, em companhia de uma filha do primeiro casamento.

Foi em Lorraine que escreveu uma série de *grands motets*, com textos extraídos dos *Salmos*. Nada mais apropriado: os *Salmos* são uma monumental antologia de versos sobre o homem justo combatendo a iniquidade. E é difícil não interpretar os acentos dolorosos de uma composição como o moteto *Usquequo, Domine, Oblivisceris me in Finem?* ("Até Quando, Senhor, Esquecerás de Mim: Para Sempre?") à luz da biografia do autor. Salmista e compositor se confundem nessas agonias em tom menor. Abandonado, traído, coberto de vergonha, esse homem das dores vai se traduzindo em canto e contraponto, fortificado pela voz da música.

Os motetos ganham uma segunda vida, agora, na gravação de Les Arts Florissants, regidos por William Christie. Terceiro volume numa série dedicada aos *grands motets*, que já inclui discos brilhantes de Rameau e Mondonville, esse CD serve de lição do quanto de música – mesmo da melhor música – a própria música não vai apagando, aos poucos, da história.

As exultações do moteto *Lauda Jerusalem*, ou os tormentos de *Domine, Ne in Furore* (um salmo do rei Davi, pedindo perdão pelo adultério com Betsabá) são música tão eloquente e tão bem escrita quanto se pode esperar. Por que, então, teriam sumido da sala de concertos?

Não há resposta teórica: tecnicamente, os motetos são irreparáveis. Se há uma diferença, então, com a música que veio a formar o repertório, ela passa por mistérios de outra ordem. Os *Grands Motets Lorraines* de Desmarest são tocantes pela presença que instauram, 300 anos depois, deste mestre atormentado do barroco. São igualmente tocantes pela ausência: a música ressurge do esquecimento e nos faz intuir o vazio que se abre não só às nossas costas, mas à frente também.

12.12.00

Osesp/ Riccitelli/ Banks/ Magee John Neschling

Britten: War Requiem

Sala São Paulo, 12.12.00

Existem limites para a representação? Cercados de brutalidade, expostos a horrores cotidianamente, será que ainda é possível se chocar com a violência homeopática de uma imagem, uma peça, um poema? Que resposta insuspeitada veio sob forma de música, no *War Requiem* de Britten (1913-76) interpretado pela Osesp sábado, na Sala São Paulo.

O *Requiem* é de 1961. Foi composto para a reinauguração da catedral de Coventry, bombardeada durante a Segunda Guerra. Britten, um pacifista militante durante toda a vida, intercala os textos litúrgicos com poemas de Wilfrid Owen (1893-1918), outro pacifista, morto nos campos de batalha da Primeira Guerra. A combinação de textos sugere alternâncias não só musicais, mas de sentido; e a música de Britten lê uns e outros como uma espécie de testemunha: sobressaltada, empática, de ouvidos abertos para o que não se pode não escutar.

Não há, no repertório moderno, quase nada que se compare à força dessas linhas soltas e corais dissonantes, controlados por esse pulso tão lento, quase alucinatório, que nos faz escutar, sem um estrondo, a pior das guerras.

Manter o pulso, aqui, é o que há de mais difícil; e John Neschling regeu como um predestinado. Não é possível reger essa música sem ter, como ele, uma empatia funda com seu sentido mais sombrio e sem fundo. Buracos se abrem na textura, linhas se suspendem num estado de total fragilidade, os sinos dobram secos, sem nostalgia.

As crianças (maravilhosamente bem preparadas por Teruo Yoshida) cantam do lado de lá da plateia e do lado de lá da vida. O coro adulto (idem: Naomi Munakata) responde, num estado para além da comoção. Não é possível tocar essa música sem que se entenda assim, por dentro, o que é esse outro tempo, esse outro entendimento, que Neschling e a Osesp fizeram acontecer no mundo por 80 minutos.

É música adulta, que exige músicos adultos e uma plateia adulta. E cantores: Claudia Riccitelli fazendo chorar no "Lacrimosa", Barry Banks cantando o "Agnus Dei" com um corte incrível de tom e palavra, e o barítono Garry Magee ombro a ombro com ele na dramática cena final, o encontro dos inimigos na trincheira, traduzindo o "descansa em paz" latino para o "*let us sleep now*" de Owen, com uma convicção que ultrapassa qualquer tecnicalidade.

Não existem, talvez, limites para a representação; mas existem limites para a empatia. O excesso cancela. Essa música resiste: ela se esvazia de quase tudo, exceto o essencial. Fica difícil, depois, abrir os olhos, levantar o rosto, voltar para a miséria do mundo sempiternamente errado ao redor.

14.12.00

Björk

SELMA SONGS

CD Polydor 2000

O filme é uma devastação. Desabilita qualquer resposta crítica por dias. Só aos poucos, com a insistência do hábito e as repetições do trivial, cada um vai voltando para a vida de fora, tão iluminada e ao mesmo tempo tão esvaziada por ele. Ninguém tem coragem para ver este filme de novo tão cedo; nem é questão de coragem, mas de energia afetiva à altura das visões de Lars von Trier. Voltar à música de Björk é uma outra história, porque é a história do que há de felicidade possível, desesperada que seja, na vida dentro do filme e na memória de fora.

A música já tinha papel crucial em *Breaking the Waves* (Ondas do Destino, 1996), outro filme impressionante de Von Trier, outra lenda de entrega amorosa no limite, resistindo contra tudo até o ponto inevitável de sacrifício, ou quebra. A música, ali, não participa nunca como decoração, ou ambiente, aquecimento sentimental de uma superfície morna, como é o caso na imensa maioria dos filmes, mesmo "de arte". A música, uma sequência de conhecidas canções de amor, divide os atos do filme em *tableaux* estáticos, paisagens onde se respira, por um minuto, o ar das coisas.

Em *Dançando no Escuro*, também, a música é matéria viva. Mais do que isso: o filme é vasto e faz pensar sobre muito, mas também especificamente sobre a música, sobre o encantamento absoluto da experiência pela força do canto e do som, tanto quanto do movimento e da dança. Num excelente artigo publicado no "Mais!" [3/12/00], Laymert Garcia dos Santos comentava a "conversão", operada pela personagem principal, a operária Selma, "do alienante cinema de massa num utópico cinema interior" – uma estratégia de afirmação humana, contra o mundo desumano. Tal conversão se dá "por meio da mudança de ritmo que o ouvido humano pode imprimir no universo mecânico"; isto é, pela abstração da repetição em ritmo, em música e sentido.

Podem-se acrescentar três comentários: do ponto de vista da composição, a música parte dessas mesmas repetições. São *samplings* (versão digital dos velhos *loops* de fita magnética: pedaços de fita cortados e correndo em círculo, sem fim). Eles nascem da repetição concreta – ruído das máquinas no início da segunda faixa do disco, ou de trem na terceira –, mas gradualmente "convertem-se" em padrões de ritmo para as melodias, numa colagem engenhosa do arranjador Vincent Mendoza. O processo ganha outra ironia em "Scatterheart", onde se escuta o barulho de um disco arranhado: a mecânica incorporada ao mundo da própria reprodução sonora.

O ritmo, porém, não é tudo. Não se trata só de organizar musicalmente a matéria bruta, acidental. Nem de extrair o que há de alusivo e nostálgico nesses pedaços quebrados de som. O próprio ato da escuta já abre as portas de um mundo paralelo para Selma na fronteira do invisível.

São muitos momentos no filme em que Selma se lança nesses transes, ou graças terrestres. Às vezes com dança, às vezes sem. E não se trata, a rigor, ou não só, de escapismo, em qualquer sentido simples: é antes uma afirmação, um engajamento total, uma entrega positiva e irredutível, que faz frente a tudo o que conspira para reduzir a vida dessa operária estrangeira, que está ficando cega, à invisibilidade e à falta do que ver. "Já vi o que preciso/ Eu sei o que faço/ Vi tudo o que há para ver", canta Selma/ Björk num dueto com Jeff/ Thom Yorke. Uma resposta, do fundo das misérias do ano 2000, às tristezas de *Os Guarda-Chuvas do Amor* (1964), outro filme definitivo sobre a metamorfose, ou redenção da vida em canções – estrelado, não por acaso, pela coadjuvante de Björk, Catherine Deneuve.[5]

Dois parênteses técnicos irresistíveis: 1) o padrão rítmico deste "trem" que serve de prelúdio e depois de base para o dueto é o de uma desaceleração acentuada, 4-2-2-1, quase uma alegoria do que se esvai e se perde, como a visão de Selma, que quanto mais diminui, mais faz bater o coração das trevas, que tem forma de corda vocal e concha auditiva.

2) No clímax do "Novo Mundo", a canção que abre wagnerianamente o filme (na abertura puramente instrumental, com a tela escura) e o fecha, depois, com canto, à palavra "*see*" (vejo) corresponde a nota dó bemol: uma nota aberratória, por conta da tonalidade, mas que em termos sonoros é igual a um si natural (faixa 7, 1:09). Que um "dó alterado" substitua o "si natural" já é sugestivo em português. Mas em inglês é ainda melhor: em vez de *B natural* (si natural)/ *be natural* (ser natural) tem-se agora um *C flat* (dó bemol)/ *see flat* (ver achatado, ver plano). Que a nota principal, o ponto mais agudo da melodia, uma inflexão no centro sensível da canção principal do filme, seja um

---

5 Sobre Os Guarda-Chuvas do Amor *(*Les Parapluies de Cherbourg*), ver* Notas Musicais, *pp. 118-9.*

C, ou *see* rebaixado, justamente na palavra "*see*" da letra, talvez seja um acidente, mas é um acidente bom demais para não ser meditado.

O dó bemol é um dos episódios em que a voz de Björk se libera e alça voo, deixando para trás os constrangimentos de tom e dicção que ela se impõe. Não seria demais ver nisto também uma alegoria de outros temas. A passagem liberatória, por um instante apenas, dessa voz estranha e estrangeira, aprisionada em sotaque e sussurro, encena sonoramente outras liberações, que Selma não vai conquistar nunca, exceto como imagem interna de si.

Nessa voz estranha, como nesse ouvido sobressaltado, o que ganha corpo é uma tensão absoluta de vida, uma concentração total de afeto, em meio à terra devastada desse mundo tão errado, tão normal. Que ela não tenha como se sustentar, que seu exílio não tenha redenção possível, exceto por uma esperança, talvez ilusória, na visão do filho, é um destino adivinhado.

Que, apesar disso, e apesar de tamanha tristeza, o filme nos faça ver as coisas ao redor, como pela primeira vez, livres do desgaste sentimental, é uma lição inesperada de música, que esse filme nos dá, em meio a muito mais, por meio da voz para sempre inesperada e para sempre estrangeira de Björk.[6]

25.12.00

Deutsches Symphonie-Orchester Berlin
Upshaw/ Lieberson/ White
Theater of Voices/ London Voices
Kent Nagano

John Adams: El Niño

Théâtre du Châtelet, Paris, 22.12.00

"A vida é boa. Deus existe." Esqueça, por um momento, que essas palavras vêm de um poema de Rubén Darío (1867-1916). Será possível dar um sentido novo a palavras assim? Será possível passar da

6 *Reeditado na revista* Aletria *(UFMG), nº 8, 2002, com o título "Björk: Dançando no Escuro".*

ironia, sem sentimentalismo, à crença religiosa? Essas perguntas servem como ponto de partida para se pensar sobre *El Niño*, a nova ópera do compositor americano John Adams (n. 1947), que teve sua estreia mundial no dia 15 de dezembro, seguida de mais cinco récitas no teatro Châtelet em Paris.

Juntamente com Philip Glass e Steve Reich, Adams forma um triunvirato do minimalismo, ou "música repetitiva". Relativamente menos conhecido que os outros dois, ele talvez seja o mais bem-sucedido. Sua ópera *Nixon in China*, que estreou em 1987, numa montagem de Peter Sellars, está entre as obras contemporâneas mais executadas pelo mundo afora; uma gravação em CD recebeu o prêmio Grammy dois anos depois.

Outro Grammy viria em 1998, com a peça orquestral *El Dorado*. Tanto na montagem de sua outra ópera, *The Death of Klinghoffer* (sobre um sequestrador palestino), como no musical *I Was Looking at the Ceiling and Then I Saw the Sky* (já apresentado mais de 50 vezes, nos Estados Unidos e na Europa), Adams trabalhou em parceria com Sellars, que assina também a cenografia de *El Niño*, e foi uma espécie de conselheiro e colibretista ao longo dos quase dois anos de composição.

As ambições da dupla não são pequenas. *El Niño* não é propriamente uma ópera: combinando música, poesia, filme e dança, num contexto dramático-religioso, parece mais uma tentativa de recriar, em novas bases, o gênero do oratório (cujas obras-primas canônicas são outras duas composições natalinas: o *Oratório de Natal* de Bach e o *Messias* de Haendel). O cenário é mínimo, um quadrado de luz ao fundo do palco, que muda de cor de cena a cena. Solistas e coro não chegam a representar o texto; sua movimentação está mais próxima das versões de concerto, só meio encenadas, de ópera. Todos os gestos são estilizados, no limite do jogral.

Movimento e trama ficam por conta de três bailarinos, que circulam entre os cantores, ora como seus duplos, ora como um contraponto ou comentário; e, mais especialmente, do filme, projetado do início ao fim das duas horas e pouco de música, numa grande tela que cobre a parte superior do palco. Filmado em câmara digital, com imagens cheias de grão, alterna cenas dos bailarinos, transportados para os desertos da Califórnia, ou para ambientes domésticos banais, com uma quase história de uma quase Maria hispânica, cercada de policiais e *junkies*, adolescentes sem passado nem futuro, nos vazios das praias de Los Angeles e das pequenas cidades do interior americano.

Que esta "Mary" seja uma "María" dá outro corpo, ainda, à seleção de poemas do libreto, que combina passagens do *Novo Testamento* e dos *Evangelhos Apócrifos* com versos de Rubén Darío e Vicente Huidobro (1893-1948), e também, marcadamente, da poeta mexicana Sor Juana Inés de la Cruz (1651-95), da chilena Gabriela Mistral (1889-1957) e da mexicana Rosario Castellanos (1925-74): mulheres para cantar a história de uma mulher, como explica o compositor. *El Niño*, aliás, poderia se chamar *La Madre*, não fora o trocadilho com o nome do tufão, que aqui é também alegoria para o "Vento" do salvador.

A combinação de influências e a aposta num repertório cristalizado de imagens (no filme, em particular) têm suas analogias musicais. Toda a arte de John Adams se vale da amplificação e metamorfose de elementos conhecidos da música dos séculos 19 e 20. Desenhos melódicos e sequências harmônicas são esquadrinhados, repartidos e esvaziados de seu significado original, neste novo presente perpétuo da música repetitiva. É justamente a condição de temporalidade suspensa que torna essa música pouco adaptável às convoluções de uma história, como se dá tradicionalmente na ópera. Cada uma das outras peças cênicas de Adams teve de resolver o dilema, de algum modo. O oratório, que é um gênero entre o recitado e o encenado, pareceria especialmente rico, agora, para tratar essa história da suspensão do tempo por excelência, que é o nascimento de Jesus.

Somem-se a isso os talentos do regente Kent Nagano e sua orquestra, a Sinfônica de Berlim; a soprano Dawn Upshaw em grande forma e seus bons parceiros; e uma grande produção, num grande teatro, numa grande cidade, com repercussão internacional. Quer dizer: tinha tudo para dar certo. Por que deu tão errado, então, só pode ser motivo de tristeza, e merece algum comentário.

Que há um descompasso entre intenção e realização parece claro e até, em certa medida, programático. Numa entrevista incluída nas notas de programa, Adams esclarece sua escolha dos poemas em espanhol, como um repertório que resgata os "estados emocionais extremos", ausentes dos textos bíblicos. Mas esse comentário tem de ser lido em contraponto com outras notas, para a estreia de *Naive and Sentimental Music* (1999): nos termos da distinção romântica entre "ingênuo" (espontâneo) e "sentimental" (autoconsciente, irônico), ele se descreve como inevitavelmente "sentimental". Vale dizer: mesmo os estados extremos, aqui, são vistos de fora. Só a distância permite a intensidade.

Isto não explica o que é a frieza de *El Niño*, mas precisa ser levado em conta. Não existe teoria para o desacerto; mas haveria, sim, uma teoria do acerto, se fosse o caso. De modo análogo, a combinação de elementos, a parceria com Sellars, a presença constante do filme acima dos cantores, tudo poderia ser justificado como uma aposta audaciosa e capaz de abrir caminhos. Se não chega a ser isso, não foi por falta de planejamento e de coragem.

No fundo, a resposta talvez seja simples. Assim como tudo poderia ter dado certo, não deu: inspiração não desce por encomenda, e a competência, por si, não é o bastante para sustentar uma obra dessa envergadura.

Mas enfim: *El Niño* veio à luz. E talvez não seja justo, agora, cobrar desse oratório multimídia tão mais do que ele pode dar. Não se trata, afinal, do Messias – nem do *Messias.*

27.12.00

Murray Perahia

BACH: VARIAÇÕES GOLDBERG

CD Sony, 2000

Pierre Hantaï

BACH: VARIAÇÕES GOLDBERG

CD Opus 111, 2000

Mais uma gravação das *Variações Goldberg*? Mais uma, não. Mais duas: duas memoráveis migalhas no pão infinito da música, que mata nossa fome de Bach, sem tirar jamais o apetite.

Compostas por volta de 1740, as *Variações* fecham o conjunto de *Exercícios Para Teclado*, em quatro volumes, principal publicação em vida de Johann Sebastian Bach (1685-1750). Até certo ponto, são mesmo uma resposta aos *Essercizi* de Domenico Scarlatti (1685--1757), aparecidos um ano antes; mas não são "exercícios", em nenhum sentido simples, muito embora explorem os limites do instrumento e do intérprete.

Também não são "variações", no senso habitual. "Metamorfoses" talvez fosse um termo melhor para a multiplicação de figuras e estilos, ordenados segundo um princípio metafísico da forma e controlados pela ciência do contraponto. Neste contexto, "compor" significa explorar exaustivamente as possibilidades de cada detalhe. E isso não é apenas uma questão formal ou técnica. Assim como a *Oferenda Musical* e a *Arte da Fuga*, as *Variações Goldberg* são "música especulativa": ao mesmo tempo um manual de composição e um espelho do universo, que cabe inteiro numa ária e trinta variações.

Ao contrário de outras obras enciclopédicas de Bach (como *O Cravo Bem Temperado*), que foram pensadas, acima de tudo, para o prazer e a instrução do próprio intérprete, as *Variações* têm uma forma que se presta organicamente à apresentação pública. Sua descrição mais comum define grupos de três variações, em que a terceira é sempre um cânone (onde uma voz imita exatamente a outra). Murray Perahia prefere deixar a trindade em segundo plano e pensar em oito: quatro grupos de oito peças, "espelhando" a divisão simétrica da ária. Vai ainda mais longe, sugerindo uma analogia com a história da crucificação e ressurreição de Jesus.

Isso afeta a sua interpretação? Sim – na medida em que as *Variações* são tocadas por ele como uma peça só, de 73 minutos. E não – quando se pensa na riqueza das minúcias, na variedade do que é maravilhoso e pequeno na música, mais imediato e talvez mais verdadeiro do que o que é maravilhoso e grande.

Já o cravista Pierre Hantaï, surpreendentemente, faz as *Variações* soarem mais grandiosas e espaçosas do que o pianista. Hantaï é sempre um músico de pulso firme e senso natural de ordem. Nem francês, nem italiano, parece imaginar um estilo propriamente alemão do barroco, onde as outras vertentes se completam, mais do que se alternam.

Comparando os dois, ao acaso. Variação 5 com Perahia: fluência, equilíbrio das vozes, diferentes pesos melódicos enfatizados. Variação 6: tudo ligadíssimo, rápido, velado, as duas vozes em cânone se entrelaçando. Variação 7: uma giga, brejeira, um piano-cravo. As mesmas com Hantaï: Variação 5 ponderada, segurando no limite o andamento e tirando vantagem dos contrastes e encontros de registro que só o cravo pode dar (raramente tão bem gravado). Variação 6 quase lenta, ampla, separando assim as vozes do cânone. Variação 7 leve, direta, mas gozando ao máximo o choque erótico – corrigindo, elétrico – de cada ornamento.

Quem é melhor? Não existe melhor neste nível de interpretação. O que existe é... a interpretação – a única música que existe, aliás, fora do reino platônico da ideia, onde o som não se propaga. A verdade simples é que não existem as *Variações Goldberg*. Só existem variações das *Variações*.

Nem que só pelo "exercício", valeria a pena, então, comparar outras duas gravações antológicas. Variação 5 com Glenn Gould (Sony, 1982): velocíssimo, na beira da impossibilidade, baixos martelados, mudanças de registro dramatizadas. A mesma com Rosalyn Tureck (DGG, 1999): um andante, no filme imaginário de cada ouvinte a mão cruzada se deslocando em câmara lenta acima do teclado, notas longas muito longas, notas curtas muito curtas, transparência, clarividência. E mais uma, gravada ao vivo no Teatro Colón por Daniel Barenboim (Erato, 1991): um *allegro*, relativamente livre, com acelerações e retardos, orquestral, quase lisztiano.

Voltar a Perahia depois dessa variedade toda é um esclarecimento e um conforto. Poucos músicos são tão refinados como ele, e quase nenhum tão natural. Que a naturalidade é um prêmio do refinamento fica claro pela leitura de suas notas no encarte, com direito a uma análise schenckeriana da ária.

Voltar a Hantaï depois de todos esses músicos é um prazer e uma segurança. Como voltar a um livro de referência pelo qual se tem muito apreço. Talvez não seja a interpretação mais exuberante ou imaginosa; mas nem sempre é isso o que se quer; e Bach, em especial, requer às vezes um dia de pão e frutas – as melhores frutas e o melhor pão.

13.2.01

Andreas Staier

Weill Recital Hall (Carnegie Hall), Nova York, 28.2.01

Parecia Carl Philip Emanuel Bach, mas não era. Em alguns momentos, parecia quase Schubert, mas não era. Incrivelmente, era Haydn – irreconhecivelmente Haydn, de volta a si mesmo. Nem foi só essa a única façanha no lindo concerto de Andreas Staier, quarta-feira, no Weill Recital Hall em Nova York.

Staier é um dos nomes mais prestigiados da nova geração de especialistas em música antiga. Começou a carreira como cravista, tocando o repertório barroco; mas de uns anos para cá vem migrando para o pianoforte e o repertório clássico e romântico (de Mozart a

Mendelssohn). Ouvir essa música no pianoforte nos faz aprender de novo o que ela é: diminuída em som, redimensionada nas nuances e delicadezas do instrumento, ela cresce em sentido, num limite da inteligência que tem forma concreta nos limites desafiados do teclado.

A *Sonata* em fá menor, op. 13/6, de Muzio Clementi (1752-1832), por exemplo, que abriu o programa de Staier, transforma-se num quase romance, cheio de tremor e tempestade; e o pianoforte, um barquinho jogado nesse mar. Seguindo uma prática antiga, antes do primeiro movimento Staier tocou um *Preludio Alla Haydn*, da *Coleção de Prelúdios e Cadências* de Clementi. Cumpria, no caso, uma função dupla: apresentar Clementi, "à maneira de Haydn", e apresentar o Haydn que viria em seguida, da perspectiva que as dissonâncias e tonalidades menores de Clementi nos ensinam a ouvir.

Dizer que a *Sonata* nº 62 em mi bemol maior de Haydn (1732-1809) é uma das maiores, talvez a maior de todas as suas sonatas seria dizer que é uma das maiores, talvez a maior de todas as sonatas do período clássico. E é. E soou como nunca neste pianoforte Hester, construído segundo um modelo vienense de 1796.

O abafador manual cria um registro velado incrível, simplesmente um dos sons mais lindos que há. Vem não se sabe de onde, fala não se sabe para quem. Tão lindo que só pode ser usado aqui e ali. Não é um efeito: é a substância da música, que Andreas Staier resgata como uma Pompeia, soterrada há séculos pelas avalanches de cauda e pedal.

Como resgatou, também, o *Andante com Variações* em fá menor, composto em 1793. Haydn virou um dos compositores antigos mais ao gosto do nosso próprio tempo. Sempre engenhoso, sempre generoso, parece não ter maiores ambições, mesmo quando está dizendo tudo o que há para dizer. O *Andante* – na verdade, uma série de variações sobre dois temas, um maior, outro menor – já diz tudo nos oito primeiros compassos; o resto é um excesso, quer dizer, o resto é música.

Na sequência tão bem tramada do concerto, esse *Andante* fantástico serviu de prelúdio para a *Fantasia* em dó menor, KV 475, de Mozart (1756-91), na segunda parte. Assim como a *Fantasia* veio casada com a *Sonata* KV 457, o que é habitual, mas neste contexto deixou de ser.

Nenhum compositor jamais conseguiu articular um sistema inteiro de composição – em termos sintéticos: o sistema tonal – com tamanha complexidade e tamanha naturalidade como Mozart. Tudo se integra a tudo, a frase à sentença, a sentença ao grupo, o grupo à seção e assim por diante segundo um princípio que está na base da própria escala. Mas o que a interpretação de Staier trouxe à luz de modo especialmente notável foi o outro lado dessa moeda iluminista, o grau de irracionalidade, ou desregramento, ou energia livre controlado pela arquitetura da música.

Foi uma experiência e tanto escutar essa música toda, tão conhecida, se desconhecendo e reconhecendo num instrumento, retrovertida para o seu mundo, que a gente agora perde com outro fôlego. Um grande músico, um pianoforte raro. A sala perfeita, no pequeno e acolhedor anexo do Carnegie Hall, com as colunas federalistas aludindo a revoluções que não eram só da música em fins do século 18.

Depois de um concerto desses, o que dizer? Talvez só mesmo "táxi". E depois descer as avenidas iluminadas de inverno, até algum lugar distante, onde os regrados e os desregrados gastam o que sobrou de energia, nesta cidade tão improvável para a ressurreição passageira de Haydn e Mozart.

5.3.01

Osesp
Gens, Groop, Schäfer, Berg
John Neschling

Bach: Missa em Si Menor

Sala São Paulo, 9.3.01

"Bach é um milagre de Deus!", escreveu o compositor Rossini em 1860. Pode ser. Que Deus é um milagre de Bach (1685-1750) ninguém duvida, depois de escutar a *Missa em Si Menor*. E a Osesp também fez seus milagres, interpretando a *Missa* sexta passada, na Sala São Paulo.

A *Missa* nunca foi uma missa. Reunindo movimentos escritos em circunstâncias diversas, desde 1723 até 1748, ela é uma espécie de testamento musical e religioso de Bach. Foi composta sem nenhuma ocasião particular em mente e representa, no gênero litúrgico, o mesmo que a *Arte da Fuga* ou o *Cravo Bem Temperado*, no secular: é a música pela música, sem apelo a nada nem ninguém, e por isso mesmo fazendo falar tudo e Deus.

Para acomodar o equilíbrio de forças barroco entre orquestra e vozes, o maestro Neschling transformou a Osesp numa Ocesp: um conjunto de câmara, boa parte do tempo reduzido a 6 primeiros violinos, 6 segundos, 2 violoncelos, 2 contrabaixos, mais sopros individuais e um órgão contínuo. Mas não teve pretensão de interpretar Bach à maneira dos especialistas em música antiga. Nem poderia ter: a orquestra é uma sinfônica. Pontos para ela, que, se não faz um barroco barroco, também não toca Ludwig van Bach.

Mas essa música é novidade para eles e nem tudo ainda está completamente nos ossos. Há certas diferenças, por exemplo, entre o Bach dos solistas (com destaque para o flautista Rogério Wolf e o trompista Luiz Garcia), o das cordas e o do coro. Que não se entenda mal: são diferenças de estilo, não de qualidade. Bach com orquestra sinfônica é tão legítimo quanto Bach no piano, e a Osesp acerta, mais uma vez, ao expandir o repertório e bancar os riscos. Equilíbrio vem.

Momentos maravilhosos: a entrada do "Qui tollis", o coro espantosamente à distância, profetizando o "Et incarnatus". (Contraparte do "Et in terra pax hominibus", que Neschling regeu como uma cena de sonho, ao modo das óperas barrocas.) O "Sanctus" inteiro, onde a orquestra se lançou livre de autoconsciência, saltando junto com o coro pelas oitavas gigantescas. O tempo fora do tempo no "Crucifixus", vozes saindo de vozes para sempre, até a alquimia do acorde de sexta aumentada, que põe fim ao suplício e abre o caminho para a "ressurreição".

Solistas cantores: um tanto sem brilho, para quem esperava muito. Nomes respeitados do circuito internacional, cantaram como nomes, sem desmerecer de si, mas sem acender fogos, divinos que fossem.

No final, o "Dona Nobis Pacem" encheu a alma de música, com os trompetes na glória plena de Bach. É a mesma música do "Gratias Agimus Tibi". Quer dizer: vai-se a Deus como se vem, num vaivém de milagres em ré maior.

A *Missa* de Bach não foi escrita para nenhuma ocasião; mas o concerto da Osesp foi uma homenagem ao maestro gaúcho José Pedro Boéssio e ao flautista da orquestra Luiz Fernando Sieciechowicz, falecidos em acidentes de carro. A cadeira do flautista ficou vazia, no meio dos naipes. Um antimilagre: maestro e flautista viraram música, aos nossos olhos. Não tem nada a ver com milagres: é a memória desses músicos, que se inscreveu, para sempre, na música de Bach.

12.3.01

BBC Symphony Orchestra/ Leif Ove Andsnes Andrew Davis

Sala São Paulo, 18.4.01

Numa noite de Strauss e Stravinsky, é estranho pensar que o ponto alto foi Rachmaninov. Mas numa noite do pianista Leif Ove Andsnes, o ponto alto será o que ele tocar, e até uma orquestra como a BBC Symphony Orchestra vai parecer musicalmente menor, comparada à música do solista.

Acordes enormes bombardeiam o teclado, à esquerda e à direita, desde o primeiro compasso do *Concerto* nº 1 de Rachmaninov (1873-1943). Escutar Andsnes tocando isso, anteontem na Sala São Paulo, foi um desses fenômenos que transcendem, de imediato, o lugar, o tempo, a plateia e até os músicos. A saraivada nem bem aturdiu os três mil ouvidos e a música já embarcava no rasga coração, a melodia liricamente ambígua, avançando em certezas e melancolias.

A cara dos músicos diz tudo; e os próprios ingleses olhavam o solista com aquele olhar de admiração que só os músicos têm por outro músico. É mais que admiração; é uma paixão mesmo. É mais que pelo músico: é pela música, que parece tocar o músico, mais do que ser tocada por ele.

Que é Andsnes que toca, ficou exuberantemente claro. Não só nas explosões e nos lirismos, mas também nas filigranas e escalas, tocadas sem pedal, cada rapidíssima nota articulada como uma individualíssima sílaba. Os mistérios de Rachmaninov perderam o que têm de mais sentimental, transpostos para um cenário novo (planos sobrepostos, texturas simultâneas). Não se trata de vanguardizar o invanguardizável; mas a "alma russa" jogou as aspas longe, atualizada pelo gênio desse norueguês de 31 anos e 31 dedos.

Antes disso, a orquestra já mostrara a que veio, com o poema sinfônico *Don Juan*, de Richard Strauss (1864-1949). Não veio, talvez, com toda a força; mas só quem já escutou a BBC em outras ocasiões poderia reclamar que a BBC pode ser ainda melhor.

Sir Andrew é um regente expansivo, no limite do histriônico – a imagem do maestro de desenho animado. Mas o resultado não tem nada de histriônico. É música, cheia de orquestra, soando sem nenhuma falsidade.

Estranho caso de Dr. Richard e Mr. Strauss: essa música, até há alguns anos, era intragável. Mas vai ficando cada vez melhor e cada vez mais relevante. (Quer dizer: a música hoje torna possível escutar a do passado com outros ouvidos.) O *Don Juan* foi um contrapeso e tanto para a *Sinfonia em Três Movimentos* de Stravinsky (1882-1971), na outra ponta do programa.

Composta em 1945, a *Sinfonia* é um triunfo do modernismo tonal. Grandes gestos da tradição sinfônica são reconhecíveis, mas o engenho é outro, e a arte é outra. "Enquanto dezenas de músicos continuavam gaguejando e pontificando... Stravinsky simplesmente *agiu*" – como disse o compositor Pierre Boulez (em *Points de Repère*), algumas décadas depois de ele mesmo ter vaiado Stravinsky em Paris, no mesmo ano da *Sinfonia*.

Andrew Davis regeu recentemente um concerto da BBC (no Royal Festival Hall, em Londres) só com obras de Boulez; e alguma coisa de Boulez anima agora, também, esse seu Stravinsky. As não narrativas da *Sinfonia* ganham muito com isso: acordes blocados, métrica mutante, acentos elétricos, ostinatos nas cordas, tudo olha para a frente, não para os lados.

No meio dessas riquezas, vieram os *Quatro Interlúdios do Mar* de Benjamin Britten (1913-76), a oferenda inglesa do programa, mas tocada sem qualquer sentido de obrigação (ao contrário do Vaughan Williams do bis, um bombom doce demais, quando o Stravinsky ainda soava feroz na cabeça).

Andsnes e Rach, Davis e Strav, BBC e BB: grandes parcerias. Strauss correndo por fora. Grande concerto, estreia histórica do pianista em São Paulo – histórica para nós, cuja história é escutar música assim.

20.4.01

Coro e Orquestra do Festival de Ludwigsburg Wolfgang Gönnewein

HÄNDEL: MESSIAS

Cultura Artística, 23.4.01

O Messias chegou e passa bem. O que o Coro e Orquestra do Festival de Ludwigsburg tocaram anteontem (e repetem hoje à noite), no teatro Cultura Artística, foi um Händel diferente – uma retroversão do compositor inglês para a música alemã. Não se trata só do texto traduzido, nem da orquestração sinfônica de Mozart, mas da interpretação em si, que faz do *Messias* um oratório germânico, com as devidas perdas e os devidos ganhos.

"Händel [1685-1759] não pudera achar na Alemanha o sentido da sua personalidade. Era diferentíssimo de Bach. Vibrante, brilhante, mais teatral que dramático, sensualíssimo, grandioso, chegando aos luxos da grandiosidade..." Essas palavras de Mário de Andrade (na *Pequena História da Música*) servem de contraste para se entender o Händel regido por Wolfgang Gönnewein. Estreado em 1742, na Irlanda, o *Messias* é seu único verdadeiro oratório, mas combina elementos da ópera italiana, do hinário inglês e das paixões alemãs num registro mais francamente de entretenimento do que de compunção e contrição.

Nem tudo isso veio à luz na versão de Ludwigsburg, que é vibrante e cheia de energia, mas uma energia de leite da campanha, mais que de licores da corte e rapé da cidade. É verdade que há mais em jogo, quando se pensa na orquestração de Mozart (feita a pedido de seu famoso patrono, o barão van Swieten, em 1789).

Até pouco tempo, ninguém teria coragem de executar essa versão, sob risco de ser executado no tribunal da autenticidade. Mas agora chegou-se a um nível tal de sofisticação que a versão particular, inautêntica, de uma peça como esta passa a ter legitimidade em si. O original é para todos; o arranjo é só para quem entende – mas, hoje em dia, quase todo o mundo entende.

Muda muito? Muda. Clarinetes no "Aleluia", por exemplo. Ou fagotes e trombones retumbantes nas fugas. Não chega a soar como Mozart (a verdadeira transmigração das almas se dá na *Missa* em dó menor de Mozart, que recria Händel num outro mundo). Mas também não é o Händel barroco do barroco. É o barroco em trajes da geração seguinte – que se escuta, agora, com o fascínio que têm os pastiches e apropriações para nossa própria geração.

Só com isso em mente se pode entender, e só entendendo se pode aceitar, em seus próprios termos, a interpretação de Gönnewein. A orquestra toca com segurança total e uma precisão incrível; toca para fora, num registro direto. O excelente coro excede na polifonia. Mas coro e orquestra soam melhor quanto mais alto e mais rápido – vale dizer que não é um *Messias* de nuances. Sedas musicais não têm muito lugar neste Händel que volta ao lar paterno, depois de um longo e delicioso inverno. Nem sedas, nem fogos de artifício.

Talvez mais do que qualquer outra diferença, escutar o texto em alemão causa espanto. "*Uns ist zum Heil ein Kind geboren...*" é outra música, muito distante de "*For unto us a child is given...*". (Assim como o "*Lord of Lords*" não é o "*Herr der Herrn*".)

Solistas: a soprano Christiane Libor ganhou a noite. Sua voz é linda, tem timbre próprio e um sentido de linha que faz a gente gostar ainda mais de música. Seu *legato* é um "descanso para as almas", não só na ária "Como um Pastor", mas sempre. E quem se entrega assim para a música está nas graças de Händel e Mozart, e que outro nome tenha Deus.

Christian Elsner (tenor) impressiona mais pelo volume do que propriamente pela interpretação. Os outros dois cantores, anteontem, não estavam bem à altura do currículo que têm (Carmen Mammoser aprisionada num registro baixo demais, Siegfried Lorenz sem registro definido).

Tudo somado, o *Messias* de Ludwigsburg desce sobre a pobre cidade de São Paulo como uma bênção. Não chega a ser dos céus, mas é bem-vindo e serve de arauto para mais uma temporada de concertos, que afinal começou, aleluia.

25.4.01

Coro da Osesp
Naomi Munakata

Sala São Paulo, 29.4.01

Concertos ruins são todos parecidos, mas cada concerto bom é bom à sua maneira. Por exemplo: o bom concerto do Coro de Câmara da Osesp, domingo à tarde na Sala São Paulo. Foi surpreendente por vários motivos, que merecem comentário.

A primeira surpresa é que o Coro – recém-nascido, nessa formação – possa soar tão maduro. Já tem som próprio, já canta como um coro, e não um conjunto acidental de vozes. Formado por membros do Coro da Osesp, sob a regência de Naomi Munakata, este foi seu segundo concerto, mas ninguém acredita.

A segunda surpresa foi o programa. Vamos ser francos: "música coral", como categoria, não chega a ser um ideal de felicidade para a maioria de nós. (Nós, os ignorantes.) E uma sucessão de peças só para coro masculino, depois só feminino, tem sua dose de estranheza.

O fato é que a música para coro permanece pouco cultivada pelo público de concerto. Ao contrário do século 19, quando um ideal de arte como educação tem na "sociedade coral" um de seus principais emblemas, no século 20 o coro deixa de estar no centro das coisas. Mas as relações entre literatura e música, e as imagens de convívio humano encarnadas neste repertório, fazem agora de Schubert e Brahms compositores novos, a serem redescobertos.

Terceira surpresa: às cinco da tarde de domingo, em pleno feriadão, a Sala São Paulo estava tomada de gente para ouvir o Coro.

Para quem não a conhecia, foi surpreendente a voz de Cristiane Minczuk, na *Serenata* de Schubert (1797-1828) – uma mulher sozinha contra o coro dos homens, a voz da música transformando em canção a língua alemã e serenando cada um de nós como amante do ambivalente Schubert.

Outra surpresa foi Marivone Caetano, solista numa das *Três Canções Sacras* de Rossini (1792-1868). Começou nervosa, mas se prendeu à própria voz e foi se alçando até encher a sala de *bel canto* e *virtù*.

E o Poulenc? E o César Franck? *Ok* (para usar uma palavra bem francesa). Mas o Coro está mais à vontade nos românticos do que em fumos simbolistas, ou na carolice gentil do modernismo.

Só no bis (uma *Ave Maria* de Bruckner) cantaram juntos todos os homens e mulheres, fechando o programa que abriu com uma *Ave Maria* de Holst (mulheres) e outra de Biebl (homens).

O melhor estava no meio: Schumann. E no fim: as *Quatro Canções* op. 17 de Brahms (1833-97), acompanhadas de harpa e trompas.

Cada concerto bom é bom à sua maneira: esse foi fino, discreto, franco. Um ideal de música e educação, ou música como educação – o ideal realizado do próprio repertório, que a gente vai aprendendo a ouvir.

1.5.01

Concerto Copenhagen
Coro da Capela Real de Copenhagen
Ebbe Munk

Sala São Paulo, 8.5.01

Um só Deus? Na religião da música, ele é tantos quanto são os seus profetas. Como Händel e Mozart, por exemplo, tão bem tocados pelo Concerto Copenhagen e o Coro da Capela Real, anteontem, na Sala São Paulo.

Estranho roteiro: no dia 27 de junho de 1743, algumas centenas de ingleses vão ao campo de batalha de Dettingen. Para comemorar o fato de que mataram mais franceses do que esses mataram ingleses, o rei Jorge 2º encomenda a George Frideric Händel (1685-1759) o *Dettingen Te Deum*, em ré maior. Música alguma justifica a morte; nem morte alguma, a música. Mas é dessa equação impossível que surge uma das obras religiosas mais vibrantes de todo o período barroco.

Händel é o grande mestre das arquiteturas, um engenheiro de superfícies e proporções. Para as plateias de hoje, não é habitual cultivar uma música como essa – tão confiante na sua mundanidade e fazendo dela um instrumento da sabedoria. Mas a saúde de Händel é saúde para todos nós e soou como um bálsamo nas vozes dos dinamarqueses, regidos por Ebbe Munk.

Vozes só de homens: um coro de adultos e meninos, à maneira do barroco, acompanhados pela boa orquestra de instrumentos antigos (o desastre do trompete sem válvulas não afeta o conjunto: é um instrumento do demônio e serve para lembrar nossa humanidade). Munk rege Händel handelianamente, sem carregar de sentidos o que é da ordem do espetáculo. Mantém o tempo todo uma elevação sem maneirismos, sem hipérboles, mas também sem minimizar os golpes de teatro (silêncios, modulações, passagens *a cappella*, mudanças de métrica). Rege dentro e fora da música, como o próprio Händel parece estar, nesta exuberância de coisas bem compostas e bem-postas.

A parte do leão fica mesmo com a leoa – no caso, a solista contralto Signe Asmussen, representante de uma nova geração de cantores: jovem, descolada, cantando sem fazer de si o centro do universo. Todo o quarteto de solistas cabe nessa descrição. São instrumentistas da voz; e compensam a falta de brilhos mais virtuosísticos com uma simpatia musical que soa especialmente bem neste repertório.

Na *Missa da Coroação* de Mozart (1756-91), quem brilhou foi a soprano Marianne Karlberg, tirando os pecados do mundo com suas plumas pretas e o cabelo pintado de cobre. De Händel a Mozart, a viagem é longa, como é sempre longa a passagem do que é exterior para o que é interior. Só se completaria nas obras incompletas que são a *Missa* em dó menor e o *Réquiem*. Mas mesmo aqui, nesta peça escrita aos 23 anos, já se escuta um anúncio da transubstanciação do barroco, celebrado ambiguamente num idioma que é e não é da igreja. (É da ópera, também.)

Munk e o Concerto Copenhagen podem não ser os intérpretes mais exuberantes da música antiga (a exuberância mora na Itália), ou transcendentais (França, Espanha), mas nesta *Missa* bastou o sol grave dos incríveis tímpanos no "Kyrie", bastaram os "*passus*" compassados antes da ressurreição: a música diz tudo. Até ou exatamente porque não consegue dizer; e uma interpretação tão aberta só reforça as cargas implícitas de significado, sem forçar nada.

Entre Händel e Mozart, o Coro de Meninos de Copenhagen cantou um florilégio de canções escandinavas. A maior parte lembra festival de coros, trocando só a língua. Mas o início da primeira, de Niels la Cour (1944) – acordes dissonantes, canto a boca fechada –, ou a última, de Carl Nielsen (1865-1931) – quinteto num camarote, coro no palco –, fizeram a respiração parar em 1.500 pulmões, desculpado o chavão. E o Coro da Capela Real (só adultos) transformou uma *Serenata* de Lange-Müller (1850-1926) em música de gente grande.

Lindo concerto. Duro depois é sair da Sala São Paulo e assistir ao coro de meninos da rua Helvétia. Händel e Mozart, tende piedade. Como a Dinamarca é longe.

10.5.01

Trio Celibidache

Sala São Paulo, 14.5.01

É tão raro escutar um trio de cordas. E é tão bonito. Por exemplo: o Trio Celibidache, enchendo de música a Sala São Paulo, segunda-feira.

Tocar num trio é o céu e o inferno. Tudo fica exposto, cada músico tem carga tripla de responsabilidade, cada arco soa como um naipe inteiro. Para o compositor também: um trio é mais difícil do que um quarteto. Soprano, contralto e baixo; ou soprano, tenor e baixo; ou soprano, contralto e tenor: sempre falta uma voz e o segredo da coisa é fazer das três vozes uma completude, e não uma ausência.

Que esse segredo chegue ao nível de elaboração do *Trio* op. 9/1 de Beethoven (1772-1827) dá a medida de quem era Beethoven aos 26 anos de idade. Se a medida hoje parece menor, é só em comparação com as enormidades do Beethoven heroico, que definem a imagem do compositor. Mas as obras da primeira fase são um dos pontos altos da tradição do divertimento e um dos pontos mais altos de todo o classicismo.

Soa estranho escutar essa música na Sala São Paulo? Um pouco. É a música de câmara mais de câmara, e parece um tanto desprotegida nas vastidões da Sala. Mas o Trio Celibidache tem um som cheio, sem medo, e a essa altura a única câmara que conta é mesmo a do crânio.

Para quem esperava uma interpretação à maneira do maestro Celibidache (1912-96) – lendário regente da Filarmônica de Munique, da qual o violinista Lorenz Nasturica é o *spalla* –, o Trio pode ter causado alguma surpresa, até alguma decepção. Nem eles tocam em tempos expandidos, nem visitam cada acorde como uma esquina do paraíso. Que isto seria despropositado num trio fica claro ao escutar o Celibidache tocando Beethoven, com uma fluência que parece vir de dentro da própria música.

Os mais vienenses podem reclamar da falta de ironia. O Trio toca com graça, mas não com *Witz*. São grandes conversadores da música, mas não grandes ensaístas. A definição de Goethe da música de câmara como "conversa entre homens cultivados" aplica-se bem ao que eles fazem, em que pesem as diferenças de sentido nas palavras "conversa", "homens" e "cultivados", da era de Goethe para cá.

Essas diferenças já se faziam sentir uma geração depois de Beethoven, com Schubert (1797-1828). Seu *Trio* em si maior ficou incompleto, mas o único movimento é uma obra-prima de ambivalências, suspenso entre passado e futuro. Num concerto ideal, o Trio Celibidache teria tocado o Schubert de novo, no fim: já seria outro, e não só porque eles então estariam mais à vontade na música.

Segunda parte: *Serenata* op. 10 de Ernst von Dohnányi (1877-1960). Dohnányi é o terceiro grande compositor húngaro do século 20, depois – bem depois – de Bartók e Kodály. Mas sua música é muito menos "húngara" do que a dos outros dois; é música alemã.

Bom momento para se desfazer um mal-entendido histórico: não só Dohnányi não colaborou com os alemães durante a ocupação nazista da Hungria, como abandonou o cargo de diretor da Academia de Música, em protesto. (Em 1944, exilou-se na Flórida.) Um dos filhos de Dohnányi foi enforcado na Alemanha, por sua participação num complô contra Hitler. Anos mais tarde, um de seus netos seria eleito prefeito de Hamburgo. Outro é o maestro Christoph von Dohnányi, titular da Sinfônica de Cleveland.

Nada disso se anuncia na *Serenata*, escrita com enorme competência, mas pouco gênio e nenhum sentido de urgência, musical ou humana. A "Romanza" é um movimento e tanto, com a viola fazendo sua serenata e os outros dois a luz da lua. E o "Presto" uma olimpíada de semicolcheias, fazendo eco acelerado ao "Presto" de Beethoven, que o Trio Celibidache também tocou no limite do impossível.

Bis: o "Scherzo" do *Trio* de Jean Français (1912-97). Mais música ligeira, do autoproclamado sucessor de Saint-Saëns.

Bom trio, bom concerto, boa música. Depois boa noite e boa sorte, que o Brasil está apagando.

16.5.01

Dezsö Ranki/ Edit Klukon

Sala São Paulo, 28.5.01

Quem teria coragem de mexer com Beethoven? Resposta número 1: Schubert. Resposta número 2: Liszt. As respostas têm caráter muito diferente, mas juntas ajudam a definir boa parte do que será a música do século 19. Que essa música continua viva, refazendo Beethoven para nós, ficou memoravelmente claro no concerto dos pianistas Deszö Ranki e Edit Klukon, anteontem na Sala São Paulo.

Não seria justo falar da versão feita por Liszt (1811-86) da *Nona Sinfonia* de Beethoven (1770-1827) como uma mera "transcrição". Foi em 1837 que Liszt começou a reescrever as nove sinfonias de Beethoven. Estava no castelo de George Sand, na companhia da condessa Marie d'Agoult. Quer dizer: num momento privilegiado, só comparável ao ascetismo monástico de seus últimos anos em Roma, quando acabou de trabalhar na sinfonia (em 1865).

"Beethoven é, para nós, como as colunas de nuvem e de fogo que guiaram os israelitas no deserto", dizia ele – enquanto transformava Beethoven num precursor de Liszt. A *Nona* que o duo tocou é uma de três versões (as outras são para piano solo e piano a quatro mãos) e mostra o que pode ser uma "tradução" da música, no sentido pleno: uma reinvenção, que transporta sentidos de um mundo para outro, sem deixar de seguir as notas do original.

Nenhuma nota a menos, muitas a mais: milhões de semicolcheias, como os milhares de consoantes da língua húngara. Um piano é um piano – mesmo se forem dois –, e nem todo o virtuosismo de Liszt poderia recriar uma orquestra sem fazer uso de escalas, arpejos, oitavas. O gênio do compositor húngaro era a transformação dramática dos temas, que adquirem "caráter" e vão viver atribuladamente a vida. Isso está longe da exploração mais abstrata da tonalidade em Beethoven; mas serve, no caso, para redobrar a *Nona* de energia.

E o duo Ranki e Klukon? O comentário de uma amiga, depois do "Allegro", fala por si: "isso é que é rock". A *Nona* fica mais, não menos violenta em dois pianos. As passagens contrapontísticas chegam no limite do que é fisicamente tolerável para uma plateia, sem perder a compostura. A música soa grande demais, não cabe no teclado: mas não é o que o próprio Beethoven queria, com seus brutalismos e espancamentos de orquestra?

Sábado passado, Ranki tocou um brilhante *Concerto* nº 2 para piano e orquestra de Bartók (1881-1945), com a Osesp. Anguloso nas pontas, sugestivo no "Adágio" (com as cordas cobrindo tudo de garoa, como em Budapeste, ou São Paulo). Bartók é um mestre das pequenas transições, e Ranki se equilibra nesses intervalos com a imaginação de quem sabe bem o que são sombras e transições.

Mudou bastante para tocar com sua mulher. Sua mão é o dobro da dela e o braço idem. Se tocasse como tocou o Bartók, o piano 1 desapareceria. E Klukon tem um fraseado bonito, e um sentido de tempo cuidadoso mas corajoso. Não chegam a ser músicos da maior originalidade, mas nem sempre originalidade é uma bênção, e eles tocam, no mínimo, como os melhores do ramo.

190 teclas já são mais que o bastante. Com Liszt, às vezes, soam como 1.900. Já a *Fantasia* de Schubert (1797-1828) tem seus momentos de borrasca, mas volta sempre aos pequenos caminhos que se bifurcam, depois de um tema simples e perfeito. É a tradução de Mozart para a geografia de Beethoven. Que Schubert tenha escrito isso já moribundo – no mesmo ano do *Quinteto*, da *Sinfonia* nº 9, das duas

últimas sonatas e dos dois últimos ciclos de canções – é um dos milagres certificados da musicologia. Mas o verdadeiro milagre é a música, que se renovou nas mãos dos húngaros, sem exageros de melancolia.

Fizeram muito bem de inverter a ordem das coisas, tocando um bis (*Variações* em sol maior, de Mozart) por antecipação, no início do programa. Ninguém precisa de bis depois da *Nona*. *Köszönöm szepén*. E voltem sempre.

29.5.01

Orquestra Sinfônica Municipal/ Denyce Graves Julius Rudel

Teatro Municipal, 29.5.01

Denyce Graves não barateia. Julius Rudel é um grande regente. A Orquestra Sinfônica Municipal deu o máximo de si. Mesmo assim, ficou faltando alguma coisa no concerto de anteontem, em São Paulo, embora não seja fácil dizer o quê.

O nome é Graves, mas ela é boa de agudos. Equilíbrio é um de seus pontos fortes. O principal é o timbre: uma soprano com timbre de contralto. Canta tudo com domínio de tudo, embora não tenha dado tudo no Municipal.

Ensina-se às crianças que não se deve dizer "show" de música clássica. Mas o repertório de terça era de show: 16 peças, alternando solista e orquestra, mais o Coral Lírico nos excertos de *Carmen*. E Denyce e seus quatro vestidos encenam as árias na melhor tradição do entretenimento americano. Sem ironia: ela é uma artista consciente e generosa. Sublinhe-se *melhor* na frase acima.

O verdadeiro show foi do maestro Julius Rudel, diretor da City Opera há 37 anos. Que prazer ver um regente desses, tocando a orquestra como um violão e tratando o pódio como um banquinho. Já regeu tudo, sabe tudo e continua fazendo música – sem espanto, sem cansaço, sem agonia.

Arrancou vinho da pedreira e conseguiu fazer a Sinfônica tocar relativamente bem do início ao fim. Crítico generoso: a orquestra melhorou, não envergonha, acompanha cantores com esmero. Crítico duro: não tem identidade, o desnível de naipes é óbvio, não toca mais do que uma orquestra universitária do interior dos EUA – muito pouco para quem carrega o nome da cidade. E a Sinfônica pode ser outra orquestra, se deixarem, se quiserem, se puderem.

Na soma de tudo, ficou faltando alguma coisa. Graves não cantou agudos impossíveis, nem trinados vertiginosos. Não foi isso. O fato é que a gente mal sai de um concerto desses e já esqueceu. Transcendência relativa do ar: zero. Ficou faltando alguma coisa. Talvez música?

31.5.01

Kurt Masur

Cidade do México, 13.6.01

Sobranceiro e enxuto, o maestro vem do alto da escada. Incongruente contra os retângulos de cores fortes ao fundo, nas vastidões do hotel modernista, tem seu caminho cortado por uma banda da polícia mexicana, que cruza com ele na mais absoluta inocência, sem sonhar que o destino lhe reserva esse papel.

"Sua orquestra mudou bastante, de ontem para hoje." Antes que possa responder à direita, uma senhora amorosa já solicita sua atenção à esquerda: "Vim de longe, só para escutar o concerto". Masur, diplomático, humano, agradece. É manhã de sol e ele parece estar de bem com a vida.

Não deve ser tão fácil. Nem para Kurt Masur. Por esses dias, especialmente não para Kurt Masur. Depois de dez anos à frente da Filarmônica de Nova York, o maestro não esconde a tristeza por deixar a orquestra. Critica sem meias palavras a decisão do conselho administrativo de não renovar seu contrato após essa temporada. "Não sou um homem que torne a vida fácil para todo o mundo; mas sou, sim, alguém que está sempre em busca da mais alta qualidade."

Com o que ninguém discute. A opinião unânime – dos músicos, dos críticos e das plateias – é que a Filarmônica está tocando melhor do que nunca. Deu prova disso na noite anterior, na Sala Nezahualcóyotl da Universidade do México, num concerto que inaugurou a temporada latino-americana da orquestra [ver o texto seguinte].

À beira da piscina, protegido do calor asteca, Masur fala com tranquilidade e franqueza. Jamais pediria demissão dessa orquestra, à qual se refere com sentimento forte. Que o seu amor não seja necessariamente correspondido só transparece aos poucos, nos comentários que se vai colhendo, aqui e ali. O caso, no mínimo, tem suas complicações.

"Quem disse que é preciso mudar de regente depois de dez anos? Há tantos exemplos em contrário. George Szell, com a Orquestra de Cleveland: até hoje a orquestra soa como ele."

Szell regeu em Cleveland desde 1946 até sua morte em 1970. Coincidentemente, seu sucessor foi Lorin Maazel, que assume a Filarmônica de Nova York em 2002. As ironias não são involuntárias: "Já chegamos a esse mesmo nível de conhecimento e estilo. E meu espírito vai continuar com a orquestra. É a minha maior esperança – porque é o único modo de ela manter esse padrão".

Dez anos, para Masur, nem seria tanto. Ele foi diretor da Gewandhaus de Leipzig de 1970 até 1996, e mantém o cargo de regente laureado, único na história da orquestra. Assumiu, "porque era normal", a liderança das manifestações pacíficas pelo fim do regime comunista em 1989, que culminaram com a queda do muro de Berlim. Chegou a ser cotado para presidente. Poderia ter sido o Vaclav Havel da Alemanha Oriental, se o país não tivesse deixado de existir, depois da unificação.

Foi em Leipzig que conheceu o brasileiro Roberto Minczuk, na época trompista da orquestra, hoje maestro assistente da Osesp – e também, em 2000-01, assistente da Filarmônica de Nova York. "Roberto tem potencial para ser um dos grandes maestros do mundo. O som que tira da orquestra deixou os músicos da Filarmônica espantados. Na audição para assistentes, ele foi miraculoso."

Em julho, Masur estará em São Paulo, para reger a Osesp, que ele conhece só de gravações, mas descreve como uma boa orquestra. E é preciso imaginar tudo o que esse adjetivo carrega, entoado a seco, com acento alemão, na voz de um músico que já viu tudo, sabe tudo, e não deve mais nada a ninguém.

"O que eu quero fazer, nos próximos anos, é ajudar os maestros jovens." Geralmente ficam muito frustrados, "o tempo todo esperando alguém morrer ou ficar doente, para ter uma chance de reger". Em Nova York, Masur criou um sistema próprio. Os assistentes têm contrato de um ano; depois vão ganhar experiência do jeito que importa: regendo. Voltam depois à Filarmônica como convidados, mas levam para sempre o som da orquestra na cabeça, como um ideal.

Esse mesmo som que seu criador leva agora consigo para a London Philharmonic Orchestra e a Orchestre National de France. "Quando resolveram que tinha de me aposentar, disse a mim mesmo: eu me recuso a ficar velho. Eu vou em frente." Em Londres regerá uma excelente orquestra, mas padecendo de dificuldades financeiras, como todas as orquestras inglesas. Em Paris, o prognóstico é um pouco melhor, porque a ONF tem uma rádio e um leque maior de opções.

Com ela, Masur não quer menos que "melhorar a vida musical em Paris", perenemente abaixo das outras artes. Já conversou com Pierre Boulez (diretor da Cité de la Musique) e James Conlon (regente da Ópera da Bastille), visando um esforço integrado.

O café de Masur ficou esquecido na mesa, mas ainda não esfriou, na fornalha natural do ambiente. Ele dá um gole e afrouxa a gravata mexicana de tirinhas. A senhora amorosa não resiste e vem tirar uma foto. Diplomático e humano, ele não chega a sorrir, mas não reclama.

Visto de fora: um homem centrado em suas possibilidades. Sério, confiante, sofrido, sabedor. Fala como rege, sem hesitação e sem excesso. Visto de dentro: isto não se vê, se escuta. Tanta experiência nem caberia em duas palavras. As que se tem são Kurt Masur.[7]

16.6.01

New York Philharmonic
Kurt Masur

Sala Nezahualcóyotl (Cidade do México), 12.6.01

A noite gigantesca do México cai sobre a gigantesca Sala Nezahualcóyotl e o gigantesco espectro de Shostakovich começa a assombrar a plateia fria. A primeira noite de uma turnê nunca é a mais inspirada. Quando se trata de um concerto fechado, para os patrocinadores, pior ainda. Mas a Filarmônica de Nova York está tocando num nível tão alto, hoje em dia, que essas contingências – turnê, México, plateia – vão se esvaindo em poucos minutos e o fantasma de Strauss vem logo espantar até a alma mais incrédula do auditório.

Com seu passo um tanto incerto, de cegonha, Kurt Masur entra no palco e se põe à frente da orquestra com simplicidade. Sem batuta.

---

7 Reeditado em: M. de Lourdes Sekeff e E. Zampronha (orgs.), Arte e Cultura (II). *São Paulo: Annablume/ Fapesp, 2002.*

E sem partitura. Rege a *Sinfonia* nº 1 de Shostakovich (1906-75) de memória, mas "memória" não é a metáfora mais adequada aqui. Quando se pensa no esplendor e miséria alternados (várias vezes) da vida do compositor na era de Stálin, a *Sinfonia*, composta aos 18 anos, ganha outros matizes. Parece mais um anúncio das ambiguidades futuras do que uma exibição de virtuosismo irônico. Ou pelo menos foi assim que Masur regeu, com requintes de futuro e de passado.

A Filarmônica toca tudo com uma elegância sem maneirismos, num estilo de sofisticação direta, em que cada detalhe conta e nenhum vem a mais. "Estilo", aqui, é um dos sinônimos de "verdade". Solistas invariavelmente, quase irritantemente bons. A única trompa perfeita do mundo da música (Philip Myers). Corais de sopros e corais de metais, melodias escuras nas cordas: a orquestra não está dando tudo, resiste nalguma medida ao maestro e à música, mas isso também tem suas virtudes.

Outro tipo de distanciamento ou suspensão se ouviu nas *Quatro Últimas Canções* de Strauss (1864-1949). Mais rápidas e leves do que de hábito, ganharam outro encantamento, como se o fim do amor e o fim de tudo já estivessem sendo ouvidos do lado de lá. A soprano Christine Brewer cantou com Masur para Masur; quer dizer, traduziu Strauss para esse registro menos sentimental, menos alpino. Strauss é um limite do *kitsch*: tocado e cantado assim, leva os sentidos da música até onde podem ir, sem se desfazer em efeitos e açúcares e fanfarronices. Interpretado assim, ele é um dos compositores do nosso tempo, mais até do que do desgraçado seu.

Till Eulenspiegels lustige Streiche é de 1895 – 53 anos antes das *Últimas Canções.* Faz também 53 anos que Masur é regente de orquestra, e a experiência, em música talvez mais que na vida, faz diferença. Não rege nada para fora, não perde um gesto, com uma inteligência tão clara e tão funda que parece natural, simplesmente humana, ao alcance de todos. Mas a música é um caso de vida e morte, não só quando narra a vida e a morte pícaras do cavaleiro Till, mas sempre. A música não é para qualquer um: só para a humanidade, e não é todo dia que se chega a tanto.

A Filarmônica de Nova York está no auge. *Um* auge. Oxalá se conserve assim até o próximo, que já não será com Masur.[8]

16.6.01

---

8 Reeditado em: Sekeff e Zampronha (orgs.), op. cit.

Osesp
John Neschling

STRAVINSKY: A SAGRAÇÃO DA PRIMAVERA

Sala São Paulo, 23.6.01

"Vontade de tirar a roupa, dançando a *Sagração da Primavera*", como dizem os Pet Shop Boys. Vontade todo o mundo tem; mas nem sempre uma *Sagração* à altura: ao vivo, 103 músicos explodindo em maravilhas e brutalidades, um cataclisma sonoro, não só dentro, mas fora da cabeça.

Não seria a verdade factual dizer que a *Sagração* foi dada pela primeira vez aos brasileiros pelos brasileiros na semana passada pela Osesp. Mas provavelmente é uma verdade da música. Outras tentativas, até onde se sabe, não valeram.

A *Sagração* continua tão insólita e, ao mesmo tempo, tão natural hoje como em 1913. Fazil Say acaba de gravar uma nova versão da partitura de Stravinsky (1882-1971), para piano. O prodígio turco toca consigo mesmo, em tomadas sobrepostas, e emprega, além do piano normal, um instrumento "preparado", à maneira de John Cage. É de tirar o fôlego. E prova, mais uma vez, a qualidade estranhamente fora do tempo dessa música que é tão do seu tempo. O modernismo ali transcende a noção de estilo. Dá a impressão de chegar num limite da condição humana crua, para não dizer nua.

Nem nua, nem, muito menos, crua, a mais russa das músicas foi interpretada pelo maestro John Neschling, sábado passado, sem russismos e sem exotismos, mas sem perder uma dose de loucura jamais. Neschling manteve-se soberano e tranquilo em meio à primavera e ao sacrifício. Mas a fúria da contagem e/ou as dificuldades de encontrar o som absoluto deixaram os músicos em estado de concentração búdica; e isto, que causou algum distanciamento no começo, fez a Osesp sair de si depois, para chegar aonde não tinha ido ainda, ou não assim.

E nem sempre pelo arroubo e violência. Um dos grandes momentos dessa *Sagração* foi a passagem delicadíssima dos trompetes com surdina, no início da Parte 2, respondidos pelas violas e comentados pela requinta. Música de Marte, ou de Saturno, ou do fundo da espinha.

O herói da tarde, como esperado, foi o fagotista Fábio Cury. A

Sagração começa com um solo de fagote, na região mais aguda do instrumento. "Por que o senhor não o deu para o corne inglês?", perguntaram a Stravinsky. "Porque o fagotista tem de estar com medo. *Esse* é o som que eu quero." Se tivesse ouvido Cury, mudaria de ideia. Foi de uma calma até inquietante, calma com sombras, emotiva, original.

O mundo termina com um bang!, não com um suspiro. Ovação, plateia em pé, Neschling fazendo solista por solista e naipe por naipe agradecer. Palmas e mais palmas, até doerem as mãos.

Com Stravinsky no cérebro, a gente até esquece do lindo *Concerto* de Dvorák (1841-1904), solado antes pelo violoncelista Mario Brunello. Injustiça. A borboleta dos dedos voou feliz pelas alturas incríveis da primeira corda. E o arco é expressivo em acordes e melancolias. Brunello toca na medida sábia de si, sem afetar genialidade, mas sem menosprezar uma musicalidade muito franca e madura.

É que o Stravinsky faz de tudo terra arrasada. "I feel like taking all my clothes off/ Dancing to *The Rite of Spring*..." Vontade todo o mundo tem, todo o mundo teve. Só não tirou por timidez.

26.6.01

Karlheinz Stockhausen

Moinho, 29.6.01

A arte é longa... longa... longa... e a vida é breve. Entende-se por que muita gente deve ter ido embora no intervalo do concerto de Karlheinz Stockhausen, sábado no Moinho. Perderam a chance de escutar *Kontakte*, longa e antológica peça do repertório eletroacústico. Mas, depois de *Oktophonie*, cada um teria seus motivos para deixar a cadeira vazia – entre eles, preservar a memória do melhor Stockhausen, que sua música recente só faz diminuir.

Composta em 1999, *Oktophonie* faz parte da ópera *Dienstag* (*Terça-Feira*), que por sua vez integra um ciclo de sete, reunidas em *Licht* (*Luz*). Desde 1977, Stockhausen trabalha nessa semana inteira de óperas, cujo assunto é ele mesmo: seu nascimento na estrela Sírius, sua vinda ao planeta Terra para promover um entendimento entre os humanos e o cosmos etc. Para 2003, está marcada a estreia de *Quarta--Feira*, na Suíça.[9]

Não é fácil levar a sério o criador dessa automitologia. No mundo já rarefeito da música contemporânea, são poucos os que ainda cultivam o compositor de *Gesang der Jünglinge* (*Canto dos Adolescentes*, 1956) e *Gruppen* (*Grupos*, 1957), entre outras grandes peças do pós-serialismo.

O que não significa uma diminuição de sua popularidade. Pelo contrário, ele tornou-se agora, além de mitologia, uma indústria: o *site* www.stockhausen.org é o vendedor exclusivo dos 62 CDs de sua música, a Stockhausen Verlag edita suas partituras, a Fundação Stockhausen dedica-se "ao progresso da musicologia [...], baseado na obra criadora do professor Karlheinz Stockhausen".

Significa, sim, uma mudança de público. Não deixa de ser um alento para a música contemporânea ver Tiazinha na plateia, escutando *Oktophonie*. Mas é triste notar a ausência de compositores e intérpretes que, há alguns anos, não perderiam por nada um concerto dele.

Oktophonie, presumivelmente, tem função dramática na ópera. No Moinho, foi tocada no escuro. Ela é "octofônica" porque o som se divide entre oito grupos de autofalantes, distribuídos de lado a lado e de alto a baixo do auditório. De lado a lado não é novidade, mas de alto a baixo sim. Cabe a nós educar, agora, o ouvido para perceber musicalmente as diferenças.

A figura principal de *Oktophonie* é exatamente a passagem do que está no fundo para o que está no alto, com todas as conotações que se quiser. Um sino eletrônico dá início à primeira parte e se repete na segunda, que refaz a meia-hora inicial por outros caminhos. Uma nota gravíssima se faz escutar do início ao fim; mudanças de altura desse pedal correspondem a modulações, ou mudanças de campo harmônico. Mais-que-wagnerianamente lentas.

Nas décadas de 50 e 60, Stockhausen abrigava elementos do jazz no abraço generoso e genial de sua música. Agora recebe o rock com igual generosidade. Sua ideia de textura e, especialmente, sua noção de tempo continua única e faz, do que vem do rock, um entre outros atores na vastidão de intemporalidades.

---

9 A estreia da ópera completa (29 horas de duração), marcada para 2008, no Festival de Donaueschingen, até hoje ainda não se deu. Stockhausen morreu em dezembro de 2007.

Há espaço para um breve quase canto oriental. Há muito espaço para os assobios, glissandos e chiados que são como o solfejo da música eletroacústica. Certos sons vão se transformando em outros, que se transformam em outros. Texturas se adensam vagarosamente, depois afinam, até a nota final, que se perde na altura e na distância.

O pior que se pode dizer de *Oktophonie* é que tudo soa como trilha sonora para um drama imaginário qualquer. O melhor que se pode dizer é o mesmo, com alguns bônus por momentos de sonoridade inspirada.

A plateia aplaudiu por educação e seguiu gelada para o cafezinho. Dúvida difícil: voltar ou não, para escutar *Kontakte* (de 1960)?

O crítico, entre outros, preferiu continuar vivendo só com a memória dessa música arrojada e inaugural. O que há de força em *Oktophonie* vem da música antiga do próprio Stockhausen; e não é impossível que a nova estrague um pouco a anterior.

2.7.01

Osesp
Kurt Masur

Sala São Paulo, 11.7.01

São 9h30 da manhã e a orquestra inteira está no palco. Os músicos ficam aquecendo dedos e lábios, testando pedaços de música, dando-se ao prazer dessa grande marinada de notas. Às 9h35 o maestro cruza a cena e sobe no pódio, e um minuto depois o burburinho virou a *Quinta Sinfonia* de Beethoven, sem transição, sem falatório, para além de um prosaico "bom dia", em português.

Kurt Masur está em São Paulo para reger a Osesp e ministrar um curso para jovens regentes da América Latina. No mês passado, regeu a Filarmônica de Nova York nessa mesma Sala São Paulo e no Ibirapuera. Aos 73 anos, preparando-se para assumir a London Philharmonic Orchestra e a Orchestre National de France na próxima temporada, ele é, por consenso, um dos maiores regentes da atualidade. Sua presença à frente da Osesp serve de atestado de excelência da orquestra e tem um significado histórico, que ninguém deixa de perceber nesta manhã.

O que não chega a ser um embaraço. Poucos maestros são tão diretos no trato da música quanto Masur e poucos têm uma concentração tão intensa e natural. Não sobra espaço para se pensar em coisa alguma, que não a *Quinta Sinfonia.*

A energia do homem é impressionante. Fora do palco, aparenta ponderação. No pódio, vira um moinho perpétuo de música. Sabe exatamente o que quer e como conseguir o que quer. Não tem um único momento de vacilo. E nada passa batido por esse senhor de óculos de vovô e moleton.

O público leigo vê no regente uma mistura de metrônomo e ator: alguém que bate o tempo e encena a música para a plateia. Nalguma medida, isso é verdade: mas é uma medida pequena, comparada à função real do maestro.

Imagine uma peça de teatro, levada pela mesma companhia com dois diretores diferentes. O maestro é um diretor, nesse sentido. É ele quem interpreta tudo, quem decide andamento, fraseado, sonoridade, expressão. Para não falar da ideia humana da música, que reflete mistérios maiores da personalidade.

"Essa música vem daqui", diz Masur, apontando para a barriga. "Não daqui" (o pescoço). "A cabeça não serve para nada." É uma instrução típica, como também "fogo!", ou "em frente! (*keep it going!*)". E não deve ser mal compreendida. Ele é um músico analítico por excelência, entende como poucos a engenharia da orquestra. Entende tanto, que pode deixar isso para trás. Um gesto característico, então, é o balançar sucessivo da mão esquerda, da direita, do tronco, por fim da cabeça, como se o corpo inteiro embarcasse no absoluto do som.

Num outro extremo, pequenos detalhes são trabalhados com apuro de ourives. Início do ensaio: os tímpanos atacam uma sequência de dominante-tônica. Masur interrompe. Pede que Elisabeth del Grande corrija a afinação. Depois, que toque "como um contrabaixo, não como um tambor". Ela sugere trocar de baquetas, por outras mais suaves. A orquestra repete o trecho: já é outra música, com outra profundeza.

Mais um exemplo: a primeira nota do segundo movimento. "*Friends...* por favor, mais uma vez", fica repetindo Masur, até os violoncelos tocarem sonoramente o início da frase, cuja tendência natural é sair do nada.

Assim se faz música: parando a cada 30 segundos. "Violas: som de violas, não de segundos violinos." "Trompetes: vocês precisam respirar?" "O Andante não é uma marcha fúnebre. É ensolarado."

"Oboés: o ornamento no tempo, não antes do tempo." "Muito bom, obrigado. *Please, friends*: de novo."

São 5 para as 11 e o ensaio segue neste ritmo. Entra Xisto, o inspetor da orquestra, elegante como um conde: "Maestro. Pausa. *Break*." "Ah", responde Masur. "O cafezinho. Só preciso que eles toquem esse pedaço mais uma vez." E eles – os sopros – tocam.

No intervalo, o clima geral é alegre. Fazer música com quem sabe fazer música é um prazer. Há, claro, quem soe a nota dissonante. Comentário entreouvido no banheiro masculino: "Esse negócio do maestro pedir o que não está marcado na partitura...". Conversa de músico. Dá para ver na cara deles como respeitam a inteligência e paixão musical de Masur.

A orquestra já está tocando com outro som. Masur quer mais. Dueto impagável, no fim do ensaio, só o maestro e a timpanista. Ele bate o tempo suavemente, e ela tira o som mais de contrabaixo que um não contrabaixo jamais timpanizou.

Fazer música é tão simples.

Basta uma vida, um Masur, um Beethoven e uma Osesp.[10]

12.7.01

Pittsburgh Symphony Orchestra
Mariss Jansons

Sala São Paulo, 16.7.01

A *Quinta Sinfonia*, como se sabe, não existe. Só existem as Quintas Sinfonias, de acordo com o Beethoven que cada um tem na cabeça. Kurt Masur, que regeu a *Quinta* com a Osesp na semana passada, tem uma. Mariss Jansons tem outra, que a Pittsburgh Symphony Orchestra mostrou na Sala São Paulo anteontem.

A *Quinta* de Masur é contemporânea da poesia de Hoelderlin e dos contos de Hoffmann: responde ao mesmo tempo ao sublime e à ironia – como se lê a ironia e o sublime hoje, dois estilos do nosso tempo também. Cheia de contrastes, angulosa, sua energia final soa como uma conquista, em face de todos os bloqueios. Tanto mais comovente

---

10 Reeditado em: Sekeff e Zampronha (orgs.), op. cit. (nota 7).

quando interpretada por uma orquestra para quem a mera execução dessa música, regida por esse maestro, encena uma passagem de vida.

As diferenças com Pittsburgh começam por aí. Para uma orquestra tão madura, tão boa há tanto tempo, tocar a *Quinta* é rotina. O que não significa desleixo, ou falta de engajamento, de modo algum. Mas a *Quinta* de Jansons soou como... a *Quinta*. Mais uma *Quinta*, muito bem tocada. Cordas fantásticas. Ótimos trombones. Fagote em noite não muito feliz. Cinco substantivos, para resumir: dínamo, brilho, consciência, confiança, certeza. No final das contas, para quem esperava surpresas, foi pouco surpreendente.

Há quem idealize as coisas e afirme que, na arte, não existe comparação. Mas a comparação, pela memória, é uma das vidas da música, um dos domínios onde ela adquire massa humana. Sem isso, aliás, tudo é igual a tudo, ou nada é nada.

E o Ravel da sinfônica de Pittsburgh foi muito mais que nada. Essa é uma orquestra de superfícies, de música como espetáculo, conduzido num nível elevado. E a suíte do balé *Daphnis et Chloé* (1912) se presta por excelência para os encantamentos e maravilhamentos.

Jansons rege mais fora do que dentro da música; mas rege de dentro da orquestra para fora. A máquina fabulosa da sinfônica toca Ravel com gosto e faz as paredes da sala vibrarem como se fossem ouvidos.

Antes disso: dois tangos de Albéniz (1860-1909), em arranjos rimskikorsakovianos do compositor realista soviético Rodion Schchedrin. Glissandos de tímpanos, "España" com aspas, férias.

Férias! Música! Já são as melhores férias, sempre.

18.7.01

Orquestra Filarmônica de Israel
Zubin Mehta

Sala São Paulo, 5.8.01

Vamos falar do "Adagietto": mas antes é preciso falar do segundo movimento da *Quinta* de Mahler (1860-1911). Foi ali que a Filarmônica de Israel se abriu, afinal, para a música. Desse ponto em diante – passada uma *Primeira Sinfonia* de Beethoven (1770-1827) relativamente inexpressiva, e uma "Trauermarsch" em passo bem comedido – o concerto foi um acontecimento, uma ressurreição, sons e sentidos dizendo a verdade de cada um de nós.

Zubin Mehta não é um regente de revelações ou originalidades. Seus pontos fortes são a fluência, a segurança, a energia. Rege tudo de cor, mesmo se nem sempre de coração. No concerto de domingo, na Sala São Paulo, exibia um mau humor transcendental – mas não na música, que ele interpreta quase sem ironia, mas sem nenhum muxoxo também.

O som da orquestra se presta para essa vitalidade. Não são as cordas mais lindas do mundo; mas quando os violinos atacam um tema na quarta corda, ninguém se pergunta se é bonito ou não, porque a escuta se transporta para outro plano, onde esse tipo de juízo é ninharia.

A Filarmônica toca tanto melhor quanto mais difícil a música. E a dificuldade nem sempre está onde aparenta: pode ser um pianíssimo nos tímpanos, acompanhando o retorno, aos soluços, do tema melancólico do segundo movimento. Pode ser nas colcheias fogosas dos segundos violinos, no fugato que abre o "Rondó". Na trompa sozinha, no primeiro trompete – dois personagens centrais no grande romance da *Quinta*, e dois grandes músicos da Filarmônica (uma única nota quebrada na trompa e a afinação menos que perfeita do trompete na primeira página da sinfonia não alteram em nada essa impressão).

Vamos falar do "Adagietto". A hesitação do início, a melodia das cordas saindo do nada sobre acordes ondulantes da harpa, "suspende o curso do tempo e incita a música a olhar para trás", como escreveu Adorno (em *Mahler – Uma Fisionomia Musical* [1960]). O intervalo descendente de segunda ganha, aqui, um papel essencial. Toda a melancolia de Mahler, todo o estranhamento que cai sobre os ombros do narrador imaginário – e de cada ouvinte que aceita o chamado dessa música – tem nesse intervalo um emblema.

A banalidade se transforma em abstração, sob o impacto vivido da experiência. Isso é música. Isso foi música, domingo, numa simples suspensão, um último si bemol dos violinos, demorando para sempre até cair no lá, sobre a tônica gravíssima dos contrabaixos. E a energia de Mehta, constrangida pelo pulso veneziano da música, ressaltou nela tudo o que não é mais pulso, harmonia, quarta corda, tudo o que a música escuta no seu próprio passado e entende, afinal, como sentido humano.

Tristeza não tem fim, em Mahler; felicidade, sim. O "Rondó" não é menos emaranhado e truncado do que o segundo movimento. Mesmo o esfuziante coral dos metais não será o bastante para inverter o sinal negativo, na soma de tudo o que passou. A plateia explode, mas isso é formação reativa. Quem ouviu a Filarmônica de Israel tocando a *Quinta* não pode mais esconder de si mesmo o que ouviu. Não pode mais se esconder de si – uma das tantas lições que a música nos dá.

7.8.01

Hespèrion XXI
Jordi Savall

Cultura Artística, 13.8.01

Ideia para um conto de Jorge Luis Borges: o rei Alfonso X, "o Sábio", recebe um grupo de músicos numa noite do ano de 1261. Encanta-se com as cantigas dos trovadores. Devoto da Virgem, resolve dedicar-se à compilação dos cantos de Santa Maria, que esses homens recolheram pelo reino de Castela e León. Ele mesmo compõe algumas melodias, incorporadas à coleção.

Setecentos e quarenta anos depois, numa noite de inverno de 2001, um grupo de músicos, dirigidos pelo catalão Jordi Savall, faz soar uma das canções de Alfonso, o Sábio, num concerto em São Paulo, no Brasil. A língua antiga é quase incompreensível para essa plateia do Novo Mundo, mas algumas palavras são claras, aqui e ali, e de qualquer modo não é preciso compreender cada uma para entender o sentido do canto, que é intenso e sofrido. A barcelonesa Montserrat Figueras revive essa música com acentos de flamenco e canto árabe. A música soa tão viva hoje como no século 13.

Um crítico de música de um jornal da cidade está assistindo ao concerto. Neto de imigrantes judeus russos, sente-se misteriosamente preso nessa teia de música e pessoas, que atravessa séculos e continentes. Os músicos tocam melodias da diáspora sefardita. Expulsos da Espanha em 1492, os judeus se mudaram para Sarajevo, Alexandria, Esmirna, Rodes. Levaram consigo a roupa do corpo e a música. Nunca mais voltaram; mas voltam, para sempre, nessa música.

Sarajevo: a cidade, onde antigamente conviviam católicos, muçulmanos e judeus, tornou-se agora símbolo de intolerância e guerra. Savall, em poucas palavras, homenageia a tradição pacífica da cidade. "*Todas las naves del mundo vayan y vuelvan en paz*", diz a letra de um canto marroquino. O grupo é um exemplo vivo de multiplicidade humana. Os sobrenomes dizem tudo: Memelsdorff, el Maloumi, Zuckerman, Olavide, Estevan.

Cada um se converte em personagem, pelo vestuário (franjas espanholas, roupa branca indiana, terno árabe, barba de profeta), pelos instrumentos (saltério, *rebab*, *oud*, harpa, *sarod*), pelo estilo comum, na fronteira do que hoje passa por "esoterismo" – e que não tem mais quase nada em comum com a tradição dos cabalistas judeus ou a escolástica medieval católica.

Musicalmente, o grupo fala um idioma próprio, onde se cruzam influências do Oriente e do Ocidente. Não só onde isso é bem visível – na combinação de instrumentos –, mas esotericamente audível: no domínio da melodia e do tempo. Toda essa música é monódica (não tem harmonia, nem contraponto). A arte de Figueras cria sombra e luz nas linhas pelo desenho análogo de intensidades e pela fluência dos arabescos. Ela serve de modelo para o canto de cada instrumento. Flauta, viela, ou harpa, tudo é voz.

E essas vozes criam o tempo onde falam. Nosso tempo é regular e mensurável, fora de nós. Já para Savall e seus músicos, o tempo é outro. Concentrações e relaxamentos conferem a ele uma plasticidade de coisa viva. Fazer música é construir gradativamente o tempo, manter-se nele, deixar depois que se desfaça.

Que o tempo é uma ilusão, já sabia o rei Alfonso, quando decidiu fixar, com linhas e letras, a música de seus trovadores. No conto de Borges, o crítico não pode encontrar uma resposta para suas angústias e alegrias, escutando essa música. Como tudo mais, são matéria do tempo, e só um outro intérprete, num outro tempo, poderia entendê-las. Sua verdade – nossa verdade – é sempre inacessível, embora se possa fazer ouvir.

15.8.01

Il Giardino Armonico

Cultura Artística, 27.8.01

Timidez, falta de jeito, decoro, pudor, autoestima baixa: só uma coisa assim, ou todas essas combinadas explicam por que ninguém saiu dançando na plateia do Cultura Artística, anteontem, escutando o Giardino Armonico. O senso equivocado da vida encontra mil maneiras de se traduzir; afundados nas poltronas, estávamos nós, por exemplo, com a música dos italianos italianizando tudo por dentro e as pernas imóveis como um terno, os ternos imóveis como as pernas.

Mas o fato é que, num movimento como o "Hornpipe", o último do *Concerto Grosso* op. 6, nº 7, de Händel (1685-1759), o Giardino Armonico ultrapassa certa barreira tácita do som e arranca da música a capa de ponderabilidade. Seria fácil dizer que esse é um estilo italiano de tocar música antiga. Mas *é* o novo estilo italiano de tocar música antiga. Contrastes, ataques, drama. Homens e mulheres no palco, homens e mulheres na música.

Nem eles dançam, é verdade, talvez porque estejam ocupados com os instrumentos. Já o maestro Giovanni Antonini fica numa situação privilegiada, e não se faz de rogado. Não existe ainda uma escola consagrada de regência da música antiga. Comparado a um regente de sinfônica, Antonini parece ter aprendido tudo sozinho. Mas não é para ser comparado a um regente de sinfônica. A maior parte do tempo, parece estar noutro planeta – um planeta sem chão, sem lado, só alturas e tempo. E o que ele ouve lá, faz a gente ouvir imediatamente aqui, numa versão inteligível e generosa.

Há quem resista a tanta energia e tanta sutileza, tantos detalhes de sentido nas costas de cada detalhe da música. É verdade que os largos às vezes parecem superamadurecidos; mas o vinho refermentado é uma das glórias do Vêneto e quem provou não esquece esse gosto jamais. Resistir, então, em nome de quê? Até Johann Sebastian Bach (1685-1750) tem a ganhar com os excessos de intimidade e *glamour*. Como na *Abertura* nº 1, em dó maior, quase um concerto para dois oboés, fagote e orquestra, que o Giardino tocou num estilo muito distante das grandiosidades de hábito. O barroco, quem diria, pode ser isso. Bach, mãe de Deus, pode ser isso: *molto* sexy.

Antonini, além de maestro, é flautista; e na segunda parte fez seus prodígios com uma flauta doce sopranino, interpretando o *Concerto* em dó maior para flautim e orquestra de Vivaldi (1678-1741). O padre vermelho que o Giardino toca tem pouco de padre e muito de vermelho. No ano retrasado, eles acompanharam Cecilia Bartoli num disco incrível só de árias de Vivaldi (*The Vivaldi Album* [Decca]). E em seu concerto levaram ao limite essa encarnação do veneziano como mestre de maresias e impetuosidades.

E os ornamentos! Exemplo de uma cadência, no "Largo": a nota sensível (a última antes da tônica) muito comprida. A tônica fica absurdamente de lado, passando-se direto à segunda rebaixada, que se desfaz num arabesco tortuoso, duas dúzias de semicolcheias para cima e para baixo até chegar, afinal, no alvo. E os ornamentos rápidos? São ainda mais rebuscados que os lentos. Dão vontade de gritar "bravo!", ou "gol!"; mas se nem dançar a gente tem coragem...

A arte da música antiga, em boa medida, está nisso: na recriação imaginosa da melodia, que tem sete vidas por dentro. Um artigo recente sobre o Giardino, na revista *New Yorker* (26/2/01), falava em "*violent* Vivaldi". Violento, *va bene*, mas violeta também, se é para ficar nas aliterações.

Bônus especial: o *Concerto* em ré menor para oboé e cordas de Marcello (1684-1750), ressuscitado pelo solista Paolo Grazzi.

O senso equivocado da vida encontra mil maneiras de se traduzir. O senso do que a vida tem de melhor também. O barroco, quem diria, pode ser isso: jardim, delícia, dança. A plateia não sai dançando, porque não tem toda essa coragem. Mas não faltou gente para gritar "bravo!", e um solitário, inaudível "gol".

29.8.01

Schlomo Mintz

Espaço Cultural Promon, 28.8.01

Existem momentos assim: uma inconsciência perfeita, a identidade de cada um, na plateia e no palco, desaparecida em música, um violino e um piano no centro do mundo, e o mundo sutilizado em Brahms (1833-97). Foi no segundo movimento da *Sonata* nº 3, que Schlomo Mintz e Itamar Golan tocaram anteontem no Espaço Cultural Promon.

Férias de verão na Suíça. Talvez seja essa a receita, porque foi lá, à beira do lago Thun, que Brahms escreveu não só a *Sonata* nº 3, mas a segunda também, mais a *Sonata Para Violoncelo e Piano*, em fá maior, e o *Trio* op. 101. E escreveu para violinistas como o russo-israelense Schlomo Mintz, um dos maiores virtuoses em atividade, mas de um virtuosismo discreto, se se pode dizer isso. Virtuosismo, nesse caso, é sinônimo de domínio, maturidade, intensidade.

Dificuldades de dedos são só dificuldades de dedos; e para um músico desse porte os dedos não são dificuldade nenhuma. O arco faz seu trabalho, como se não fosse nada demais. A mão esquerda vai sempre onde tem de ir (devagar ou rápido, tanto faz). Pensar a música é uma outra história.

Só a escolha do repertório fala por si: Schubert, Brahms, Stravinsky, Ravel. Mas não fala o bastante, porque não dá conta, entre outras coisas, do som da terceira corda do violino de Mintz (um Guarneri). A quarta corda foi a personagem principal na *Tzigane* de Ravel (1875-1937), que encerrou o concerto já num outro mundo, todo ironia e sensação. Mas a terceira é um fenômeno mais memorável ainda, um tom particular dos sentidos, que deveria ter adjetivo próprio.

Brahms nunca é fácil nos dedos, e a parte do pianista, na *Sonata*, é para gente grande. O fato de ser a menos tocada das sonatas de Brahms explica-se justamente por isso. O lituano-israelense Itamar Golan, que dá aulas no Conservatório de Paris, deu uma aula anteontem também, num limite entre expressão e discrição que é a própria arte do acompanhante. Não tem a força de personalidade de Mintz; mas por isso mesmo dá espaço para a música do outro, e serve de outro da música.

Pena que a acústica da sala não ajude. É ótimo ouvir música de câmara numa sala realmente de câmara. Mas o Espaço Cultural Promon (triste nome novo para a antiga Sala São Luiz) elimina qualquer senso de profundidade do piano, e faz o teclado brilhar numa luz dura, invariável. Golan fez o que pôde para criar texturas – e fez mais do que se ouviu.

Se em Brahms e Ravel (e até no Schubert) isso diminuiu um pouco a música, não foi o mesmo caso no *Duo Concertante* de Stravinsky (1882-1971). Ali o piano só tem a ganhar com as faíscas de notas ricocheteando no concreto. Não muito conhecido hoje, o *Duo* foi escrito para o próprio Stravinsky tocar com o violinista Samuel Dushkin. Neoclassicismo e catolicismo ortodoxo se combinam, aqui, com charmes da França do entreguerras e memórias da vanguarda. É Stravinsky: dá certo.

Mintz e Golan fizeram do último movimento, em especial, uma mistura comovente de todas as incompatibilidades. Um ornamento veneziano barroco dá início à melodia, em pianíssimo, que vai se elevando e crescendo, até as notas dobradas fortes e agudas do clímax. A recapitulação é mais uma vez muito suave; e Mintz tocou lindamente as notas duplas do fim, que foram caindo sobre a plateia como uma bênção, ou um provérbio.

Música assim faz diferença.

30.8.01

Orchestra Filarmonica della Scala di Milano
Riccardo Muti

Sala São Paulo, 3.9.01

Depois da "Abertura" das *Vésperas Sicilianas*, não se podia esperar menos que tudo. Regida por Riccardo Muti, a Orquestra do Scala de Milão atacou o Verdi (1813-1901) com uma eletricidade tal que a plateia mal teve tempo de respirar. Parecia grande música: grande música que é raro ouvir, para quem, como todos nós, ainda torce o nariz para as simplicidades de Verdi.

Foi o filósofo Isaiah Berlin quem o definiu como "último grande mestre *naiv*, na era do 'sentimental'" (em *The Verdi Companion* [Norton, 1979]). Berlin faz referência à divisão proposta pelo poeta Schiller (1759-1805) entre o artista "sentimental" – autoconsciente, moderno, preso às divisões entre a consciência e o mundo – e o *naiv*, que se integra completamente ao meio e é capaz de falar sem assistir às próprias emoções. Há duzentos anos que a música é uma arte "sentimental", neste sentido; talvez assim se entenda o entusiasmo recente por Verdi, um antídoto, o "compositor do século 21", como diz o maestro Muti em tom de esperança.

Fora do universo paralelo do canto lírico, continua difícil aceitar um compositor tão tolerante com as convenções. Mas seria impossível gostar de Verdi sem controlar o impulso adquirido de equacionar vanguarda e verdade. A "Abertura" das *Vésperas*, por exemplo, é um teatro perfeito de formas conhecidas, revigoradas de dentro. Se existe um novo prazer de escutar Verdi – ainda mais tão bem tocado –, ele tem a ver com a nossa experiência, agora, de certo repertório pós-moderno, onde o espetáculo das formas dá mais uma volta no parafuso da consciência. O ouvido é virado de dentro para fora e posto para secar.

Depois da "Abertura", então, nada menos que tudo! Mas foi menos que tudo.

O balé "As Quatro Estações" (de *As Vésperas Sicilianas*) é uma sucessão de pequenas danças e quadros incidentais. Riccardo Muti rege tão à vontade, com uma economia tão grande de gestos, que a gente acaba escutando à vontade também toda a meia hora de música. Mas nem a aplicação da orquestra, com cordas capazes de tirar leite até das pedrinhas banais do acompanhamento, pode transformar o que, afinal, não é *naiv*, é ralo, em música de maior interesse. Foi fácil para a orquestra, foi bom para a plateia; e passou.

Um parágrafo só para grafar o nome do clarinetista Fabrizio Meloni.

Se a primeira parte era do *naiv*, a segunda ficou para o "sentimental" por excelência, com a *Sinfonia* nº 3 de Schumann (1810-56). O quarto movimento sozinho, o famoso coral de metais e cordas, inspirado na catedral de Colônia, já vale um ingresso para o século 19.

Mas a Filarmônica do Scala, em casa no Verdi como ninguém, com fraseado inimitável, madeiras perfeitas, graça, espírito, no Schumann tocou com um sotaque incomum. Um pouco alto demais, ou direto demais. Foi bonito? Foi. Muito bonito. E está reclamando do quê? Da falta de planos, falta de nuance. Da expressão, afinal, insuficiente, como se tocada de fora.

Mas isso é reclamar de alma cheia. Scala é Scala e Muti é Muti, até num concerto sem maior preocupação.

5.9.01

José van Dam

Sala São Paulo, 10.9.01

Um concerto pode ser dois? Não só dois, como três ou quatro, dependendo do programa e do intérprete. E, nesse caso, vale por dois? Não necessariamente: pode valer a metade, como foi mais o caso no recital do barítono José van Dam, anteontem na Sala São Paulo.

Não foi o ciclo *Dichterliebe* de Schumann (1810-56), na primeira parte, que iluminou o *pot-pourri* de árias de ópera, na segunda. Nem vice-versa. Foi, isso sim, um Schumann relativamente fosco, bastante prejudicado pelo pianista Maciej Pikulki em noite ingrata, seguido de uma seleção de árias cantadas por José van Dam como o grande cantor que é. Resumo: quem foi ao teatro ouvir Schumann saiu frustrado; quem foi ouvir Van Dam ficou, afinal, feliz.

Começando pelas coisas boas. Van Dam atuou, há uns 20 anos, na versão em filme da ópera *Don Giovanni* de Mozart (1756-91), no papel do criado Leporello. Continua cantando a ária do catálogo (a lista de amantes do Don) com a mesma vivacidade e o mesmo senso de malícia. Até os olhos arregalados e os gestos das mãos não mudaram muito, nem teriam por quê: Van Dam cantando Leporello é uma peça acabada.

Seu virtuosismo está mais do que aparente, também, numa outra ária de Mozart, "Hai Già Vinta la Causa", das *Bodas de Fígaro*. O misterioso encontro entre palavras, melodia e voz torna-se um teatro muito especial em momentos como esse. Tudo o que a linguagem habitualmente não diz agora diz; tudo o que não chega a ser completamente agora completamente é; e o mistério maior é que a personalidade do cantor tanto se esconde quanto se revela na máscara da personagem.

Se isso vale para Mozart, vale ainda mais para situações explicitamente subjetivas, como na ária "Ella Giammai m'Amò" da ópera *Don Carlo* de Verdi (1813-1901) ou na ária de Phanuel da ópera *Hérodiade* de Massenet (1843-1912). Nos dois casos, a expansão da melodia, de modo irregular e imprevisível, representa um desafio não só para o compositor, mas para o intérprete. E Van Dam parece feito para cantar música assim, que exige alternadamente força e delicadeza, potência vocal e sutileza de afeto.

Tanto maior, em retrospecto, a frustração com o *Dichterliebe*. Há que se dar crédito a um artista desse porte. Nada garante que não esteja à frente de todo o mundo na compreensão da música. Mas até que a nossa educação avance, fica desconfortável escutar um Schumann tão carregado, com mil e um portamentos, e "*Schmerz*" (dor) dividida em três sílabas. Com o acompanhamento afetado e ausente do pianista, o monodrama não tinha mesmo como se sustentar.

Que diferença de "Lakmé, Ton Doux Regard..." de Delibes (1836-91), que Van Dam cantou com uma serenidade e intensidade dignas de um sacerdote hindu. O que existe de levemente ridículo no repertório lírico desaparece ali pela pressão da voz e pela presença humana do cantor no palco.

Uma metade pode valer por duas. Vale a voz de Van Dam.

12.9.01

Fernanda Montenegro/ Jean Louis Steuerman

R. Strauss: Enoch Arden

Espaço Cultural Promon, 14.9.01

Que grande ideia: uma peça raramente ouvida de Richard Strauss (1864-1949), sobre um poema longo de Tennyson (1809-92), interpretada por ninguém menos que Fernanda Montenegro, com Jean Louis Steuerman ao piano. Expectativa altíssima, então, na última sexta, mas saldo magro: foi pouco Strauss, menos de Tennyson, Fernanda confinada e Jean Louis de espectador. Resta o consolo de saber que nada disso se deve aos intérpretes, e que escutar pela primeira vez mesmo essa peça menor de Strauss ainda é um motivo mais instigante para sair de casa do que boa parte dos concertos da estação.

O poema *Enoch Arden* foi publicado em 1864, no auge da carreira de Tennyson, e fez dele um poeta mais conhecido ainda: só no primeiro ano, o livro vendeu 40 mil exemplares. (Que poeta tem 40 mil leitores hoje?) Escrito em verso branco (pentâmeros não rimados), o poema narra uma história sentimental, envolvendo dois amigos e uma mulher. Primeiro casamento: alegria, conforto, filhos; depois desastre, naufrágio, luto; segundo casamento: alegria, conforto, filhos; depois resgate, retorno, horror, abnegação, morte – e amor maior que tudo.

Para o gosto atual pode não ser um dos poemas mais importantes de Tennyson, mas em suas vinte páginas cerradas há muito da dicção característica desse poeta maravilhoso, tão pouco lido no Brasil. A narrativa e os temas – o que mais incomoda, agora – são quase que só veículos para o que se dá na língua, uma pressão afetiva oblíqua, nos domínios da melancolia e da perda. Há um intervalo, decerto, entre o que o poema quer ser e o que é; mas esse intervalo é o que salva Tennyson, afinal, e faz de sua poesia um monumento da consciência ferida.

Que há um intervalo, também, entre o poema de Tennyson e a tradução de Ivo Barroso não desmerece o tradutor. Nem tudo viaja bem entre as línguas, poetas do tom sofrem mais do que poetas do sentido, e não há como projetar sombras de Keats e de Wordsworth nos versos em português. O risco é fazer de *Enoch Arden* uma história ingênua e lacrimosa, não um poema do coração. Nem a leitura modulada de Fernanda Montenegro, multiplicando-se em timbres e ritmos, poderia salvar esse *Enoque* brasileiro do limbo onde vive, com outros milhares de poemas traduzidos. E a música – salva?

Imagine um compositor começando a pensar numa ópera. Como ele se chama Richard Strauss e vem de escrever *Till Eulenspiegel* e *Assim Falou Zaratustra*, entre outros poemas sinfônicos, é natural que seu ponto de partida seja criar motivos musicais para cada personagem. Três personagens, três motivos. Em termos tonais, um é o bemol do outro. A moça é a terça maior do primeiro, menor do segundo. Os temas podem se combinar etc.

O frustrante com a partitura de *Enoch Arden* é que ela soa como um bloco de esboços – um lindo bloco de esboços – para o poema sinfônico que Strauss não chegou a escrever. São só pedaços de música, acompanhando intermitentemente a leitura. Como Steuerman nunca é menos do que um pianista fino e cheio de ideias, extraiu um máximo de música do mínimo que há.

O minimalismo da encenação – mesa de época, vestido antigo, luz branca, Fernanda Montenegro sentada lendo – serviu também para sublinhar certa discreta ironia, ou civilidade, que é a marca da sua imaginação. A sala pequena ajuda; mas, por outro lado, a cada resenha é preciso reclamar da acústica do Espaço Cultural Promon. Dessa vez, até a voz da atriz sofreu, e não só porque a amplificação na primeira parte estava um pouco abaixo do confortável.

Nem se fala, então, do pobre piano, especialmente nos dois *Improvisos* de Schubert (1797-1828), com que Steuerman abriu o programa. Tocar Bach sem pedal, nesta sala, como Steuerman fez memoravelmente no ano passado, é uma coisa; mas a religião musical de Schubert fica longe do luteranismo de Bach, e a secura do som, nesse caso, parecia menos escolha do que contingência.

Por tudo isso, pode não ter sido o concerto que se esperava. Mas foi uma grande ideia, de qualquer modo, e a gente só pode aplaudir dois artistas com coragem para continuar se arriscando assim. Fazer de uma peça morta música viva, ainda que só por uma noite, vale no mínimo como educação. A ideia da música, às vezes, é maior do que a música – e basta.

17.9.01

Philip Glass
Philip Glass Ensemble

DRACULA

Filme de Tod Browning
Sala São Paulo, 16.9.01

Você já escutou Philip Glass? Você já escutou Philip Glass? Você já escutou Philip Glass? Você já escutou Philip Glass? Você já escutou Philip Glass?

A piada circula há anos entre os músicos, mas continua valendo. Não só porque a repetição é o princípio fundamental dessa música, mas porque agora a repetição tem de ser vista na segunda potência: a repetição da repetição. Glass teve uma ideia há 30 anos; a ideia agora o tem, e evidentemente o terá para sempre.

De tal modo que tanto faz, afinal, se ele está escrevendo para quarteto de cordas, orquestra sinfônica, ópera, ou trilha de filme. "Philip Glass" virou marca registrada; e ele mesmo faz pouco mais do que imitar Philip Glass a cada nova peça.

O que, em si, não é nem bom nem ruim. Só se pode ser simpático a um compositor capaz de tirar a música contemporânea do nicho exclusivíssimo da vanguarda e conquistar plateias numerosas mundo afora. A proximidade com o rock, o emprego franco de acordes tonais, a linguagem ensolarada: tudo isso já foi uma alegria. E alguma coisa da força original permanece, até quando já se transformou em automatismo, ou trivialidade.

As contingências são essas, mas a situação, de qualquer modo, era charmosa: a projeção, anteontem, na Sala São Paulo, de uma cópia restaurada do filme *Drácula*, de 1931, com Bela Lugosi no papel principal e o Philip Glass Ensemble interpretando ao vivo a trilha especialmente composta pelo compositor.

Há dois anos, o Quarteto Kronos gravou a trilha em CD.[11] Dessa feita, a música veio num arranjo para teclados e sopros (clarinetes, flauta, sax tenor), a formação "clássica" de Glass. Perdeu-se, com isso, certa carga de alusões à música romântica do Leste europeu – Dvorák e Smetana, entre outros –, e a partitura se distanciou mais dos clichês do filme, o que só pode ser bom.

---

11 Ver acima, 7.3.00.

Mas não o bastante para salvar a noite: 1) desequilíbrios da amplificação (música cobrindo os diálogos) eram quase irrelevantes, quando se pensa que a cópia do filme está sendo mostrada sem legendas, o que se torna ainda mais grave com o som cheio de chiado das vozes gravadas há setenta anos: quantas pessoas terão conseguido entender alguma coisa?; 2) a trilha tem música demais (quase o tempo todo da projeção), e de menos (não passa muito de um papel de parede sonoro); 3) o filme só sobrevive pela sedução de época: para ser mais preciso, pela força *kitsch* do rosto de Bela Lugosi e a fraqueza *kitsch* da mocinha Helen Chandler.

Fetichismo tem sempre seu valor – quanto mais o fetiche do vampiro. Olhos de fogo, gargantas expostas, mantos negros, tumbas: sirvam-se, cavalheiros. Mas bom humor faria bem na receita; e só o mais ferrenho fetichista da arqueologia pop poderia se deliciar com um filme tão primitivo, tão tedioso.

A música não compensa? A julgar pelos aplausos da plateia em pé, compensa. Mas é de supor que tenham sido mais pelas "Obras Completas" de Glass do que por essa partitura sem grande brilho. Que pena. Era para ser divertido. E foi tão bobo.

18.9.01

Ná Ozzetti

Baretto, 24.9.01

Santa afinação! Ná Ozzetti tem muitas outras virtudes, mas essa é transcendental. Existe um prazer particular em escutar uma nota pelo centro, não pelas beiradas; esse prazer se dobra quando o timbre da voz contribui sua coluna de harmônicos, e se redobra quando nota e tom atingem uma palavra. Cada lá de Ná é mais lá que o das outras; mas é só dela. Sorte nossa, então, que ela tem a nobreza de se pôr a serviço da música.

Não deve ser fácil cantar no Baretto, não só por conta dos grandalhões ao fundo, que demoram para perceber outra vida ali no palco, e não só por conta do casal sem chance, brigando na mesa, ou da perua no telefone celular, em plena canção napolitana – uma daquelas felicidades nostálgicas resgatadas por Murolo, que Ná cantou com vibrato e ironia suficientes para a tristeza de verdade aparecer. Grandalhões e peruas anteontem mereciam ser incinerados; mas até eles, afinal, acabaram redimidos no silêncio de uma admiração inevitável.

Não deve ser fácil cantar assim: no rés do chão, a um metro da plateia, a voz natural quase audível por cima das grandezas microfonadas de si. Vestido vermelho ou não, Ná estava musicalmente nua. Mas não é ela, afinal, quem quer uma nudez da música? É... mas com a gente olhando... a gente chega a ficar encabulado com essa intimidade da mulher com a música.

E o trio de violões? Entre o acústico (Dante Ozzetti), o de cordas de aço (Kiko Moura) e o *frame* de sete cordas (Swami Jr.), eles formam uma espécie de superviolão, que poderia ser o som mais lindo do mundo, e quem sabe um dia será, quando alguém descobrir a medida áurea da amplificação. O repertório de Ná é uma mistura insólita de samba-canção, música paulista, canções europeias e jovem guarda. O risco da escolha é grande, porque muita coisa fica na vizinhança *kitsch*; e tanto maior, assim, a importância dos violões, que traduzem toda a música para umas 1001 Noites do Brasil.

"Nada é tão fácil no início", diz a letra de "Estopim" (Dante Ozzetti/ Luiz Tatit) – e continua: "nem no percurso nem no fim". Uma quebra e tanto de expectativa, porque ninguém espera o percurso e o fim telescopados desse jeito, já no segundo verso. Mas o tom não é de graça, ou não só de graça, e também não é de drama; as obliquidades e engenhosidades de Dante e Tatit fazem de uma canção como essa a própria imagem da nova música paulistana, tão bem comentada por José Miguel Wisnik, num artigo recente para o caderno "Mais!" (29/7/01).

Na demonstração do teorema de partida, o "amor que é simples se complica" e a canção vai mostrando como, com direito a torções e retorções, da letra e da música, e até a um dueto, que Ná encena sozinha, com acentos da voz. Nesse repertório (que inclui o próprio Wisnik e Itamar Assumpção, entre outros), ela não tem rival. E é com a experiência dessa música na memória que se pode entender suas entradas e bandeiras pelo cancioneiro do samba (Noel Rosa, Ary Barroso, Caymmi, Chico), ou a apropriação de brechós como "Fera Ferida", de Erasmo Carlos, ou a elevação do vampiro de Rita Lee à companhia do lobisomem de Décio Pignatari e tantos outros seres fantásticos da jovem guarda e/ou da velha vanguarda.

Quer dizer: é para as baixadas de São Paulo, como cidade viva de música, que ela traz tudo e todos, com a dicção articuladíssima do português sem chiado. O risco, pode-se ver, não é só o *kitsch*: é a metalinguagem. A nudez, em retrospecto, vira o avesso do avesso.

Mas aqui entra algo que não é mais do reino da crítica. Não estava lá no início, mas aos poucos foi se fazendo ouvir, até no globo ocular da cantora: aquele prazer de escutar o centro das notas, com as devidas e transcendentais ironias. Sair da simplicidade é uma coisa; retornar a ela, depois dos labirintos, é outra. Destino, anúncio, escolha. Ná fica lá, no seu lá. E nós, aqui embaixo, admirando como possível essa música que nos explica e justifica.

16.9.01

Sinfônica de Viena/ Rudolf Buchbinder Rafael Frühbeck de Burgos

Teatro Municipal, 8.10.01

Seja no *Aurélio*, seja no *Houaiss*, "sinfônica" e "filarmônica" querem dizer a mesma coisa. Mas, em Viena, não. A Sinfônica está longe de ser a Filarmônica. Esta última tocou em São Paulo faz exatamente dois anos, num concerto que vai ficar na memória para sempre.[12] Já o concerto da Sinfônica, segunda-feira no Municipal – como foi mesmo? Já começa a desaparecer, na névoa indiferenciada de ontem, anteontem, um século atrás.

Exceção: momentos lindos no *Concerto Para Piano e Orquestra nº 5* de Beethoven (1770-1827), com o solista Rudolf Buchbinder. Esse é o modelo, por excelência, do concerto romântico, como confronto e conflito entre indivíduo e massa. E Buchbinder não mediu fortíssimos, nem suavizou marteladas, para fazer sua voz dominar a centena de vozes no palco. Mas foi no "Adagio" que ele chegou àquela música que a gente escuta às vezes dentro da música, como se não houvesse mais qualquer dificuldade em dizer o que não pode ser dito.

Mesmo aqui, infelizmente, a Sinfônica nem sempre esteve à altura. Não vamos falar dos sopros, em noite coletivamente desinspirada. Mas há, por exemplo, um momento, no final do "Adágio", quando o piano se equilibra em acordes quebrados e o grande tema apare-

---

12 Ver Notas Musicais, *pp. 220-1.*

ce justamente nos sopros, com as cordas sincopadas por trás. A música pede que o piano se dissolva na textura da orquestra. E Buchbinder tocou dissolvivelmentissimamente. Mas a orquestra estava noutro fuso horário do espírito.

Antes que se pense mal do maestro: Rafael Frübeck de Burgos é um prazer de ver reger. Um músico absoluto, sem hesitação, sem excesso, com a consciência tranquila de quem sabe, o tempo todo, de onde vem, onde está, para onde vai. Isto vale tanto para a forma "problemática" de Beethoven – um concerto que já começa de ponta-cabeça, com a cadência na introdução – quanto para o poema sinfônico *Till Eulesnpiegel* de Richard Strauss (1864-1949), que a Sinfônica tocou com fluência, mais do que com brilho, e para a *Terceira Sinfonia* de Brahms (1833-97), na segunda parte. Vamos chegar lá.

Antes, uma comparação: Gerhard Oppitz também tocou o nº 5 de Beethoven, com a Osesp, no sábado, e é interessante apontar as diferenças entre os dois pianistas. Oppitz, na tradição de seu mentor Wilhelm Kempff, minimiza o idiossincrático, em favor de certo lirismo branco, certa neutralidade, profundamente humana, da música. É o Beethoven "clássico", não importa com que grau de romantismo. Já Buchbinder faz do compositor um contemporâneo da geração seguinte – contemporâneo tanto de Schubert quanto de Berlioz. É o Beethoven "romântico", não importa com que grau de classicismo.

Johannes Brahms. O homem mais inteligente de sua geração (para empregar uma frase do poeta T. S. Eliot sobre o romancista Henry James). Uma ideia – três acordes – é o que basta para construir quatro movimentos de música. O sentido da frase de abertura só se revela nos últimos acordes: uma conclusão, não um começo. Música de câmara e monumentalidade, gravidade e sofisticação, tudo se equilibra em som e sentido.

Mas as alegrias e tristezas de um verão em Wiesbaden em 1883 exigem um grau de – qual a palavra? Concentração? Adensamento? – intenção e minúcia para além dos grandes desenhos que a Sinfônica pintou. Frühbeck de Burgos tem sua parte nisso. Rege sempre com naturalidade e compreensão; mas quem sabe não falta um pouco de estranhamento? Originalidade? Nada substitui o apuro excêntrico dos detalhes; tanto mais quando o repertório se repete tanto.

Bis: "Danúbio Azul". Tudo somado, um concerto para sul-americano ver. Buchbinder foi 100% músico. A orquestra não se gastou. O regente foi profissional. E a plateia saiu feliz, pelas infelizes ruas do centro de São Paulo, abençoadas pela chuva fria e amaldiçoadas pelos "guardadores", que agora assaltam até críticos de música.

10.10.01

Orquestra Sinfônica da Rádio de Berlim/ José Feghali Marek Janowski

Cultura Artística, 23.10.01

Todo concerto ruim é igual aos outros; cada concerto bom é bom à sua maneira. Por exemplo: o concerto da Orquestra Sinfônica da Rádio de Berlim, regida por Marek Janowski, anteontem no Cultura Artística. Não foi fantasticamente bom, nem dramaticamente bom. Foi bom simplesmente. Um bom concerto – e nada mais.

Quarenta linhas é pouco espaço; melhor ir direto a alguns pontos. Os altos: passagens sonhadoras, suspensas no tempo, do pianista José Feghali, no primeiro movimento do *Concerto Para Piano e Orquestra* de Schumann (1810-56). Schumann escreveu esse movimento antes do resto. Era uma *Fantasia*, composta em 1841, um ano depois de *Dichterliebe* e *Liederkreis*, e um ano também depois do casamento com Clara. Esse é o Schumann no céu de si mesmo; embora, como Feghali nos fez compreender, com premonições do inferno.

Em agosto passado, Jean Louis Steuerman tocou o mesmo *Concerto* com a Osesp. Seu Schumann tende para Schubert, com os arabescos articuladíssimos e o contraponto ressaltado. Já o de Feghali fica na fronteira de Chopin – certo Chopin – com as melodias bem destacadas na mão direita, respiração menos energética, massas escuras movendo-se ao fundo da paisagem.

Seria mesquinho apontar notas esbarradas, embora não fossem poucas. Mas também, com o acorde inicial da orquestra, incrivelmente desajeitado, seria preciso ter nervos de titânio para fazer a primeira sequência incólume. Não foi lá menor, nem muito menor; foi um lapso. Notas erradas não estragam um concerto, mas dizer que não comprometem seria só diplomacia.

O regente Marek Janowski fica mais à vontade a 120 do que a 60 decibéis, e a mesma proporção vale também para o metrônomo. Rege com tranquilidade e segurança sua orquestra segura e tranquila. Um pouco tranquila e segura demais, talvez, para quem está tocando *Morte e Transfiguração* de Richard Strauss (1864-1949).

As trompas são competentes, mas não são geniais; e a essa altura o que a gente quer são trompas genialíssimas. Está no título: "transfiguração". O oboé não transfigurou, os trombones não transfiguraram; já os contrabaixos – como tocam contrabaixo em Berlim!

Outra coisa: os segundos violinos.

No começo era Sibelius (1865-1957); no fim, Wagner (1813-83). Quer dizer: *Finlândia* no início, e o "Prelúdio" de *Mestres Cantores* no fim. Wagner é uma doença maravilhosa, e o "Prelúdio" um de seus sintomas mais embriagantes. A OSRB fermentou seus álcoois, sem soltar completamente o freio do espírito.

Um bom concerto – nada mais. Noite, memória, manhã. Noves fora: Feghali.

25.10.01

Celso Loureiro Chaves

Uma Ideia de Café

A Música Para Piano de Armando Albuquerque

CD (independente), 2001

"A gente sai dum café... e logo surge uma ideia." Era assim que Armando Albuquerque (1901-86) explicava o título de *Uma Ideia de Café*, para piano solo, composta em 1928 – dois anos depois da inaugural *Pathé-Baby* e quase cinquenta anos antes de *Sonho III* (1974), sua última peça para piano, dedicada ao "aluno e amigo" Celso Loureiro Chaves. Agora, no ano de seu centenário, o amigo e aluno (seu sucessor no departamento de música da UFRGS, em Porto Alegre) homenageia o mestre com uma gravação definitiva, um disco "independente" no sentido mais forte da palavra.

Armando Albuquerque está para a música de sua cidade como Mário Quintana para a poesia, ou Erico Verissimo para o romance: confunde-se com a própria alma das ruas. O fato de que nem mesmo lá sua arte seja bem conhecida não muda nada. A cidade chega a si em composições como *Outono* (1941), ou *Tocata* (1948), escritas num estilo que esse homem modestíssimo e original descrevia como a reunião de "pedacinhos de música".

Numa primeira fase, Albuquerque escreveu peças curtas e irônicas, que fariam companhia à música de Poulenc, Milhaud e Villa-Lobos. Não são regionais, nem nacionais, nem de vanguarda; são a música dele, que até o fim da vida não fez outra coisa senão escrever sua própria música, aberto a tudo que lhe veio de fora, desde que servindo ao de dentro.

Peça Para Piano 1964, o *tour de force* do disco, leva a um extremo o impulso antigo de escrever formas livres – música gerada a partir de si, coincidindo a cada momento com sua expressão. Harmonias basicamente tonais, com expansão de acordes e encadeamentos. Ritmos e texturas cambiantes, num caleidoscópio sonoro.

Só num caso ele se permitiu escrever sem fraturas. Foi na *Evocação de Augusto Meyer* (1970), composta após a morte do grande poeta e crítico. Um lá agudo pontua o tempo fatidicamente. A música cresce, depois se esvai. Uma última figura desenha um esboço sonoro de Meyer, um farrapo magro cortando o teclado, até desaparecer nas profundezas. Armando Albuquerque chega aqui ao que de mais fundo a música pode chegar. Evocou um homem; e escreveu a morte.

Ninguém que o tenha conhecido esquece de sua própria figura, os cabelos brancos lisos e longos, a voz nunca mais que um sussurro, a imaginação mais livre do que a de qualquer aluno. Num país de tão pouca memória, esse disco resgata, com a devida distinção e a devida dose de simpatia também, a presença musical e humana de um dos nossos maiores compositores.

13.11.01

Sexteto Penderecki

Espaço Cultural Promon, 12.11.01

– Mas não era para Penderecki estar na plateia?

– Era, mas teve problemas com uma conexão aérea e acabou ficando no Japão.

Isso não importa. O que importa é a música e a música estava lá: um novo sexteto de Penderecki, estreado em julho de 2000 no festival de Prades e trazido, agora, a São Paulo, por seis músicos – três franceses, dois finlandeses, um americano –, oportunamente reunidos como Sexteto Penderecki.

Também tocaram o *Quarteto Para Piano e Cordas* nº 1, de Brahms (1833-97), com o maravilhoso episódio lento no meio do "Rondó" final. Os irmãos Pasquier – o violinista Régis e o violista Bruno – são instrumentistas franceses por excelência, à moda antiga. Não têm o apuro olímpico de colegas mais jovens do outro lado do Atlântico, que hoje ditam nossa expectativa; mas compensam tudo com o tom. A arte imita a vida: lembra o som dos LPs, que muita gente prefere ao dos CDs.

Não estavam em plena forma? Claro que não. Nem o pianista Juhani Lagerspetz deu conta das enormidades de Brahms. O violoncelista Arto Noras foi quem se saiu melhor, se é para avaliar os músicos individualmente. O fato é que Brahms – este Brahms em particular, com suas façanhas de engenharia temática – exige um grau de organicidade e um nível de detalhamento expressivo que os quatro simplesmente não mostraram, ou pelo menos não o tempo todo. O que não quer dizer que não tenham tocado bem. Só não tocaram tão bem quanto eles mesmos podem tocar.

Por outro lado, voltaram na segunda parte acompanhados do clarinetista Michel Lethiec e do trompista Eric Ruske, e tocaram Penderecki para valer. O *Sexteto* não é só tecnicamente difícil – com métrica complexa, narrativa interrompida, notas agudíssimas no clarinete, arabescos afegãos na trompa, harmônicos aberratórios nas cordas. É difícil de pensar. Penderecki compõe pelo conteúdo, mais do que pela forma; tem o que dizer, e não facilita.

Será que um concerto pode ser frustrante e interessante ao mesmo tempo? Para quem esperava escutar uma composição nova, no sentido forte da palavra – música que abre alguma coisa, que faz ver o que estava aí e nunca se tinha visto –, o *Sexteto* foi um balde de neve. Penderecki já foi um dos nomes de ponta da música europeia. Nunca chegou a ser universalmente admirado por seus colegas de ramo; as grandes peças do início da carreira, como *Trenodia Para as Vítimas de Hiroshima* e a *Paixão Segundo São Lucas* conquistaram plateias normalmente avessas à música nova; mas os efeitos sonoros inspirados (glissandos, *clusters*, entonação original) acabaram se mostrando exatamente isso: efeitos inspirados.

Chegando aos 70 anos, sua inspiração mais óbvia, a julgar pelo *Sexteto*, não é mais ele mesmo. É Shostakovich (1906-75). Outra, só pouco menos evidente, é Lutoslawski (1913-94). O início do *Sexteto* – e o final, com a cadência do violoncelo nas alturas, e o retorno à nota repetida do começo – praticamente cita o *Concerto Para Violoncelo e Orquestra* de Lutoslavski. Mas num outro contexto, que olha muito mais para trás do que para a frente.

Que a legitimidade de uma peça não depende de seu grau de vanguarda já ficou provado com a música de Richard Strauss (1864-1949): em sua época, estava quase totalmente fora de época; hoje virou uma das imagens definitivas dessa mesma época. Mas, se não é o fato de Penderecki escrever fugatos e tangatos que faz dele anátema para nossos ouvidos, também não é o fato de não escrever música nova que faz dessa uma composição mais relevante.

Penderecki é um compositor de verdade. Tem não apenas domínio do *métier*, como personalidade, presença, um sentido humano que se faz sentir logo e não esmorece ao longo de mais de meia hora de música. Com tudo isso, se o *Sexteto*, afinal, não impressiona, é porque não se ergue muito acima do pastiche. O compositor quer habitar as formas, valer-se delas com naturalidade, para chegar a uma expressão relevante. O frustrante é que acaba só reproduzindo (com virtuosismos de composição) essas mesmas velhas e gastas formas. E o que ele tem a dizer acaba coincidindo com o que as formas gastas diziam.[13]

Lacan explica.

Será?

15.11.01

UBS Verbier Festival Youth Orchestra / Barbara Hendricks Paavo Järvi

Sala São Paulo, 24.11.01

Faz diferença saber que é uma orquestra jovem? De olhos fechados, em pleno mundo das ideias, com Platão e Borges ao lado, não. Mas Platão e Borges não tinham maior interesse por música. De olhos

---

13 Ver também a resenha do Réquiem Polonês, *12.6.04.*

bem abertos para a linda orquestra na Sala São Paulo, sábado passado, fazia diferença, sim. Para a música? Para a música, não – para nós.

O Festival de Verbier foi inaugurado há oito anos, numa pequena vila ao pé dos Alpes suíços, por iniciativa de um executivo da gravadora Deutsche Grammophon, Martin Engstroem, e do maestro James Levine, com patrocínio do banco UBS. Segue o modelo conhecido: seminário de férias, mais *workshops* e concertos. Hoje tem fama de ser o mais importante festival de verão na Europa. De 2000 para cá, a orquestra de mais de 100 alunos, de cerca de 30 países, viaja mundo afora com regentes convidados.

Entre eles, o estoniano Paavo Järvi, que acaba de assumir a Sinfônica de Cincinnati. Esteve em São Paulo não faz muito, com Philharmonia Orchestra; e continua o mesmo: vigoroso, disciplinado, um pouco frio. Um maestro da clareza, não do gênio. Para a moçada de Verbier, uma aula e tanto. Mas nem tanto.

A *Sinfonia* nº 1 de Mahler (1860-1911) começa com um "lá" agudíssimo, estático, suspenso em harmônicos nas cordas. O compositor falava de um "tremor luminoso no ar"; e essa cortina teatral de som já dá a medida de estranhamento que a música de Mahler opera nas convenções da sinfonia.

Naquele que, até hoje, é provavelmente o maior livro sobre o compositor, *Mahler – Eine musikalische Physiognomik* (*Mahler, Uma Fisionomia Musical*, 1960, inédito em português), o filósofo Theodor Adorno comenta esse "lá" em termos de uma "desnaturalização" da "segunda natureza" – o natural traduzido pela arte e desnaturado depois por outra arte da arte. Estamos na primeira nota de uma hora de música; e não é menos que isso o que ela demanda, para começo de conversa.

Faz diferença, então, uma orquestra jovem? Para tocar Mahler, faz. Ninguém parece ter sofrido o suficiente para entender de onde vem esse apelo mudo, repetido em silêncio dentro dos sons. Todas as fanfarras – conquistadas, fraturadas, parodiadas – só fazem sentido no contexto romanesco dessa música, que sabe o custo de cada compasso, ressoando no ar irrespirável de Viena em fins do século 19. Na prática: Verbier teve disciplina e brilho; faltou sombra.

E *Ms.* Hendricks? Sempre elegante e segura, sempre musicalmente inteligente, até para esconder as falências de tom, das quais ninguém escapa depois dos 50 anos. No ano passado, cantou com sobriedade as *Quatro Últimas Canções* de Strauss com a Osesp;[14] e

14 Ver a resenha deste concerto, 24.10.00.

levou a tarde no bis, com um *spiritual*. Sábado, cantou Mozart (1756--91) e Tchaikovsky (1840-93); depois deixou até os convidados do banco patrocinador, desabituados de música, transfixos nos lamentos de "I Heard my Mother Say: Give me Jesus" (Ouvi minha mãe dizer: Dai-me Jesus).

Estranha epígrafe para a *Sinfonia* de Mahler. Mas ele, com certeza, saberia escutar o que havia de humano nessas palavras e nessa voz.

27.11.01

Quarteto Amazônia/ Abdel Rahman El Bacha

Espaço Cultural Promon, 26.11.01

Quem ouviu o *Quinteto* de Schumann (1810-56) que o pianista Abdel Rahman El Bacha e o Quarteto Amazônia tocaram segunda-feira no Espaço Cultural Promon, não terá mais por que se perguntar sobre o sentido da vida, os mistérios da personalidade, as pulsões e suas vicissitudes. Estava tudo lá, respondido com clarividência e exuberância.

El Bacha fez o Quarteto Amazônia sair de si para chegar ao máximo de si; juntos, fizeram a música de Schumann ganhar acentos novos. Como se fosse possível recarregar de afeto essas narrativas de um afeto vivido há 160 anos. A paixão de Robert e Clara é um dos pontos altos na história do amor; e só um formalista total, ou um infeliz absoluto, poderia deixar de escutar aquilo que é tão evidente na música.

Evidente, mas não óbvio. Nem imutável. Só o que o pianista libanês fez com as "respostas" do piano às "perguntas" do quarteto, no primeiro movimento, já seria o bastante para mostrar quanto a música ganha quando viaja assim para outros domínios da imaginação. Sem alterar muito o pulso, ele fez as respostas abrirem outro tempo: matinal, sonhador, rememorador. Outra música dentro da música, extraindo o máximo da *appoggiatura* (uma dissonância melódica acentuada), sem qualquer exagero.

Um grande músico se reconhece em meia dúzia de compassos; e não foi preciso nem isso para perceber quem estava no palco. Os índios – Cruz, Sarudiansky, Schaeffer, Reis – também perceberam:

eletricamente, na medula, e o Quarteto Amazônia, que soara um tanto acanhado antes, um tanto sem saber seu destino e sua personalidade, descobriu vicissitudes incríveis das pulsões tocando a cinco.

O *Quarteto* op. 59/1 de Beethoven teve, é claro, momentos bonitos, especialmente no "Adagio". Mas o que são momentos bonitos comparados à transfiguração do mundo? O Beethoven do Amazônia é um Beethoven a caminho. Ainda não está bem claro o que eles têm a dizer sobre o infinito assunto. Não é a música das ironias (a forma dobrada sobre a forma, a música constantemente recompondo a música). Quando a ordem dos materiais surge "fora de ordem" na recapitulação do "Allegro", por exemplo, isso se dá, para eles, sem alarde – o que pode ser uma saúde, mas talvez precise de compensações.

Mas não foi para tocar Beethoven que eles chegaram à Avenida Juscelino Kubitschek, anteontem. O violista Horácio Shaeffer, em especial, parece um schumaniano predestinado. Reinventou o tema do segundo movimento, um dos mais cultuados de todo o repertório, com intimações de urgência e ao mesmo tempo de melancolia. Seu companheiro de Osesp, Cláudio Cruz, há muito merece uma resenha só para si. Por ora, basta dizer que o "Scherzo" deles foi uma resposta definitiva para os abusos contemporâneos de Wagner.

Ideia para uma história: amor de um homem por uma mulher. O que isso provoca, em forma de música. O que essa música guarda, depois, para sempre. Como uma reserva de inteligência humana, capaz de redobrar, dentro de nós, a única coisa que importa na vida, além da música.

28.11.01

Osesp
John Neschling

Sala São Paulo, 6.12.01

Eis o que aconteceu em 1903: Richard Strauss compôs a *Sinfonia Doméstica.* Eis o que aconteceu em 1934: estreia da *Rapsódia Sobre um Tema de Paganini* de Sergei Rachmaninov, em Baltimore. O resto é detalhe, o resto ninguém lembra, desapareceu da memória do mundo.

A música fica. E soou viva mais uma vez no concerto da Osesp quinta-feira, regida por John Neschling.

Antes de Strauss, Rachmaninov; e antes de Rachmaninov, Bloch: Ernest Bloch (1880-1959), pequeno astro na pequena galáxia da música suíça, uma luzinha que ainda manda seu brilho através da nebulosa Schoeck-Honegger-Martin. Seu *Schelomo*, para violoncelo e orquestra, porta o subtítulo "Rapsódia Hebraica". É o *schmalz* bíblico, um melado místico com salomônicas notas "dó". Roman Mekilunov, *spalla* do naipe na Orquestra, tirou toda a música que há para tirar da partitura e provou que merece tocar algo melhor da próxima vez.

Depois da rapsódia sobre a segunda aumentada, a rapsódia sobre um tema de Paganini. Alguém explica o que quer dizer a combinação do tema do "Capricho 24" de Paganini com o "Dies Irae" gregoriano? Um é a imagem espelhada do outro. Mas por que a sugestão apocalíptica? Teologia à parte, Rachmaninov é o *schmalz* que dá certo. E o pianista Stephen Hough tocou a *Rapsódia* com energia, com alegria, com nostalgia. Milhares de semicolcheias impecavelmente em ordem. Dezenas de acordes impecavelmente em desordem. (E um bis raro e bonito, depois, do espanhol Mompou.)

Trompas da Osesp arrasando. Ótimos solos (e conjuntos também) dos sopros no Strauss. O normalmente expansivo Neschling estava anormalmente expansivo, e não é difícil de entender. Veja-se o roteiro da *Doméstica*: cena da família, feliz em casa; o menino brincando; acalanto (lindo tema em terças dos clarinetes); idílio do casal; rusga, reconciliação, confiança, júbilo. Nem todo o mundo concorda que seja essa uma das grandes obras do compositor; mas há grande Strauss de sobra, aqui e ali, e a cena do idílio é inesquecível. Até por motivos extramusicais.

Esse grande adágio não é só romântico, à maneira, por exemplo, de Rachmaninov. Nem é só sugestivamente amoroso, à maneira, por exemplo, do *Bolero* de Ravel. É descritivamente, deliciosamente, minuciosamente erótico, com requintes de textura e andamento.

Tudo muda, é claro, nesse contexto. Um duo, um trio, uma batuta. Enfim: novas posições.

E a Osesp pode não ter sido a parceira mais transparente em todos os instantes; mas tocou com arroubo e fôlego – precisa mais? O resto é detalhe, o resto ninguém lembra. São só as neuroses, que não podem nada contra o coração e a carne da música.

8.12.01

Natal Musical

Chegou o milésimo seiscentésimo sexagésimo quinto Natal! (O primeiro Natal de que se tem registro foi celebrado em 336.) À meia--noite do dia 24, zero hora do dia 25, celebra-se a chegada da luz, nesse mundo perpetuamente em trevas. Oxalá, oxalá – se se pode usar, no contexto, uma palavra derivada do árabe. A metáfora, de qualquer modo, vale para qualquer religião; e, luz por luz, por que não a da música?

50 Ponteios de Camargo Guarnieri

De todos os grandes compositores brasileiros, nenhum morreu mais vezes do que Camargo Guarnieri (1907-93). Teve reconhecimento em vida, mas não o suficiente. Sua música foi muito tocada, mas raramente bem. As gravações dividem-se entre as medíocres, as mal gravadas e as inencontráveis. A bibliografia é precária.

Ou dividiam-se; ou eram. Que satisfação ver os *50 Ponteios*, lindamente interpretados por Laís de Souza Brasil em discos de 1979, relançados agora num CD duplo (Funarte/ EMI). Os ponteios – equivalentes guarnerianos de "prelúdios" (peças curtas, sugerindo improvisos) – estão entre os pontos altos da obra de Guarnieri e só não entram no repertório internacional por desconhecimento. Escritos entre 1931 e 1950, e dedicados cada um a um amigo, concentram o que há de mais íntimo e tocante na voz do mestre de Tietê.

Um grande compositor se revela assim: no tom pessoal que preenche a música desde o primeiro compasso. Contrastado às expansividades de Villa-Lobos, Guarnieri é reservado, melancólico, de uma sofisticação natural e carregada de afeto. Um músico que chega tarde na história, para seu mal e especialmente para seu bem. Os melhores *Ponteios* ficam ombro a ombro com as melhores líricas de Manuel Bandeira (a quem foi dedicado o *Ponteio* nº 44), como expressão de certo estilo "humilde". "Humilde" entre aspas, erudito e maduro nas suas simplicidades e nos seus arroubos.

As gravações têm essa ressurreição poucos meses depois do lançamento de um compêndio de peso sobre o compositor: *O Tempo e a Música*, organizado por Flávio Silva (Funarte/ Imesp). Literalmente de peso: são dois quilos de livro, 672 páginas em formato grande, reunindo ensaios, fotos, uma preciosa correspondência com Mário de

Andrade (bem editada por Flavia Toni, da USP) e o agora imprescindível catálogo geral de composições. O livro estava anunciado desde o aniversário de oitenta anos do compositor, em 1987. Mas quatorze anos de atraso não têm tanta importância. Só é pena o próprio Guarnieri não ter recebido essa homenagem antes da última e definitiva morte – antes de se transformar definitiva e absolutamente em música.

Violin Music in Brazil

O título é suspeito, mas se há uma coisa que não é suspeita é a afinação do violinista Claudio Cruz. Gravado na Itália, com a participação do pianista (e professor da USP) Nahim Marun, o CD faz justiça, provavelmente pela primeira vez, à *Sonata* nº 1 de Villa-Lobos (1887-1959).

Uma gravação de 1960, com o violinista Oscar Borgerth acompanhado por Ilara Gomes Grosso, foi relançada não faz muito, na coleção Itaú Cultural/ Funarte. A comparação entre as duas é instrutiva. Para Borgerth, a *Sonata* parece mais próxima do leste musical da Europa do que das elegâncias francesas que Claudio Cruz traz à tona, sem maneirismos nem condescendências.

O *spalla* da Osesp é um músico direto e fino. Nem todo o repertório do disco, infelizmente, está à altura da sua arte. Henrique Oswald (1852-1931) segue sendo aquele compositor de quem se gostaria de gostar. As *Sonâncias* de Edino Krieger (de 1975), assim como o *Recitativo, Variações e Fuga* de Ronaldo Miranda (de 1980), são música coerentemente do seu tempo, mas que não têm, agora, a urgência que já tiveram. De qualquer modo, as duas *Sonatas* de Villa-Lobos valem o disco. E é bom ver um músico da praça Mauá se arriscando pelo vasto mundo.

Canções do Brasil

Mais vasto é meu coração. E só um coração minúsculo, e de pedra, não se comove com essa coletânea de músicas cantadas por crianças dos 26 Estados brasileiros, gravadas ao vivo por Sandra Peres e Paulo Tatit (*Palavra Cantada Apresenta Canções do Brasil*).

A ideia em si já é tão bonita que chega a dar inveja: um daqueles projetos que todo o mundo gostaria de ter feito. Mas a gente não tinha a iniciativa, nem a coragem, nem a alegria dos criadores do selo Palavra Cantada, que há anos vem fazendo música boa para crianças.

Do samba gingado de Pedrinho do Cavaco (10 anos), no Rio, ao Coro de Crianças do Reisado Mirim da Dona Adalgisa, no Sergipe; do

"Tatu de Volta no Meio" da cantora e gaiteira gaúcha Luana dos Santos à incrível Dardete Karitiana, menina índia da Rondônia, o que se vai ouvindo neste disco não são só as vozes limpas e as almas limpas dos cantores, mas a gigantesca, marioandradina alma do Brasil, que aqui, ao menos, vê coincidir imagem e substância.

O espírito de Mário de Andrade abre suas asas silenciosa e inspiradoramente sobre o disco, que vem com anotações de viagem e comentários musicológicos, em linguagem que criança pode ler, além de fotos e desenhos no livro-encarte. Corrigidos uns errinhos de português (nos textos, não nas letras!), este CD deveria ser material obrigatório em todas as escolas do país.

Restauração e Difusão de Partituras

Compositores brasileiros: João de Araújo Silva, Miguel Teodoro Ferreira, Frutuoso de Matos Couto, Manoel Dias de Oliveira. Quatro nomes desconhecidos do século 18; suas partituras se encontram entre as duas mil que compõem o acervo do Museu da Música em Mariana (MG). Junto aos hoje menos obscuros Lobo de Mesquita (1746?-1805) e José Maurício Nunes Garcia (1767-1830), eles têm obras gravadas pela primeira vez num pacote recém-lançado de três discos, dos nove previstos no *Projeto Acervo da Música Brasileira*, dirigido por Eleonora Santa Rosa, com coordenação musicológica de Paulo Castagna (da Unesp).

Cada CD reúne obras de acordo com a ordem e o calendário litúrgicos: "Pentecostes" ficou a cargo do Coral de Câmara da Escola de Música da UFMG e uma orquestra de músicos convidados, regidos por Afrânio Lacerda; "Missa", do Coral de Câmara de São Paulo e a Orquestra de Câmara Engenho Barroco, regidos por Naomi Munakata; e "Sábado Santo", do conjunto carioca Calíope, sob a regência de Júlio Moretzsohn.

Restaurar é preciso? Nos dois sentidos da palavra: necessário e exato. Na prática, nossa cultura musical restringe-se ao século 20, precedido de um enorme e misterioso vazio. Qualquer esforço para reinventar o passado merece, portanto, elogios por antecipação. A pergunta difícil vem depois: a música, afinal, vale a pena?

Se a alma não é pequena. Pouca coisa desse repertório tem interesse crucial, para além dos motivos históricos, musicológicos, sociológicos, mineirísticos. A música "brasileira" começa bem mais tarde (com Carlos Gomes); e o acervo colonial, pelo que se vê, não contribui tanto assim para nossa experiência do século 18. O que não significa que não seja um acréscimo legítimo ao Museu Imaginário de cada um de nós, que tem seus corredores de fundo, dignos de curadoria.

Chama a atenção, nos discos, a relativa despreocupação com rigores de interpretação da música antiga. Mas quando se pensa nas condições musicais do Brasil no século 18, e na condição perenemente aglutinadora e metabolizadora da nossa cultura, fica mais fácil desfetichizar a performance e aproveitar sem culpas o tanto de bom que se tem. Os CDs são uma referência e um exemplo do que pode e do que deve ser feito, nesse esforço sem fim de salvar o Brasil do Brasil.

19.12.01

Yaara Tal e Andreas Groethuysen

Koechlin: Música Para 2 Pianistas

CD Sony, 2001

Como não ser simpático a ele? Um homem que teve aulas com Massenet e Fauré, orquestrou peças de Debussy, deu aulas para Poulenc, e apoiou Messiaen e Boulez?

Que passou 40 anos escrevendo o poema sinfônico *O Livro da Jângal*? Que compôs a *Sinfonia das Sete Estrelas*, com movimentos dedicados a Greta Garbo, Marlene Dietrich, Charlie Chaplin? Que esteve na linha de frente antifascista e expressou simpatia pelo Partido Comunista Francês, numa época em que isso constituía risco de vida? Que começou a carreira como dândi e terminou como sábio – olhos de Erik Satie, testa de Monet, barba de Rabindranath Tagore?

Toda simpatia do mundo não foi o bastante para liberar a música de Charles Koechlin (1867-1950) das notas de rodapé em teses de musicologia, ou da marginália excêntrica nos catálogos das gravadoras. Tanto maior a surpresa de encontrar, agora, essa gravação de suas peças para dois pianos e piano a quatro mãos, interpretadas pelo duo Tal e Groethuysen.

Koechlin vinha de uma família aristocrática da Alsácia e cultivava as tradicionais virtudes alsacianas: energia, sinceridade, *naïveté*. Virtudes que explicam, em parte, por que essa música tão modesta e franca acabou perdida, no contraste com as seduções irônicas do século 20. Mas quem sabe não se abre espaço de novo para a música alsaciana de Koechlin?

Seu *Retrato de Daisy Hamilton*, por exemplo – coleção de "89 esboços para um filme imaginário", composta em 1934 –, foi arranjada para dois pianos pelo musicólogo inglês Robert Orledge e, a julgar pelos cinco movimentos gravados por Tal e Groethuysen, dão bem a medida da ciência e do charme de Koechlin. O pior que se pode dizer dessa música é que, para nossos ouvidos, soa mais como um estilo de época do que como a obra individual de um compositor. O domínio do *métier* parece, muitas vezes, substituir a invenção; e as peças de uma suíte são intercambiáveis com as de outra. Mas quem disse que isso é tão mal? Nem sempre é preciso estampar o próprio rosto na música.

Koechlin gostava de Bach. Foi um mestre do contraponto, e seus cânones (na *Suíte* op. 19 e na *Sonatina* op. 60/1, entre outros) transportam a geometria protestante barroca para o protestantismo francês de início do século passado: quer dizer, suavizam as linhas, como suavizam a teologia. E em momentos como a "Dança sob as Estrelas", da *Suíte para Ginger* – outra homenagem do compositor cinéfilo – o velho mestre-capela de Leipzig descobre novas, tentadoras felicidades. São calmarias e devaneios, visões que não se quer largar, num ambiente de acordes de quarta.

Descrevendo a própria vida, Koechlin falava de "uma série de acidentes felizes, sob a nuvem geral do infortúnio". Do infortúnio, não ficou nada; mas dos acidentes, ficou essa música, vibrando sua corda delicada para quem puder ouvir.

24.12.01

New York Philharmonic/ Leif Ove Andsnes Andrew Davis

Avery Fisher Hall (Nova York), 11.1.02

Uma vez é pouco. É sempre pouco, quando se escuta música contemporânea; e especialmente pouco quando se escuta uma peça como o *Concerto para Piano e Orquestra* de Witold Lutoslawski (1913-94), espetacularmente bem tocado por Leif Ove Andsnes, com a Filarmônica de Nova York regida por Andrew Davis, sexta-feira passada no Avery Fisher Hall, em Nova York.

Da perspectiva do século 21, o século 20 começa a ficar um pouco diferente. Vinte anos atrás, ninguém duvidava de que a trindade Boulez-Berio-Stockhausen reinava sobre os tempos, na companhia de arcanjos como Ligeti e Cage. Hoje não é mais tão fácil nomear quem define musicalmente o fim de século; mas compositores como Schnittke e Lutoslawski têm, no mínimo, de ser levados em consideração.

O *Concerto Para Piano e Orquestra* de Lutoslawski foi escrito em 1988, para seu compatriota polonês Krystian Zimerman. O último movimento faz uso da mesma forma "encadeada" que o compositor empregara em *Chain 1* (de 1983, para conjunto de câmara), *Chain 2* (1985, violino e orquestra) e *Chain 3* (1986, orquestra): materiais contrastantes que se sobrepõem, cada um começando antes de o outro terminar. Mas o *Concerto* não é uma *Chain 4*. Suas ambições vão mais longe ainda; seja pela escala formal – quatro movimentos longos, tocados sem interrupção –, seja pela pressão afetiva, ele é o único rival possível para o *Concerto Para Piano e Orquestra* de Ligeti, outra obra-prima inesperada aparecendo no mundo em plena década de 80.

Não foi muito antes que nasceu o pianista norueguês Leif Ove Andsnes. O nome é difícil, mas já se tornou conhecido mundo afora (até no Brasil, onde tocou em 2001).[15] Técnica perfeita, a essa altura, todo pianista tem. Mas nem todos têm um senso tão criterioso de repertório, nem tamanha clareza de pensamento. Só a audácia de escolher Lutoslawski já faz a gente sentir admiração.

A apresentação de sexta foi um concerto matinal (11h). Mais ou menos 80 por cento da plateia tinha mais ou menos 80 anos de idade, nessa metrópole de idosos animados, escorados em ações e pensões. Tanto maior a satisfação de ver o entusiasmo no fim; e ouvir os comentários entusiasmados no intervalo.

Virtuosístico, emocionalmente carregado, alternando cascatas de semicolcheias com uma cantilena em acordes, o *Concerto* faz jus à definição do compositor de sua própria música, como "escultura feita de materiais fluidos". Mas a definição só descreve a forma; e o que comoveu essa plateia foi o conteúdo: uma arte do desastre e da renovação.

Da perspectiva do século 21, o 20 começa mesmo a ficar diferente. Será possível que a era de Schoenberg venha a ser a era de Strauss? Veja-se a *Suíte do Cavaleiro da Rosa*, extraída da ópera de

---

15 Ver a resenha de seu concerto com a BBC Symphony Orchestra, 20.4.01.

1911. Toda a educação sentimental da aristocrata balzaquiana, abandonada pelo amante com a metade de sua idade, tudo o que há de ironia, melancolia, realismo no libreto se condensa nesses 20 minutos, que resumem muito mais do que uma ópera. Música que vem tarde na história, para quem chega tarde também.

Música de Viena, ontem; música, hoje, de Nova York? A Filarmônica toca como se fosse sua. Até um metronomista como Andrew Davis faz a orquestra tocar Strauss com clarividência. Destaque, como sempre, para o trompista Philip Myers, com seu físico de gênio da lâmpada. E para a *spalla* Sheryl Staples, num solo cheio de *Schwung*. (Ou de *swing*.)

Momento incrível da partitura: o grande tema da valsa surge pela primeira vez, tocado só pelas últimas fileiras dos violinos. Depois vem crescendo, para a frente e para cima, até explodir no 1-2-3, que traz tudo e leva tudo da vida. A Filarmônica, que às 11 horas estava acordando (nas *Valsas Nobres e Sentimentais* de Ravel), chegou aqui à noite brilhante e à noite escura da alma.

Lá fora, fazia sol, depois da chuva. Horário de almoço, gente entrando e saindo dos cafés. A Broadway se perdendo na distância. E a gente se perdendo por ela, carregando um século de música, na direção de sabe-se lá que outros desastres e renovações.

16.1.02

Barroco!

Centro Cultural Banco do Brasil, 26.1.02

Barroco! O ponto de exclamação faz muita diferença e já define o caráter do espetáculo de Alberto Renault e Marcelo Fagerlande, em cartaz no CCBB até 24 de fevereiro. Extravagância! Fantasia! Excesso! Temperados com uma boa dose de ironia, tanto musical quanto dramática. Já existiam, entre nós, o Barroco, o "barroco" e o barroco... Fez-se o Barroco! E toda gente viu como era bom.

Falar de barroco como espetáculo é quase um pleonasmo. O barroco (*grosso modo*: 1600 a 1750) foi, por excelência, a era do espetáculo, na música como nas artes plásticas, na arquitetura, até na gastronomia. Entende-se assim por que a palavra "barroco", a princípio, tinha acento pejorativo: denotando um "tipo grosseiro de pérola", estava associada à bizarrice, ao exagero. (Como se alguém resolvesse falar de "Música Bizarra" e o termo pegasse.)

O excesso, no caso, justifica-se como esforço para expressar os afetos. A música, agora, quer ser imitação das paixões, compreendidas à maneira do século 17: admiração, amor, alegria, ódio, desejo e tristeza (na classificação de Descartes). Cada uma com identidade clara, mas passível de fazer contraponto às outras. Não por acaso, é no barroco que nasce a ópera.

Tudo isso se resume e se renova em Barroco! Num mínimo espaço de tempo (1h) e mínimo espaço de cena, Fagerlande e Renault compõem uma sequência original de árias, extraídas de óperas de Monteverdi, Purcell, Rameau, Händel e Boismortier, ilustrando as paixões cartesianas. Arrojado, mas sem presunção, o espetáculo tem a sabedoria de não querer ser mais do que é. Vive, acima de tudo, da arte dos cantores, que cantam e encenam a música com engenho e bom humor.

Cenário: labirinto de formas brancas retas, de altura variável, fazendo as vezes de muros, biombos, passarelas. Caem papéis coloridos da mão dos cantores, anunciando metáforas variadas ao longo do espetáculo. Soa uma "Contredanse" majestosa da ópera *Pygmalion* de Rameau (1683-1764). Como quem diz: "fala!". E Luciano Botelho, em seguida, canta. Ou melhor: canta!

Um tenor que canta é coisa rara. Tenor que canta e atua, mais raro ainda. Fazer isso de um modo tão exposto, tão na cara da plateia, é uma proeza. Botelho está pronto para o que vier.

Seu contraponto feminino é a *mezzosoprano* Joana Thomé, que surge em papel de árvore, vestido de dez metros de pano e braços-galhos ao vento, a projeção vocalizada da loucura do rei Xerxes de Händel (1685-1759). Mais tarde, voltará como a suicida rainha Dido, morrendo de amor pelo canalha Eneias; e também como *woman in red*, na ária de ódio de "Rodelinda", de Händel. A *mezzo* às vezes soa quase contralto. Nesses casos, substitui a potência pela expressão – o que é sempre melhor do que o contrário. Botelho e Thomé valem a viagem ao centro.

Sem nenhum descrédito para a ótima soprano Edna D'Oliveira (que encarna a deusa Vênus de Purcell, num penhasco de dar medo), nem para sua parceira pastora Luanda Siqueira, nem para o gênio do frio Lício Bruno, soltando o vozeirão de baixo em notas repetidas, deitado numa cuba cheia de blocos de gelo.

E a orquestra? Ninguém é perfeito. Surpreende que mestre Fagerlande tenha escolhido um grupo tão pouco afeito aos detalhes da interpretação barroca. As cordas, em particular, estão mais para Saint-Martin-in-the Fields do que para Giardino Armonico. Esse é o barroco possível, decerto, um barroco simpático, não o sonhado impossível.

Sobra uma linha só para um elogio à coreógrafa Márcia Milhazes. Mínimo esforço, máximo efeito.

O espetáculo ficou em cartaz cinco semanas no Rio, com recorde de público. O que confere outra eloquência ao ponto de exclamação! Isso é Barroco! Para fazer *les délices du Macaque Simon*! E de todos nós, reduzidos depois às timidezas do insosso ponto final.

31.1.02

Mikhail Pletnev

C.P.E. Bach: Sonatas e Rondós

CD Deutsche Grammophon, 2001

Carlos Filipe Emanuel Bach. A grafia abrasileirada soa pitoresca, agora, mas as palavras de Mário de Andrade, na *Pequena História da Música* (1944), continuam valendo: juntamente com Haydn, foi o filho de Bach um dos responsáveis pela "generalização e genialização" da forma-sonata, que teria importância crucial para o classicismo, o romantismo e, em alguma medida, o modernismo também. Nem por isso se escuta muito sua música hoje. Tanto maior a satisfação de ouvir esse disco, com uma seleção de *Sonatas e Rondós*, interpretadas pelo pianista Mikhail Pletnev.

Carl Philipp Emanuel Bach (1714-88) foi músico da corte da Prússia por 30 anos; depois, diretor musical em Hamburgo (sucedendo Telemann). Teve muito mais fama em vida do que o pai – seja como compositor, seja como teórico. Seu *Ensaio Sobre a Verdadeira Arte de Tocar Instrumentos de Teclado* é tido, por consenso, como o maior tratado musical do século 18. Ali se encontram explicitadas não só as normas de ornamentação e performance, mas os princípios afetivos dessa música, que representa melhor do que qualquer outra a "era da sensibilidade".

Na linguagem da época, Carl Philipp encarna o *empfindsamer Stil*: o "estilo sensível", vanguarda musical de 1750, rejeitando o escolasticismo barroco e privilegiando, acima de tudo, a expressão dos sentimentos através da música. Não só de um sentimento, mas vários. Contrariando a regra anterior da unidade, a música agora alterna dramaticamente os humores, na mesma medida que alterna temas, texturas e tonalidades. A música fala, sem palavras. O instrumentista é como um ator recitando um texto – o texto de si mesmo, traduzido e transcendido em sons.

A maior parte das peças para teclado de Carl Philipp foi escrita para clavicórdio, um instrumento delicado, mas que, ao contrário do cravo, permite grandes variações de dinâmica. Não é fácil, agora, transpor essas delicadezas violentas para as grandezas homogêneas do piano. Talvez nem seja possível entender as surpresas e até as incoerências da música numa sala moderna de concertos. Mas há um substituto quase perfeito para as pequenas salas setecentistas da música de câmara: as câmaras do ouvido, ecoando na concha dos fones.

E o que se escuta lá, com Pletnev tocando, é de uma felicidade rara, e de uma tristeza rara também. Aquilo que poderia ser motivo de crítica na sua interpretação de outros compositores, aparece aqui como virtude: contraste, exagero, temor e tremor, tempestade. Também confissão e ironia, humor e drama. Tudo sob o pulso sonoro ou abstrato do tempo, variável como as paixões do compositor.

Certas passagens das *Sonatas Para Conhecedores e Amadores* fazem pensar em peças como a *Fantasia Cromática e Fuga* de Johann Sebastian Bach. Outras anunciam a *Fantasia* em dó menor de Mozart, ou seus descendentes em Beethoven e nos descendentes dele. Parece impossível: escrever uma música que é, ao mesmo tempo, de antes do pai e depois do filho. Não é menos espantoso que ela soe, hoje, tão nova e sedutora como há 250 anos. Tocada pelo espantoso russo, ela forma aos poucos mais um espelho, onde enxergar, vindo de longe, nosso próprio rosto, nossa sensibilidade.

6.2.02

Andreas Scholl

Wayfaring Stranger (Folksongs)

CD Decca, 2001

Por trás de toda canção existe outra canção; e por trás de cada outra existe outra; e assim por diante até a fonte ideal para onde convergem todas as memórias. É lá que se escuta a mais natural de todas as músicas, incontestável e enigmática, como uma pedra ou uma fruta. "Folclore" é o nome mais comum para essa arte sem autor e sem data, que se renova inesperadamente nesse disco do contratenor Andreas Scholl.

A música "folclórica" é definida nos dicionários como "produto de uma tradição que evolui por transmissão oral". Quer dizer: sem partitura. O que caracteriza o folclore é a recriação constante da música por uma comunidade.

Desse ponto de vista, o disco de Andreas Scholl insere-se numa cadeia sem fim. Mesmo os arranjos de Craig Leon, compostos para a Orpheus Chamber Orchestra (mais harpa e alaúde, ou saltério, ou banjo), não são menos folclóricos do que qualquer outro. E a voz do contratenor reinventa para si o sentido perenemente cifrável desse repertório.

Um contratenor, diga-se de passagem, não é contra ninguém, nem canta com a voz ao contrário. Contratenor é um contralto masculino: um baixo ou barítono cantando no falsete, só que um falsete forte. (Como Milton Nascimento cantando aquelas notas muito agudas.) Em nossos dias musicologicamente corretos, o contratenor se tornou figura habitual no domínio da música antiga.

Mas nada é habitual com Andreas Scholl, que gravou quatro discos perfeitos de música barroca desde 1998, com grande sucesso e sem se render nunca ao fácil. Também não se rende agora: há tenores que gravam música natalina e "Il Sole Mio" para se popularizar; "contra" esses, Scholl grava uma canção inglesa de 1430, ou uma balada setecentista. É a ironia da ironia, a música "folclórica" ("do povo") como alternativa popular à "popular" (que não vem do povo).

Sua voz não tem explicação. Nem uma canção como "I Will Give my Love an Apple", circulando nos países de língua inglesa desde o século 15. Ninguém resiste aos agudos de Scholl, apoiados em acentos da fala: "I will give my love an apple without it a core" ("Para o meu amor darei uma maçã sem centro")/ "I will give my love a house without it a door" ("Para o meu amor darei uma casa sem porta"). A sintaxe antiga parece natural, porque o segundo "it" é a nota mais alta, e Scholl canta tudo em tons de entrega, não de charada.

A segunda metade da estrofe arremata melodia e verso: "Para o meu amor darei um palácio onde morar/ E não é preciso chave para entrar" – ainda mais que a melodia desarma qualquer reticência, das alturas de um ré agudíssimo e longo. Que canção incrível: "Minha cabeça é a maçã sem centro/ Minha mente, a casa sem porta. Meu coração é o palácio onde morar...". Abre-se para ela sem chave, como se abrem as memórias da música antiga mais antiga de todas, e a mais moderna também.

Outras canções: "The Salley Gardens", favorita do escritor James Joyce; "I Am a Poor Wayfaring Stranger", reeditando o *Êxodo* com fervores gentis do século 19; "Barbara Allen", mencionada no *Diário* de Samuel Pepys, em 1655; "Henry Martin", balada em que Scholl pode mostrar sua voz de barítono, alternada teatralmente com a de contratenor; e outras 12 músicas que nunca se ouviu e sempre se conheceu.

Nunca é exagero. "Black Is The Color", por exemplo, está entre as *Folksongs* recriadas pelo compositor contemporâneo Luciano Berio (em 1964). Livra-se aqui de tudo o que não é essencial. Encerra o disco em suspenso, justamente na palavra "*stands*" ("fica"). Sozinha, sem acompanhamento neste último compasso, a voz mal se deixa perceber na despedida do "s".

Atrás dessa música existe uma outra música. É lá que se está.

28.2.02

Osesp
John Neschling

Sala São Paulo, 16.3.02

A *Cantata Profana* nunca teve, nem tem, nem jamais terá o prestígio da grande trilogia cênica de Béla Bartók (*O Príncipe de Madeira*, *O Castelo de Barba-Azul* e *O Mandarim Miraculoso*). Tanto maior o interesse do concerto da Osesp, sábado, na Sala São Paulo, sob regência de John Neschling.

É impressionante notar a mudança da música de Bartók (1881-1945), ao longo dos últimos anos. Quer dizer: é impressionante notar quanto *nós* mudamos, com respeito à sua música. Aquilo que parecia central – de um lado a pesquisa folclórica e o nacionalismo; de outro, o emprego de escalas modais e da proporção áurea – não deixou de ter relevância. Mas o que mais nos comove, agora, é a resistência, a fibra humana do compositor, sua dignidade em tempos sombrios.

Veja-se a *Cantata Profana*, composta em 1930, com base no texto de duas canções romenas (traduzidas para o húngaro pelo próprio Bartók). A cantata barroca ganha ali conotações peculiares: verdadeiro rito de passagem, alegorizado no mito edipiano da luta entre filho e pai, e soando como outro gesto de libertação do compositor.

Pergunta irreverente: isso se vê na partitura? Resposta reverente: quem tinha ouvidos para ouvir, ouviu. É verdade que a Osesp soou mais compenetrada do que propriamente inspirada. E o tenor eslovaco Ludovit Ludha nem sempre passou sem esforço pelas cordilheiras da melodia. Para compensar, exibiu uma pronúncia olímpica do impronunciável húngaro; e o Coro da Osesp continua mostrando um padrão de seriedade para o qual um bom adjetivo seria "bartokiano".

O outro húngaro do programa, Zoltán Kodály (1882-1967), não vive habitualmente nesse universo, embora vivesse no mesmo país. Mas seu *Psalmus Hungaricus* – que, como a *Cantata*, permanecia inédito aqui – é uma das composições definitivas num século de indefinições. Foi escrito sobre versos adaptados do "Salmo 55" (do rei Davi); e não é impossível pensar que a palavra "salmo" (*zsoltár*) já represente quase uma assinatura do compositor (Zoltán), reagindo às perseguições dos fascistas de plantão.

John Neschling, de sua parte, regeu com especial afinco esse canto contra "a cidade cheia de rancor", famosa pela "riqueza" e pela "falsidade", que é tanto a Budapeste da década de 1920 quanto... – alguém disse São Paulo? Incrível fecho, com um contrabaixo e o órgão, em uníssono com o coro de consolo na amargura.

Sobre o pianista, mal saído da adolescência, que interpretou o *Concerto* nº 2 de Rachmaninov (1873-1943), só se podem fazer elogios. Aos 21 anos, o franco-israelense Jonathan Gilad é bem mais que uma promessa, embora não seja ainda sua mais completa tradução. Acaba de entrar no curso de matemática da Politécnica de Paris. Que seja só por *hobby*, ou para nos humilhar.

19.3.02

Mônica Salmaso/ André Mehmari

TUSP/ Maria Antônia, 18.3.02

Foi ficando cada vez melhor. Pouco a pouco a vegetação luxuriante de acordes alterados, arpejos pontilhistas, ataques súbitos em fortíssimo, baixos espraiados em pianíssimo, ostinatos no centro do teclado e outras invenções do pianista André Mehmari cobriu as paredes do Teatro USP/ Maria Antônia e renovou o oxigênio do cérebro de cento e tantas cabeças, espremidas no calor da noite de segunda-feira para assistir ao duo.

Duo: além de Mehmari, tem *ela*. Ela canta: em timbres inadjetiváveis. Porque toda palavra ("bonito", "estranho", "rasgado" etc.) é uma média abstrata das coisas, e essa voz não é a média de nada, mas sua própria e única medida. Dá para dizer que é a viola, na orquestra de novas cantoras paulistanas. Mas "viola" é mais uma abstração. Só existe uma que canta nesses tons.

O que dá para dizer, e merece ser dito, é que ela não canta só pelo amor de se ouvir cantar. Assim como Mehmari, ela também entra para o clube dos músicos, antes de entrar no das cantoras e dos pianistas. Já se pode mesmo falar de uma nova geração de São Paulo, com um projeto musical característico – nada menos que um projeto de país. Da escolha do repertório ao modo como se interpreta, nossa tradição ali se vê selecionada e traduzida, para outro tempo e outro contexto. O tempo é o presente e o contexto somos nós.

Assim, "Camisa Amarela" (Ary Barroso) pode ficar lado a lado com "Saudades dos Aviões da Panair" (Milton Nascimento e F. Brant), duas canções de Villa-Lobos e "Ilu-Ayê" (Cabana e N. Reis), ou uma deslumbrante versão da "Derradeira Primavera" (Jobim e Vinicius), ou a casa-grande-e-senzalina "Saruê" (Sérgio Santos e P. César Pinheiro), de modo tal que tudo se conversa e se soma. A escolha de um repertório desses, pescando o que interessa nos fundos do passado e combinando o que se achou com as surpresas de agora, desarruma nossa ideia preguiçosa da canção popular brasileira.

Tem sido assim desde seu primeiro disco, de afro-sambas, com o violonista Paulo Bellinatti (1995), passando por *Trampolim* (1998) e *Voadeira* (1999). E a lição, pelo jeito, é muito maior e mais importante e mais bonita do que se poderia ter imaginado.

De sua parte, André Mehmari, aos 24 anos, é o santo da casa fazendo milagres. O que mais impressiona nele não é nem a fluência dos dedos, mas da inteligência musical. Que bebe em fontes variadas, do serialismo ao jazz, de Ligeti à Lapa, passando por Bartók e Bach. Acima de tudo, Mehmari tem um controle originalíssimo do tempo, que parece às vezes no limite de explodir o compasso, ou, pelo contrário, concentra música em 1-2-3 como um olho de furacão. Não é de estranhar que ainda esteja um pouco apaixonado demais pelo que é. Ninguém toca assim no Brasil, e pouca gente fora. A tranquilidade vai chegar, com certeza, aos poucos, na batucada da vida.

Bis: "Canoeiro", de Dorival Caymmi, cantada por ela como um prodígio de aliterações, progressivamente enroladas umas nas outras, como a rede que sai do mar. Quem sai do mar somos nós, felizes na praia do pátio da Maria Antônia, levando a lembrança da voz como uma qualidade definitiva da vida, dessas coisas que não têm nome, porque são precisas demais para as vaguezas da língua, mas que por conveniência, e por reverência, se pode chamar Mônica Salmaso.

21.3.02

Stephen Kovacevich

Sala São Paulo, 29.3.02

"Toco primeiro o Mozart ou o Bach?" A resposta da professora vem rápido, com o sotaque russo característico: "Mô-zart, Mô-zart". Sem titubear, o menino vai para o piano e ataca a *Sonata em Lá Menor* (K. 310), como se estivesse na sala de casa e não no palco da Sala São Paulo, cercado por 150 e tantos pares de ouvidos, mais o especialíssimo par do pianista Stephen Kovacevich, a seu lado.

Hipótese não comprovável, mas que se pode arriscar até por escrito: ninguém brilhou mais no mundo da música, nessa última sexta-feira, do que Pablo Rossi. Sua confiança, aos 12 anos de idade, só não impressiona mais do que sua entrega, absolutamente natural, ao que acontece entre o teclado e ele. Aluno da professora Olga Kiun, de Curitiba, o menino (que mora em Florianópolis) foi um dos três selecionados para a *masterclass* de Kovacevich, que veio a São Paulo para dois concertos com a Osesp.

"Eu sei que ele só tem 12 anos", disse o mestre à plateia, depois de alguns comentários pontuais. "Mas isso, aqui, não tem importância. Nossa conversa é de músico para músico." E os dois, então, entabularam a conversa mais direta e ao mesmo tempo mais rigorosa que dois músicos podem ter, quando se respeitam um ao outro. "Uma das coisas mais fortes no jeito de você tocar é também o que enfraquece um pouco o resultado: sua habilidade para tocar tudo com equilíbrio. Equilíbrio demais. Você entende? Seu jeito de estudar ainda aparece na música."

Blusa para fora das calças, desgrenhado, mocassim de domingo, Kovacevich não perde tempo com formalidades e também não joga conversa fora. Tudo o que diz vem carregado de vitalidade – palavra que ganha um tom especial na sua fala. Uma de suas expressões mais frequentes é "você não respondeu [a isso ou àquilo na música]". Atenção: não "respondeu", o que já dá a medida moral de sua relação com a partitura.

Que não implica ausência de fisicalidade. Pelo contrário: o piano, para ele, é um instrumento que se toca com o corpo inteiro. O primeiro pianista da tarde, Luiz Guilherme Pozzi (de Curitiba, outro aluno da professora Kiun), arrebatou a plateia com uma interpretação furiosa da *Sonata* nº 7 de Prokofiev (1891-1953). Mas Kovacevich foi fazendo com que ele mesmo visse o que estava faltando: "A mão esquerda está ótima; mas a direita continua um pouco sem vida. Passiva. Você marca todos os acentos... como se a polícia tivesse mandado! Não está usando como pode a imaginação. Vamos tentar de novo?".

Três minutos depois, a música soava outra. "Você não está apenas soando melhor. Está com aparência muito melhor ao piano. Seu corpo se soltou. É isso: a gente precisa ser como um ator. Nosso corpo inteiro é um instrumento."

A mesma insistência na imaginação, e na intensidade máxima de tudo, foi o bordão de seus comentários ao paulista Víctor Cayres de Mendonça, aluno do professor Gilberto Tinetti. "Os dedos servem à música – mas não são soldados. Mesmo quando você estuda, não pode deixar a música de fora. Senão esse veneno começa a estragar tudo." O que vale também para a imaginação preguiçosa. "Um *rubato* (a liberdade expressiva no tempo de uma frase) pode ser lindo. Repetido, já não é tão bom. Na terceira vez... a gente quer matar o pianista!"

Para Kovacevich, que não esmorece no gozo tranquilo de sua própria personalidade, o pecado maior de um músico é "cair no mecânico". Não há fórmula para isso, mas "é preciso estar sempre em guarda, para não ser convencional na arte. Na vida, às vezes, isso é inevitável. Mas na arte não pode ser".

Tudo isso acontecendo, e Pablo Rossi assistindo, balançando os tênis. Hipótese: nem sempre a música mais bonita é a que se escuta em concerto. Tese: pode ser numa aula, num comentário, nas palavras ou na cabeça de um músico, ou na imaginação de um menino. Corolário: pode ser só na memória, ou na vontade de quem assistiu. Filtrada pelas lentes molhadas de 300 e tantos olhos, a música de Pablo Rossi e Stephen Kovacevich fez renovar certo sentido de uma arte humana, sempre precária, mas afinal resistente, transmissível. Isso é que é Páscoa.

1.4.02

Orquestra Sinfônica Petrobras Pró-Música/ Linda Bustani Roberto Tibiriçá

Teatro Municipal (Rio de Janeiro), 7.4.02

Com todas suas contradições, com todas suas incoerências, com todos seus conflitos e enganos, Villa-Lobos (1887-1959) foi, é e provavelmente será para sempre o maior compositor do Brasil. Maior do que as *Bachianas*, maior do que os *Choros* e a *Floresta Amazônica*, maior do que a própria floresta e o próprio Rio, entre outros mitos que ele transformou em música. Muito maior, também, do que qualquer intérprete – incluindo, sem demérito, a Orquestra Sinfônica Petrobras Pró-Música, que deu início domingo às comemorações de 40 anos do Festival Villa-Lobos, no Teatro Municipal carioca.

Foi a volta dos concertos matinais, à maneira do maestro Eleazar de Carvalho, cuja linhagem continua no trabalho de seu antigo aluno, hoje titular da OPPM, Roberto Tibiraçá. Com direito a casacas brancas, cravos vermelhos e vestidos de cetim cereja – relativamente indolores no contexto encantatório da cidade, dividida até hoje entre pompas do império e um gênio informal de província. Até o clima geral de show de auditório tem sua dose de simpatia, nesse cenário.

O "Trenzinho Caipira" foi chocho? Foi: as cordas sem brilho, os metais... metais são quase sempre um problema. Para quem esperava muito, numa ocasião tão especial, a orquestra soou surpreendentemente sem força – tanto mais numa peça de exuberância obrigatória. Mas era domingo, eram só 11 e pouco da manhã, e nas *Bachianas Brasileiras* nº 3 (1938/47) as coisas melhoraram.

A solista Linda Bustani liberou Villa-Lobos, em boa medida, do sentimentalismo; e o resultado, nada paradoxal, é que a música soa mais, não menos, convincente. O "passado voraz" e a "conjura dos mortos", de que falava o poeta Drummond mais ou menos por essa época (em *Claro Enigma*), são sempre uma ameaça à música de Villa, que vai calçando seus sonhos de Brasil em ambiguidades da tradição. Papo-cabeça, sem dúvida, para essa orquestra cuja maior virtude é a naturalidade; mas o fato é que a presença de Bustani, controlada e classicista, provocou certo choque de entendimentos que, afinal, só foi bom para a música.

Melhor do que tudo foram os *Choros* nº 6 – compostos em 1926, estreados em 1942 – céu e chão para as euforias da orquestra. A Villa o que é de Villa, ao povo o que é do povo; e a Stravinsky o resto. Para um forasteiro, é especialmente comovente escutar essa música na sua cidade, devolvida ao ar e à luz de onde saiu.

Impressão final: bem acima da média das sinfônicas brasileiras, o que não chega a ser uma glória, mas é digno de nota, a OPPM tem virtudes de sobra para ser mais do que é. Carrega o absurdo nome nas costas ("Orquestra Sinfônica Petrobras Pró-Música" – alguém por acaso torce para o Clube de Regatas Petrobras Flamengo?) e junto com ele, e com o que vem com ele, o risco de se considerar pronta. Seria uma pena, porque 15 anos de vida são só uma adolescência, a Orquestra tem passado e tem futuro, a programação desse ano é um alento, e quem tem a ganhar com isso somos todos nós.

9.4.02

Orquestra Sinfônica Municipal
Ira Levin

Teatro Municipal, 8.4.02

Já não era sem tempo. Finalmente começaram a mexer na Orquestra Sinfônica Municipal, que está de regente novo, programação nova, patronos novos, patrocinador novo e especialmente de ânimo novo nesse início de temporada. Foi o que se viu segunda-feira, no Teatro Municipal; e se não é motivo, ainda, para euforia, já justifica, no mínimo, algum otimismo.

Ira Levin, o novo diretor musical da OSM, foi recebido como um salvador, e oxalá tenha força para tanto. Musicalmente, é um disciplinador – o que talvez já seja meio caminho para a salvação. Sua principal virtude é a energia. Outras, ele ainda não teve chance de mostrar, até porque, por enquanto, a questão crucial é fazer o mamute se levantar, romper a crosta de gelo das costas e recuperar os movimentos, num fim de verão que é um começo de fim do inverno no Municipal.

Celebrai com júbilo, então, como diz o *Salmo 100*, que a OSM e o Coral Lírico interpretaram na versão para sal, açúcar, azeite, pimenta, coentro e balsâmico do compositor alemão Max Reger (1873-1916). Tudo misturado num rocambole contrapontístico de grande fervor e grandes volumes. Justifica-se a escolha pelo uso de forças máximas da orquestra, coro e órgão, e pelo que tem de insólito. Se abatumou, não foi culpa de ninguém. Vem assim de fábrica.

A música ficou para a segunda parte, com a *Nona* de Beethoven (1770-1827). Embora ninguém tenha ido ao teatro para escutar a *Nona*, mas sim a OSM com Levin tocando a *Nona*.

Pontos altos: o novo instinto aeróbico da orquestra, a fluidez até nas passagens mais difíceis, um momento de eloquência nas violas, no último movimento, os contrabaixos segurando a onda. O Coro Lírico, que tende para os grandes contornos, mais do que para as sutilezas, mas nunca faz feio. E os solistas – Rosana Lamosa, Regina Elena Mesquita, Fernando Portari e Lício Bruno –, fazendo música com segurança num contexto nem sempre seguro, nem tão musical. Ponto alto também para a elegância gracekelinesca de Lamosa.

Agora sejamos francos. A OSM melhorou? Muito. Mas não é outra orquestra ainda. É a mesma, tocando melhor. Se fosse uma orquestra estrangeira, em visita à cidade, seria trucidada. E quem vai reclamar de nós mesmos, senão nós mesmos?

As cordas continuam irregulares, e não descobriram seu som; o quarteto de trompas estava em noite pouco feliz (habitual com trompas, o que não serve de consolo), o naipe de sopros não chega a ser um naipe, a entrada dos trompetes no "Presto" foi criminosa e até o contrafagote não esteve sempre no centro das notas, o que é de chamar a atenção naquelas profundezas.

E o "recitativo" das cordas, no último movimento? Notas, notas, notas. Som e fúria, significando nada. A orquestra teve momentos bonitos, sem dúvida, sugerindo a orquestra que poderia ser; mas também teve momentos de banda. (Nenhum descrédito às bandas. Mas era a *Nona* de Beethoven.)

Já que estamos falando de tudo: Schiller não é acessório; nem o salmodista. A música só faz sentido – o seu sentido – quando entendida em relação com o texto. Foi confiança demais na erudição da plateia dispensar as palavras do *Salmo* e da *Nona*.

Por outro lado, limparam a rua dos bandidos que praticavam o arrastão do estacionamento. Atenção: pode-se voltar ao Municipal sem medo. E sair sem medo, depois. Uma mudança e tanto para a vida cultural da cidade.

Já não era sem tempo de alguém mexer na OSM. Mas estamos bem no começo. E sejamos mesmo francos. Sem mudanças estruturais, dificilmente a orquestra pode melhorar de verdade. Como diria o patrono eterno de todos os secretários de cultura, Mário de Andrade, ninguém não teve ainda coragem de pôr a casa em ordem. A chegada de Ira Levin criou uma circunstância nova e abriu portas para se acabar com vícios ancestrais não só da OSM, mas de todos os quadros estáveis do Municipal. Entrai por essas portas com ação de graças, e logo.

10.4.02

Osesp/ Antonio Meneses John Neschling

Sala São Paulo, 13.4.02

Já que o *Choro* de Camargo Guarnieri (1907-93) começa pelo fim, podemos deixar para terminar pelo começo. E passar logo ao *Don Quixote* de Richard Strauss (1864-1949), última peça do último dos quatro concertos de Antonio Meneses com a Osesp, e ponto alto de sua temporada na cidade.

Nem vamos falar de técnica, virtuosismo etc. Não é Antonio Meneses? Então: seria tão irrisório falar de dedos e arcadas nesse caso como dizer que Pelé pegava bem na bola, ou que Drummond escandia bem os versos. Comentar detalhes também é só detalhe, no domínio do total. Meneses toca tudo como quer e porque quer. Cabe a nós enfrentar os porquês.

O enigma maior de todos começa com Strauss. Quem pensaria nele como leitor de Cervantes (1547-1616)? O mundo carregado e cético do compositor de *Morte e Transfiguração* e *Uma Vida de Herói* parece tão distante quanto possível da sabedoria generosa do Cavaleiro da Triste Figura. Mas isso em si não causa espanto, quando se pensa que Cervantes serviu de inspiração para uma lista extravagante de autores, que só têm isso em comum: Sterne, Melville, Mark Twain, Stendhal, Flaubert, Dostoievski, Goethe (entre outros, e sem falar da literatura em língua espanhola). Desse ponto de vista, Strauss pode ser visto como mais um, na infinita lista de intérpretes extravagantes do livro.

A extravagância é da essência das coisas, aqui; e vai desde o teatro orquestral (balido de ovelhas, moinhos de vento, combates, cavalgadas) até a loucura das conversas entre o violoncelo-Quixote e a viola-Sancho Pança – cervantescamente encenada por Horácio Schaeffer. Mas não há extravagância maior do que a morte; e o que houve de mais tocante na interpretação de Meneses foi a percepção de que a morte do Don começa cedo. Muito mais cedo do que normalmente se escuta, e conduzindo a música, de dentro, até o monólogo final do violoncelo, com as notas trôpegas e o glissando na quarta corda, que a gente vai lembrar pelo resto da vida.

Antes disso: Haydn (1732-1809), a *Sinfonia* nº 7, bem escolhida por John Neschling para essa temporada de solistas da casa. Na semana anterior foram os dois lindos sextetos com Meneses (Brahms e Tchaikovsky), inaugurando a música de câmara na Sala. Agora o Haydn, virtualmente um *concerto grosso*, com a orquestra dividida entre conjunto e solistas: dois violinos, violoncelo, contrabaixo e flauta (Salvatore Greco, Lev Veksler, Alceu Reis, Ana Valéria Poles, Bridget Bolliger, alternando convidados e titulares).

Mas o mais importante de tudo, somadas as duas semanas, foi mesmo o *Choro* para violoncelo e orquestra de Camargo Guarnieri, tocado pela primeira vez como merece. A estreia, em 1963, causou uma ruptura entre o compositor e o violoncelista Aldo Parisot, que encomendara a peça e protestara contra dificuldades. É de chorar de difícil mesmo. Mas dessa vez era Antonio Meneses.

É de chorar de bonito. E mais bonito ainda é ver a Osesp assumir a música de Guarnieri como missão. Se ela não for por nós, quem será por nós? E se não agora, quando?

16.4.02

Nikolai Lugansky

Cultura Artística, 22.4.02

Por que Chopin? E precisa explicar? Precisa, sim, a cada vez que um pianista tem a coragem de tocar de novo, por exemplo, a integral dos *Estudos* op. 25. Como foi o caso de Nikolai Lugansky, segunda-feira, no concerto de inauguração da temporada de 90 anos do Cultura Artística.

Dizer que a música serve ao pianista, aqui, não é violar nenhuma lei do gosto. A música serve aos dedos: os 500 longos dedos de cada impressionante manopla do esbelto pianista russo. O espetáculo dos dedos é parte mesmo do que importa na composição dos *Estudos*. Uma verdadeira olimpíada, que a gente assiste com espanto, sem aceitar que toda essa exaltação física seja mesmo a origem do som.

Parte do que importa em Chopin (1810-49) reside nesse contraste, entre a ginástica e o sublime. E se Lugansky quisesse justificar seu Chopin, poderia dizer que a ginástica, aqui, é um exercício de ascetismo. Ele não treme e não sua. Não sai do centro de si, nem quando o mundo se desfaz ao redor, nem quando se refaz, em linhas e acordes e formas.

O mais difícil nem sempre é o mais vistoso, ou espalhafatoso. Lugansky foi elegante e discreto no "Estudo nº 6", em sol sustenido menor, que é de uma delicadeza só e vertiginosamente difícil. Mas sofreu um pouco para ultrapassar com ardores o nº 12 – que nem por isso deixou de ser recompensado com urros e bravos (como é natural e justo ao fim do ciclo). Para um pianista tão compenetrado, técnica é uma linguagem do espírito, e nem sempre se exibe com fogos de artifício.

Compenetrado demais? Talvez. Mas não é bom escutar um Chopin tão seguro, tão senhor de suas belezas? Claro que sim. Então o que está faltando? Nada. Ou tudo.

Ou pelo menos alguma coisa do que Lugansky deixou entrever nos *Seis Momentos Musicais*, op. 16, de Rachmaninov (1879-1951). Que ele tocou revelatoriamente, demonstrando as ligações entre essa música e Chopin. Às vezes homenagem explícita: do op. 16/3 ao "Noturno" em dó menor, op. 48/1, que Lugansky também tocou na primeira parte; do op. 16/5 ao "Noturno" op. 27/2. Às vezes implícita: o último "Momento Musical" e o último "Estudo". Foi bonito entender Rachmaninov assim; e só isso justifica o concerto.

(Um parêntese para registrar a execução de três *Melodias Esquecidas*, do esquecido Nikolai Medtner. Pianista lendário, Medtner escreveu em 1935 um livro financiado por Rachmaninov, *A Musa e a Moda*; e viu uma Sociedade Medtner criada em 1944, com patrocínio de um marajá indiano. As histórias de vida são mais cativantes que a música, que vai da ingenuidade ao charme, alça-se à melancolia, mas não passa além.)

Um concerto se julga também pela manhã seguinte. Memória de Lugansky: virtuosístico, fino, um homem de gosto e de ideias, mais do que de imaginação. Se falta alguma coisa... não seria o gênio? Mas isso, afinal, continua tão raro quanto sempre, até mesmo entre os velhos e novos lendários pianistas russos.

24.4.02

Banda Mantiqueira/ Yamandú Costa Paulo Moura

Bourbon Street Jazz Club, 30.4.02

Yamandú roubou a noite. E olha que era noite de Banda Mantiqueira e Paulo Moura. Mas o violonista gaúcho entrou no palco do Bourbon Street, quarta passada, como Pelé entrava na Vila Belmiro, ou Falcão no Beira-Rio: cercado de um timaço de talentos, ele era claramente o centro do jogo, desde o momento que pisou em cena. A bola da música rolou para o violão de sete cordas, que atraía todas as ideias para si, transformando tudo em novidade.

Assim como o "ú" acentuado do nome, também os arrojos dele têm sua dose de absurdo. O que pode ser uma alegria: glissandos, pizzicatos, quebradas de rock e blues, *rasgueados*, tremolandos, um arsenal completo de fogos de artifício, mobilizado com humor esfuziante. Seria bom, sem dúvida, escutar Yamandú tocar alguma coisa, alguma vez, sem a compulsão de tropicalizar o espírito de Paganini e Liszt. Mas compreende-se que não seja para agora.

Sua facilidade chega a ser quase uma afronta; e os violonistas na plateia devem ter passado muitas vezes do maravilhamento ao masoquismo, assistindo a essas proezas inteiramente fora da possibilidade geral. Cabe lembrar que o monstro mal completou 22 anos; e que a simplicidade virá quando for hora. Por enquanto, só os puristas e os intimistas ficam reclamando do maior violonista brasileiro depois de Baden Powell (1932-90) e Raphael Rabello (1962-95). Yamandú forma com eles, desde já e para sempre, uma trindade santa do violão.

E a Banda Mantiqueira? Dirigida pelo gênio modesto e sereno de Proveta, continua fazendo a festa no céu. (O céu, para todos os efeitos, é onde eles estiverem tocando. Até o Bourbon Street pode ser um paraíso: o ambiente de bingo some, por mágica, com o primeiro acorde dos metais.) Se Yamandú é nosso Liszt, Proveta é nosso Mozart, infalível na escolha de cada nota e cada acorde, como se fosse a única forma de tocar. Para ele, é.

E um músico assim faz todo o mundo tocar bonito ao redor. Desde "Prêt-à-Porter de Tafetá" (João Bosco) até os *pot-pourris* de Luiz Gonzaga ("Qui nem Jiló", "Pau-de-Arara" e outras) e de Cartola e Nelson Cavaquinho ("As Rosas Não Falam", "Folhas Secas"), passando por um arranjo deslumbrante de "Catavento e Girassol" (Guinga), a Banda Mantiqueira confere a tudo o que toca uma dignidade diferente. Não são apenas os solos de François no trombone, Odésio Jericó no trompete, Fred Prince no tamborim, Samuel e Vinícius nos sax, ou Edson José Alves na guitarra – esse último também um arranjador de primeira –, mas algo que é comum a todos e maior do que eles. Uma grandiosidade sem pompa, que faz dessa música uma forma de habitar humanamente o país.

É preciso reservar um parágrafo só para falar das segundas menores nas flautas, em "Folhas Secas".

Outro para a subidinha-e-descidinha clássica – quinta, quinta aumentada, sexta, e de volta –, que ganha com a Mantiqueira sua dimensão canônica. Faz parte das vozes internas, uma das riquezas mais preciosas da Banda. Vamos deixar bem claro: detalhes assim não significam menos do que a fixação do nosso cânone, num sentido estritamente técnico e também mais que isso. Faz dez anos que a Banda Mantiqueira é uma de nossas reservas de inteligência musical; e deveria ser preservada e festejada à altura. A Mantiqueira é uma reserva de ar: quer dizer, de espírito.

Tanto mais bonito, então, ver seu "padrinho" Paulo Moura subir ao palco, na madureza bem curtida de sete décadas de música, para tocar "Carinhoso" (Pixinguinha) com eles. Os cabelos grisalhos, o terno discreto, a gravata encarnada, o lenço no bolso do paletó: chega um tempo em que um homem conquista assim para si a imagem de si. Musicalmente também. Não está mais tocando para a torcida. Abstraído, com os olhos em ponto morto, ele toca para a música, para os colegas, para si mesmo, para Deus. Para nós, incidentalmente, também.

Tocou com a Banda, depois só com Proveta e Yamandú (o "Chorinho Para Você" de Severino Araújo, da Orquestra Tabajara, uma das mães musicais da Mantiqueira). Depois só com o violão, depois sozinho. E vice-versa. Foi lindo, então, ver Yamandú estourando os compassos, esticando a métrica como se fosse de borracha e avançando por terras desconhecidas do samba (e de "Sampa", que ele transforma numa capital multicultural do samba-bossa-rock-choro-funk).

Sugestões de alegoria, encontro de gerações etc. não seriam aceitas numa resenha que preza seu senso da língua. Mas não era alegoria, era verdade.

Sugestões de decupagem, para o hipotético documentarista: Paulo Moura olhando para Yamandú, olhando para o braço do violão. Proveta olhando para Paulo Moura, de olhos fechados. Edson olhando para Yamandú e dando uma risada. Fred Prince, de tamborim na mão, se virando para olhar para Odésio, que ajusta os óculos depois de solar. Todo o mundo olhando para Yamandú. Paulo Moura olhando para o chão. Proveta olhando para a partitura, com uma expressão de felicidade.

2.5.02

Osesp
John Neschling

GUARNIERI: SINFONIAS Nos 2 E 3

CD BIS, 2002

Quantas vezes nasce um compositor? Veja-se este caso: a primeira vez quando os DNAs fazem seu milagre e vem à luz um bebê de nome Mozart, sobrenome Camargo Guarnieri, no ano de 1907, na cidade de Tietê, interior paulista. A segunda quando ele mesmo risca o Mozart do nome, em fins da década de 1920, e torna-se musicalmente pai e filho de si. A terceira talvez seja a mais importante. É um nascimento musical de Camargo Guarnieri (que morreu em 1993), pelas mãos da Osesp, consagrado no CD das *Sinfonias* nºs 2 e 3, que a orquestra lança hoje à noite, na Sala São Paulo.

"Minha música não é fácil; só é mal tocada", poderia ter dito Guarnieri, adaptando uma frase de Schoenberg (sobre a dificuldade). Todo o nacionalismo do compositor ganha outros matizes quando enfim se escuta essa música sem ranço. O que há de mais "exótico" aqui não são os temas indígenas ou caipiras, nem as síncopes, nem as escalas modais. Se é verdade que, para ele "a música brasileira [...] terá que buscar na música popular as suas características específicas" (ver M. Verhaalen, *Camargo Guarnieri* [Edusp, 2001]), essa busca precisa ser escutada de dentro. Mas só ele escutava assim, num tom que a gente, agora, começa a entender, e que vai muito além do verde-amarelismo.

Só ele – e talvez seu mentor Mário de Andrade, hoje chorando de alegria, sentado no trono de muiraquitã, observando os arcanjos e as icamiabas, com os fones de ouvido explodindo no "Festivo" da *Uirapuru*.

Só ele – e, quem dera, o professor Roberto Schwarz, a quem caberia explicar, com os necessários requintes dialéticos, as tensões entre conservadorismo e progresso, entre técnica moderna paulista e uma ideia atávica do Brasil, tensões que articulam uma peça como a *Sinfonia* nº 2 (*Uirapuru*), de 1945, e que se repetem, fora e dentro da música, nas realizações e projetos da própria Osesp.

Eis uma lição do disco: Camargo Guarnieri como gênio paulista, por excelência. Não tem o esplendor espontâneo de Villa-Lobos. Não será jamais o compositor mais popular do país. Mas é o mais refinado que já tivemos, responsável, sozinho, pela elevação da cultura nacional a planos nunca antes nem depois alcançados, no que diz respeito à arte da música.

Um disco pode fazer isso? Já fez. E fará mais, com sorte, pela música brasileira do que (como diria seu Mário) nunca não se fez.

Nos últimos dias, na sequência de uma reportagem de Mario Cesar Carvalho, publicada na *Folha* (17/4/02), os bastidores da música clássica vêm tremendo com fatos e boatos envolvendo a Secretaria Estadual de Cultura e, através dela, a Osesp. Muita coisa está para ser denunciada e respondida. Jornalismo é para isso.

Já à crítica cabe entender um projeto e avaliar os resultados. A proposta da Osesp, de gravar música brasileira como merece, num selo internacional, só pode lhe render elogios. Este primeiro disco é um marco. Que seja dedicado a Camargo Guarnieri, o maior compositor de São Paulo, confirma a vocação da Osesp como conjunto paulista. E sinaliza uma possibilidade de resolução daquelas tensões que dão vida à música do Mozart de Tietê e que ensinam, dali, a escutar e gostar do Brasil.

9.5.02

Orchestre de Chambre de Lausanne
Christian Zacharias

Cultura Artística, 13.5.02

Existem músicos assim: concentram tanta música por dentro que sobra, naturalmente, para os outros. Têm uma fluência que se confunde com inevitabilidade, uma segurança que transforma o que há de mais raro em obviedade – como se não houvesse outro jeito de tocar. É o caso do pianista e regente Christian Zacharias, que se apresentou anteontem no teatro Cultura Artística, com a Orchestre de Chambre de Lausanne.

Regente também, mas pianista em primeiro lugar: e o melhor da noite foi o *Concerto Para Piano e Orquestra* nº 2, de Beethoven (1770-1827). O melhor nem sempre é o mais vistoso. Exemplo: as escalas e arpejos, o "enchimento" que faz papel de transição, tantas vezes, entre motivos e temas e desenvolvimentos. Zacharias transforma água em vinho – não era esse o milagre? Faz cada escala ressoar de segredos, transparentes mas impossíveis de reproduzir.

Tanto maior o impacto, inclusive visual, de vê-lo saltar a toda hora do banco do piano para reger a orquestra. Ou reger sentado mesmo, com as mãos e a cabeça. Rege bonito? Não. Então com muita técnica? Pelo contrário. Mas o que é "técnica", para quem faz a música acontecer?

O *Concerto* nº 2 foi, na verdade, o primeiro a ser composto por Beethoven, em fins da década de 1780. Foi revisto quatro vezes, em 1793, 95, 98 e finalmente em 1801. A hesitação se explica, sonoramente, quando se escuta quanto de Mozart ainda domina a imaginação do sucessor. Mas Zacharias fez dele uma linda afronta à memória do modelo. Assim como fez a abertura das *Bodas de Fígaro*, no bis, ecoar a energia da *Sinfonia* nº 2 de Beethoven (que é a segunda mesmo, também de 1801). São as alegrias da influência.

Para compor o painel completo era preciso Haydn – de quem eles tocaram o *Noturno* nº 1, no início. Menos noturno do que matinal, exceto no "Presto", que é uma pequena máquina perfeita, cheia de graça, que vem e que passa, e sem nenhuma preocupação de ser a coisa mais linda que a gente já viu passar.

A orquestra vem da Suíça francesa, mas toca à maneira alemã. Em todos os sentidos: do jeito de segurar o arco do contrabaixo ao som dos metais, do espírito irônico até certa ingenuidade, ou expressão direta dos violinos. Tudo muito exposto, para bem ou para mal, como nos filmes de Fassbinder e Von Trotta. Não é uma orquestra dos sonhos, nem de *Cidade dos Sonhos*; não é daquelas que faz a gente chegar em casa correndo, tomar banho às pressas e se arrumar a jato, comer uma fatia de queijo sem mastigar, pegar o carro com a gasolina na reserva, enfrentar o trânsito malévolo da cidade, se arriscar pelas catacumbas do estacionamento na Praça Roosevelt, chegar ao teatro afoito e desabar, afinal, aliviado, na cadeira, para ouvir. Mas toca honestamente; e isso faz bem.

Adivinha quem desafinou? Elas. As de sempre. Impossíveis. Adoráveis. As caprichosas trompas, ninfas da imperfeição e do ideal.

Resumo do concerto: Haydn amava Mozart que amava Beethoven, que não amava ninguém. Não tinha tempo para essas coisas. Seu reino é demais desse mundo, que ele não cansa de reformar, conforme as lições transparentes, mas impossíveis de repetir, do profeta e do pianista Zacharias.

15.5.02

Coro de Câmara Exaudi

Sala São Paulo, 22.5.02

– Brahms, por exemplo.

– Exemplo de quê?

– De tudo o que, na música, nos entende e nos explica. Você não ouviu as *Liebeslieder-Walzer* (lindo e estranho nome, aliás: *Valsas de Canções de Amor*)?

– Não, eu nunca vou a concerto de coro.

– Você deve saber o que está perdendo. Mas também não sabe.

Só o repertório desses cubanos do Exaudi já valia a viagem à Sala São Paulo, anteontem. Quando alguém canta Brahms e Schumann, a gente... simplesmente vai. Não há desculpa para não ir. E depois não deixa de ser curioso escutar um coro de Cuba que não canta cha--cha-chás.

– E eles não cantam?

– Cantaram, claro, cantaram... Depois das maravilhas de Brahms e Schumann – e Mendelssohn, também – o repertório dos repertórios, do século dos séculos, fizeram o previsível e atacaram um chá-chá-chá. Mania de bis. O pior é que foi o melhor da noite. (Para o coro como coro.)

– Imagino. Mas você estava dizendo coisas esquisitas de Brahms.

– Brahms é o Henry James da música. Henry James jamais escreveu uma linha que não fosse plenamente literária, nunca vestiu só a máscara de contista ou romancista, nunca vacilou. Brahms é assim. Só escreveu obras-primas. O resto jogou fora.

Veja essas valsas. Foram escritas para coro e piano a quatro mãos. O texto vem de uma antologia de traduções e imitações de canções populares da Europa, reunidas por um certo G. F. Daumer, que era um poeta menor do romantismo alemão. Quer dizer: um gênero musical e uma escolha literária bem no espírito da prática caseira burguesa. Existem centenas de pecinhas assim para coro e piano, compostas para cantar com os amigos em casa, como era comum na época.

– Já começa a me dar alergia.

– É porque você, mais uma vez, não sabe do que está falando. O maravilhoso, aqui, tem a ver justamente com a forma como Brahms pega o que há de mais trivial – valsinhas, corinhos, poeminhas – e faz disso uma revelação do que pode ser o amor, a fantasia... não sei qual é a palavra menos errada para essas paixões que não têm nome, mas que se recolhem todas, para ele, afinal, na frustração. Se é que você sabe do que eu estou falando.

– Frustração? Você está falando de Cuba?

– Engraçadinho. Você devia 1) ter ido ao concerto; e 2) ter visto a seriedade dos cantores.

– Acredito. Mas afinal: são bons?

– Eu disse isso?

– Responda à pergunta.

– Têm qualidades. Nem todas as vozes são um esplendor. E as

pianistas apanharam da partitura. Mas deixe eu lhe dizer uma coisa: a música, de qualquer modo, ficou na cabeça, foi um acontecimento.

– Você é sempre tão exagerado.

– Menosprezar é melhor?

– O.k. Quantas malditas estrelas?

– Estamos avaliando o concerto, certo? Não a sombra santa de Johannes Brahms, nem os esforços do coro. Foi regular, duas estrelas. A verdade soou por meia hora na meia sala cheia de gente; mas a música foi maior que os mensageiros. Mais um exemplo do que estávamos falando no início.

– Exemplo de quê?

– Você não tem jeito mesmo. Nunca sabe do que eu estou falando.

25.5.02

Osesp
Roberto Minczuk

VILLA-LOBOS: BACHIANAS BRASILEIRAS Nº 4

Sala São Paulo, 25.5.02

"Meninos, eu ouvi." Foi a mensagem da alma eterna de Heitor Villa-Lobos, recebida em sonho, horas depois do concerto da Osesp, sábado, na Sala São Paulo. Soava embargada, depois de ter ouvido as *Bachianas Brasileiras* nº 4 pela primeira vez. Ou será que foi "Meninos, eu me ouvi?". O sentido, de qualquer modo, era inequívoco: nosso maior compositor não fazia ideia do que tinha escrito. Chorava de espanto e brasilidade, lembrando da Osesp, regida por Roberto Mincuzk.

Ainda não havia, para ninguém, a sua mais completa tradução; e alguma coisa aconteceu no coração universal da plateia. Depois de descobrir Camargo Guarnieri, vamos descobrir, quem diria, Villa-Lobos. Tese antiga: o mestre não sabia orquestrar. Demonstração: as gravações dele mesmo regendo a Orchestre National de la Radiodiffusion Française (a das *Bachianas* é de 1958). A música soa crua, ou então abatumada. Refutação: o desequilíbrio perfeitamente exótico e exoticamente perfeito dos naipes, redesenhado pelo cacique ucraniano-paulistano e tornado verdade pela tribo dos Praças-Mauás.

Menos poesia, mais descrição. 1) Vejam o que acontece quando se toca cada compasso do "Prelúdio" como *um* compasso (não dois, como é comum).

2) As cordas da Osesp descobriram aqui um som próprio e incrível: quente e frio ao mesmo tempo, intenso, sem nada de *schmalz*. (Comentário: talvez só 60 anos depois de composta, essa música possa revelar a modernidade assim, como substância, não só efeito ou espetáculo.)

3) A "araponga" do segundo movimento (si bemol no xilofone e nas flautas). Deixou de ser cartão-postal amazônico. O que é esse som, afinal, cortando a floresta da orquestra?

4) Explosão de tam-tam, bombo e tímpanos no final desse mesmo "Canto do Sertão". Quatro *f*s = mil *f*s. Nessa escala, o *fortissimo* transcende qualquer medida; e soou justo e definitivo exatamente porque sem freio. (Palmas ao timpanista convidado John Boulder, que tocou tudo com precisão e alegria.)

5) Só mais um exemplo. Não, mais dois: os trombones (Politschuk *et al.*) no grande tema do "canto", de uma grandiosidade arrasadora, livre agora dos delírios getulistas; e o clarinete (Edmilson Nery), no início da "Ária" ("Ó Mana, Deix'Eu Ir"), num limite da doçura sertaneja, sem maneirismo.

A arte é enorme, a resenha é breve. Nem falamos ainda da sílfide russa, Olga Kopylova, pianista da orquestra, apresentando-se pela primeira vez como solista, no *Concerto* nº 3 de Prokofiev (1891-1953). Eis outro compositor de engajamentos e reservas políticas ambíguas. Sua arte, também, só cresce, à medida que o século 20 vai se sedimentando como "século passado". As ambiguidades são da essência dessa música cosmopolita e adulta.

Kopylova passou pelo milhão de notas sem aparente esforço. Fez um concerto limpo, de notas como de emoções. Um prazer de se ouvir, uma grande estreia, e uma promessa "do que não vem por aí, dos 23 aos 32".

Foi o que disse Villa-Lobos, sonhadoramente, entre uma e outra baforada do seu charuto de nuvem. Depois se foi, deixando a gente no silêncio e no escuro de novo. Quinta-feira ele volta, quem sabe, para escutar as *Bachianas* nº 2.

27.5.02

Quarteto Prazak

Espaço Cultural Bank Boston, 11.6.02

Sinais dos tempos: inaugura-se uma sala de concertos em São Paulo, patrocinada por um banco norte-americano, com o recital de um quarteto de cordas da República Tcheca, interpretando compositores russos. São raros bons sinais, em meio à zoada geral da barbárie, que se torna ainda mais difícil de aceitar quando a gente escuta música assim.

Era este o cenário, anteontem, ao se abrirem pela primeira vez as portas do abstrusamente nomeado Espaço Cultural Bank Boston, para o concerto do Quarteto Prazak. Nada de abstruso lá dentro, pelo contrário. A sala é linda – desde que se aceitem sem choro os critérios arquitetônicos de um edifício de negócios, mais ou menos idênticos aos de um grande hotel internacional. Tudo se projeta suavemente para baixo e para o fundo – e o fundo se abre: atrás do palco, há uma parede de vidro, que dá para um jardim. Iluminadas de baixo, as árvores tornam-se a imagem ideal de quem escuta, inteiramente dentro de si e inteiramente entregues.

E a acústica? Faz 302 anos que Joseph Sauveur inventou o termo, e a resposta continua essencialmente a mesma: não é maravilhosa, mas também não é ruim. A diferença do nível (e qualidade) de som das primeiras filas para as últimas é grande; mas o quarteto foi ouvido de qualquer lugar sem esforço e sem confusão. A madeira ajuda, e o plano rebaixado do teto também.

Mas vamos falar do Prazak. Viver em Praga faz diferença. Não só no sentido do pré-1989, ou pós. Musicalmente é diferente e quartetisticamente mais ainda, porque o Leste da Europa tem tradição própria. Com 30 anos de estrada, o Quarteto Prazak faz jus às cargas de responsabilidade, e se atira na música com a gana de quem pode e sabe que pode.

Foi estranho ver o violoncelista Michal Kanka entrar no palco com topete e sorriso de quem está pronto para fazer um *cover* de Elvis e atacar "Only You". Mas não é uma maravilha ver que Elvis está vivo, e tocando música de câmara em Praga? Kanka animou o Borodin (1833-87) por dentro; e serrilhou com a devida dose de ambivalência o *Quarteto* nº 2 de Prokofiev (1891-1953). Remek, Holek e Kluson foram com ele.

Dizer que o ponto alto foi o *Quarteto* op. 127 de Beethoven (1770-1827) seria uma obviedade. Mas não há nada de óbvio no modo do Prazak tocar. Vistos de perto, são como a imagem amplificada no microscópio de algum mistério do mundo orgânico. Toda a coerência da forma se revela um resultado da agitação sobrenatural interna. Acelerações e retardos, acentos e descansos, tudo se dá por força de uma inteligência maior do que a de qualquer músico sozinho, e maior do que a soma dos quatro.

Um quarteto, em Praga ou qualquer lugar, é isto. Mas como é bonito por lá.

13.6.02

Orquestra Sinfônica Municipal
Ira Levin

Teatro Municipal, 17.6.02

Noite de segunda-feira, praça Ramos de Azevedo. Enquanto as televisões repetem, pela milionésima vez, os melhores momentos da medíocre vitória do Brasil sobre a Bélgica, uma plateia não muito numerosa se acomoda sem pressa pelos cinco andares do Teatro Municipal, para assistir à estreia do regente Ira Levin como solista à frente da Sinfônica, tocando um concerto para piano e orquestra de Mozart.

Antes de Mozart, Hindemith. E depois, Respighi. Um custo alto. Mas o programa foi concebido para orquestra e regente darem show; e tanto as *Metamorfoses Sinfônicas Sobre Temas de Weber* (1944), do primeiro, quanto as *Festas Romanas* (1929), do segundo, prestam-se bem para isso. Não vai aqui uma crítica, pelo contrário. Desde sua chegada, o maestro Levin tem se esforçado para dar dignidade musical e profissional à orquestra; e uma dose de exibição, de autoconfiança, faz parte do projeto.

Paul Hindemith (1895-1963) permanece pouco tocado fora da Alemanha (e dos EUA, onde se exilou durante a guerra). Os entusiasmos de Leonard Bernstein e Glenn Gould não foram o bastante para comover o mundo com essa música de elaboração admirável e comoção quase nenhuma. Vai agora uma crítica: pelo que mostrou até aqui, Levin também parece um artista de enorme facilidade técnica e domínio prático das coisas, mas mais voltado para o espetáculo do que para as paixões da música. A impressão pode mudar com a ambiciosíssima temporada de óperas, no segundo semestre (de *Macbeth*, em julho, passando por *La Gioconda* e *Sansão e Dalila*, até *Don Giovanni* em outubro).

"A Orquestra melhorou bastante" virou bordão da plateia. Seguido do contrassujeito: "mas ainda falta muito". É verdade; e é verdade. O terceiro comentário permanece tácito: para melhorar como precisa, só substituindo quadros, abrindo concursos. Com isso em mente, fica difícil apontar as falhas de um ou outro naipe, um ou outro músico. E, depois, quem não sabe? É sempre a mesma coisa.

Levin foi aluno e assistente do grande pianista Jorge Bolet (1914-90). Tocando o *Concerto* nº 22, K. 482, de Mozart, fez lembrar a articulação do mestre cubano; mas tocou em boa medida como regente: ao mesmo tempo dentro e fora do piano. E a orquestra? Transformada em conjunto de câmara, ficou mais vulnerável. Foi um Mozart fluente, mas não especialmente bonito. Não sejamos exigentes demais: é sempre bom escutar música dessa qualidade, e é um conforto saber que a OSM tem um pianista desse porte à disposição.

Num concerto de muitos efeitos, ninguém bateu os de Respighi (1879-1936). As *Festas* compõem o terceiro e último episódio da trilogia romana, depois das *Fontes* e dos *Pinheiros*. Com direito a arenas, leões, procissões, colheitas e epifanias, mais bandolim e órgão. *Una berlusconatta*, comentava uma senhora bem trajada, sem simpatia pelo atual líder da República, nem pelos velhos (involuntários?) acentos fascistas da partitura.

Compreensivelmente, Levin e a OSM estão usando, agora, a música a favor de si. Faz sentido e talvez seja mesmo necessário. Chegará a hora em que terão de se pôr mais uma vez a serviço da música. Nem vai demorar; ou pelo menos é o que deseja toda a torcida da praça Ramos de Azevedo.

19.6.02

Osesp/ Swingle Singers
Lothar Koenigs

BERIO: SINFONIA

Sala São Paulo, 20.6.02

Duas gerações aprenderam a gostar de música contemporânea ouvindo a *Sinfonia* (1968) de Luciano Berio. Cansada de ser contemporânea, a *Sinfonia* volta agora como um clássico; ou pelo menos foi assim que a Osesp fez soar essa música, quinta-feira, na Sala São Paulo.

Na programação original, o próprio Berio estaria na cidade para o concerto; motivos de doença impediram o compositor septuagenário de viajar.[16] Teria sido uma honra e tanto ver o mestre no pódio; mas o substituto fez mais do que bonito. Elegante e energético, à vontade seja na massa gigantesca da megassinfônica, seja nas miniorquestras de câmara que a música vai inventando, Lothar Koenigs fez a Osesp tocar a *Sinfonia* com naturalidade, e sobrenaturalidade também.

Quem diria que a orquestra nasceu para tocar música contemporânea? Mas nasceu anteontem, afinal, se a ocasião desculpa este exagero.

Antes que a gente se perca nos esplendores de 1968, cabe comentar o *Concertino* do mesmo Berio, que serviu para abrir o apetite. Muitos dos gestos típicos de Berio já estão aqui nesta peça de 1949: paisagens harmônicas mudando aos poucos de luz; longos pedais nas cordas; trinados que suspendem a música no ar. Harpa e celesta formando um centauro, cumprindo papel de anfitrião para o bicho solista de duas cabeças: clarinete (Ovanir Buosi) e o violino (Eugen Bold).

Mal saído das fraldas, Berio já escrevia para os instrumentos melhor do que qualquer um de sua geração. Nas melodias caleidoscópicas, toda a história de um e outro se vê reanimada. Momentos impressionantes de sugestão noturna. Lindo andante final, que se quebra subitamente em silêncio, para não dizer em futuro.

O futuro do passado parece um tema de Schubert (1797-1828), também, nesse contexto. O futuro é ele mesmo, adivinhando-se em Mozart, que habita a *Sinfonia* nº 5 como um bom fantasma. Intensidade rara da orquestra. Intensidade não é a palavra: presença. E a música, agradecida, retribuiu com cargas de verdade e beleza.

---

16 Luciano Berio morreu em 2003, aos 77 anos. Ver 26.8.03.

Já na *Sinfonia* o tema parece mais o passado do futuro. Não só no famoso terceiro movimento – a espetacular colagem de pedaços de música sobre o chão do "Scherzo" da *Sinfonia* nº 2 de Mahler, com direito a colagens verbais também (de Beckett a Lévi-Strauss). Ou no segundo, um monumento a Martin Luther King em forma de música, as vogais se sucedendo ao longo da série repetida de sete notas, até formarem o nome do pastor. É a *Sinfonia* inteira que soa agora como citação de si, ou de uma tradição que ela mesma instaura, para se renovar no infinito dos dias.

Paulo Álvares, grande pianista, modestamente comendo a bola no canto do palco.

E os Swingle Singers? Herdeiros do conjunto que estreou a *Sinfonia* em Nova York, mesclaram-se à orquestra como a música pede, sem se apagar, nem brilhar demais.

Que música, que noite. Até a Copa desaparece da mente, reduzida a um jogo de futebol que ninguém pensaria em assistir, às 3h30 da manhã. São 3h25 e nenhum de nós tem ânimo para ver no que vai dar. Quem era mesmo que jogava?

22.6.02

Quarteto Beethoven de Roma

Cultura Artística, 1.7.02

Uma surpresa inesperada, até onde se pode falar em surpresa para essa música composta há 52 anos. Mas quem por aqui já tinha escutado o *Quarteto Para Piano e Cordas* de Aaron Copland? Ignorância nossa, azar nosso; e sorte dos que foram ao Cultura Artística segunda-feira, ouvir o concerto do Quarteto Beethoven de Roma.

Uma coisa é o Copland das populares peças sinfônicas: *Billy the Kid*, *El Salón México*, *Rodeo*, *Appalachian Spring*. Entre as muitas outras coisas que o compositor norte-americano foi, existe inclusive o mestre serial, que se inventa nessa peça de datas redondas – escrita em 1950, pelo músico que nasceu em 1900 (e morreu em 1990).

Tudo sai polifonicamente de uma série de 11 tons, que se escuta logo no início, formando duas melodias, uma descendente, outra ascendente, ambas assobiáveis. O gênio de Copland – "quase um grande compositor", como escreveu Alex Ross (*The New Yorker*, 13/12/99); "o melhor que temos" (Leonard Bernstein, idem) – é astuto, abrangente, abrasivo, e leva uma alma diatônica, independentemente da natureza e número de dissonâncias. Tem domínio original do tempo: não só do espaço durante e entre as notas, mas do grande tempo, que rege uma composição do começo ao fim.

É o caso desse *Quarteto*, metamorfoseado do lento ao rápido e de volta ao mais-que-lento. Movimento do meio: a noite americana, enlouquecida. Movimentos 1 e 3: a noite obscura da alma americana, traduzida em tons universais e definitivos por esse compositor judeu, homossexual, cinquentão.

Traduzida, agora, em tons de sabedoria emocionada pelo Quarteto Beethoven de Roma. Em pleno domínio dos novos, é mais que bonito ver esses senhores tão maduros, nos dois sentidos da palavra. Tocam dentro da música, como só toca quem vive nela há tanto tempo.

O pianista Carlo Bruno sozinho já valeria o esforço de sair de casa. Discreto, sem qualquer arroubo pessoal, vai desde a suprema neutralidade até explosões e implosões, que trazem à tona o que a música quer dizer e nem sempre sabe. Os outros sabem: o espanhol Felix Ayo, com seu violino de 1744; seu colega de Conservatório em Roma, o violista Alfonso Ghedin; e o violoncelista romeno Mihai Dancila – todos juntos desde 1986.

Não há espaço para falar do *Quarteto* op. 16 de Beethoven (1770-1827), mesmo com um "Andante" tão revelador (revelador do que é possível fazer com Mozart). Mas não é possível não dizer nada da música das músicas, o *Quarteto Para Piano e Cordas* nº 3 de Brahms (1833-97).

O que sabe um homem aos 42 anos? Não muito; mas mais do que aos 21. Sendo Brahms, sabia o suficiente para reconhecer seus terrores, e seus consolos também. E sabia escrever a música de si, que hoje nos explica e nos consola. Dos soluços do primeiro tema às agitações em fortíssimo, com o quarteto entregue às paixões, da melodia plena ao jogo final, para além do princípio do prazer, a arte se faz e desfaz aos nossos olhos, dizendo tudo e voltando, depois, a nada.

O Quarteto deve ter tocado algum bis, mas quem queria ouvir? Depois de tudo, o melhor é nada: noite, silêncio, nós mesmos. Estranha, calma forma de alegria.

3.7.02

Coro da Osesp
Naomi Munakata

Sala São Paulo, 11.7.02

Lá fora, o cenário era muito diferente. Nem gôndolas, nem pontes, nem suspiros. Mas o clima imitava com esmero o inverno italiano e desestimulava a gente de cortar os campos da Cracolândia para escutar um concerto de madrigais, que o Coro da Osesp apresentou com a habitual competência anteontem, na Sala São Paulo.

Habitual competência e muito inabitual deslize de encenação. O madrigal é uma das formas supremas de relação entre palavra e música. Gênero mais cultivado de polifonia não religiosa nos séculos 16 e 17, faz da música ao mesmo tempo encenação e comentário aos textos. Autores como Monteverdi (1567-1643), Gesualdo (1561-1613), Marenzio (1533--99) e Banchieri (1568-1634) – para ficar só nesses quatro italianos, reunidos no programa do Coro – são dramatistas da composição, iluminando e escurecendo os poemas com as sombras e luzes da música.

Mais do que justo, portanto, que se tivesse cuidado com a compreensão do texto. Mas a solução aqui foi esdrúxula: um narrador invisível, amplificado, lia o texto do *Lamento d'Arianna* de Monteverdi antes de cada seção. Enigmas: 1) por que não leu o texto dos outros madrigais?; 2) não seria melhor manter a plateia à meia-luz, para que se acompanhasse pontualmente a tradução dos poemas no programa? Cada curva da melodia, cada surpresa da harmonia só faz sentido quando se segue, nuance a nuance, o texto.

Já na comédia madrigalesca *Barca di Venetia per Padova*, de Banchieri, Marcos Thadeu fazia o papel visível do recitante, com efeito análogo. Completado por 3) o texto original, em dialetos regionais, foi traduzido em português de bacharel, na segunda do plural.

Mas vamos ao que mais importa. O Coro da Osesp, sob a regência de Naomi Munakata, mantém um padrão de excelência que lhe permite arrojos de experimentação. O espírito de testar coisas novas só pode ser aplaudido; e vale tanto para a malfadada experiência de tradução consecutiva quanto para a versão semiencenada da *Barca*, com os cantores vestindo roupas carnavalescas e os vários solistas vindo à frente do palco para darem seus pequenos shows. (Mais um acidente infeliz: vieram à frente do palco... e ficaram fora da luz.)

E como cantou o Coro, afinal? Alguma vez, por acaso, cantaram menos do que muito bem? Nunca. Mas cantaram como? Um Barroco puxando para a Renascença, mais do que para o Maneirismo. Acompanhados por violoncelo e teorba (amplificados), cantaram Marenzio, que honra o legado harmonioso de Palestrina, melhor do que Gesualdo, que anima o gênio eterno da loucura. E encenaram a bem-humorada *Barca* de Banchieri com muito mais vida do que a lamentosa morte de Arianna.

Assim como a Osesp deixa lucidamente de lado qualquer pretensão de interpretação autêntica da música antiga, quando toca Bach ou Händel, o Coro também não saiu de si para cantar madrigais. Não precisa, provavelmente nem deve. Fez tudo com empenho e gosto. Desde a montagem do programa, que incluiu dois madrigais de Gesualdo e dois de Marenzio na primeira parte, de modo que as referências a eles na *Barca*, depois, fizessem sentido concreto. Não é didatismo: é inteligência. Discreta, mas precisa, como a regência de Munakata.

Foi um pouco frio, vá. Mas lá fora é que estava frio de verdade; e a lembrança da música, na manhã seguinte, mais fria ainda, não era de um "fogo gelado", como a sexy Rizzolina, mas de um gelo quente, que não tem lugar na paisagem de fora, mas é um grande cenário, às vezes, para o filme da vida interior.

13.7.02

OSM/ Uusitalo/ Gilmore Ira Levin

Verdi: Macbeth

Teatro Municipal, 21.7.02

A plateia entende do riscado e aplaudiu com entusiasmo a ária do tenor Eduardo Itaborahy ("Ah, La Paterna Mano"), no ato 4. Era só o que se podia aplaudir entusiasmado, na estreia de *Macbeth*, regida por Ira Levin domingo, no Teatro Municipal.

Verdi (1813-1901) "foi a última grande voz do humanismo não em guerra consigo mesmo", escreveu Isaiah Berlin (em *The Verdi Companion*).[17] Quer dizer: um artista em harmonia com as conven-

17 Nova York: Norton, 1979.

ções de seu tempo, *naif* no sentido que o século 19 dava a essa palavra, um compositor imune às torturas da ironia e da autoconsciência. Para nosso próprio torturado gosto, suas óperas parecem oscilar entre o estilo popular "baixo" e a nostalgia de uma arte simples, direta.

O curioso, então, nessa montagem do Municipal – coproduzida por Cleber Papa e já apresentada em maio, com algumas mudanças, na inauguração do Teatro da Paz, em Belém – é que o registro, embora tendendo para o cecilbdemillesco, dá-se ares de arte elevada. A encenação não tem nada de muito definido a dizer sobre *Macbeth*, mas sabe que tem de assumir porte sério. Que o resultado, muitas vezes, pareça cômico não deixa de ser verdianamente saudável, e pode ser visto com bom humor.

Isso se aplica à maior parte da encenação, seja nas caricaturas do casal Macbeth protagonizadas pelo bom barítono finlandês Juha Uusitalo e pela soprano americana Gail Gilmore – que jamais correm o risco de olhar um para o outro com alguma coisa lembrando uma faísca erótica –, seja no coro das bruxas, encarnando seu papel à maneira de teatro escolar; seja no povo sofrido da Escócia, cantando as misérias da opressão (no famoso "Patria Oppressa") com expressão entre neutra e nula – não, é bom que se diga, no canto: no rosto e no corpo –, seja na luta de espadas, onde se teve o cuidado de suavizar ao máximo os delírios sangrentos de *Macbeth*.

Cristina Mutarelli (direção cênica) sabiamente optou por minimizar as coisas, ou o resto das coisas.

O mesmo registro incerto aplica-se, também, ao cenário (David Higgins). Comentário de uma amiga, sobre o pórtico do castelo: "parece a entrada de um campo de concentração, na versão dos Flintstones". (A amiga exagera.) E um amigo, descrevendo a cena do sonambulismo de Lady Macbeth, lembrou a velha propaganda dos cobertores Parahyba. (Maldade.) O fato é que Gail Gilmore fez uma Lady Macbeth mecânica, sem qualquer alteração de caráter ao longo do tempo, o que tornou absurda a caminhada noturna.

E o Banquo de Luis Ottavio Faria? Bela voz, não comprometeu no palco, impressionante embrulhado em gelo seco, na cena do banquete. Paulo Queiroz (Malcolm): belo esforço, mas não nasceu para ser soldado.

E a Orquestra? Continua a mesma: a mesma OSM melhorada que estamos ouvindo desde a chegada do maestro Levin. Pena que já estacionou. Muito longe de onde precisa chegar. E o perigo é achar que está bom assim.

A ideia de ter uma orquestra tocando grandes óperas regularmente na cidade só pode ser aplaudida. Talvez seja loucura fazer, de cara, *Macbeth*, *Madame Butterfly* (agosto), *Sansão e Dalila* (setembro) e *Don Giovanni* (outubro). A estreia não entusiasmou? Não; mas todo o mundo sabe que podia ser pior – muito pior. Oxalá chegue logo o tempo em que se possa aplaudir não só a ideia, mas a música.

23.7.02

João Gilberto

Tom Brasil, 2.8.02

Começou com "Ligia" (de Tom Jobim), que ele "não canta muito". Estranhou a atitude de 9 entre 10 matérias publicadas ao longo da semana, repisando o bordão de que repete sempre as mesmas coisas. E respondeu com palavras que já valeriam a noite: "As notas são mais velhas que as canções. E são sempre as mesmas".

Depois foi mais fundo: "Um homem canta o que canta ao longo da vida. São as suas canções".

E ali estava ele, de terno e gravata, com banquinho e violão, de bem com a música, de bem com a plateia do Tom Brasil, de bem com São Paulo (que só ganhou elogios). Ele e suas canções: "Desafinado", "Chega de Saudade", "Meditação", "Corcovado", "Wave", "Caminhos Cruzados", "Retrato em Branco e Preto" (para ficar só nas de Tom), "Curare", "Izaura", "Pra Machucar Meu Coração", "Aos Pés da Cruz", "Guacyra", "Isto Aqui o Que É?", "Às Três da Manhã" (entre as antigas), "Eclipse" (duas vezes), "Estate" e "Que Reste-t-il de Nos Amours" (das estrangeiras), mais "Doralice", "Acontece Que Eu Sou Baiano", "O Pato", "Bolinha de Papel", "Meu Coração Vagabundo". No total, foram 30 canções. Um patrimônio nacional. E patrimônio íntimo de cada um de nós, na memória e na presença da voz de João Gilberto.

A voz demorou um pouco para aquecer, na sexta-feira. E os microfones? Só foram se acertar, incrivelmente, depois de "Pra Machucar Meu Coração". Não é de estranhar que àquela altura João só tivesse ânimo para mais quatro. Está com 71 anos e já tinha cantado 24 músicas.

O maior prejudicado nem foi o cantor; foi o violão. Um crime, mas o que se vai fazer?

Para compensar os mil e tantos que estavam lá e não tinham como ouvir direito, eis aqui dois segredos. 1) O segredo do dedo indicador da mão direita. Em muitos pontos, João Gilberto salienta o indicador, ao tocar um acorde de quatro notas. O resultado é que a voz interna vem à tona, enriquecendo o som e (mais importante e mais raro) iluminando o encadeamento. 2) O segredo das sequências independentes. Aqui e ali, a batida sincopada se interrompe, e João começa a tocar acordes blocados, absolutamente regulares, sem nada entre eles, numa sequência que segue seu caminho para além das cadências da melodia, criando uma tensão nova na forma, até que finalmente tudo entra em fase de novo. Em "Doralice", na sexta, foram nada menos do que 18 acordes assim.

São segredos escancarados. "Sempre a mesma coisa."

As harmonias mudaram! Em muitas músicas, João Gilberto profanou sua santidade e trocou os acordes. Não só porque vem baixando o tom, para acomodar a septuagenária voz. Trocou mesmo. E não só em Wilson Batista ou Herivelto Martins, mas... em "Desafinado".

E que enorme ingratidão no novo e quase infinito "in-", fotografado na mítica Rolleiflex.

Até a plateia canta bonito com João Gilberto. Aprendeu delicadezas com ele, na hora, e cumpriu seu papel decentemente em "Chega de Saudade" e "Saudosa Maloca".

Outra coisa. Ele salvou "Ligia" do desconfortável: não cantou o "Liii-gia, Li-gi-aaa", só tocou os acordes, deixando o nome em silêncio, dentro da música.

Às vezes, tomado pelo ritmo, não segura um balanço nervoso da perna esquerda, para lá e para cá. Não perde o controle do canto, não muda a batida, quando muito estica o pescoço, acompanhando os agudos da linha. É a perna que tem de conter toda aquela pressão da música, toda a linda energia do samba que ele precisa transformar em outra, particular beleza.

Foi mais para o final da noite, nas últimas cinco ou seis canções, que a voz entrou num estágio novo. Um cansaço que não é fadiga; como um peso, um lastro, de tanta música por trás. Não é alegre, nem triste. Um apego e desapego ao mesmo tempo. Serviu para dar outro relevo, também, aos ocasionais esforços da voz, obrigada a percorrer grandes espaços, que a entoação quase falada não faz imaginar.

"O que é felicidade." Começou com Tom Jobim, acabou com Tom Jobim. Da janela, não se via o Corcovado, nem o Redentor, nem era lindo. Mas isso não tem importância. O que é de fora, para um músico como João Gilberto, não tem mais quase nada a ver com o que é dentro.

Importam as mesmas velhas notas de sempre. E as canções que ele canta ao longo da vida.

5.8.02

Arnaldo Cohen

Brasiliana

CD BIS, 2002

A nota fica solta no ar, um "sol" longo demais para ser qualquer coisa além de si mesmo. Até que cai no "dó" e a gente reconhece a "Valsa da Dor" de Villa-Lobos (1887-1959). Essa nota, tão longa, parece estudada demais para ser só o lindo fruto da intuição; mas é bonita demais para ser só o intuído fruto do estudo. E é justamente aqui, onde fulguração e análise viram uma coisa só, que se faz escutar esse painel de 31 miniaturas brasileiras, compondo o novo disco de Arnaldo Cohen, *Brasiliana* (selo BIS).

Poucos pianistas desse porte gravam música brasileira, por vários motivos. O principal é que são raros os brasileiros desse porte. E os que não são brasileiros nem sabem que essa música existe. Se nem nós sabemos: atire a primeira pedra quem for capaz de assobiar a "Moda", da *Suíte Brasileira* nº 2 de Lorenzo Fernandez (1897-1948) ou a "Valsa" nº 7 de Radamés Gnatalli (1906-88) – isso para ficar entre compositores mais conhecidos. Quem já escutou Octavio Pinto (1890-1950), José Siqueira (1907-85), ou Eduardo Dutra (1908?--64?)?

O último é um caso à parte. Arnaldo Cohen encontrou a partitura do rachmaninovesco "Prelúdio", op. 32, nos arquivos de seu professor Jacques Klein (1930-82), no Rio. Ao que se sabe, Dutra nunca foi editado, nem gravado – talvez nunca tenha sido tocado.

Mesmo os compositores de melhor sorte, como Francisco Mignone (1897-1986), Camargo Guarnieri (1907-93) e Cláudio Santoro (1919-89), interpretados por Cohen, ganham novo relevo. É instrutivo, por exemplo, comparar sua leitura do "Ponteio" nº 49 de Guarnieri com a gravação histórica de Laís de Souza Brasil (1979/2001). Sem nenhum demérito às grandezas imaginativas de Laís – que habita humana e comoventemente os *50 Ponteios* –, não é possível não reconhecer o salto da música, agora, nessa terceira vida. (Entre outras coisas, o andamento dobrou.)

Estranho, imprevisto momento da nossa arte. Seja no repertório de concerto, seja na música popular, nunca se viu tamanho empenho em recuperar – para não dizer reinventar – o país. Dessa perspectiva, o CD de Arnaldo Cohen não poderia ser mais oportuno. Abre uma fresta e tanto no baú de perdidos; e demonstra, com muito senso de circunstância, e assumida felicidade dos dedos, o que pode ser uma pequena grande arte do Brasil.

Que ela, tantas vezes, soe afrancesada – como no "Coeur Blessé" de Alexandre Levy (1864-92) – ou espanholada – como na "Serenata Espanhola" de Fructuoso Vianna (1896-1976) –, não é tão diferente, afinal, do fato de soar acaipirada ou afro-brasileirada, entre outras modas de tropicalização. São importações, de dentro como de fora, embora o sentido seja bem diverso num e noutro caso.

Na rica e mal conhecida história da música brasileira, esse trânsito entre o que é de dentro e o que é de fora sustenta mil e uma narrativas, que se cruzam com mil e uma aberrações da nação. A antologia de Cohen mostra quanto não existe, nesse passado, para aquecer nossa ignorância. Serve também para fazer o retrato, ao mesmo tempo espetacular e modesto, de um dos nossos maiores artistas.

7.8.02

Osesp
John Neschling

Sala São Paulo, 15.8.02

Anda difícil amar com fé e orgulho a terra em que nasceste. Amor e fé, vá lá; mas orgulho? Já Villa-Lobos, em 1917, no apogeu dos trinta anos de idade, estava pronto para descobrir o Brasil, e se orgulhar depois da descoberta. Escreveu o *Uirapuru.* E a gente, agora, ouvindo esse Villa-Lobos redescoberto pela Osesp, consegue, afinal, algum eixo para equilibrar o Brasil dentro de nós.

Não é "redescoberto". É descoberto mesmo. Para falar à maneira de seu contemporâneo Mário de Andrade: ninguém nunca ouviu Villa-Lobos, não. Regida por John Neschling com real sentido amazônico, livre de turismo ou vigilância, a Osesp fez o *Uirapuru* soar como um sonho tropical do jovem Messiaen, ou de Debussy um ano antes da morte, imaginando outra vida para si.

A orquestra já tinha tocado a mesma peça no histórico concerto de outubro de 2000, no Teatro Colón, em Buenos Aires (onde a peça foi estreada, em 1935).[18] De lá para cá, o *Uirapuru* se ajustou ainda melhor; ficou mais à vontade, como roupa bonita que se molda no corpo e não pode mais ser usada por outra pessoa. Neschling gosta profundamente, e entende Villa-Lobos como poucos. Quer dizer: compreende brasileiramente do que se trata, e não se limita à exuberância. Villa-Lobos é muito maior do que suas meras lindas vastidões.

Na segunda parte, a Osesp tocou com energia nova a *Sinfonia* nº 6, de 1944, recém-editada pela própria Osesp. É a sinfonia "Sobre as Linhas das Montanhas", com melodias baseadas no desenho de serras brasileiras, fotografadas pelo compositor e depois calcadas no pentagrama. Isso é o folclore da coisa; mas a coisa não tem nada de folclórico. Só o coral das madeiras no segundo movimento, depois do solo de clarinete (Edmilson Nery), os aberratórios acordes paralelos se movendo em massa, já valeriam a noite. A orquestração é um espanto.

Quem diria? Em pleno Estado Novo, e tão próximo mesmo a Vargas, surge essa música, que faz até de suas piores contingências uma nutrição. E quem já tinha ouvido essa composição, capaz de mudar sozinha a história da música brasileira no século 20? Empolgada por uma resenha gloriosa de seu CD com as sinfonias de Camargo Guarnieri, publicada esta semana na revista *Classical Music*, a Osesp tocou para Villa-Lobos no céu, e nós na terra.

Entre *Uirapuru* e "Montanhas", o *Concerto Para Violino e Orquestra* do compositor norte-americano Samuel Barber (1910-81), interpretado pelo ótimo solista Renaud Capuçon, e seu anunciado Stradivarius. Música afetuosa, morna, vesperal; depois um moto-perpétuo esfuziante. Foi bonito, mas desapareceu ao lado de Villa-Lobos, amado com fé e orgulho pelo maestro, pela orquestra e, agora, assim, por todos nós.

17.8.02

---

18 Ver 3.10.00.

Filarmônica de São Petersburgo/ Toradze Yuri Temirkanov

Sala São Paulo, 16.8.02

O melhor veio no fim. Bem no fim: nos últimos compassos da "Patética", de Tchaikovsky (1840-93), com as cordas graves se perdendo em profundezas. Foi pouco, mas o bastante para registrar na memória o som da Filarmônica de São Pertersburgo, que tocou sexta-feira passada, na Sala São Paulo, sob a regência de Yuri Temirkanov.

A pronúncia correta é "Temir-kánov". E ele não estava de muito bom humor. Mesmo assim, é sempre um prazer de se ver, sempre discreto, sem maneirismos, exercendo controle total sobre a música sem sobrepor-se a ela. Mas não estava muito feliz – com uma justificativa. O programa abriu com o "Prelúdio" do terceiro ato da ópera *Lohengrin*, de Wagner (1813-83), que dura dois minutos e pouco. Bum! Acabou. E a plateia ficou sem saber o que fazer. Quando as palmas vieram, era tarde. Estragaram a noite de Temirkanov, que perdeu a vontade de reger para nós.

Em 1998, quando os russos tocaram no Cultura Artística, era possível escrever que "o prazer que essa orquestra demonstra em fazer música é algo de impressionante", e que ela "deixou a plateia a meio palmo do chão".[19] Dessa vez, o grande momento foi mesmo palmos adentro, nos fundos infinitos de Tchaikovsky. E depois no bis, a nona variação ("Nimrod") das *Enigma Variations* de Elgar (1857-1934). Estranhas artes de um inglês. Rasgou corações dentro e fora do palco. E isso depois de Tchaikovsky.

E de Prokofiev. O prodigioso *Concerto Para Piano e Orquestra* nº 2 é de 1913, mesmo ano da *Sagração da Primavera* de Stravinsky e do primeiro volume de *Em Busca do Tempo Perdido* de Proust. Prokofiev estava com 22 anos, e se permitia excessos de forma e sentido, que logo (no *Concerto* nº 3) aprenderia a moldar. É uma peça que deixa os dedos da gente doendo, só de ver. O solista Alexander Toradze – nascido na Geórgia, mas radicado nos EUA há quase vinte anos – tocou tudo com segurança e afinco. Teve vários momentos bonitos, de uma música sonhadora, garoenta, alternando-se com as formidáveis cadências. Curioso: tudo somado, a música não teve peso. Ou melhor: não deixou peso. Espantou. E foi.

---

19 "São Petersburgo Faz Público Levitar." Folha de S.Paulo, *29.4.98.*

No terceiro movimento da "Patética", a Filarmônica deu seu show, claro.

Resumo não exatamente da ópera: bom concerto, de uma orquestra poderosa, mas não um concerto inspirado. 1998: "espetakularski". 2002: bonski. É a vida. Começos, meios, começos, sem fim.

21.8.02

Jennifer Larmore

Cultura Artística, 22.8.02

Ela teria feito as delícias do professor Allan Bloom. Eternizado pelo romancista Saul Bellow, em seu romance *Ravelstein*, o filósofo Bloom (1930-92) é nosso grande professor de Rossini; e pode-se imaginar como não teria reagido às árias do italiano, cantadas com pragmatismo e malícia, ao mesmo tempo, por Jennifer Larmore, em seu concerto de quinta-feira, no teatro Cultura Artística.

Gioacchino Rossini (1792-1868) deixou para a eternidade um filé, que por si só já nos faria grandes devedores das artes do compositor. É um prato, como se diz, "consistente" – bem diverso das delícias da música, que adota a graça e a inconsistência como estilo do espírito. Uma saúde de fins do século 18, inícios do 19, remédio sempre bem-vindo para as almas doentes de hoje e de amanhã.

A *mezzosoprano* não é menos consistente, e não menos contente nas carnes da música e de si. Quem abriria um concerto com "Eccomi Alfine in Babilonia" (da ópera *Semiramide*)? E cantando desse jeito? Confiança total, a voz se aquecendo de baixo para cima, mas como se já estivesse noutro mundo, que a gente tem agora o privilégio de espreitar.

Nesse outro mundo, a música sonha com Mozart, de quem ela também cantou o rondó "Non Temer, Amato Bene" – uma daquelas peças cheias de figuras cromáticas e felicidades tristes. Acompanhando a diva, o pianista Antoine Palloc fez da discrição sua maior virtude; mas uma discrição nada neutra, deixando escapar acentos de entendimento e cumplicidade. Um músico fino, acompanhando a cantora total.

Agora o lado menos entusiástico da resenha. Programa careta: o velho modelo, uma seleção de peças destinadas, acima de tudo, a apresentar as virtudes da *cantatrice*, exibindo-se em vários estilos, de várias épocas, e em várias línguas. Assim, a segunda parte abriu com Debussy, Fauré e Gounod, e continuou com Montsalvatge e Victor Herbert. Tudo muito benfeito, mas, nesse contexto, sem maior sentido para além do espetáculo. (Que já é o sentido maior!, diria o professor Bloom.)

Um amigo meio chato reclamava, no intervalo, que o programa trouxe apenas os textos originais das canções, sem tradução. Pode ser meio chato, mas aqui estava certo inteiro. Ou será que toda plateia fala fluentemente italiano, francês, espanhol e inglês? Ou será que as letras não têm relevância? Podem ser meio absurdas, continuava ele, mas a transformação do absurdo em verdade... pelas artes do canto... – não é disso que se trata, afinal?

Miss Larmore não se perturbou: não é dada à metafísica. Nem ao teatro, insistia o chato, incomodado com a mímica de musical.

Deixa para lá. Numa noite dessas, ninguém tem o direito de ser chato. Foi um concerto brilhante, simpático, honesto, leve, alegre. Com momentos de beleza francesa. E o que teve de bobo a gente desconta logo, com facilidade. Essa cantora e essa música têm crédito de sobra com todos os homens de boa vontade.

26.8.02

Osesp/ Gilberto Tinetti
Jean-Jacques Kantorow

Sala São Paulo, 29.8.02

O mais bonito de tudo foi ver Gilberto Tinetti acolhido na melhor sala, pela melhor orquestra e pela melhor plateia da cidade. Professor de gerações de pianistas (deu aulas na USP por mais de duas décadas), integrante do Trio Brasileiro desde sua fundação em 1975 e apresentador há mais de quinze anos de um excelente programa diário na Rádio Cultura, entre tantas outras atividades, Tinetti é um dos músicos de São Paulo, que dão vida digna e lúcida a essa terra perpetuamente em transe.

No ano de seu septuagésimo aniversário, ele continua tocando como sempre: com elegância, clareza, fineza de espírito. Sua interpretação do *Concerto* nº 23, em lá maior, de Mozart (1756-91), quinta-feira na Sala São Paulo, teve o tom generoso, sem derramamentos, que a experiência às vezes confere à matéria da vida. Dizer que o ponto alto foi o segundo movimento seria uma obviedade, porque é um dos pontos altos da obra inteira de Mozart. Mas Tinetti fez render o "Adagio" com sentido pessoal, mais solto nas melancolias da música aqui do que nas filigranas transcendentais do resto.

Pena que a orquestra não estava tão inspirada essa noite. Teve até problemas de afinação nos sopros, coisa que a gente já tinha esquecido que existia. Mas palmas para o primeiro fagote, no diálogo com o piano ao final do "Adagio".

A Osesp parece ter gostado bastante do maestro Jean-Jacques Kantorow. Energético, preciso, expressivo com a túnica preta e cabeleira de poeta, Kantorow (bem conhecido como violinista) conquistou visivelmente a simpatia dos músicos. Não dá para entender, então, por que a orquestra estava tão presa.

Kantorow, de sua parte, gosta mesmo é dos movimentos rápidos, de inteligência faiscante. Exemplo: o "Allegro Assai" que fecha o *Divertimento Para Cordas* de Béla Bartók (1881-1945). Depois das assombrações, ou prenúncios de dissolução absoluta na música noturna que o precede, o mais comum é o *Divertimento* acabar em anticlímax. Não aqui. Foi tudo rápido e certeiro, como um drible de Puskas.

Mozart, depois de Bartók, é como uma ação de graças, por tudo o que o compositor húngaro fez, e tudo o que foi obrigado a passar, no período medonho em que lhe coube ser europeu. Depois de Mozart, Villa-Lobos (no bis de Tinetti)? A relação aqui é de outra natureza, sugerindo compreensão, e agradecimento mesmo, por tudo o que são setenta anos de vida de músico no Brasil.

E depois disso, o que mais? A *Sexta* de Schubert (1797-1828). Há dois meses a Osesp tocou a *Quinta*, no mesmo concerto em que fez a *Sinfonia* de Berio. A *Sexta* está para Beethoven como a *Quinta* para Mozart: é o território da apropriação resolvida. A *Sexta* se equilibra entre o trivial e o sublime, com as marcas da construção à mostra.

Para os padrões da Osesp, e para além dos preciosismos que fazem toda diferença, ficou faltando algo a mais. Mas talvez haja justiça inconsciente nisso. A noite era de Gilberto Tinetti, que recebeu na

Sala São Paulo uma aclamação mais do que justa por tantos anos de entrega à cidade e à música.

31.8.02

Sinfônica de Heidelberg/ Nelson Freire Thomas Fey

Sala São Paulo, 2.9.02

Ele toca, a gente vai. Nelson Freire nunca é menos que ótimo, e com frequência é extraordinário. Anteontem, foi genial.

Nem sempre se dá tão bem com orquestra. Até porque o grau de interioridade com que ele faz música presta-se mais para o repertório solo do que para os concertos. Mas quem diria? Justamente no mais teatral dos concertos de Beethoven (1770-1827) – o nº 4 – Nelson Freire miraculou a noite, transformando a música naquilo que ela pode ser, e só raramente é.

Transformou a boa Sinfônica de Heidelberg numa excelente orquestra, também. O regente Thomas Fey, discípulo de Nikolaus Harnoncourt, criou a Sinfônica em 1993. A orquestra não usa só instrumentos antigos, mas recicla a interpretação autêntica com muito gosto. É um grupo simpático e vistoso. Se não chega a ser uma grande orquestra, ainda, talvez seja só porque conserva alguma coisa do espírito de cidade pequena – o que não deixa de dar um sopro de juventude à música.

Mas na Sala São Paulo estavam no palco com Nelson Freire, e Nelson Freire anda tocando como nunca. Há alguns dias, deu um recital fechado, na mesma Sala, para um patrocinador. Naquela ocasião interpretou, entre outras peças, o *Scherzo* nº 1 de Chopin (1810-49). E Chopin ganhou um nervo incrível (onde "nervo" é a palavra errada que vem à mente para tudo o que nos cabe de pensamento e paixão).

Foi um caso típico nos concertos do pianista: tudo muito bonito, do início ao fim, e de um virtuosismo transcendental; mas é quando ele acende de verdade, aqui e ali, numa peça, num movimento, numa passagem qualquer, que a música deixa o resto do que a gente chama de música para trás, e abre as portas de outro reino da vida.

Por exemplo: no "Andante" do *Concerto* nº 4 de Beethoven. Em suas aulas na Universidade da Califórnia, o musicólogo Joseph Kerman costumava analisar esse movimento como uma versão sem palavras do mito de Orfeu e Eurídice. E o que foi que se ouviu, segunda-feira? A orquestra atacando em fortíssimo, como de hábito, e o piano à distância, no limite do inaudível, também como de hábito. Mas a orquestra com articulação quase barroca, ou melhor, pós-barroca, sugerindo Gluck, o compositor de *Orfeu e Eurídice.* E Freire cantando nas profundezas, atrás do avesso do contrário, dizendo tudo no nada.

Contraste total com os rápidos: escalas, arpejos, sequências: tudo milagraria. As escalas ascendentes articuladíssimas, terminando em pequenas curvas e doçuras, com efeito (só o efeito) de lentas. O pedal como elemento da música, não do piano. A cadência exuberante, esquizoide, do "Allegro", uma tempestade de acordes cortada por lirismos.

Bis: o "Rondó" inteiro de novo. Por justiça. Ninguém aguentaria não ouvir um pouco mais, mas qualquer outra música soaria fora de propósito.

Depois do bis: qualquer outra música soaria fora de propósito. A *Sinfonia* nº 103 de Haydn é uma felicidade, e a Sinfônica de Heidelberg deve ter tocado com charme. Mas, para alguns de nós, o que se escutou na primeira parte proibia pensar, sequer, em ouvir qualquer outra coisa por horas – como explicava outro crítico a seu filho, na porta da saída, abotoando o casacão do pequeno contra o gelo da noite.

4.9.02

Orchestra of the Age of Enlightenment

Cultura Artística, 9.9.02

Ich Habe Genug? "Tenho o Bastante"? Não. E não. Nem a orquestra tocou a anunciada cantata de J. S. Bach (1685-1750), nem ninguém jamais tem o bastante da música barroca tocada pela Orchestra of the Age of Enlightenment (Orquestra da Era do Iluminismo) segunda-feira no teatro Cultura Artística. É música para uma vida inteira, e essa orquestra não toca nada pela metade.

Tocaram outra cantata: "Vergnügte Ruh, Beliebte Seelenlust" ("Bendito Repouso, Amado Desejo da Alma"), uma das quatro cantatas para contralto escritas por Bach em 1726. Na intrincada simbologia teológico-musical da época, contralto = Espírito Santo. Que não é mulher, como se sabe, o que significa que "contralto", ontem como agora de novo, nesses tempos ilustrados, é um contratenor. Um senhor contratenor, no caso, o canadense Daniel Taylor, que também cantou lindamente o *Stabat Mater* de Vivaldi (1678-1741).

Não é um senhor. Com o cabelo crespo preso num rabo de cavalo e o fraque abotoado, colarinho engomado para cima e gravata prateada por dentro do colete, parecia uma figura tirada do *Morro dos Ventos Uivantes* – em versão dirigida por David Lynch. Já seria um bom começo; e ele nem tinha aberto a boca ainda. Abriu no "Sta-", quando chegou no "-bat", a plateia estava no bolso.

Fundada em 1986, a Orquestra toca sem regente. Quem rege é a *spalla*, Catherine Mackintosh. O grupo toca com vivacidade, mesmo quando não está cem por cento em dia com cem por cento das coisas, como anteontem. (Problemas de afinação, aqui e ali, e de equilíbrio, ali e acolá: o de sempre.) Tem dois oboístas excelentes, e uma contrabaixista espetacular, mandando ver com ginga e leveza do alto de seu metro e meio de altura e do ininventável nome: Chi-chi Nwanoku.

Dois momentos para a gente lembrar: 1) o assombroso movimento lento da *Tempestade* de Matthew Locke (1622-77), com as cordas vindo do nada e crescendo muito gradualmente até o fortíssimo, antes de despencar nos sussurros de novo; e 2) a segunda ária ("Wie Jammern Mie Doch Die Verkehrten Herzen") da cantata de Bach, com os violinos e violas fazendo as vezes de baixo para o solo do órgão, cheio de suspensões e dissonâncias. Quer dizer: os "corações errantes" sem um baixo de verdade, perdidos nessa "casa do pecado, o mundo". (Nada disso compreensível, sem o texto traduzido na mão.)

Bis: a ária "Ombra Mai Fu" de Haendel (1685-1759), de quem a Orquestra já tinha tocado o *Concerto Grosso* op. 3, nº 2. Daniel Taylor cantando mais livre, sem ler a partitura, um Espírito Santo andrógino em plena Praça Roosevelt. Melhor do que isso só mesmo o silêncio, e melhor do que o silêncio só João Sebastião.

11.9.02

Abdel Rahman El Bacha

Espaço Cultural Bank Boston, 24.9.02

Ele toca olhando fixo para a frente, para as lonjuras do outro lado da cauda do piano. Ou não olhando: de olhos fechados, virados para as lonjuras de dentro. Sua expressão passa de um quase sorriso, muito tranquilo, a uma quase ânsia, nada agressiva; uma saudade de outro mundo, que a música cria ou faz lembrar. E tudo isso feito com uma elegância inteiramente natural, certa discrição nada tímida, que eleva nosso nível de humanidade por uma hora e pouco, escutando o pianista Abdel Rahman El Bacha.

No ano passado, El Bacha tocou memoravelmente o *Quinteto* de Schumann com o Quarteto Amazônia.[20] Agora veio sozinho, para tocar a *Sonata* em fá menor ("Concerto Sem Orquestra"), op. 14, de Schumann (1810-56), mais a "Pastoral", op. 28, de Beethoven (1770--1827) e a integral dos *Prelúdios* op. 28, de Chopin (1810-49).

Para além do parentesco numérico – 14, 28: pode-se esperar de tudo, até numerologia, de um pianista tão refinado e secreto –, o programa que ele tocou terça-feira no Bank Boston vinha costurado de relações musicais. Desde a sequência genealógica óbvia até as menos óbvias inversões da influência, que El Bacha articula numa segunda ordem. Não se trata só de escutar Chopin em Schumann, por exemplo; mas um Chopin e um Schumann (e um Beethoven) modulados pela sensibilidade muito particular do pianista franco-libanês. Tudo se transporta, sem alarde, para um reino pessoal da música.

Seu tempo, em especial, não lembra o de ninguém. E não se trata de tocar mais rápido ou mais lento do que de hábito – embora ele faça as duas coisas (por exemplo, os *Prelúdios* nºs 1 e 23 bem mais lentos, e o 2 bem mais rápido). É o modo de estar na música, não a quantidade de colcheias por segundo que define o tempo.

Vale a pena falar de mais *Prelúdios*. O das notas repetidas, nº 12, que ele tocou sem fantasmagorias, mais como um encantamento, ou um jogo. O nº 3, quase sem pedal. O nº 13, como se estivesse descobrindo o piano. Melhor de todos? Um voto para o nº 15 (ré bemol maior), dividido entre uma canção sem palavras e um interlúdio orquestral, a nota repetida oscilando de solar a soturna, e a segunda menor, depois da tempestade, com acentos de tudo o que na vida se vai.

---

20 Ver 28.11.01.

Imagem que resume o concerto: um reflexo do pianista, na parede de vidro atrás do palco, só metade do corpo, transparente, suspenso no ar gelado do jardim. O "Andante" da "Pastoral" de Beethoven, como um duplo de si, suspenso no tempo da música de El Bacha. E nós absortos, perdidos, cada um de nós fora de si, suspenso por alguns minutos nessa vida maior que a música inventa ou faz lembrar.

26.9.02

Orquestra Popular de Câmara

Sesc Ipiranga, 11.10.02

Baião, bolero, congado, toada, seresta: não necessariamente ao mesmo tempo, mas quase. E isso não é tudo: tinha também música de vanguarda, improvisação livre, sugestões de música oriental, mais Lennon e McCartney e Nino Rota. Nada que cause surpresa, para quem conhece a Orquestra Popular de Câmara. Mas *foi* uma linda surpresa, mesmo assim, a apresentação deles, sexta passada, no Sesc Ipiranga, onde a Orquestra gravava ao vivo seu segundo disco (selo Núcleo Contemporâneo).

O instrumental não parece menos esdrúxulo, à primeira vista: piano, voz, acordeão, bandolim, flauta, saxofone, violoncelo, contrabaixo, bateria e percussão. Não é o que diz o nome? "Orquestra" (grupo grande de instrumentistas), "popular" (com instrumentos da música popular) "de câmara" (maior do que conjunto, menor do que sinfônica). Para ser preciso, faltaria só acrescentar "brasileira" – porque a mistura se dá sempre pelo viés de um pensamento musical daqui – ou "de São Paulo", porque talvez só numa cidade tão rica de influências e, hoje em dia, tão generosa nas respostas, se pudesse compor e tocar música assim.

Vem regida de dentro, pelo pianista, compositor e arranjador Benjamin Taubkin. A seu lado, *la* Salmaso, que neste contexto é uma instrumentista de cordas: as cordas vocais.

Final de "Bayati", cantiga do Turcomenistão, já gravada no primeiro disco, e revisitada agora: um *cluster* (notas vizinhas sobrepostas) da voz com os saxofones, os três combinados num corpo só. Um outro som. Emblema mínimo do que a Orquestra pode ser.

Outros dois exemplos, escolhidos de uma profusão: 1) "Blackbird" (Lennon/ McCartney), transformado em congado, na inspiração insólita do percussionista Ari Colares. Mas não fica esquisito, com a letra em inglês? Mônica não canta a letra, só a melodia. Virou ela mesma o grande e lindo pássaro da música. 2) "O Circo Invisível de Fellini", do flautista/ saxofonista Mané Silveira, com sua cena falada de caos (aludindo ao *Ensaio de Orquestra*?), depois os ritmos caribenhos de bar de hotel à la *Oito e Meio*, depois seresta e baião, até chegar em *Amarcord*, com direito até ao vento (cortesia do flautista Teco Cardoso).

Vinheta felliniana real: o fotógrafo, em ação a três metros de altura, no meio da cortina entreaberta no fundo do palco. Os músicos, absortos, ou virados para a frente. E o *alter*-Fellini fotografando.

Voltando a Teco Cardoso: que prazer ouvir Teco tocar. Fez improvisos lindos no sax soprano e na flauta, e foi mais ou menos o *spalla* da orquestra, especialmente na sua "Jabaculê no Jabour", animada homenagem a Hermeto Paschoal. A própria imagem da simpatia, gingando dentro e fora da música.

Uma crítica justa deveria falar dos mestres Guello e Caíto Marcondes, percussionando lá atrás, com Zezinho Pitoco; do bandolinista Ronem Altman e do violoncelista Dimos Gouradoulis, do contrabaixista Sylvio Mazzuca Jr. e do acordeonista Lulinha Alencar, mais a estreia de João Taubkin, no baixo (em "Blackbird"). Essa resenha faz o que pode para não trair o que se ouviu, mas – como todas – é curta demais.

Comentando seu arranjo de "Correnteza" (Tom Jobim/ Luiz Bonfá), Taubkin falou do "mundo bonito" – aquele mundo salvável, a que a Orquestra Popular de Câmara está, desde sempre, voltada. Uma espécie de consciência ecológica da música, combinada ao humanismo de uma arte sem alfândega, confere ao trabalho da Orquestra seu caráter mais cosmopolita e mais forte. Se isso também bloqueia a expressão de outros planos do afeto, se contradições e misérias parecem não existir para eles, isso não deixa de ser outra bela profissão de fé.

Não é fácil, afinal, definir o registro dessa música. Existe um afeto sem nome, que os músicos conhecem bem, e que nos leva para além das meras paixões. Não tem nome, mas um adjetivo possível para ele é "musical". Foi de lá, quem sabe, do fundo dessa emoção quase impessoal, que a Orquestra Popular de Câmara extraiu reservas de sentido. E é para lá, sobrevoando toda contingência, que a gente vai agora, que a gente sempre quer ir, seguindo o pássaro preto da música, correnteza abaixo.

14.10.02

Quarteto Keller

Espaço Cultural Bank Boston, 21.10.02

Só György Kurtág poderia escrever sobre György Kurtág como György Kurtág merece, num espaço tão curto.

Só o Quarteto Keller toca Kurtág como o Quarteto Keller toca Kurtág.

"Fazer música de quase nada."

Uma nota basta, para sintetizar "um gesto, um grito, um soluço".

Nada é efeito, tudo é substância.

Microlúdios: diário pessoal, análise (da música dos outros), laboratório.

Escutar Bach (1685-1750) – *A Arte da Fuga* – lado a lado com Kurtág (1926): não é o contemporâneo húngaro que se nobilita na vizinhança do barroco alemão, mas Bach que transcende, de um jeito novo, sua própria contingência.

Flores para Szygmondy: o cabo das notas vergando delicadamente, para lá e para cá, em torno da frequência central, sem que o vento as derrube.

Officium Breve: a música de Kurtág chega aqui àquele grau de naturalidade e fluência que instaura um mundo inteiro em segundos; explora, depois, esse mundo como se fosse uma descoberta, mais do que uma invenção.

Toda música vive de atrações e repulsões; no limite, a música é atração e repulsão. A música de Kurtág se dá nesse limite.

Ligatura: dois violinos, livres, para além da tristeza, impondo sua sobriedade na plateia absolutamente quieta do teatro de madeira e vidro.

Final do "Contraponto 18" (inacabado) da *Arte da Fuga*: a frase da viola interrompida ganha premonições de sentido que só agora se pode escutar.

Toda música termina para além da barra dupla do fim. Toda música começa antes da clave. *Da Distância.*

Aus der Ferne III: da distância, uma nota pulsando no violoncelo, sem agressividade, repetindo o que é preciso.

Só o Quarteto Keller toca *A Arte da Fuga* assim. A música contemporânea chega a um grau máximo de integração: um modo de estar universalmente na música, para além de qualquer maneirismo.

A expressão vem à tona como nunca, quando se livra do hábito.

Só Kurtág poderia escrever sobre Kurtág com a concisão necessária. Só o Keller toca Kurtág assim.

"De quase nada."

23.10.02

Filarmônica de Dresden/ Coro da Igreja da Santa Cruz Roderich Kreile

Sala São Paulo, 22.10.02

Uma cantata de Bach (1685-1750) e a *Missa* em dó maior de Beethoven (1770-1827): música para ninguém botar defeito. E ninguém teria por que botar defeito no concerto da Filarmônica de Dresden, regida por Roderich Kreile, anteontem na Sala São Paulo. Com o Coro da Igreja de Santa Cruz (Kreuzchor) por trás – 96 meninos, alguns em idade de já estar na cama àquela hora – e à frente um bom quarteto de solistas, a Filarmônica deu um concerto desses de endireitar a alma, ou o espírito, ou que nome for para o que nos tem por dentro.

Bach chamava de "alma", e o diálogo entre ela (soprano Ute Selbig) e Jesus (baixo Andreas Scheibner) forma um dos pontos altos da Cantata 21, *Ich Hatte Viel Bekümernis*. Já é uma cantata incrivelmente elaborada, para 1714. Alterna seções concertantes, árias e massas polifônicas (à maneira dos motetos). Explora pequenos motivos – como a simples *appoggiatura*, uma nota dissonante acentuada, antes de resolver – com inspiração incomum.

Não estava indicado no programa o nome do oboé solista. Mas ele ganhou o reino dos céus.

Bom evangelista (Johannes Chum), *mezzo* equilibrada (Susanna Moncayo von Hase). Vestidos horríveis, mas isso não faz muita diferença.

Faz diferença serem meninos cantando? Toda. Não só porque, do alto dos seus aproximadamente 700 anos de tradição, o Kreuzchor soa justificadamente seguro. Mas porque o som das vozes, pré-psicanalisadas, confere à música algo a mais, certa neutralidade que, no caso, só adiciona sentido à música.

Nada mais diferente do que o som da Filarmônica tocando Beethoven, depois. É muito raro escutar uma orquestra capaz de tamanha metamorfose – e basta isso, aliás, para que se entenda a importância real do regente. A *Missa* foi terrena, arrojada, voltada para a própria música como instrumento de liberação.

Escutar esse Beethoven, depois desse Bach, é uma lição inclusive musical, embora "música", nesse contexto, seja uma palavra pobre. "Compaixão", "coragem", seria preciso entrar por essas vias para dar conta do que se ouviu.

Foi inspiradíssimo, então? Não exatamente. A sensação que fica é a de uma orquestra capaz de tocar *sempre* assim. A sensação que resta é a de nós mesmos, reduzidos sempre ao que nos tem por dentro, sempre salvos por música assim.

24.10.02

Orquestra Sinfônica Municipal Lamosa/ Szot/ Hawkins/ Ragatzu Ira Levin

Mozart: As Bodas de Fígaro

Teatro Municipal, 28.10.02

Estranha ideia do amor: uma sequência sem fim de simulações e dissimulações, seduções, armadilhas e farsas; jogos complicados e sofrimentos simples, tudo encantado por uma música que dá sentido não meramente retórico à malícia e à paixão. É a miraculosa música de Mozart (1756-91), animando as *Bodas de Fígaro*, que ganha uma montagem memorável no Teatro Municipal, encenada por José Possi Neto e regida por Ira Levin.

Vamos falar logo das coisas boas. A montagem de Possi é um modelo do muito que se pode fazer com o mínimo. Fundo negro, três grandes panos suspensos, levemente balançando à esquerda na sugestiva luz: já é todo o cenário necessário e, ao mesmo tempo, uma alegoria do que há de leve e misterioso e sexy no libreto de Da Ponte e na música de Mozart.

Outro exemplo, do Ato 4: retângulo azul ao fundo, ciprestes geométricos lunares, Barbarina (Gabriela Sanchez) cantando sua cavatina perdida na noite. Outro exemplo ainda, do início: o povo inteiro invadindo o palco, monocromático, tudo bege em cena, menos as flores para o Conde. O efeito de cor é incrível, e feito de quase nada – um buquê.

Aqui entra um parágrafo só para elogiar a luz de Wagner Freire e os figurinos setecentistas do mestre Fábio Namatame.

Vamos falar dos ótimos. A começar pela soprano Rosana Lamosa, simplesmente a dona do show, do começo ao fim. Todos os solistas – com destaque óbvio para o Fígaro de Paulo Szot – estão à vontade em cena. Mais que isso, estão fazendo teatro de verdade. A Susanna de Lamosa vai mais longe: entra para a companhia das musas que vêm morar na memória da gente.

Irônica, rápida, infernal, estranhamente verdadeira nas falsidades do "Deh Vieni" (a linda ária de traição que enlouquece Fígaro), mais leve e misteriosa e sexy do que nunca, levando de roldão o concurso de ombros, Rosana Lamosa foi um emblema e tanto do que pode ser o espírito de Mozart. Seu par segurou a parada com gosto; e o Conde de Gordon Hawkins foi lastro para os dois.

Menos brilho para a Condessa da italiana Rossela Ragatzu, que não deu sorte anteontem no "Porgi, Amor" (depois foi melhorando). A uruguaia Adriana Mastrangelo faz um Cherubino gracioso, e só fica devendo, talvez, algo de menos gracioso. Não dá para citar todos os solistas; mas o nível geral foi tão bom que dá gosto. Idem, Coral Lírico.

Agora a Orquestra. Andavam falando tanto das melhorias, que era natural esperar muito, das cordas em particular. Mas os comentários, evidentemente, vêm mais da parte da esperança do que do medo. Falta muito para a OSM começar a fazer um som bonito. O maestro Levin adotou a propulsão como princípio da música, o que se justifica tendo em vista as dificuldades e o tamanho da ópera. Mas o mínimo que se pode dizer, com toda torcida a favor, é que o resultado ainda soa grosseiro para as sutilezas musicais e amorosas de Mozart.

Estranhas sutilezas, estranho amor. A bênção final sempre comovente, antes da festa. Foi linda a salva prateada de fogos, mal entrevista, enquanto a cortina fechava sobre a comédia da paixão.

30.10.02

Gidon Kremer/ Kremerata Báltica

Cultura Artística, 5.11.02

Vivaldi e Piazzolla... *Quatro Estações* (vezes dois)... Não era um programa entusiasmante. O "Adágio" da *Décima* de Mahler já valeria qualquer concerto; mas ficar para a segunda parte parecia obrigação profissional. Santo engano. O que se ouviu segunda-feira passada, no Cultura Artística, com Gidon Kremer à frente da Kremerata Báltica, foi música para encher de vida a vida, e fez renascer também, com outro alento, as castigadas, mal-amadas *Estações.*

O nome soa bobo, mas a Kremerata é uma orquestra tão simpática que a gente aceita qualquer graça. Desde 1997, o violinista Gidon Kremer vem se apresentando com esse conjunto de músicos jovens da Letônia, da Estônia e da Lituânia, sua terra natal. Idade média do grupo: 25 anos. Talvez seja a melhor orquestra de cordas em atividade, e é de longe a mais bonita.

Kremer, de sua parte, é o músico dos músicos. Um virtuose não só do violino, mas da imaginação; um artista de arrojos. A própria ideia de tocar o "Adágio" de Mahler (1860-1911), nessa versão só para cordas, já causa espanto. Sem explicação, provocativamente, deixando a música falar por si.

Que ela fala por si é o mínimo que se pode dizer. Define um século – como dizia Leonard Bernstein, o "século da morte, cujo profeta é Gustav Mahler". A profecia soa mais comovente ainda reduzida ao osso, a longa frase inicial na viola solo (maravilhosa *spalla* Ula Ulijona), a tensão infinitamente sustentada até o catastrófico acorde de nove notas, uma dissonância que explode do lado de lá do que é possível dizer, ou não dizer.

Inesquecível som das cordas: intenso, volumoso, carregado de expressão, capaz de aguentar o mundo nas costas. Depois rarefeito, aéreo, mais próximo de contemporâneos nossos do Leste do que dos contemporâneos vienenses de Mahler.

Comentário de uma amiga: "a verdade vem do Leste". Glosa: a verdade (da música) vem (agora) do Leste (músicos como a Kremerata e o Quarteto Keller,[21] compositores como Schnittke e Kurtág).

E a verdade vem por onde menos se espera. Piazzolla e Vivaldi! Seria de esperar que ninguém mais se arriscasse assim no barroco. O

---

21 Ver 23.10.02.

incrível é que a Kremerata, sem qualquer ambição de autenticidade (não desprezando o ótimo cravista), mas também sem a menor ingenuidade, consegue reinventar as *Estações*, pela milionésima vez, como nenhuma vez.

Pianíssimos incríveis de Kremer. Uso estratégico de efeitos: som rasgado, dinâmicas contrastantes, prestos rapidíssimos. Alegoria = drama barroco italiano. A orquestra, sem regente, com precisão absoluta, nenhum acento fora de fase.

Eles adoram tocar. No Piazzolla (1921-92) – em arranjo de Leonid Desyatnikov, que faz uso também de muitos efeitos e incorpora citações de Vivaldi – os músicos não paravam de sorrir uns para os outros (e as outras para os uns).

Cena para o vídeo: morena meiga, de presilha no cabelo, na última fileira dos primeiros violinos, escutando embevecida o solo de Kremer no "Inverno Portenho". Depois esquece a meiguice, ajusta o violino no ombro e ataca, com olhar maroto para a loira do lado. As duas riem.

A verdade vem do Leste. Apesar de tudo, e sem esquecer de nada, é capaz dessa leveza. Uma lição de música – e muito mais do que música.

11.11.02

Osesp/ Duo Assad
John Neschling

Avery Fischer Hall (Nova York), 10.11.02

A dimensão real desse concerto só se vai medir daqui a algum tempo: em meses, ou anos. Quando o maestro Neschling voltou pela quinta vez ao palco, suado e desgrenhado, com a linda orquestra de frente para a plateia e as mil e tantas pessoas que enchiam o Avery Fischer Hall, em Nova York, anteontem, aplaudindo de pé e pedindo bis, a impressão que se tinha era de que a Osesp havia dado início, ali mesmo, a outro ciclo de vida. E como ela representa, hoje, a música brasileira, ao que parece somos todos nós que, nalguma medida, temos vida nova pela frente.

Que o bis tenha sido o "Prelúdio" das *Bachianas Brasileiras* nº 4 de Villa-Lobos (1887-1959) fazia, então, todo sentido. Não apenas porque é uma peça tão conhecida do repertório pouco conhecido da nossa música, mas também porque 1) as cordas mereciam este presente, depois do que fizeram no Brahms; e 2) o programa abriu com o *Uirapuru*, também de Villa-Lobos, e o bis fechava, portanto, o círculo simbólico da tarde, já tão cheia de símbolos.

O próprio *Uirapuru* carregava sua massa de alusões. Foi a mesma peça que a Osesp tocou no histórico concerto em Buenos Aires, há dois anos, ponto alto de sua primeira viagem internacional pela América Latina.[22] E se naquela ocasião já se encenava a reinvenção de Villa-Lobos como grande compositor – depois de décadas sem uma orquestra que lhe fizesse justiça –, esse *Uirapuru* agora, no Lincoln Center, foi como o rito de passagem dos nossos índios de fraque, assumindo deveres e direitos da vida adulta.

Levou alguns minutos, três ou quatro. Depois, aconteceu. A música passou para outro estágio. Lindos solos de Bridget Bolliger (flauta) e do *spalla* Cláudio Cruz, em particular.

Depois disso, com a orquestra senhora da sala, foi a vez de os irmãos Assad solarem o *Concerto Para Dois Violões, Cordas e Percussão* de Marlos Nobre (1939). Solaram com a fluência e entrosamento de sempre. E, como sempre, foram prejudicados pela amplificação. Na Sala São Paulo, não se escutava os violões. Aqui, ouvia-se bem – mas com timbres falsos (segunda e terceira cordas transfiguradas). A música, de sua parte, faz o que pode, para se sustentar na vizinhança grandiosa de Villa-Lobos e Brahms.

Um arranjo incrível de "Noites Cariocas" (Jacob do Bandolim), no bis, com os violões à toda, serviu para encerrar as brasilidades explícitas.

Segunda parte: a *Segunda Sinfonia* de Brahms (1833-97). Não é o que se espera de uma orquestra brasileira. Mas John Neschling só cresce nessas horas de perigo. Regendo assim, com o mundo e Brahms por testemunha (e os críticos nova-iorquinos?), entrou de corpo inteiro na música e fez a Osesp tocar com uma vibração nova.

As coisas foram de bom para melhor e de melhor para excelente, até o exuberante "Allegro con Spirito". Muito espírito – e é mesmo o que se espera, agora, de uma orquestra brasileira digna do nome.

Resumo do ovacionado concerto: uma grande orquestra brasileira. O que fizer daqui para a frente vai definir muita coisa, mas o que já fez define o que nós somos. Para os outros e para nós mesmos, na

---

22 Ver 3.10.00.

Sala São Paulo ou na Broadway iluminada, depois da bênção da chuva leve, no fim da tarde de domingo.

12.11.02

Orquestra Sinfônica Petrobras Pró-Música/ Nelson Freire Roberto Tibiriçá

Teatro Municipal (Rio de Janeiro), 24.11.02

Talvez porque era domingo, o avião fez uma rota diferente. Chegou ao Rio pelo outro lado, voando sobre a mítica elipse de abas caídas do Maracanã, com o cogumelo do Maracanazinho do lado, passando depois pelo Cristo Redentor, quase ao alcance da mão, para só então chegar às curvas da baía e à reta do Santos Dumont. Cenário improvável para Brahms; e foi um Brahms improvável mesmo que Nelson Freire tocou com a Petrobras Pró-Música, no Municipal.

A primeira coisa notável a dizer dessa orquestra é que está conseguindo lotar a sala, nesses concertos matinais, que vêm acontecendo desde abril. Em meio às deficiências endêmicas da música clássica no país, este fato já justifica toda boa vontade. É um consolo ver que hidrocarbonetos extraídos das profundezas possam se transformar nas *Variações Sobre um Tema de Haydn* e na *Abertura Festival Acadêmico*, como a orquestra tocou na primeira parte deste concerto só de obras de Brahms (1883-97).

Sob a regência do animado maestro Roberto Tibiriçá, a OPPM atingiu um nível de considerável excelência para os padrões brasileiros. Não é pouca coisa, mas também não é uma glória, ainda. A orquestra tem deficiências óbvias em todos os naipes e ainda não descobriu o que é, ou o que será seu som.

Nas *Variações*, por exemplo, passou de momentos delicados e controlados (Variação 5) a desequilíbrios e securas (Variação 6). Boa parte do tempo, dá a impressão de estar se esforçando para vencer a música; e o estilo tão teatral do maestro Tibiriçá, se de um lado ajuda a plateia, de outro pode criar alguma impressão de desacordo com o que se está escutando.

Tudo acaba em festa, o que não deixa de ser simpático, e precisa ser aceito no contexto particular do dia (domingo), da hora (11 da manhã), do lugar (Biblioteca Nacional e Museu de Belas-Artes de um lado, arcos da Lapa do outro).

Só assim se entende, também, a interpretação do *Concerto* nº 2, que Nelson Freire tocou com a OPPM na segunda parte. Anunciava muito, no início: a primeira frase incrivelmente plástica, um sentido de melancolia dobrando o pescoço da música e arrefecendo seu próprio ímpeto. Teve momentos encantatórios, especialmente no "Andante" (com o solo cuidadoso do *spalla* dos violoncelos, Hugo Pilger). Teve bravura e virtuosismo, como se espera – desse pianista de quem se espera tudo. Mas também teve pontos de neutralidade, ou passividade – para esse pianista, de quem sempre se espera intensidade total.

Talvez porque era domingo, o avião fez uma rota diferente. Aliás, raríssima: um lapso de memória no segundo movimento, contornado com improviso, até a entrada da orquestra. (Tipo de coisa que incomoda o próprio músico muito mais do que a plateia, boa parte da qual nem nota aqueles instantes de pânico.)

Dali para a frente, quem tocou foi um Nelson Freire sério, concentrado. Com inspirações no "Andante", mas sem chegar aos milagres que gulosamente se espera de cada concerto seu, de manhã que seja.

Agora é o cogumelo mágico de Niemeyer, em Niterói, que aparece na janelinha à esquerda. Agora o azul do mar se confunde com o azul do céu. E a gente se perde, de novo, a caminho do cinza.

26.11.02

Amazonas Filarmônica
Lamosa/ Portari/ Szot/ Gallisa
Luiz Fernando Malheiro

Massenet: Manon

Teatro Alfa, 27.11.02

Deliciosa ou infernalmente longa, ao gosto do freguês, a ópera acabou à 1h da manhã. A essa altura, só a metade da plateia resistia: a metade virtuosa, que aplaudiu com entusiasmo os solistas e foi humana e generosa com os demais. Nem tudo correu como devia, na estreia paulistana dessa montagem amazonina de *Manon*, anteontem no Alfa. Mas só um crítico muito azedo não reconheceria que o saldo foi positivo, e que os cantores são um orgulho para todos nós.

Nem tudo correu como podia. A Amazonas Filarmônica, por exemplo. Fundada em 1997, com mais de cinquenta músicos importados do Leste da Europa, ganhou fama como conjunto de excelência. Comparada à média das orquestras brasileiras certamente se destaca. Mas só um crítico muito cor-de-rosa, ou muito verde-amarelo, não reconheceria na AF problemas de 1) afinação, 2) conjunto, 3) solistas.

O maestro Luiz Fernando Malheiro rege tudo com vitalidade, mas o resultado soa estranhamente homogêneo, do início ao fim. E tudo se passa entre *mezzo-forte* e *mezzo-forte*. Que a Filarmônica tem um digno caminho pela frente está mais do que claro. Mas falta malhar bastante; e falta inventar uma alma.

Alma e corpo é o que não faltam à soprano Rosana Lamosa, que vem simplesmente levando de roldão a cena lírica. Foi impressionante vê-la encarnar Manon tão pouco tempo depois da Susanna de *Bodas de Fígaro* (mês passado, no Municipal), sem se deixar contaminar pela sexualidade *light* da outra. O que é sexy, aqui, também é obscuro e pesado, na fronteira do perverso.

Pena que a direção cênica (Adrian Lang) não se tenha valido muito do talento teatral de Lamosa, que, assim como seus ótimos parceiros Fernando Portari (Des Grieux), Paulo Szot (Lescaut) e José Gallisa (Conde), acabou restrita ao melodrama, sem sombras nem porquês. O que é surpreendente quando se pensa na coragem de muitas soluções plásticas da montagem, como os vestidos vazios pontuando a carreira da cortesã, ou o enorme espelho em que se vê sozinha (só com a imagem do maestro regendo ao canto), ou a passagem do telão à la Poussin, na cena do balé, para Caravaggio na cena do convento, quando Manon vem buscar Des Grieux e acabar de vez com o juízo de Deus.

Demais cantores e coro: tempo bom, com pouca nebulosidade, sem previsão de chuvas na capital.

Já o cenário teve problemas técnicos. Não importa, serão resolvidos. E os pastiches de Ashley Martin-Davis contribuem memoravelmente para o texto. Só fica difícil entender aquela gigantesca mesa inclinada do cassino, com os jogadores em cima, e Manon vestida como Carmen que ganhou na loteria. Ou será que a ideia é essa? Massenet é o Burguês Transcendental da música francesa; não deixa de ser uma saúde vê-lo explodido de dentro por Bizet.

Ou será fantasia? Mas... de quem? Poderia até ser de Manon. A pergunta define uma potência, mais do que um resultado da montagem. Vem da voz, mais do que de qualquer outro elemento. Está também no lindo sonho de Des Grieux, que Portari cantou como nunca, enfeitiçado pela irreal amante, e real esposa.

29.11.02

Notas de Leitura

Era o compositor Felix Mendelssohn quem dizia que a música é "precisa demais para ser posta em palavras". Todo o mundo que escreve sobre música sabe quanto é verdadeira essa frase. Felizmente, redentoramente, existem as exceções – como alguns ficcionistas e poetas, capazes de pegar a arte da música pela alça da língua. A lista abaixo é mínima (na quantidade e tamanho dos textos), mas também é máxima (em literatura):

1) Guimarães Rosa, "Sorôco, Sua Mãe, Sua Filha". Este conto brevíssimo – só quatro páginas – está em *Primeiras Estórias* (1962). O cenário é improvável, para nosso contexto musical: um homem que acompanha a mãe e a filha até a estação da cidadezinha pobre onde moram, para que peguem o trem e vão para um hospício. Mas este deve ser um dos mais lindos textos já escritos sobre música, em qualquer época e qualquer língua.

2) Guimarães Rosa, "O Recado do Morro". Faz parte de *No Urubuquaquá, no Pinhém*, que por sua vez pertence a *Corpo de Baile* (2 vols., publicados em 1956, mesmo ano de *Grande Sertão: Veredas*). Um estrangeiro, *alter ego* do autor, viaja pelos sertões de Minas. Recolhe impressões de gentes e lugares – a história ostensiva do conto, que se concentra num caso de amizade e traição. A outra história, que vai se formando aos poucos, narra a construção progressiva e coletiva de uma canção popular.

3) Machado de Assis, "Um Homem Célebre". Escrito em 1888, foi incluído depois em *Várias Histórias* (1895). As frustrações e glórias do compositor Pestana descrevem/ anunciam/ rememoram um

destino que vai muito além da história desse autor de polcas de sucesso, que passa a vida querendo escrever música erudita. As ironias de Machado de Assis cortam o tema, tão brasileiro, de todos os lados.

4) Machado de Assis, "Cantiga de Esponsais". Em *Histórias Sem Data* (cuja data é 1884). Últimos dias do grande músico Romão Pires – que também tenta, inutilmente, ser grande compositor. O vínculo entre as barreiras da criação e as amarras afetivas dá um caráter henry-jamesiano a este retrato triste da esterilidade.

5) Franz Kafka, "Josefina, a Cantora, ou O Povo dos Camundongos". Último conto dos quatro reunidos em *Um Artista da Fome* (1924). A felicidade "que talvez emane da música" – em especial quando ao redor é tudo infelicidade – encontra na camundonga cantora sua impossível e inigualável musa. Temos hoje, em português, uma excelente tradução, feita pelo escritor Modesto Carone.

6) Thomas Mann, *Morte em Veneza*. A rigor, a novela (de 1911) não tem nada a ver com música. Mas a associação entre o filme de Visconti (1971) e o texto de Mann é tão forte agora que ninguém deixa de ler no escritor Aschenbach do original uma versão do compositor Aschenbach do filme, por sua vez inspirado na vida e na música de Gustav Mahler (que morreu no mesmo ano em que foi publicada a novela). Mann escreveu também o grande romance musical do século: *Doktor Faustus* (inspirado no sucessor de Mahler, Arnold Schoenberg).

7) Soren Kierkegaard, "Os Estágios Eróticos Imediatos, ou O Erótico Musical". Segunda parte de *Isto ou Aquilo – Um Fragmento de Vida* (1843), obra-prima do filósofo dinamarquês. Partindo de um comentário à ópera *Don Giovanni* de Mozart, o texto ensina o que é "a originalidade erótico-sensual da música" e, ao mesmo tempo, quanto "o que é realmente para ser ouvido está constantemente se libertando do sensual". Rivaliza com Nietzsche como maior comentador musical do século 19.

8) Andrew Marvell, "Music's Empire". Escrito por volta de 1650, este pequeno poema serve de representante da tradição clássica de *laudes musicae* (elogios à música), preservada e transmitida pela poesia europeia ao longo dos séculos. Não é difícil de encontrar: está em

quase todas as antologias de Marvell, poeta dos poetas na língua das línguas do século dos séculos (que começa com Shakespeare e termina com Milton, e tem, na música, J. S. Bach).

9) Vinicius de Moraes, *Livro de Letras*. Nem Drummond, nem Cabral, nem Bandeira: o grande poeta da música, no Brasil, foi Vinicius de Moraes (1913-80). Reunidas nesse volume estão, para começo de conversa, suas parcerias com Tom Jobim e Baden Powell. Só essas já seriam o bastante para conferir ao repertório da canção popular a mesma dignidade concedida universalmente à literatura, à arquitetura e ao cinema brasileiro daquele momento (fim dos anos 50-meados dos 60). E a música agora está nas letras, tanto quanto a letra está nas músicas.

10) Mário de Andrade, *O Banquete*. Deixado inacabado pelo autor (que morreu em 1945), esse romance satírico combina o retrato dos modos artísticos da época com reflexões sobre a música no Brasil. A "salada mais traiçoeira do mundo", servida ao compositor Janjão, era "um prato inteiramente novo", uma "espécie ingênua de sem-vergonhice". Era isso o que se oferecia naquele banquete, numa tarde de domingo, na mansão da milionária Sarah Light, em Mentira, a "simpática cidadinha da Alta Paulista". Qualquer semelhança etc.

Trópico (site), 11.02

Elisa Freixo

Pinacoteca do Estado, 1.12.02

Já que a gente não vai a Mariana – escutar o lindo órgão alemão barroco da Sé –, Mariana vem a São Paulo, na figura de Elisa Freixo, que tocou domingo à tarde na série da Pinacoteca.[23] Não tocou órgão, por motivos óbvios, mas cravo: um lindo cravo brasileiro moderno, construído por William Takahashi.

---

23 Ver 20.5.00. Ver também o CD de Freixo interpretando Bach, Böhm e outros alemães no órgão Arp Schnitger de Minas, e compositores espanhóis e portugueses no Schnitger de Faro, Portugal (gravadora Paulus).

E foi assim que o estupendo e imprevisível gênio de Johann Jacob Froberger (1616-67) veio mais uma vez à luz, ou mais precisamente à Luz, no coração da Cracolândia. O compositor teria apreciado a ironia: viveu uma vida aventurosa, viajando muito, e foi um dos mais "românticos" dos compositores do século 17, mais próximo em espírito de poetas como Chatterton ou Gérard de Nerval do que de seu descendente musical J. S. Bach (1685-1750). Para não falar de Georg Böhm (1661-1733), outro precursor de Johann Sebastian, compondo o tripé alemão do programa de Elisa Freixo.

Alemães de nascença, franco-italianos na música. Froberger, que estudou com Frescobaldi, tende mais para a Itália. Mesmo uma intérprete tão serena como Freixo parece ter Chianti nas veias quando começa a mudar de tempo quaternário para ternário no *Capriccio*. Já Böhm era mais da França, e parece distintamente sob a influência de São Cabernet quando modula de maior para menor no final da primeira parte da "Sarabande", da *Suíte em Fá Maior*. Prazer que se redobra no "Double". Depois disso, dá para aceitar que ele seja o autor do exuberante *Capriccio* em três partes, que encerrou a primeira parte do concerto sem intervalo.

Dali para a frente, foi Bach: primeiro o Bach italiano, transcrevendo para cravo o *Concerto* para oboé de Alessandro Marcello (1684-1750), com o irresistível "Adagio" lindamente dividido por Elisa Freixo nos dois teclados. Depois o francês, na *Sarabande con Partite*, inspirada em Lully. (A autoria, aliás, é disputada, mas não importa. Errinhos, aqui e ali: também não têm a menor importância.) "*Partite*" é plural de "*partita*"; o que os ingleses da época chamavam de *divisions*, e em português se diz "variações". Freixo tocou sete das 16: o bastante para mostrar como se toca música polifônica mantendo o interesse vivo em todas as vozes.

Tudo isso convergiu para a *Tocata em Mi Menor*, obra da juventude de Bach, anterior a 1708, que já deixa mais do que claro de quem se trata. Todos os outros ficam imediatamente diminuídos – mas também justificados – por esse rio de música, que absorve e carrega os afluentes para o incompreensível mar. O Takahashi vibrava sob a sequência de acordes cheios de notas. A pequena sala da Pinacoteca transformou-se, por alguns minutos, no próprio coração da Cravolândia.

E Elisa Freixo tão calma, com uma tranquilidade que só quem já esteve em Mariana pode começar a entender. Fazer música, para ela, não parece diferente de qualquer outra atividade, acessível a qualquer um de nós. E, no entanto, com toda sua discrição, com toda sua modéstia, ela segue sendo uma das maiores artistas do Brasil.

3.12.02

Osesp/ Paulo Jobim/ Mario Adnet Roberto Minczuk

Jobim Sinfônico

Sala São Paulo, 9.12.02

Dois acordes bastam para criar um mundo. Ou até menos que isso (o primeiro acorde de "Águas de Março" sozinho). A vida abre uma brecha e a gente passa para um lado de lá, mais bonito e generoso, mais humano, mais seguro e sensível em seus afetos. Mais Brasil, também: o melhor Brasil que existe, a música de Antonio Carlos Jobim (1927-94), que, incrivelmente, não se conhece toda ainda. E terá de ser reavaliada de novo depois desse "Jobim Sinfônico", que estreou segunda-feira na Sala São Paulo.

Foram sete mil acordes explodindo em sete mil amores, nas versões orquestrais de canções como "Modinha" e "A Felicidade", e nas partituras originais para orquestra, como a suíte de *Orfeu da Conceição* (1956). Obras-primas como "A Casa Assassinada" (1973) tiveram sua primeira interpretação ao vivo no Brasil, oito anos e um dia após a morte de Tom. Primeira e em grande estilo, com 70 músicos da Osesp regidos por Roberto Minczuk.

Para pôr as coisas em perspectiva: foi em 2000 que saiu o monumental *Cancioneiro Jobim*, em seis volumes, editados por Paulo Jobim (que divide a direção do "Jobim Sinfônico" com Mario Adnet). E talvez não se tenha dado ainda a devida importância a esses livros. Ficam lado a lado com Villa-Lobos e Camargo Guarnieri; na mesma estante com Drummond, Cabral e Guimarães Rosa, mais Glauber Rocha e Niemeyer, entre outros, compondo o cânone da nossa cultura moderna.

O projeto "Jobim Sinfônico" (que vai virar CD e DVD) é um desdobramento e ampliação do *Cancioneiro*. Só uma peça como "Matita Perê" – façanha mineira de Tom em parceria com Paulo

César Pinheiro, seu "Pequeno Sertão: Veredas", viajando pelas tonalidades, semitom a semitom, até chegar à que ficou de fora, "lá, no todo fim é bom" – já recompensa todo esforço de produção. E mesmo em noite nervosa, esquecendo a letra, Milton Nascimento tem a voz dessa música, guardada na música da voz.

Foi uma noite meio nervosa para todos, o que não é de espantar. O cenário amedronta, e o palco lotado de músicos e microfones, com pouco espaço para se mover, não favorece o conforto natural de quem vai tocar "Meu Amigo Radamés" (com pequeno belo solo de Proveta) ou "Imagina" (primeira composição de Tom, uma valsa cromática de 1947, ouvida aqui num grande arranjo de Mario Adnet). Deslizes e durezas no piano (Marcos Nimrichter) e nas vozes (seja nos solos de Muiza e Maucha Adnet, seja nos vocais do quarteto), típicos de estreia, devem melhorar.

Lindas flautas – duas da Osesp, mais Léa Freire, Teco Cardoso e Paulo Guimarães –, um jardim de juncos no meio da orquestra. Dá para imaginar o prazer do pianista Benjamim Taubkin, no "Jardim Abandonado", embalado nas quiálteras, com os acordes do quinteto por trás, no arranjo clássico de Claus Ogerman. Depois o tema rasga-coração que retorna, confessadamente um dos motivos que levaram o menino Benjamim a querer ser músico.

Falando em retorno de temas: uma das lições musicológicas do projeto é mostrar a evolução do tema nordestino que se conhece do final de "Gabriela" (1987), desde a inédita "Lenda" (1954) e passando pela "Chegada dos Candangos" da *Sinfonia da Alvorada* (1961).

Mas o grande retorno mesmo é o de Antonio Carlos Jobim, voltando assim ao Brasil do Brasil, lá dentro do melhor de nós, onde a gente se confunde com música, e a música explica e compensa tudo na vida.

11.2.02

---

24 Theodor W. Adorno, Essays on Music *(Berkeley: University of California Press, 2002). Organização, introduções e notas de R. Leppert. Traduções de Susan H. Gillespie e outros.*

Osesp
John Neschling

MAHLER: SINFONIA Nº 7

Sala São Paulo, 12.12.02

Só pegou fogo mesmo no último movimento. Mas foi um grande incêndio, como define o Houaiss: "conflito violento, capaz de perturbar a ordem social" e "inquietação de espírito ou explosão de sentimentos violentos". Neste rondó da *Sétima Sinfonia* de Mahler, a música se consome e nos consome, numa espetacular imolação de toda bem-comportada orquestra e toda bem-comportada plateia – como, por exemplo, a da Sala São Paulo, anteontem, assistindo à Osesp regida pelo incendiário Neschling.

A *Sétima* é uma das menos tocadas das 9 e ½ sinfonias de Mahler (1860-1911). Não é a favorita de ninguém; mas a *Quarta* de Beethoven também não, e nem por isso deixa de ser uma obra-prima. Na *Sétima*, está presente tudo o que há de mais forte na música do compositor: a desagregação da música pela própria música, o choque entre registros incompatíveis, a negação da totalidade, a transformação do passado e a invenção de um momento musical imanente, livre das formas; e tudo se dá num ambiente que oscila entre o fantasmagórico e o prosaico, entre o noturno e o matinal.

Enquete rápida, com gente que estava sem o programa: manhã ou noite? Manhã! Mas era a "*Nachtmusik*" ("Música Noturna"). Interpretação 1: Neschling regeu a manhã como fantasia noturna, imagem sonhada 2: regeu a noite como noite, mas soou como manhã (contradição intrínseca da partitura?).

"Mahler traz a música de volta para o aqui-e-agora, precisamente para insistir na inadequação de tudo o que está dado. Intrometendo-se nas glórias estéticas da linguagem tardo-romântica de autoafirmação burguesa, o banal e vulgar anuncia de modo contundente à plateia burguesa o que foi deixado de fora da equação, como se os criados insistissem em entrar na fila também, para se servirem do bufê..." Palavras de Richard Leppert, organizador da estupenda nova edição americana dos ensaios sobre música de Theodor Adorno.[24] Vale dizer: Mahler é o compositor da hora, agora e sempre, mas especialmente agora.

Que a Osesp é uma de suas orquestras vai ficando claro à medida que se vai passando pelas sinfonias. Entre outras virtudes, vale destacar o quebra-cabeça de dinâmicas, com os ataques de sopros e metais ricocheteando de lá para cá. Trombones e trompas tremendos, 99% do tempo. Violão (Everton Gloeden) sonoríssimo, lado a lado com o bandolim (Camilo Carrara).

O compositor da hora: "promete vitória aos perdedores", como diz Adorno. Nessa promessa, a música se faz e desfaz, no grande braseiro da sala de concertos.

14.2.02

Orquestra Experimental de Repertório
Freitas/ Ferreira/ Mesquita
Jamil Maluf

Humperdinck: João e Maria

Teatro Municipal, 13.12.02

É tão bonito, mas tão bonito, que dá vontade simplesmente de mandar todo o mundo para o Municipal, assistir a *João e Maria*. Para crianças de todas as idades etc.; mas o teatro estava mesmo cheio de crianças, sexta passada, e nenhuma pediu para ir embora. Repetindo: era uma ópera alemã de fins do século 19, e ninguém com menos de 12 anos deu qualquer importância ao fato. Com mais de 12, já se começa a ser musicólogo; aí o espanto é menos espontâneo, mas talvez seja ainda maior.

Primeiro a cena, depois a música. Cenários e figurinos deslumbrantes, de Fernando Anhê, num registro que vai do *folk* alemão a toques de orientalismo, harmonizados na ideia de ilustração de livro. Reforçada, por exemplo, na viragem das "páginas" que compõem a casa de João e Maria. E em contraponto com as contribuições engenhosas de Flavio de Souza ao libreto original de Adelheid Wette, irmã do compositor Humperdinck (1854-1921).

Anhê dirige a Imago Cia. de Animação, que faz participação especial, animando não só pássaros fantásticos na floresta, mas olhos de bichos na noite, borboletas gigantes e outros pequenos milagres do teatro de luz.

Depoimentos: "Eu gostei mais da casa da bruxa, que parecia

uma cara". "Eu, dos capetas que faziam estrelas." "Gostei mais dos anjos."

Eram quatorze, para ser preciso, formando um "Lago dos Anjos" na cena do sonho de João e Maria, por trás de um véu de orvalho. Isso por conta da coreógrafa Ana Soares e da Escola Municipal de Bailado. Sua contraparte musical vem no fim, com o Coral Infanto-Juvenil da Escola Municipal de Música, encenando as crianças libertas da casa da bruxa, abrindo os olhos, pouco a pouco, por força da música dos irmãos. (Cena que a gente não vê tão bem, detrás do véu particular de água.)

Cantores. Andrea Ferreira virou nossa Judy Garland lírica, encenando ao mesmo tempo Maria e Dorothy. Tanto ela como seu "irmão" Denise de Freitas estão incrivelmente à vontade no canto, e à vontade no palco, o que é mais raro. Virtudes do diretor Flavio de Souza, que adota o estilo de interpretação "para crianças" como chave da ópera, transformando o artificialismo em fantasia. Realiza em gesto o idioma idiossincrático da música, onde se misturam canções folclóricas, *Singspiel* e Wagner, numa medida única, impossível de repetir.

Parêntese para salientar que tudo é cantado em português, numa boa tradução de Dante Pignatari e Jamil Maluf – tanto melhor quanto mais coloquial (do "queijo com goiabada" ao "crau!") e só embaraçada aqui e ali por inversões para ajustar a rima ("o mingau no chão ficou").

Luciana Bueno (mãe) e Sandro Cristopher (pai) são um páreo e tanto para os filhos. (Já imaginou ser filho de Leporello e Carmen?) Pequenas, charmosas aparições de Edna d'Oliveira (Fada do Orvalho) e Guiomar Novaes (Gênio).

Um parágrafo só para Regina Elena Mesquita (Bruxa). Sem querer fazer trocadilho: é a Rainha das Bruxas. O último ato é dela.

A direção musical de tudo isso ficou a cargo do maestro Jamil Maluf, titular da Orquestra Experimental de Repertório. Se as relativas limitações da OER continuam evidentes, diga-se logo que não afetam um espetáculo com tamanha força de imaginação. O que falta no poço mal se nota, em meio a tanto encanto.

Num país de sonho, *João e Maria* seria levada de norte a sul, exibida em rede nacional, programada regularmente no fim do ano. Aqui, por enquanto, é o Brasil; mas vem aí 2003, e quem sabe não seja só um conto de fadas.

16.12.02

A Descoberta do Brasil

Musicalmente falando, é a descoberta do Brasil. Não há demagogia em reconhecer nesses termos o que vem acontecendo, de poucos anos para cá: a multiplicação de projetos voltados para a recuperação do nosso acervo musical. Seja pelo estabelecimento de partituras, seja pela interpretação propriamente dita; seja na música clássica, seja na popular (tanto urbana como "de raiz"). A seleção de lançamentos abaixo está longe de ser exaustiva, mas serve de exemplo do que vem sendo feito para fixar a memória musical do país.

Acervo da Música Brasileira
Restauração e Difusão de Partituras

No ano passado foram "Pentecostes", "Missa" e "Sábado Santo". Agora é a vez de "Conceição e Assunção de Nossa Senhora", "Natal" e "Quinta-Feira Santa": três antologias de música litúrgica brasileira dos séculos 18 e 19, da coleção do Museu de Música de Mariana, primorosamente editadas em partitura e bem gravadas em três CDs por vários conjuntos, como a Orquestra de Câmara Engenho Barroco, regida por Vitor Gabriel, o coral Ars Nova (da UFMG), regido por Carlos Alberto Pinto Fonseca, e o Conjunto Calíope e a Orquestra Santa Tereza, regidos por Julio Moretzsohn.[25]

Sob a coordenação geral do musicólogo Paulo Castagna, o projeto reúne peças de autores pouco conhecidos como Bento Pereira e Jerônimo de Sousa Queirós, assim como do bem conhecido Francisco (*Hino Nacional*) Manuel da Silva – e do mais conhecido de todos, o maestro Anônimo.

Nem tudo é de primeira grandeza? Claro que não. Aliás, nada é. Mas a soma constitui um acervo impressionante de música, com papel análogo à arquitetura e à poesia coloniais na formação da nossa cultura, e que só agora começa a vida maior das obras de arte, que é a sobrevida em outras gerações.

---

25 As partituras (e alguns arquivos sonoros) estão disponíveis para download *gratuito no site do Museu: www.mmmariana.com.br.*

A Música Brasileira Deste Século Por Seus Autores e Intérpretes

O primeiro *Ensaio* estreou em 1969, na TV Tupi. Depois passou para a TV Cultura, onde ainda se pode assistir a novos programas produzidos por Fernando Faro. O formato é característico e inimitável: foco fechado no rosto do artista, contraluz forte, detalhes das mãos e dos instrumentos – e o mais característico de tudo, as respostas do entrevistado para as perguntas inaudíveis do entrevistador. Esse conjunto de programas compõe o mais expressivo retrato da música popular brasileira, acessível agora também em caixas de 12 CDs (produzidas pelo Sesc), acompanhadas de livros com a transcrição das falas.

O mais recente é o volume 6, que traz, entre outros, Dorival Caymmi, Chico Buarque, Elton Medeiros, Antônio Nóbrega e Guinga. Como sempre, o forte do programa é a *presença* do entrevistado: a conversa tende a ser uma sucessão de pequenos casos e anedotas, entremeados de canções levadas bem à vontade. Pode ser um pouco frustrante, às vezes, que outros assuntos não sejam explorados, ou que a conversa fique restrita ao bate-papo. Mas isso pesa pouco face à emoção de escutar tão de perto essas vozes, em discos que realizam, como poucos, o milagre da fixação da vida em palavra e som.

O Brasil da Sanfona

A história é digna de um conto de Borges: foi a chegada do *sheng* chinês à Europa, trazido pelo padre Amiot, em fins do século 18, que estimulou a produção de órgãos portáteis, com palhetas, incluindo o "acordeão" inventado por Cyrillus Demian em Viena, em 1829. Não demorou muito até os imigrantes trazerem o instrumento para o Brasil, onde a "sanfona" logo assumiria papel de destaque na música popular de norte a sul do país. Até os russos trouxeram seu *bayan* – que não tem nada a ver com "baião" (de "baiano"), mas virou o instrumento, por excelência, de nosso mais típico gênero musical, junto com o samba.

Foi de norte a sul, literalmente, que a produtora Myriam Taubkin viajou durante três anos, para montar *O Brasil da Sanfona*, reunindo artistas como Arlindo dos 8 Baixos e Camarão (forrozeiros de Pernambuco), Dino Rocha (mestre do chamamé pantaneiro), Toninho Ferragutti e Caçulinha (virtuoses de São Paulo), e o gaúcho Renato Borghetti (o Liszt da gaita-ponto), sem falar no príncipe da sanfona, Dominguinhos, filho musical de Sua Majestade Luiz Gonzaga.

Os dois CDs (Núcleo Contemporâneo) foram gravados ao vivo, em São Paulo, em março de 2002; o primeiro é dedicado ao Nordeste e Brasil Central; o segundo, a São Paulo e Rio Grande do Sul. É uma seiva corrente da música brasileira, alimentando tanta coisa que nem dá para dizer. Música sem máscara, música da bondade.

31.12.02

Carlos Aguirre

Fazer música, às vezes, parece muito simples. Um violão, uma voz afinada, um bumbo. Canções que bebem na fonte antiga. Versos sobre a lua, ou sobre o sol; sobre amor, amizade, memória. Mas música simples é rara, e mais rara ainda quando combinada à delicadeza, como é o caso neste CD tão bonito do compositor, pianista e cantor argentino Carlos Aguirre.

Gravado em Entre Rios, em 1999, o disco sai no Brasil numa parceria entre o selo Núcleo Contemporâneo, o Instituto Cultural Casa Via Magia e o Mercado Cultural (grande feira internacional de produtores, que acontece anualmente em Salvador). O lançamento não poderia ser mais oportuno, em tempos de prometida integração latina; é o primeiro de uma anunciada coleção de artistas latino-americanos.

A quien no le gusta la zamba... bom sujeito não é; mas o fato é que a gente conhece muito pouco da música popular da Argentina. Gardel e Piazzola; Piazzola e Gardel. Há alguns anos, Mercedes Sosa entraria na lista; hoje, não mais. "Faltam tantos que, se faltar mais um, não vai caber", diria Macedonio Fernandez (pequeno grande nome da literatura argentina – que também se conhece pouco, embora não tão pouco quanto a música).

A simplicidade da música de Carlos Aguirre é de um refinamento tamanho que seria melhor usar outra palavra. São canções na segunda potência, atualizando *zambas* e *coplas* numa outra língua, sutilmente descolada da original, e compreensível agora em qualquer tempo e lugar. O próprio Aguirre compõe quase tudo o que toca e canta; quer dizer, a garimpagem e a tradução do passado já se dão dentro da música, tanto quanto na interpretação.

Ele só toca piano em quatro das 13 faixas. Pena, porque uma canção como "Zamba de Usted" (Félix Luna e Ariel Ramírez) vale o disco sozinha. Não é apenas o controle de tom e tempo que impressiona; mas a intensidade afetiva, num ponto justo entre o natural e o sentimental. Por outro lado, só o Aguirre compositor teria a coragem de silenciar o pianista, para que os violões acomodem mais a caráter a voz afinada e discreta do Aguirre cantor.

Os violões são tão bons que é preciso dar nome e sobrenome: Silvina López e Jorge Martí. Como pode um simples *rasgueado* – seco, para cima – concentrar tanta coisa? Tecnicamente: contratempo acentuado, na segunda colcheia do segundo tempo de um compasso ternário. Mas tente fazer para ver. E nem se falou das conversas entre os violões, e entre os dois e o excelente baixista Fernando Silva.

As letras (também de Aguirre) vêm acompanhadas de breves poemas, ou comentários, sugerindo as circunstâncias, ou imagens primais de cada música. Importa pouco se nem sempre chegam ao grau de despojamento certeiro da composição. A música reescreve a leitura noutro tom.

Para além de remediar minimamente nossa ignorância da música argentina, um disco desses conforta e faz bem. É uma lavagem inesperada do espírito. Um tônico do humor. Quem diria, um remédio latino! Vem a calhar para todos nós, há tanto tempo ruins da *cabieza*, tanto tempo doentes *del pie*.

13.1.03

Orquestra Jazz Sinfônica
João Maurício Galindo

Debussy (Duprat): Prelúdios

Memorial da América Latina, 24.2.03

Orquestrar Debussy: um arrojo, um acinte, uma barbaridade. Um bom começo, de qualquer modo; ainda mais quando o orquestrador é Rogério Duprat – São Rogério Milagreiro, de "Domingo no Parque" e outros prodígios tropicalistas. Grande ideia da Orquestra Jazz Sinfônica, então, de apresentar os *Prelúdios* de Debussy (1862-1918) na versão sinfônica do compositor carioca, anteontem no Memorial.

Era de se esperar reco-reco, rabeca, sanfona, sabe-se mais o quê. Mas a orquestração de Duprat, que data de inícios da década de 80, não tem rigorosamente nada de tropicalismos. Virtudes e frustrações da partitura têm de ser ouvidos no contexto que ela mesma impõe, de natureza explicitamente convencional. Onde se espera flauta (o tema de "La Fille aux Cheveux de Lin", por exemplo), vem a flauta; onde se esperam sinos ("La Cathédrale Engloutie"), vêm os sinos.

A dificuldade da empreitada, de qualquer modo, não é pequena. Em primeiro lugar, porque os *Prelúdios* foram compostos com a sonoridade do piano em mente; não são melodias e harmonias que se poderiam tocar em qualquer instrumento, mas sons específicos, imaginados por um dos maiores inventores de som da história da música.

Entre outras coisas, isso implica reconhecer o papel da ressonância, e de tudo o que fica entre as notas, na articulação da música – algo que muda muito quando se passa do piano para a orquestra. Foi o ponto mais delicado na interpretação da Jazz Sinfônica, regida por João Maurício Galindo. Sem querer fazer jogo de palavras: a orquestra tocou as notas melhor do que os silêncios.

Curiosamente, os *Prelúdios* para orquestra soaram muito mais homogêneos do que no piano. Talvez a música ainda não estivesse tão madura a ponto de ser gravada ao vivo. Talvez fosse o nervosismo, ou simples desconforto de tocar cercado de microfones e câmeras (agora que todas as artes aspiram à condição de vídeo). Talvez fosse o artificialismo da apresentação, em formato "simpático", de show televisivo. O fato é que os *Prelúdios*, assim, correm o risco de virar uma coleção de peças pitorescas, bibelôs do pré-modernismo.

Falando em pitoresco: menção especial ao pirata do corne inglês, estampando um lenço vermelho na cabeça (homenagem a *La Mer*?), que teria encantado Debussy. Antipitoresco: o uso mínimo de percussão (praticamente só em duas peças). Estranho: o ataque fortíssimo do trompete com o tema da "Marselhesa", em "Feux d'Artifices" (indicado "bem de longe", na partitura original, o que muda inteiramente o sentido).

Tudo somado, foram 18 *Prelúdios*, nove do primeiro livro e nove do segundo. Não são muito mais do que um exercício delicado do maestro Duprat – o que, aliás, justifica qualquer concerto. Só ficou mesmo faltando o "Dimanche Dans le Parc", que Debussy esqueceu de compor, e Duprat, quem sabe, agora, não escreve para ele.

26.2.03

Welsh National Opera
Hagley, Archer, Maxwell, Cox
Pierre Boulez

DEBUSSY: PELLÉAS ET MÉLISANDE

DVD Deutsche Grammophon

Histeria, ciúme, incesto, assassinato. Estreada em 1902, a ópera *Pelléas et Mélisande*, de Claude Debussy (1862-1918), sugere perfumes e delicadezas, para quem ouve de longe, mas traga quem se aproximar num vórtex de horrores humanos, raramente igualados até na rica tradição de horrores da ópera. Interpretada em 1992 na Welsh National Opera, sob regência de Pierre Boulez e dirigida por Peter Stein, *Pelléas* é a mais camerística das grandes óperas e só cresce na versão em DVD, miniaturizada em fones de ouvido e na tela do laptop.

Histeria: desde a primeira cena, a soprano Alison Hagley exerce incríveis seduções da mulher inatingível, que "não sabe nada" (sua frase mais frequente), de humor tão modulante como as harmonias. "Não me toque!", diz Mélisande, no primeiro encontro com Golaud (Kenneth Maxwell), seu futuro marido; e a partir daí não há escapatória para o velho príncipe, claudicando "como um cego que procura seu tesouro no fundo do mar", enquanto o irmão mais novo, Pelléas (Neill Archer), tem sua chance de se apaixonar por Mélisande.

Não há escapatória para os três, na peça do escritor belga Maurice Maeterlinck (1862-1949), que hoje seria só um documento de época, não fosse pela música de Debussy. Por força dessa partitura, toda a carga pesada de símbolos – floresta, cegos, noite, fonte, anel – converte-se espantosamente em verdade. Tudo é, e não é, o que se vê. "A noite cai depressa", com os sentidos dobrados que todas as frases acabam ganhando aqui.

A maior virtude da montagem de Peter Stein talvez seja essa, então: cada palavra, cada acento da melodia ganha nova expressão sentimental e sexual. Como se qualquer gesto, qualquer arrepio, qualquer suspiro tivesse força para revelar o que não se pode deixar de velar. Com isso, cresce também a própria interpretação musical de Boulez, onde cada colcheia merece respeito. A genial discrição do maestro serve de palco para as controladas indiscrições do teatro de Stein, onde violências sem par acontecem sem um rastro de sangue.

Belezas sem par também.

(Detalhe precioso do DVD: nos interlúdios, durante as trocas de cena, a câmera filma a partitura do regente; aqui e ali se podem ver acréscimos à orquestração, na caligrafia do próprio Boulez. Somar fagotes aos violoncelos, por exemplo, só esclarece as coisas em certa passagem, como ensina Boulez, que tem muito mais experiência com orquestra do que Debussy jamais teve.)

Inesquecíveis negridões do cenário, cortadas por geométricas linhas finíssimas de luz; inesquecíveis brilhos na água do fundo da gruta, onde Mélisande e Pelléas vêm procurar o anel de casamento perdido; inesquecíveis estrelas, no vasto céu ao fundo da torre, de onde caem os inesquecíveis cabelos da musa. Só esta cena já vale a montagem, uma sucessão de delícias de um nas notas, nos cabelos e nas mãos do outro, até o amorosíssimo, curto clímax da música. Sua contraparte dramática é o "Grand Guignol" de Golaud cavalgando a mulher, à vista do impotente avô.

Ciúme: tudo esbarra embriagado de seu lume, e as almas continuam, desde sempre, esticadas no curtume. Valem ainda as palavras do compositor Paul Dukas, há cem anos: "O desenvolvimento temático [da ópera] se dá não apenas do ponto de vista musical, mas profundamente psicológico, e inteiramente novo".[26] Mas valem, agora, de um jeito inteiramente novo, em profundezas das quais não se sai nunca mais.

4.3.03

---

26 *No seu artigo sobre a ópera, incluído em* Chroniques Musicales Sur Deux Siècles *(Paris: Stock, 1980).*

Osesp
Di Fonzo Bo, Buffle, Balley, Caley
John Neschling

HONEGGER: O REI DAVI

Sala São Paulo, 13.3.03

Sempre é bom pedir misericórdia no início do ano. Abate o saldo da culpa e prepara para o que vem. Tanto melhor ao som dos trompetes e trombones, pontuando o coro no "Salmo de Penitência", entre outros salmos e penitências de *O Rei Davi*, de Honegger (1892--1955), na abertura da temporada da Osesp, quinta-feira.

Antes da fé, a patriotada: "Hino Nacional", todo o mundo em pé, maestro Neschling cantando com a plateia. Aplausos sem maior entusiasmo, embora a Osesp toque Francisco Manuel da Silva (1795--1865) muito bem.

Pouco e, além de pouco, mal conhecido, o suíço Arthur Honegger é bem mais do que o compositor de *Pacific 231*, minipoema sinfônico inspirado nos sons de um trem. Membro não muito convicto do Grupo dos Seis (ao lado de Poulenc e Milhaud, e dos outros que a gente nunca lembra), escreveu óperas, sinfonias, música de câmara e algumas trilhas de filme antológicas, como a de *Napoleão*.

O Rei Davi é de 1921. Foi composto por encomenda, em dois meses, para a estranha combinação de 17 instrumentistas e coro de 100 vozes, as forças disponíveis no teatro do poeta suíço René Morax, autor do libreto. Em 1923, Honegger refez a orquestração, para desconstranger a música. O resultado serviria de emblema para sua obra: combina modernismo stravinskyano e polifonia luterana, realismo cinematográfico e intensidade de ideia, traduzidos numa linguagem direta, de artesanato honesto, como ele mesmo gostava de dizer.

O maior papel não é cantado: cabe a um narrador ir descrevendo a história, ilustrada pela orquestra e comentada pelos cantores. De uma eloquência firme, sem timidez e sem exagero, o ator argentino (radicado na França) Marcial di Fonzo Bo fez desse narrador uma figura improvavelmente bíblica. Era a Voz, que clama no deserto das almas, de *smoking* que seja.

Já Maria Fernanda, encarnando a pitonisa, numa única grande cena, teria se beneficiado muito das graças de um bom microfone. Foi sumindo, pouco a pouco, no fogo da orquestra.

Ótima soprano Christine Buffle, boa contralto Brigitte Balleys, tenor Ian Caley seguro. Nenhuma dessas é uma voz de sonho; mas a música, afinal, também não. Mesmo os melismas da soprano (muitas notas numa sílaba só) soam mais como imitação de paixão oriental do que a coisa em si. Essa ingenuidade sofisticada ainda parece virtude: eram outros tempos, era outra Europa, era antes do que veio depois.

Destaques: trompetes, trombones, trompas. A partitura foi feita para eles; e as fanfarras da Osesp são gloriosas. Não esquecer a tuba (Marcos dos Anjos Jr.), carregando a "Marcha dos Filisteus". Harpa e celesta (com ataques delicados e perfeitos na "Morte de Davi"), contrabaixos em aleluias cromáticos no final da Parte 2: as estrelas nem sempre estão onde mais se espera. Coro na habitual excelência. Para não cometer injustiça, cabe lembrar a linda frase dos violinos, no final do salmo "Fui Concebido no Pecado". E a viola solo (Horácio Shaefer) no "Canto da Servidora".

Pecado, aliás, é a Osesp não programar um Festival de Verão. Três meses sem concerto é muito tempo. Demais, para quem fica por aqui e depende de música para tolerar o que não é música neste reino que não é de Davi.

17.3.03

Orquestra Experimental de Repertório
Botelho, D'Oliveira, Vale, Mesquita, Christopher
Jamil Maluf

Nino Rota: O Chapéu de Palha de Florença

Teatro Municipal, 22.3.03

O chapéu de palha é de Florença, mas podia ser do Panamá, ou da Botocúndia. Está no centro de tudo – ou melhor, não está: sumiu –, mas é o que menos importa, enquanto esses homens e mulheres de maquiagem carregada e vozes livres giram e giram em torno da ausência de si. A ópera de Nino Rota (1911-79) homenageia em grande estilo uma tradição burlesca que remonta a Mozart e Rossini, e ganha nova versão simpática e competente nesta montagem dirigida por Jamil Maluf no Municipal.

Nino Rota será para sempre, acima de tudo, o compositor das trilhas sonoras de filmes de Fellini (como *Amarcord* e *Noites de Cabíria*), para sempre e em segundo lugar o compositor das trilhas de filmes de Visconti (*O Leopardo*, *Rocco e Seus Irmãos*), Zeffirelli (*Romeu e Julieta*) e Francis Ford Coppola (*O Poderoso Chefão*), e para sempre o autor de *O Chapéu de Palha de Florença* (1955), a mais renomada de suas 12 óperas.

Rota estudou com Casella e Pizzetti, bastiões do tradicionalismo, mas também foi grande amigo de Stravinsky. Sua música – tonal, seguindo ritmos e formas convencionais – reflete os dois polos: tende mais para o passado do que para o futuro; mas deixa frestas para ventilação. No caso do *Chapéu*, cujo libreto (do próprio compositor em parceria com a mãe) baseia-se numa comédia francesa de *vaudeville*, a mistura não poderia ser mais apropriada e desarma qualquer militância vanguardista. A ópera não tem pretensões; também não tem a menor ingenuidade. Encantaria Fellini e Mozart, entre outros nomes da vanguarda.

Foi o mesmo maestro Maluf quem dirigiu a montagem anterior do *Chapéu* (1993), referência para a atual. Voltaram os cenários e figurinos de Leda Senise, e voltaram o diretor de cena Marcelo Marchioro e os solistas Sandro Christopher e Regina Elena Mesquita. Impagáveis como o marido traído e a baronesa lasciva, os dois têm seu contraparte cômico em Peppes do Vale, fazendo o pai da noiva. Não há nada mais difícil em ópera do que a comédia – até porque não há nada mais difícil na vida, e a ópera é a vida exagerada. Ninguém deseja para si o papel de Nonancourt, Beaupertuis, ou da baronesa; mas quem não quer se divertir no palco como Vale, Christopher e Mesquita?

Resposta 1) Luciano Botelho, no papel principal (o noivo). Um ano atrás, o tenor roubou a cena no espetáculo *Barroco!*.[27] Volta à cidade para confirmar seu nome como um dos maiores talentos no país. 2) Edna D'Oliveira, a noiva, cada vez mais à vontade na música. Um e outro perdem um pouco onde a encenação ultrapassa aquele limite vago que separa o cômico do "cômico"; mas recuperam depois, com sobra, o que o "teatro" abafou.

Vale o mesmo para Sebastião Teixeira e Gabriella Pace (os adúlteros); para José Gnecco (o tio), Samira Moreira (a modista) e o bom

---

27 Ver 31.1.02.

coro (especialmente nas grandes cenas finais). Talvez não seja mais possível mesmo fazer farsa sem cair em maneirismos de maneirismos.

A Vida Exagerada; ou A Vida Como Ela Quer Ser: no cinema, por exemplo. Em René Clair, que dirigiu um *Chapéu de Palha* mudo, em 1927, homenageado aqui com a projeção de cenas, fazendo as vezes de prólogo, durante a abertura orquestral. Não são muitas intervenções deste tipo, numa montagem que faz pouco alarde de suas próprias virtudes. As pontuações dos "encenadores" – bem-humorado teatro do teatro – só fazem a plateia rir, sem nenhuma pompa de autoconsciência.

Quem resiste, afinal, a uma ópera cujo grande tema de amor é uma citação de "Cheek to Cheek"? Fred Astaire, Rossini, *vaudeville*, cinema mudo, *Così Fan Tutte* – o que mais? Puccini (harmonias quentes), e Stravinsky (politonalimos). Tudo isso se mistura num torvelinho de paixões não muito sérias, reencenadas com toda graça no centro da cidade mais sem graça do país.

25.3.3

Osesp
Denise de Freitas, Walmor Chagas
Renate Springler, Michael König
Roberto Minczuk

Stravinsky: Édipo Rei

Sala São Paulo, 5.3.03

Ao investigar uma morte, o detetive descobre que ele mesmo é o assassino e que o morto era seu pai. Como se não bastasse, sua atual mulher é a viúva, sua mãe. Grande ideia para um romance policial: pena que já tenha sido antecipada por Sófocles. Recriada, depois, por Freud, virou parte da mitologia e se trivializou. Tanto maior, então, o impacto de escutar o *Édipo Rei* de Stravinsky (1882-1971), onde os sentidos da tragédia se reanimam noutro tom, como a Osesp fez ouvir na Sala São Paulo, sábado, sob a regência de Roberto Minczuk.

A ópera-oratório foi composta em 1926, para comemorar os 20 anos de atividade dos Balés Russos de Diaghilev, em Paris. (Foi Diaghilev quem encomendou as partituras de *Petrouchka* e *A Sagração da Primavera*, entre outras.) O empresário não se impressionou muito com *Édipo*, para ele "macabro demais". Reconhecida como obra-prima do período neoclássico de Stravinsky, até hoje não chega a ser tão conhecida como devia. Glória à cidade de São Paulo, onde se vai escutar duas versões só neste ano (a segunda em junho, com a Orquestra Experimental de Repertório).[28]

O libreto do poeta Jean Cocteau foi traduzido para o latim a pedido de Stravinsky. Cabe a um narrador explicar a ação na língua da plateia; papel difícil, fadado a maneirismos de "grande teatro". O mínimo que se pode dizer de Walmor Chagas é que foi um narrador impecável: sóbrio, sem formalismo, projeção claríssima da voz. A cabeleira branca contrastava com a roupa escura, e o lenço preto no bolso parecia tão apropriado quanto a postura levemente curva desse Sófocles-Cocteau, aparecendo ora de um lado, ora de outro, em contraponto com a humanidade fixa do coro masculino.

Alguém saberá dizer o máximo da *mezzosoprano* Renate Springler, encarnando Jocasta. Matar o pai talvez seja um preço alto; mas quem não queria casar com uma mãe dessas? Elegante e contida no cinza do vestido, exibia uma mecha susansontaguiana na testa com a mesma bravura da fenda lateral na perna e dos intervalos expressivos de sua ária.

O corpulento Édipo de Christian Elsner formava com ela um par visualmente insólito, mas musicalmente certeiro. Era um rei ao mesmo tempo cheio de si e aberto às dúvidas. Cantou o "c" latino como "q" (não "tch"); detalhe que reflete o vigor ascético da montagem. Cena final: Édipo mudo e combalido, apoiado no bom pastor de Marcos Thadeu, no alto da escada do coro, exposto ao mundo na luz vermelha dos olhos encharcados de sangue.

Pequenas coisas que pedem registro: as bandeirolas pendendo dos quatro trompetes, na fanfarra do fim; o trinado fatídico do fagote no "*divinabo*" ("adivinharei") do rei; a mesma nota passando de instrumento a instrumento quando fala "o deus Apolo"; um erro nas legendas, que fez Tirésias se confundir com Édipo; a palavra "indecisa" no texto do programa, para descrever Jocasta "pendendo", enforcada; o espetacular crescendo nos tímpanos, durante a fala do narrador sobre o momento de verdade do rei Édipo.

Com tanto assunto, a gente acaba deixando de comentar o *Amor*

---

28 Uma resenha dessa outra versão saiu em 16.6.03.

Bruxo de Manuel de Falla (1876-1946), que a orquestra tocou na primeira parte, com a solista Denise de Freitas. Estranho ver "Joãozinho" (da ópera *João e Maria*) de volta à cena tão rápido, como cigana fatal.[29] Estranho também escutar esse vozeirão grave e mediterrâneo saindo da garganta de uma quase loira com jeito de bem-comportada. Mas não são esses os mistérios da alma, ou da música? Denise foi abafada pela Osesp na primeira canção; depois quem abafou foi ela.

Lindos momentos de sol, na "Pantomima" e nos "Sinos do Amanhecer". (Importante guardar isto na memória, antes das desolações da tragédia.)

A única coisa errada com um concerto desses é que dá vontade de ouvir mais uma vez. Oxalá vingue a proposta de transmitir a temporada da Osesp pela televisão. Seria bom para a orquestra, para a televisão e para todos nós.

8.4.03

Nathalie Stutzmann

Cultura Artística, 7.4.03

Nas canções de Schumann (1810-56), a palavra chega, afinal, aos sentidos que nunca encontrou. Visto de outro modo: a melodia recupera os sentidos perdidos no exílio da linguagem. Amor, luto, exaltação, loucura; tudo se expõe, pela coincidência rara entre verbo e som. E voz: a voz de contralto de Nathalie Stutzmann, por exemplo, inaugurando anteontem a temporada do Cultura Artística.

Dos quatro incríveis ciclos de *Lieder* compostos por Schumann em 1840-41, as *Doze Canções Sobre Versos de Justinus Kerner*, op. 35, formam o menos conhecido. A competição é dura (*Dichterliebe*, *Liederkreis*, *Frauenliebe und Leben*), mas nem por isso se justifica que o op. 35 seja tão pouco ouvido. Acompanhada pela pianista Inger Södergren, a redentora Stutzmann gravou as *Doze Canções* há alguns anos; vem cantando o ciclo de novo, mundo afora, nesta temporada.

Os cabelos mudaram... mas a voz continua a mesma. Ela é bem mais alta e forte do que as fotos sugerem; trajando *smoking*, com sapa-

---

29 Ver 16.12.02.

tões pretos, nem parece a *cocotte* francesa das capas de disco. Quase não se move e tem poucos trejeitos de cantora lírica. Canta para dentro – para dentro da música – tanto quanto para fora. Canta não só a música, mas o texto. Nessas condições, o texto também canta.

Numa arte tão delicada como a do *Lied*, minúcias não são detalhes. Um *auch* aspirado, ou um *entsprungen* crescendo do *ent* até o *sprun* fazem toda diferença, para dizer que do coração brotavam muitas canções. Stutzmann tem uma voz única, inadjetivável. Mas não exibe nada sem motivo. Os agudos suaves da moça que se entrega a Deus, na canção nº 2, podem ser mais espetaculares até do que os espetaculares graves, porque o que mais conta é a intenção.

O ciclo divide-se em prólogo (canções 1 e 2) mais três seções. Não há história: são vinhetas de uma consciência no limite, depois da perda amorosa sem reparo. Na interpretação de Stutzmann, a música converge para a palavra *Schmerz* (dor), no clímax da décima canção. Depois disso, ela canta as restantes como um epílogo, espelho desolado das canções do começo.

A sóbria pianista sueca foi solidária com as poucas alegrias e muitas misérias da parceira. Tocou lindamente as frases soltas da mão direita, e deixou pingar acordes com justeza metafórica e musical.

Tudo feito no mais delicado nível de engajamento. Se faltou alguma coisa, foi inspiração, fogo divino. Mas isso não se pode pedir: acontece ou não.

Depois de Schumann, não seria preciso mais nada. Stutzmann trouxe um buquê de canções francesas (Debussy, Fauré, Poulenc, Duparc, Chausson e Hahn). Charmes e perfumes, *amours* e *mystères*. Linda canção de Poulenc para fechar, homenageando uma valsa do *Cavaleiro da Rosa* de Strauss. Foi composta em 1940, quando o mundo mais uma vez começava a acabar. Depois disso, dava para entender certa relutância em ligar o rádio para saber das notícias.

9.4.03

Orquestra Sinfônica Municipal
Ira Levin

Berlioz: Réquiem

Teatro Municipal, 11.4.03

Como era ateu, Berlioz (1803-69) não tinha medo de nada e escreveu um dos monumentos litúrgicos mais espantosos da história da música. Composto em 1835, por encomenda oficial, o *Réquiem* dá voz aos vivos e mortos, faz soar as trombetas do Apocalipse e as flautas do Paraíso, e incendeia cada pobre alma na plateia. Não talvez, a do Municipal, sexta passada, onde a Orquestra Sinfônica Municipal e os Corais Lírico e Paulistano recriaram infernos afinal meio mornos, sob a regência de Ira Levin.

As duas melhores frases sob Berlioz não são verdade. Uma é de Mendelssohn, para quem "Berlioz fez enormes esforços para enlouquecer, sem sucesso". A outra, de Debussy, que via na arte do antecessor "menos música do que a ilusão da música, produzida com instrumentos emprestados da literatura e da pintura". Duzentos anos depois da morte de Berlioz, essas opiniões não dão conta do que há de mais original na música de um dos mais arrojados compositores românticos; mas têm sua dose de pertinência. É a música no limite da loucura; a música no limite de se transformar em outra arte.

No caso do *Réquiem* (ou *Grande Messe des Morts*), isso implica monumentais forças sonoras, o que não se traduz necessariamente em muito barulho o tempo todo. Um dos pontos mais extraordinários dessa hora e meia de música é a sequência delicada de acordes das flautas (bem agudas), e trombones (bem graves), no "Hostias", pontuando o coral homofônico das vozes. São sete acordes, mais a coda – os trombones em profundezas descarnadas e as flautas presas numa nota –, até o último si bemol menor. Oito acordes, então, nenhum dos quais infelizmente saiu afinado.

Que Berlioz faz muito barulho a maior parte do tempo, faz mesmo; um verdadeiro armagedão no "Tuba Mirum", com os metais divididos na plateia, mais os quatro tímpanos no palco. Seja na orquestra, seja nos coros – forças reunidas do Coral Lírico e do Coral Paulistano, uma população e tanto, transbordando para a coxia –, eram fortíssimos como esses que carregavam o sentido do *Réquiem* de Levin. E o resultado, muitas vezes, foi de grande impacto.

Paradoxalmente, os músicos não soavam muito engajados. Nem pareciam estar inteiramente lá. A regência, de sua parte, parecia focada em manter as tropas unidas, mais do que em baixar aos infernos ou descortinar os campos do céu.

No penúltimo movimento, o tenor faz dois lindos solos, antecedendo as espetaculares fugas do "Hosanna". Marcello Vanucci tem uma voz poderosa, de vocação operística. Compreensivelmente nervoso, sofreu problemas de afinação naquela nota difícil, o si bemol de "Sa-baoth".

Enfim: não foi um *Réquiem* de sutilezas, nem de satanismos. Não dá para definir bem que Berlioz foi esse: nem antigo, nem moderno, nem fervoroso, nem *cool*. Foi só um primeiro Berlioz, e a OSM fica devendo, desde já, sua verdadeira Grande Missa dos Mortos.

14.4.03

Nelson Freire

NELSON FREIRE

Direção de João Moreira Salles

Antes do Filme

Um exemplo, entre muitos: uma nota que surge no meio da renda de arpejos da *Serenata* (*Ständchen*), de Johann Strauss Jr., transcrita por Godowsky, que Nelson Freire toca no disco da coleção "Great Pianists of the 20th Century". Isto acontece a 1min19s. É um lá, no registro médio, que fica em suspenso e mantém a música acima do chão, até se completar numa pequena frase cromática (1min31s).

Desde o início, já estava tudo acima do chão; agora se abre outro espaço ainda: a música falando de dentro da música, um silêncio que vem à tona discreta e espantosamente em forma de som.

Momentos como esse servem de emblema para um entendimento tão natural das coisas que faz o resultado também soar natural e fácil. Como se tocar piano, assim como ele toca, fosse algo não exatamente simples, mas também não excepcional. À famosa reserva mineira corresponde um respeito franco pela atividade humana, pelo trabalho dedicado e digno de tocar um instrumento. Não há reserva alguma no seu modo de tocar; mas também não há um instante de exibição.

Há algo de dança neste seu equilíbrio; uma confiança física, tão rara e espontânea como a de Rita Hayworth voando com Fred Astaire, entre outros artistas por quem ele mesmo tem confessada paixão. Está presente tanto nos momentos de maior virtuosismo quanto nos que, para ele, não são maior desafio; e tanto nas abstrações quanto nos retratos. O que mais impressiona quando toca Villa-Lobos, por exemplo, é que o "Brasil" não poderia estar mais vivo, mas perdeu completamente as aspas. Sua versão de *A Prole do Bebê* (gravada em 1974 e relançada em 1997) devolve Villa-Lobos ao nosso país interior, e ensina a ouvir a música brasileira sem bandeira. No "Prelúdio" das *Bachianas Brasileiras* nº 4, a nostalgia livrou-se de varguismos e pitoresquismos, atingindo um registro limpo, carregado de sentimento e defendido do sentimentalismo.

É preciso muita confiança mesmo para se jogar escala abaixo como ele faz no "Finale" da *Sonata* nº 3 de Chopin, em seu premiado disco de 2002. São escalas e escalas, que ele debulha com leveza e precisão. Comparada a ele, até Martha Argerich (num disco de 35 anos atrás), soa pouco cuidadosa. Quem mais se aproxima desse ideal de força e delicadeza é sua admirada precursora, Guiomar Novaes (em versão da década de 50). Mas o verbo aqui tem sentido literal: é Guiomar mesmo quem se aproxima dele, como se o vetor da história tivesse se invertido e Nelson Freire fosse um ponto de origem dos que vieram antes, não menos que dos que vêm e virão depois.

Depois do Filme

Nada disso pode, ou precisa ser traduzido em imagens. Por isso mesmo, muita gente terá receio de assistir ao filme de João Moreira Salles.[30] A música é uma de nossas poucas formas de resistência contra a dominação visual; e agora que todas as artes aspiram à condição de vídeo, até a música tende a virar trilha sonora de si.

O receio seria saudável, não fosse o histórico do cineasta, exemplarmente respeitoso, e não fosse também aquela famosa reserva mineira. A soma de virtudes resulta numa subtração – a subtração quase absoluta, neste filme, de tudo o que não seja música. Dito de outro modo: a música, aqui, ganha um repertório legítimo de imagens. São como a vida material da música, âncoras terrenas do sentido.

Fácil de dizer, difícil de mostrar. Traumas familiares, relações pessoais, a rotina dos dias: nada disso aparece, senão ligeiramente, em

30 Disponível, agora, em DVD (Videofilmes).

pequenas homenagens e sugestões. Nada, por outro lado, se esconde; tudo converge na presença viva do pianista, na expressão de seu rosto escutando um disco de Guiomar Novaes, ou vendo Rita Hayworth na TV, ou ensaiando com Martha.

Nada se esconde, afinal, porque é disso que se faz música. E a maior lição desse filme tão comovente talvez seja a mais antiga: uma coincidência justa entre a música e a vida, naquele ponto onde as duas se explicam e desaparecem, discreta e espantosamente, uma na outra.

"Mais!", 20.4.03

Rufo Herrera

BANDONEÓN

CD Karmim, 2003

As notas do encarte reúnem uma história sucinta do *bandoneón*, considerações sobre a técnica instrumental (com exemplos em partitura), comentários a seu uso na música contemporânea e notas sobre cada peça do programa, mais um longo e evocativo texto autobiográfico do compositor e intérprete Rufo Herrera. Tudo isso merece registro, porque dá a medida do disco: o mesmo respeito, a mesma atenção afetuosa dedicada à música se volta também para nós, convocados, sem condescencência, a habitar esse espaço tão raro.

De um homem chamado Rufo, esperava-se que tocasse tímpanos. Mas "o duende" lhe apareceu em 1938, num município da província de Córdoba (Argentina), e definiu a trajetória do menino de cinco anos "de encontro ao [seu] destino". Eram 38 botões para a mão direita e 33 para a esquerda, a serem tocados por quatro dedos de cada (o polegar da direita aciona uma válvula de ar, o da esquerda ajuda a segurar o instrumento). Filho de um camponês, foi aprendendo sozinho, até ganhar fama tocando em festas e programas de rádio.

Estudou música, integrou orquestras de tango, viajou, quis fazer carreira como bandoneonista sério, interpretando Bach e Chopin. Só pediam "Garufa", tango que teve de repetir 22 vezes numa boate, antes de desistir do *bandoneón* e voltar-se para a vanguarda. Aqui em São Paulo, foi guiado pelo maestro Olivier Toni; na década de 1970, ligou-

-se ao Grupo de Compositores da Universidade Federal da Bahia; finalmente radicou-se em Minas.

Só em 1986, depois de assistir, espantado, a uma apresentação de Astor Piazzolla e seu quinteto em Belo Horizonte, para uma plateia de 1.800 pessoas, teve a coragem de "pedir perdão" e voltar ao instrumento. Acolhido nas bienais de música contemporânea e salas de concerto, seu *bandoneón* agora transita livremente entre registros bem diversos – ou nem tanto, se o que conta é o sentido humano da música. Lançado no ano em que Rufo Herrera completa 70 anos, o CD *Bandoneón* resume boa parte dessa bela história: a vida que gira em torno de uma paixão sem nome, cujo veículo é um estranho instrumento musical.

Rufo toca composições próprias, acompanhado pela Orquestra Experimental da Universidade Federal de Ouro Preto; também toca Bach e Piazzola, e uma versão para *bandoneón* e cordas de "El Choclo", milonga clássica de Angel Villoldo, que "nos carrega em alegrias de outras viagens", no final do disco.

Um detalhe serve de emblema: as apojaturas de "Solidão". Apojatura é uma nota "vizinha" acentuada, antes de resolver na que pertence ao acorde. Típica do tango, foi usada com eloquência por Piazzolla; também aparece, por exemplo, em cantatas de Bach – ilustrando a palavra *tragen* (carregar), para dar um exemplo mais preciso ainda, que ecoa alucinatoriamente nas nostalgias de Rufo.

Se a orquestra nem sempre está à altura do mestre, pouco importa. É lindo ver esse professor, de olhos fechados, solitário em sua música, cheio de alunos à volta. De encontro ao seu destino: completando outro círculo de revelação e aprendizado, e abrindo as comportas do sentimento com as notas do seu *bandoneón.*

21.4.03

Orquestra Sinfônica da USP/ Antonio Del Claro Carlos Moreno

Sala São Paulo, 28.4.03

São tantas coisas certas que quase não cabem no parágrafo. Antes de mais nada, o novo empenho da USP em apoiar sua orquestra, promovendo a contratação de quadros e transformando o conjunto em sinfônica de verdade. Depois, a instalação do "Projeto Academia", que abriu 26 vagas na orquestra para alunos de música. Dirigida por Carlos Moreno, a Osusp está com programação anual de alto nível e, além dos concertos no campus, passa a se apresentar mensalmente na Sala São Paulo, com solistas convidados.

Tudo isso seria louvável, mas não iria longe, se o resultado não fosse o que é. O mínimo que se pode dizer é que a Osusp tornou-se uma das melhores orquestras do país e um exemplo do que deveria ser o engajamento das universidades na vida musical.

Nada mais justo, nessa nova fase, do que homenagear o compositor Camargo Guarnieri (1907-93), fundador da Osusp, em 1975. Depois da esfuziante *Dança Brasileira* (1931), que serviu como salva de fogos para a estação, mas também para a orquestra mostrar a que veio, o *Choro* para violoncelo e orquestra, com Antonio Lauro Del Claro. Guarnieri escreveu o *Choro* para Aldo Parisot, solista na estreia, nos EUA, em 1961; mas os dois se desentenderam por conta das dificuldades da peça, e o *Choro* hoje é muito mais de Del Claro, grande divulgador dessa e de outras peças para violoncelo do maior compositor paulista.

É difícil para danar; e Del Claro teve seus momentos de estresse nas alturas da primeira corda. Mas toca com aquela segurança de fundo que garante música a tudo; e tem um som fundo que dá segurança à música. No ano passado, Antonio Meneses fez um *Choro* inesquecível com a Osesp.[31] Del Claro entende a peça de outro jeito: menos oblíqua, menos enigmática, menos marioandradina. Que privilégio escutar o *Choro* tão bem tocado de novo, e tão diferente.

Bis: "Prelúdio" da *Segunda Suíte* de Max Reger (1873-1916). Bachiano, intenso, errante, artificioso.

Levante a mão quem conhece a *Sinfonia* nº 1 de Tchaikovsky (1840-93). Grande ideia da Osusp, então, de programar integrais como essa (a orquestra vai tocar as seis sinfonias do russo até o final do ano). Depois de segunda-feira, fica difícil entender por que não se toca a "Devaneios de Inverno" regularmente.[32]

A *Sinfonia* vive para a espetacular coda dos tímpanos, no mendelssohniano "Scherzo", mas tem muitas outras virtudes. Comparada à *Quinta*, ou à *Patética*, não tem a força de ideia que se espera. Mas

31 Ver 16.4.02.

32 A Osesp gravou depois a Sinfonia. *Ver 28.10.07.*

isso, agora, é uma insólita virtude também: os gestos de Tchaikovsky aparecem "em abstrato", o jogo de harmonias (menos modulações do que sequências em tonalidades diferentes) não carrega a pressão dos temas, o quase folclore mal se anuncia como novo mundo.

As cordas da Osusp são um espanto, para quem espera uma orquestra de escola. E as trompas!

Só ficaram faltando duas coisas: notas de programa, que uma orquestra da USP tem obrigação de oferecer; e plateia cheia, que a cidade tem obrigação de dar.

30.4.03

The Trondheim Soloists/ Ole Edvard Antonsen

Sala São Paulo, 29.4.03

"Não se façam ilusões", dizia Shostakovich (1906-75). "Não existe outra vida. Não há como." O compositor não estava falando de teologia, mas de política. E é desta perspectiva sombria – mais sombria que o normal para quem viveu sob o regime soviético – que se escuta uma obra como o *Quarteto* nº 8, apresentado em versão para orquestra de cordas pelos Trondheim Soloists, inaugurando a temporada do Mozarteum, anteontem na Sala São Paulo.

Composto em 1960, depois de uma visita a Dresden (com ruínas de bombardeio ainda à vista), o *Quarteto* foi dedicado "à memória das vítimas do fascismo e da guerra". Serve sozinho de contraponto às ambiguidades pessoais de Shostakovich em suas relações com o regime de Stálin e sucessores. O uso de um tema de quatro notas – ré-mi bemol-dó-si, ou DSCH, no sistema alemão – funciona como assinatura pessoal para essa música de fantasmagorias, de tremenda força e tremenda angústia, marcada por notas veladas que sobrevivem à pressão e cantilenas que resumem em meia dúzia de compassos a imensidão do que não se pode dizer.

Os noruegueses tocaram Shostakovich com tamanha eloquência que a gente quase fica com pena de o programa não ter sido todo desse calibre. Quase: porque, se o resto do programa era fácil, não quer dizer que não tenha sido tocado com exuberância, extraindo música e mais música de onde nem havia tanto assim.

Quem sai de casa entusiasmado porque vai escutar concertos para trompete e cordas de Haendel, Albinoni e Telemann? Mas a verdade é que os Trondheim fazem um rock e tanto do barroco, e o trompetista Ole Edvard Antonsen – que gravou alguns desses concertos com eles – faria grande música até de uma nota só.

Aliás, fez: no bis, uma fanfarra do compositor norte-americano Stan Friedman (n. 1951), onde o trompete parece estar em três ou quatro lugares ao mesmo tempo – inclusive à frente e atrás de si –, graças às mudanças de timbre e embocadura.

Idade média da orquestra: uns 26 anos. Tocam de pé, os moços de preto, sem gravata, as loiras de blusa étnica e saia comprida azul da cor dos fiordes. Abriram a noite diplomaticamente, com o *Ponteio* para cordas de Cláudio Santoro (1919-89); mas não fazem nada por mera diplomacia. Ao primeiro acorde, enchem a sala de som, e a energia do grupo não esmorece nunca.

Enquanto Ole, de sua parte, descansava os lábios, deram uma interpretação eletrizante da *Sinfonia Para Cordas* nº 10 de Mendelssohn (1809-47).

"Não se façam ilusões", dizia Shostakovich. Não estava falando só de política, mas de estética. Depois de tanta leveza, sua música ganhou outro peso, nas profundezas de um dó. E depois disso, ganhou outro sentido também a alegria de Grieg (1843-1907), num bis que não era mais desse mundo, ou chegava a ele por direito, como pela primeira vez.

1.5.03

Osesp/ Leo Gandelman John Neschling

Sala São Paulo, 1.5.03

"Mas que música é esta?!" A pergunta zoava na cabeça, enquanto pelos ouvidos entrava a *Terceira Sinfonia* de Shostakovich (1906--75). Desde a introdução, com o casal de clarinetistas se enroscando para escapar da ameaça de violoncelos e contrabaixos, passando pelo espantoso voo do piccolo, num céu de primeiros violinos, até o inesperado clímax – uma longa passagem em uníssono da orquestra inteira, com tímpanos e tarol a toda, por trás –, a *Sinfonia* é de um arrojo só, devidamente reconhecido pela Osesp, no Dia do Trabalho.

Foi escrita, aliás, para comemorar o primeiro 1º de Maio na União Soviética, em 1930. Seis anos depois, viria a condenação de Stálin à ópera *Lady Macbeth*, dando início ao terror que acompanharia Shostakovich virtualmente até o fim da vida. Aqui ainda podia compor, de boa-fé, o monumental hino do último movimento da *Terceira*, com versos de Kirsanov: "Proletários, ouçam os discursos.../ Queimando o passado,/ Uma nova realidade se acenderá". A história cuidou de tornar esses versos grotescos; e a audição da *Sinfonia*, agora, faz pensar se o grotesco já não era intuído pelo gênio de 24 anos.

Intuído por ele e traduzido, com inteligência e assombro, pelo maestro John Neschling. Não é todo bom regente que fará ouvir, nessa música, o tanto de passado que ela projeta no futuro; nem seria necessariamente uma virtude (porque não garante o entendimento afetivo de nada). Mas, para ele, é; para nós, foi.

Melhor ainda escutar essa peça – tecnicamente dificílima, cognitivamente complexa – em contraste com a *Sinfonia em Três Movimentos* de Stravinsky (1882-1971), que a Osesp tocou no início. Composta durante a Segunda Guerra pelo autoexilado russo, sugere uma resposta diametralmente oposta para a representação do mal. Todo sofrimento, aqui, se controla com as graças de Apolo. A própria *Sagração da Primavera* se reescreve, ou duplica, numa segunda natureza. (Um espetacular duo de fagotes, por exemplo – espetacularmente tocado por Marcos Fokin e Francisco Formiga – serviria quase de alegoria do fagote primal de 1913.)

Foi bonito ver Olga Kopylova no piano e Liuba Kletsova na harpa, primeiro separadas, depois juntas. Não só porque as duas são lindas mesmo, mas pelo tanto do século passado que essa música guarda e acusa, e que a mera presença de instrumentistas russas numa orquestra brasileira faz lembrar.

No meio do sanduíche sinfônico, dois bibelôs brasileiros: a *Fantasia Para Sax e Orquestra* de Villa-Lobos (1887-1959) e o *Concertino Para Sax Alto* de Radamés Gnatalli (1906-88), a cargo do solista Leo Gandelman. A *Fantasia* conversa com a peça homônima de Debussy; o *Concertino* dialoga com Villa e uma galeria de outros nomes e gêneros, de marchas de carnaval no "Allegro" ao baião (em 7 por 4) no "Movido". Ponto alto: o segundo movimento do Gnatalli, só lirismo e saudade, que Gandelman tocou mais livre, menos consciente das grandiosidades em torno.

Levou algum tempo, também, para ele se sentir em casa sexta-feira, quando voltou acompanhado de piano, baixo e bateria (Bruno Cardozo, André Vasconcellos e Juliano Zanoni), para um show de lançamento do novo CD e DVD, *Ao Vivo*. Só depois da metade – depois de "In a Sentimental Mood", de Duke Ellington – é que a coisa realmente pegou.

Aquilo que talvez soasse um pouco forçado antes (como os acentos graves fazendo ângulos em "A Rã") ganhou naturalidade; e até a versão de luxo de "As Rosas Não Falam" (Cartola), que poderia soar desconfortável nesse luxo, encheu a sala de afeto. Idem para a improvisação livre em "Lamentos" (Pixinguinha) e outras: só um aiatolá da MPB resistiria às escalas coltranianas e harmonias bill-evanescas.

Se nem sempre os malabarismos conseguiam vencer seu próprio brilho, o mínimo que se pode dizer é que a batalha pela transcendência foi levada a sério. E foi uma lição e tanto, afinal, ver a plateia encantada com o passeio de Gandelman pelos corredores, improvisando uma versão furiosa de "Maracatu Atômico" (Jacobina/Mautner). Não vai sair da memória daquelas moças de cabelo branco a força de um sax barítono a poucos centímetros da pele.

Isto é que é Dia do Trabalho.

5.5.03

Quarteto de Cordas da Cidade de São Paulo

Espaço Promon, 6.5.03

Na cidade onde tudo só piora, a música, quem diria, só melhora. Agora é o Quarteto de Cordas da Cidade que inaugura uma série mensal de concertos no Espaço Promon, com programação definida até dezembro. Inaugura, não: inaugurou em alto estilo, anteontem, tocando Villa-Lobos e Brahms.

Num país de memória curta e instituições vacilantes, é comovente assistir a um quarteto cuja formação original remonta a 1935 (era o Quarteto Haydn, fundado por Mário de Andrade). Duplamente comovente quando se escuta o *Quarteto* nº 3 de Villa-Lobos (1887-1959), executado no Municipal durante a Semana de Arte Moderna, em 1922.

Triplamente já seria exagero, mas Betina Stegmann, Nelson Rios, Marcelo Jaffé e Robert Suethölz merecem crédito próprio, nominal.

O nº 3 é o "Pipocas", apelido consagrado do segundo movimento, em *pizzicato* (cordas tocadas com o dedo, não com o arco). Mas o que o Quarteto da Cidade fez bonito mesmo foi o terceiro movimento, intimista – nada de pipoca e muito de chuva oblíqua. Betina tem uns tons que não saem da cabeça da gente: o violino toca para dentro, tanto quanto para fora, e a música parece em busca de outra, intuída nalguma escuridão dentro de si.

Dali em diante, o Quarteto entrou no ritmo do jogo. Alucinante, aliás, no último movimento, o segundo violino e a viola serrando semicolcheias, com acentos de batucada, e o primeiro violino e o violoncelo em oitavas, num rasga coração. Tom Jobim com certeza gostava muito disso. É tão bom quanto "Matita Perê".

Lances: Marcelo Jaffé atrás da cabeleira, apontando a viola na nossa direção, como quem diz "vejam só"; Suethölz, face aberta sob o céu da calva, sorrindo para Betina depois de uma passagem juntos; Nelson Rios mergulhando numa frase, arco para baixo e corpo para a frente, na direção da partitura; Betina com os lábios apertados e a testa franzida, não pela dificuldade, mas pela intensidade da música. Depois todos de pé, meio sem jeito, agradecendo contentes, sem soberba.

Na segunda parte, a música das músicas, pelo compositor dos compositores. Era o *Quinteto Para Clarinete e Cordas* de Brahms (1833-97), com o solista convidado Luís Eugênio Afonso (o "Montanha", do Sujeito a Guincho). Composto em 1891, o *Quinteto* já deixou quase tudo para trás. Há uma foto de Brahms em 1892, na Ringstrasse em Viena com sua última grande amiga, Alice Barbi. De chapéu-coco, com a barba de profeta, ele olha para nós e sorri – sorri do lado de lá. O *Quinteto* tem algo desse sorriso, alguma última graça de paixão, no limite do entendimento total.

Montanha tocou Brahms com discrição e carinho; tocou com gosto. Foi cuidadoso com as notas e cuidadoso com a música (o que não é a mesma coisa). Alguém diria que às vezes também é preciso perder a cautela, e alguém diria que o Quarteto da Cidade também poderia se dar mais chances de exuberância. Nos momentos em que chegou lá, ninguém diria mais nada, entregue às razões que nem o coração conhece.

8.5.03

Osesp
Theodor Guschlbauer

Sala São Paulo, 8.5.03

Antonio Meneses/ Solistas da Osesp

Sala São Paulo, 9.5.03

A vida é sonho; e a trilha sonora, alguns dias, é de arrepiar. Exemplo: o final da *Sinfonia Fantástica* de Berlioz (1803-69), que a Osesp tocou quinta-feira, regida por Theodor Guschlbauer. Outro exemplo: o terceiro movimento do *Sexteto* nº 2 de Brahms (1833-97), tocado na sexta por músicos da orquestra com o violoncelista Antonio Meneses de convidado especial.

Quem teve lugar de honra nos dois concertos foi a violoncelista da casa, Heloísa Torres Meirelles. No primeiro, foi solista do *Concertino Para Violoncelo e Orquestra* de Albert Roussel (1869-1937) – uma peça curta, composta no último ano de vida do compositor, mas sem qualquer sugestão de gravidade.

Roussel tem charme, não carisma. Heloísa tem os dois; mas, nas circunstâncias, compreensivelmente valorizou o controle acima de tudo. Tocou bonito.

O *Concertino Para Piano e Orquestra*, de 1927, é bem mais ambicioso, e mais interessante. A pianista Linda Bustani fez render o que havia de melhor no lindo "Adagio", desde o primeiro acorde dissonante, passando pelas longas cantilenas do corne inglês, até a luminosa entrada das flautas em maior e assim por diante e mais adiante ainda, neste movimento que não acaba onde se espera, até o comentário final do piano sozinho.

Toda música de Roussel parece perdida entre os vários estilos em conflito na música francesa das primeiras décadas do século passado. Nem conservador, nem vanguardista, escreve sempre "bem", se o critério do bom é o domínio dos meios. Com a Osesp leve por trás, e Bustani estourando champagne na frente, o final do *Concertino* foi um emblema da arte de Albert Charles Paul Marie Roussel.

Não há outra orquestra tocando essas coisas menos visitadas por aqui, e a Osesp acerta em manter seu verdadeiro programa de educação musical continuada.

Depois dos charmes, os álcoois. Ou haxixe, ou ópio, ou o que for, para Berlioz dar conta das moças. Não era qualquer moça, aliás, a atriz inglesa Harriet Smithson, que ele viu atuando em *Hamlet*, em 1827. Foram duas descobertas transformadoras: Shakespeare e Harriet. Na sequência, viria Beethoven (de quem ouviu a *Terceira* e a *Quinta* pela primeira vez em 1828). Dois anos depois, quando seu amor não correspondido pela inglesa já começava a murchar, escreveria a *Fantástica*, até hoje o maior poema erótico-amoroso em forma de música.

Entre as virtudes do maestro austríaco Theodor Guschlbauer, que regeu Berlioz de memória, estão a clareza e a energia. Inclusive a clareza na energia, o que nem sempre é o caso, quando se tem pela frente quatro fagotes, quatro trombones e duas tubas, sem falar em duas harpas e 14 primeiros violinos.

Um crítico chato reclamaria, talvez, de tanta clareza, e os chatos têm seu argumento. Berlioz está no limite imaginativo do sadismo; suas exuberâncias pedem liberdades que a gente está mais habituado a associar ao Teatro Oficina do que à Sala São Paulo.

O que dizer da "Marcha Rumo ao Cadafalso", uma alucinação do amante que trucidou sua amada? E do "Sonho de Uma Noite de Sabá", quando ela volta como bruxa, e os sinos anunciam o "dia da ira"? Na quinta-feira, a Osesp passeou elegantemente pelos "Devaneios" etc., até a "Cena Campestre" (com belos solos de Natan Albuquerque Jr., no corne inglês). Da "Marcha" em diante, a música foi crescendo de dentro para fora, e quando chegou no final já se viam alguns moços na plateia com respiração acelerada e olhos estranhos.

Tudo isso são amores muito diferentes das paixões de Schoenberg (1874-1951) e Brahms, no programa de música de câmara da noite seguinte. O primeiro escreve uma espécie de poema-sinfônico de câmara, imprevisível em seus descaminhos, assim como é imprevisível o desfecho apaixonado do casal, à espera de um filho (assumido pelo noivo, que não é o pai), no inspirador poema de Richard Dehmel. Brahms, de sua parte, é o grande poeta da resignação.

Escalação de *Noite Transfigurada*: Cláudio Cruz, Yuriy Rakevich (violinos), Horácio Schaefer e Maria Angélica Cameron (violas), Antonio Meneses e Alceu Reis (violoncelos). E do *Sexteto*: Cruz e Lev Veksler, Vladimir Klementiev e Peter Pas, Meneses e Heloísa.

O violoncelista pernambucano era a estrela da noite; nem por isso fez qualquer gesto a mais do que a música lhe pedia, e talvez tenha mesmo diminuído discretamente sua voz, em favor do conjunto – que só cresceu na medida da companhia. Os dois sextetos tocaram como se estivessem juntos há anos. A dinâmica velada do início da *Noite*, no limite do inaudível, no limiar do entendimento, já valeria uma semana de música.

O final da resenha cabe, por direito, ao violinista Cláudio Cruz. Dá tontura pensar no esforço necessário para fazer o programa sinfônico como *spalla* numa noite e tocar como tocou na seguinte. Depois repetir a dose sábado e domingo. De onde vem toda essa música que ele tem por dentro? Nem ele sabe, por certo. Mas a fonte parece inesgotável, e nossa sede também.

12.5.03

Jean Louis Steuerman

Espaço Cultural Bank Boston, 19.5.03

Certo tipo de arte parece um excesso de si. Justamente aquela arte mais magra, mais despojada e econômica, onde toda expressão parece demais, comparada ao que tem a dizer. O pianista Jean Louis Steuerman é um desses poetas magros, perpetuamente em busca da língua essencial da música, como se ouviu segunda-feira, em concerto de inauguração do novo piano Steinway da cidade, no Espaço Cultural Bank Boston.

Era um programa só de sonatas de Beethoven (1770-1827): "Patética" e "Ao Luar" na primeira parte; op. 109 e op. 110 na segunda. A própria sequência das peças já mostra o que pode ser a dieta de meios num compositor tão devotado ao sentido do que compõe. Nas variações da op. 109, ou na fuga da op. 110 (a penúltima das 32 sonatas que Beethoven escreveu), até os temas vão se convertendo, aos poucos, em contornos fundamentais, ideias básicas que estão por trás de tudo – e que só têm a ganhar com o estilo desafetado de Steuerman.

O uso parcimonioso do pedal talvez seja o que há de mais característico no seu jeito de tocar; mas o resultado – um som menos cheio, com menos mistura e menos veludo – ainda é só um meio, não um fim. Articulação, toque, fraseado: tudo isso faz parte de uma noção muito pessoal da música, um ritmo interno das frases, que corresponde, nos detalhes, ao grande ritmo austero de cada peça inteira.

Os riscos são consideráveis, até porque não há onde se esconder. Se alguma escala tiver uma única semicolcheia menos do que perfeita, desaba. Mesmo nisso não há uma lição? A ruína pode ser mais expressiva do que a pilastra, embora com isto traia seu próprio ideal.

Isso significa, também, que um pianista como ele nos obriga a uma espécie de dupla escuta: escutar o que ele toca e, ao mesmo tempo, o que ele não toca, a música a que a música dele quer chegar. Sua arte faz pensar num cineasta como Eric Rohmer, capaz de transformar o que há de mais prosaico na vida em filosofia e poesia; ou então num escritor como John Berger, cronista da experiência crua do mundo.

Alguém vai perguntar se o pianista sabe que está fazendo tanta coisa. A pergunta não seria legítima nunca (porque ninguém, afinal, controla sua própria arte); e soa menos legítima ainda nesse caso. Basta lembrar o modo como ele tocou o início da *Sonata* "Ao Luar". O famoso arpejo soava mais forte do que o famoso tema, entreouvido apenas, chegando de alguma outra dimensão. E os baixos pontuavam a cena com o peso de uma voz de fantasma (a *Sonata* recria o duelo inicial da ópera *Don Giovanni* de Mozart, onde o *Don* mata o Comendador). Ninguém divide os três planos desse modo por acaso – tão diferente das multidões que tocam a op. 27/2.

Os baixos são lindos, mas algumas teclas do registro médio vibravam a noite inteira, no limite do desagradável. Falta ajustar o Steinway?

Bis: duas *Bagatelas* op. 106, tocadas com disposição leve, gozando todo o engenho da forma. Ninguém escolhe essas peças por acaso; tocar as *Bagatelas* como bagatelas foi mais uma lição, despojada e, afinal, alegre, de um dos nossos maiores poetas da música.

22.5.03

Orquestra Sinfônica Municipal
Burchinal, Portari, Alvarez, Senda, Lamosa
Ira Levin

Verdi: Falstaff

Teatro Municipal, 25.5.03

Na saída, um septuagenário comovido só conseguia repetir "que beleza, que beleza". Já um rapaz de 20 anos usou linguagem bem mais eloquente, mas impublicável num jornal de família. Que os dois pudessem estar tão emocionados é prova, acima de tudo, do gênio de Verdi (1813-1901); mas serve de emblema dessa nova montagem de *Falstaff* no Municipal, que merecia ficar em cartaz muito mais tempo.

Verdi é o último dos inocentes, o último dos *naïfs*, para usar a distinção que faziam os autores do romantismo entre arte espontânea e "sentimental" (autoconsciente, irônica). Mas a inocência é uma na tragédia e bem outra na comédia. Em *Falstaff* (1893), o compositor já deixou vida e morte para trás, e escreve com o teatro do mundo a seus pés.

Nunca, como aqui, sua música é tão livre. A mais moderna de suas óperas vai acompanhando a cena gesto a gesto, longe do padrão de recitativo-e-ária. Para a plateia, soa difícil, comparada às seduções de *Rigoletto* ou *La Traviata.* Mas a plateia... ri. Riu muito no domingo, riu com gosto, e ovacionou os cantores no fim.

Era uma retribuição mínima para as artes do barítono americano Frederick Burchinal, no papel-título, e do verdadeiro escrete de estrelas nacionais: Fernando Portari, Manuel Alvarez, Mauro Wrona; Eiko Senda, Rosana Lamosa, Luciana Bueno, Regina Elena Mesquita; mais Sérgio Weintraub e Sávio Sperandio. O mundo é um palco, e o palco está virando um mundo incrível de vozes por aqui.

Os cenários (de Jean-Pierre Tortil) e os figurinos (de Fábio Namatame) transferem a ação para uma vaga Inglaterra de fins de século 19 – Inglaterra que deve algo ao cinema de Peter Greenaway. De modo análogo, a encenação de José Possi Neto foge quase sempre do registro caricato, "de ópera". Que coisa: os cantores estão virando atores.

Só a cena de Falstaff imundo e humilhado, no início do ato 3, ou vestido de Caçador Negro (com a galharia na cabeça) no grande noturno da floresta, já valeriam a ópera. Mas foi tanta coisa mais: o quarteto brejeiro das damas, o dueto de amor (Lamosa segurando um lá bemol absoluto, por quatro lindos longos compassos e meio), Eiko Senda cantando Alice com schwarzkopfiano controle erótico-musical, Luciana Bueno encarnando uma Meg fatal debaixo do espetacular figurino verde, Regina Elena e Burchinal se divertindo do início ao fim.

Detalhes: os guarda-chuvas brancos ao fundo, na espetacular hilariante cena do ato 2, antecipando o momento em que Falstaff será jogado janela abaixo, com a roupa suja. Antes disso: Falstaff de capa, agachado, transformado em banquinho. As escadarias em espiral, a cadeira e os biombos com olhos, sugerindo o mundo de Alice no País das Maravilhas. O Falstaff de Verdi e Boito é uma criação própria, bem diferente do de Shakespeare; com liberdade análoga, este Falstaff de Tortil e Possi ganha camadas novas de graça e de farsa.

"Tudo no mundo é burla", incluindo a harpa. Aquilo não era harpa nem na China, nem nos bosques de Windsor: era um descarado teclado. Será que a orquestra vai dar tanto para trás tão rápido? No mais, Ira Levin regeu com ânimo, empregando a fluência para cobrir o que precisava.

Nem isso incomoda demais, quando se vê aqueles cristais gigantescos caindo do céu, contra a floresta no pano de fundo, e o palco se enchendo cada vez mais de vozes, até o apoteótico "*tutti gabbati!*". Dá uma coisa na garganta. A gente afinal murmura "que beleza!", "que carvalho!", e sai para a rua mais moço e mais velho que nunca.

27.5.03

Philadelphia Orchestra
Yakov Kreizberg

Sala São Paulo, 24.5.03

Más orquestras são todas semelhantes; cada grande orquestra é grande à sua maneira. A Philadelphia Orchestra, por exemplo, que tocou sábado na Sala São Paulo: grandiosidade, neste caso, não rima (como é habitual) com monumentalidade, suntuosidade, ou opulência. Seria melhor procurar uma palavra menor e mais simples para essa orquestra elétrica e coesa.

O diretor musical Wolfgang Sawallisch está com problemas de hipertensão; quem regeu em seu lugar foi o maestro russo Yakov Kreizberg (ex-Bournemouth Symphony, futuro Netherlands Philharmonic). Visto sem som, Kreizberg pareceria um regente de desenho animado, alguém fazendo uma imitação de Charles Chaplin fazendo uma imitação de regente. O comentário é inevitável, mas injusto para quem faz uma orquestra dessas tocar com tamanho brilho.

Depois de algum tempo, a gente acostuma e acaba até gostando dos maneirismos. Kreizberg rege tudo de memória, com empatia e sabedoria, e tem momentos de real inspiração. Exemplo: a passagem para o primeiro grande tema lírico da *Sinfonia* nº 4 de Schumann (1810-56), uma de tantas onde ele fez a música desacelerar delicadamente, até chegar num outro tempo, uma narrativa dentro de outra. (Na *Dança Húngara* de Brahms, no bis, isso chegava ao paroxismo, com efeito quase desbragado.)

Exemplo 2: os violoncelos trazidos à tona na repetição do "Trio", no "Scherzo". A melodia geralmente fica escondida, fazendo contraponto à principal; aqui ganhou novos privilégios. Mais um exemplo? O *crescendo* das violas, saindo de dentro do dos fagotes e contrabaixos, no início da "Patética" de Tchaikovsky (1840-93). Detalhes assim são a própria vida da música e definem a imaginação de quem toca.

Schumann era o compositor favorito do escritor Roland Barthes (1915-80), que escreveu mais de uma vez sobre ele no contexto de seus comentários sobre o desejo e a paixão amorosa. Nada soa mais barthesiano, hoje, do que as suspensões não resolvidas na música de Schumann. Tanto maior seu impacto quando tocadas com tanta leveza e juventude.

Lindo solo, no "Romanze", do famoso primeiro oboé da Philadelphia, Richard Woodhams (maior salário da orquestra, para um dos maiores solistas do mundo).

Espetacular *pianissimo* do clarinete, anunciando o tema do primeiro movimento do Tchaikovsky. "Pppp" passando a "ppp", audível na torrinha.

Lideradas pelo *spalla* David Kim, as cordas da orquestra são um alento para quem não tem mais grandes ilusões neste setor. E os segundos violinos são o máximo.

Existem as grandes e grandiloquentes orquestras, as grandiosas e opulentas, as suntuosas, as mirabolantes. A Philadelphia é fulminante, sem pompa. A engenharia funciona como se fosse natural; o som é brilhante, mas com acentos de outono, como o reflexo das árvores nas águas do rio Schuylkill.

Comparada à Filarmônica de Nova York, esta é uma orquestra menos sofisticada. Comparada à Concertgebouw, menos metafísica. À Viena, menos vivida e sedutora. Etc. etc. Mas cada grande orquestra é grande à sua maneira, e a Philadelphia hoje está fazendo música como ninguém.

27.5.03

Sinfônica de Bamberg
Jonathan Nott

Sala São Paulo, 30.5.03

No sábado retrasado a Orquestra da Filadélfia tocou lindamente a *Quarta Sinfonia* de Schumann (1810-56). Sexta passada foi a vez da *Terceira*, a cargo da Sinfônica de Bamberg, que se apresentou na Sala São Paulo, regida por Jonathan Nott. Gostar de Schumann é um privilégio na vida, e fica fácil gostar de gostar de Schumann escutando orquestras assim.

A de Bamberg abriu a noite com *Till Eulenspiegel*, de Richard Strauss (1864-1949). Foi tocado com tanta lisura e tanta fluência que nem parecia hiperestupidestapafurdiamente difícil como é. Para além das travessuras técnicas, e das charadas para a trompa e para o clarinete, a música serve de desafio ao manejo de tempos da orquestra. Ou os naipes interiorizam uns aos outros, ou o buquê desmonta.

Regendo de memória, Jonathan Nott faz de sua orquestra, sempre muito leve e rápida, uma concorrente séria para as olimpíadas de Strauss. Não é comum, nem na convivência das grandes orquestras (como a da Filadélfia), nem das ótimas (como a de Bamberg), escutar um conjunto tão equilibrado quanto esse. Equilíbrio e elegância, aliás, são duas boas palavras para descrever a Sinfônica. Esmero e entusiasmo são outras, para continuar na letra "e".

Pena que "paixão" começa com "p".

A solista Marie Luise Neunecker parece morena e brava na fotografia. Não é uma coisa nem outra, e toca trompa como ninguém. Só ela tem esse som tão longo e calmo e doído, tradução de alguma outra incrível música que ela escuta por dentro. Por fora, era o *Concerto* nº 4 de Mozart (1756-91), com número alto no catálogo Koechel (495) e alta estima entre os sacrificados heróis desse instrumento de risco. Até Neunecker quebrou uma notinha aqui, outra ali; miudezas na grandeza. Os alunos de trompa aplaudiram até ficar com as mãos doendo.

A *Terceira Sinfonia* de Schumann é a "Renana", escrita em 1850, quando assumiu um cargo em Dusseldorf. No quarto movimento, ele volta a uma das canções do ciclo *Dichterliebe* de dez anos antes, onde o rio Reno já era personagem (não em Dusseldorf, mas em Colônia). Este "Maestoso" é o centro imaginativo da sinfonia, com os metais mandando ver num coral à moda antiga (barroca) e as cordas crescendo e crescendo em ondas e ondas, até um final que não resolve.

Só resolve depois, na memória, lá para os fins do quinto e último movimento. É o tipo de movimento interno da música que ganharia outra escala, duas gerações mais tarde, com Gustav Mahler e o próprio Richard Strauss; e depende de uma orquestra vivida, capaz de imaginar, no presente, o futuro, e no futuro, o passado.

O maestro Nott nem amplifica, nem subestima as coisas. É um músico para seus músicos; aliás, foi bonito de ver como a orquestra inteira se recusou a levantar, na sua terceira volta ao palco, para que eles também pudessem aplaudir seu regente.

Dois últimos comentários, ou melhor, duas perguntas: 1) Em outra ocasião, não seria bom escutar a Sinfônica de Bamberg tocando um programa menos conhecido? 2) Na estranha ordem de coincidências do cosmos, quinta-feira a Osesp interpreta a *Sinfonia* nº 2 de Schumann, dando sequência a esta quase integral às avessas. Será que ninguém vai tocar a nº 1?

2.6.03

Osesp
Tan Dun

Sala São Paulo, 19.6.03

"Ninguém gosta de música contemporânea." Ou então: "Música contemporânea é só para os iniciados". Quem não vai a concertos continua dizendo essas coisas. Enquanto isto, a Sala São Paulo encheu de gente, em pleno feriadão, para escutar a Osesp tocando um programa só de obras do compositor chinês Tan Dun (1957), regidas pelo próprio.

Em 2001, na mesma sala, a Filarmônica de Nova York já havia tocado seu *Concerto Para Aquapercussão e Orquestra*. Aquapercussão: cubas d'água, aquafone (espécie de viola, tocada com arco), tubos e cuias que se põem na água alterando seu som. A mesma peça fechou o programa anteontem, interpretada pelo espetacular solista David Cossin, acompanhado pela orquestra, que obviamente estava gostando de tudo, para não dizer que estava se divertindo.

A plateia também. Sem nenhum demérito, é música fácil de gostar. E não apenas pelo fascínio dos instrumentos novos e dos efeitos sonoros inusitados.

Nesta como nas outras peças do programa (dois episódios do quadripartido *Teatro Orquestral*), Tan Dun combina elementos da música tradicional chinesa com outros tantos da música ocidental de vanguarda, num ambiente dramático. Silêncios ganham eloquência. Sons isolados vão se alterando aos poucos, ensinando o ouvido a ser zen. Golpes gigantescos da orquestra inteira sugerem os rasgos de um pincel de calígrafo, criando mil sentidos e cores de uma vez só. Melodias quase folclóricas aparecem aqui e ali, com seus encantamentos pentatônicos.

O tempo se alterna entre os lentos densos e os andantes leves, chegando aos vivos "mecânicos", *à la* Stravinsky; noutro extremo, abre espaço para ocasionais "cadenzas" e improvisações.

Dun começou na ópera (*Marco Polo*, 1995); e sua música tem sempre um sentido apurado de drama. Nunca escreve menos do que bem; ouvintes pouco generosos dirão que também não passa disso. Será pouco? Na literatura, sugere equivalências com romancistas como Martin Amis, Milan Kundera, Umberto Eco.

Nem toda boa orquestra é uma orquestra boa para tocar música contemporânea. A Osesp vem se revelando uma amiga dos novos, e estava afiada sob a regência do ágil, preciso e sempre simpático compositor. Em *Orchestral Theater II*, que exige a participação de músicos espalhados pela sala, sem falar na plateia (que canta "hummmmm" e entoa um mantra), Dun foi bem auxiliado por Wagner Politschuk, trombonista da Osesp, atual regente titular da Sinfônica da Universidade Estadual de Londrina.

"Simpatia" e "maestria" são palavras que ocorrem, na saída de um concerto assim. Talvez até "alegria". Certamente ninguém sai triste, ou entediado. Quem diria! – era música contemporânea.

21.6.03

Europa Galante

Cultura Artística, 23.6.03

Sabendo que se vai escutar o *Stabat Mater*, a gente passa o dia inteiro diferente. Em suspensão, para usar uma metáfora que também é um elemento de harmonia, muito comum na obra-prima de Pergolesi (1710-36). Sabendo que são os italianos do Europa Galante, melhor ainda; o concerto deles, há três anos, nunca mais saiu da memória.

Como a vida estraga as coisas! A primeira parte do concerto, anteontem, no Cultura Artística – quatro *concerti grossi* de Alessandro Scarlatti (1660-1725) e um de Francesco Geminiano (1680-1762) – foi estupenda. Estraga as coisas, não: corrige expectativas. Ali onde não se esperava tanto, a música reinventou um mundo. Mas não há *Stabat Mater* que resista à comparação com aquele outro, imaginário, maior do que qualquer conjunto seria capaz de tocar. Nem mesmo o Europa Galante, o que deixa um leve gosto de frustração.

Mas é uma frustração quase alegre, porque os italianos nunca são menos do que italianíssimos, e eles hoje reinam na música barroca. Levaram um pouco para aquecer; mas à hora que o violinista Fábio Biondi e seus companheiros chegaram ao *Concerto em Ré Menor* de Scarlatti, a música já corria solta, com toda sua eloquência rústica. Rústica, natural, toscana: os clichês deixam de ser clichês na festa de acentos, arcadas, trinados e glissandos.

Geminiani: espetacular sequência de variações sobre "La Follia" (um dos padrões mais conhecidos de baixo barroco, 16 compassos que se repetem do início ao fim). Combinações raras, virtuosismo geral, o moço careca largando a mão como se fosse o Eric Clapton do alaúde.

Stabat Mater. Mais rápido e "galante" do que de hábito. A soprano Gemma Betagnoli veio de madona matadora para cantar as aflições da mãe de Cristo na cruz. Já a contralto Marina de Liso foi mais comedida, musicalmente inclusive. Cantaram bem? Cantaram. Maravilhosamente? Um pouco menos que isso.

De novidade, ou quase: a ênfase operística nos movimentos rápidos. Lindo último movimento, "Quando Corpus", soturno e seco, cheio de silêncios, até explodir no "Amen".

Enquanto meu corpo, também, definha, possa minha alma louvar as bondades da música, no Paraíso ou na Praça Roosevelt, que, depois de Europa Galante, Giardino Armonico e Hespérion XX, entre outros, vai se tornando um dos lugares sagrados da música antiga.

25.6.03

Quarteto Alban Berg

Cultura Artística, 7.7.03

Entre Mozart (1756-91) e Smetana (1824-84): estranho lugar para Schnittke (1934-98). Tocada pelo Quarteto Alban Berg, anteontem no Cultura Artística, a música do compositor russo parecia irradiar sentidos para os dois lados. Paixões iluministas e paixões românticas se traduziam na linguagem ainda sem nome da nossa música, que assim reanimou de vida o que nunca morreu.

Reanimou de vida, também, a plateia, até hoje refratária à arte do nosso próprio tempo. Foi bonito ver as centenas de cabeças atentíssimas à música. Os comentários no saguão, no intervalo, não vêm ao caso – conservadorismo de hábito, resposta automática para tudo o que não se deixa entender facilmente até o quarto compasso. Não importa: o impacto da música há de se fazer sentir a médio e longo prazo, explodindo suas granadas de verdade de dentro da memória de cada um de nós.

O Quarteto Alban Berg nunca é menos do que o máximo dos outros, e nessa noite parecia próximo do máximo de si. Os quatro senhores sóbrios já deixaram para trás aquele estado natural da arte, que confere data e estilo ao que se faz. É como se agora habitassem outro campo, livre das ilusões da contemporaneidade. As ilusões da eternidade não são menos fantasiosas, mas carregam outro grau de experiência.

Tanto maior o grau de expressividade que eles são capazes de alcançar interpretando uma peça como o *Quarteto de Cordas* nº 4 de Schnittke. Composto em 1989, é o último de seus quartetos e o mais difícil deles, seja para os músicos, seja para nós. Dividido em cinco movimentos, os três primeiros tocados sem interrupção, dura mais de trinta minutos e faz pensar na elaborada arte romanesca de autores como Thomas Bernhard e W. G. Sebald, para citar dois nomes de temperamento contrastante – um na fronteira do desespero, outro no limite da melancolia –, como são contrastantes os humores dessa música do desassossego.

Final do terceiro movimento: primeiro violino entoa uma melodia cromática, dobrada em oitavas pelo violoncelo *sul ponticello* (arco perto da ponte, som sussurrante, nasal). O segundo violino sustenta uma nota longa, impassível. Viola pontuando em *pizzicato* (corda "beliscada" com o dedo, não com o arco). Texturas assim são uma das marcas da música de Schnittke. Raro mesmo é encontrar um quarteto capaz de encontrar a música para além das seduções sonoras, para além dos efeitos. Porque não são efeitos: são a substância. Um vocabulário extraterrestre, mas imediatamente compreensível, da ruína e do sofrimento.

Sofrimento e ruína não estão menos presentes em Mozart – depois que se ouviu Schnittke. A diferença é que Mozart tinha o gênio da alegria. E não estão menos presentes em Smetana. A diferença é que Smetana tinha o gênio da euforia.

Uma das lições do concerto foi encontrar as texturas mais insólitas de Schnittke antecipadas em compositores como esses dois. Não estavam lá antes de Schnittke; agora, estão. Quer dizer: não estavam lá antes do Quarteto Alban Berg; agora estão, explodindo suas granadas na memória de cada um de nós.

9.7.03

João Guilherme Ripper

ANJO NEGRO

Centro Cultural do Banco do Brasil, 10.7.03

Escrita em 1946, *Anjo Negro* é uma das peças do "teatro desagradável", como dizia o próprio Nelson Rodrigues (1912-80). Teatro desagradável: porque faz ver, na experiência prosaica do cotidiano, um tumulto de horrores realizados ou sonhados. Mitos trágicos encarnam na vizinha ao lado. Bom pretexto, certamente, para a ópera; e bom começo para essa nova ópera de João Guilherme Ripper, que estreou quinta-feira no diminuto auditório do CCBB.

Respondendo à sugestão de André Heller, que assina a direção cênica, o compositor carioca escreveu mais de duas horas de música, para um elenco de doze cantores, acompanhados por pequeno conjunto (quarteto de cordas, contrabaixo, piano e percussão, regidos aqui por Abel Rocha). É uma ópera de câmara, assim como *Domitila* (2001), e igualmente apropriada para esse minúsculo palco – embora se possa imaginar que tudo venha a crescer bastante, noutra montagem menos constrangida.

Constrangida a música não é. Mas está longe de ser desbragada. Não é nenhuma acusação descrevê-la como bem-comportada; muito embora leitores de Nelson Rodrigues hão de reclamar desse registro tão afável, tão bem escrito, tão próximo, muitas vezes, do cancioneiro tradicional (da modinha à bossa nova), temperado que seja de trítonos. Em outro plano: Puccini e Radamés Gnatalli, temperado que seja de Alban Berg. Alguém dirá que a contradição é intencional; talvez tenha razão.

O mínimo que se pode dizer é que a música nunca é menos do que engenhosa; todas as partes são escritas com esmero – duos, trios, quartetos etc. geométrica e expressivamente resolvidos –, e há recitativos e árias que poderiam, desde já, entrar para o repertório dos cantores. Se há algum incômodo, tem a ver com essa contradição entre as potências monstruosas do dramaturgo e o conforto da música. O registro da ironia é sempre tão difícil – e uma ária delirante da mãe, por exemplo, revelando verdades inomináveis à filha cega, não acaba ganhando contorno de musical?

Vale o mesmo para a encenação, que carrega na caricatura. A construção das personagens sempre será um problema em ópera. Nem sempre, aqui, a música acompanha a evolução do caráter; e nem sempre os cantores têm tempo para pensar no assunto. Já constrangido pelo espaço, o excelente elenco de cantores – encabeçado por Regina Elena Mesquita, Sebastião Teixeira, Rubens Medina e Andrea Ferreira – parece também apertado pela estilização.

Ressalva: era a estreia. Há muito espaço, sem ironia, para esse *Anjo Negro* crescer.

12.7.03

Joshua Bell

Espaço Cultural Bank Boston, 8.7.03

O preconceito contra o virtuosismo continua vigorando entre as melhores plateias de música de concerto. Mas quase tudo na sentença acima merece, agora, revisão: virtuosismo, melhores plateias, música de concerto. Um recital como o do violinista Joshua Bell, terça-feira passada no Bank Boston, serve de emblema do que pode ser a inteligência musical a favor do espetáculo, e o espetáculo a favor da música.

Quem começa um concerto tocando a *Chaconne* de Bach (1685-1750) já faz erguer 250 pares de sobrancelhas. É uma peça que os outros habitualmente tocam no fim, não no começo. Mas para um músico desse nível, e dessa geração – 33 anos –, a lógica do espetáculo mudou.

Se alguém toca a *Chaconne* de saída, como ele, é porque 1) não está lá para brincar, nem veio só para exibir suas habilidades; 2) ao mesmo tempo, esbanja habilidades incríveis, e faz uso delas com naturalidade e pertinência, justamente no que o repertório tem de mais elevado.

A pergunta 3 seria: depois disso, o quê? Resposta inesperada: a *Fantasia em Dó Maior*, para violino e piano, de Schubert (1797-1828). Quase meia hora de música, um labirinto sonoro, típico dos últimos anos da curtíssima vida do compositor – curtíssima vida que se traduz em sabedoria.

Em entrevistas, Bell fala nos violinistas Nathan Milstein e Henryk Szering como modelos. Assim como eles, tem um ideal de expressão direta, mas não agressiva; vai do agudíssimo e pianíssimo mais transcendental aos baixos calorosos e concretos sem perder jamais a continuidade, nem forçar dinâmicas. No que foi compreendido e ajudado pelo excelente pianista inglês Simon Mulligan.

Pergunta 4: e depois disso, então? Intervalo.

Na segunda parte, um programa mais leve. Começando com a blueseira *Sonata* nº 2, de Ravel (1875-1937), irmã mais velha, bem mais tímida, do *Concerto em Sol Maior* para piano e orquestra. Depois, dois bis por antecipação: a "Melodia" da ópera *Orfeu e Eurídice* de Gluck (1714-87), que Bell tocou explorando a pura beleza dos agudos de seu Stradivarius; e "La Fille Aux Cheveux de Lin", um dos *Prelúdios* de Debussy (1862-1918), para mostrar o que pode, o que quer essa melodia.

Finalmente, grande surpresa, a *Fantasia Sobre Temas de Carmen*, de Pablo Sarasate (1844-1908). Surpresa porque é o tipo de peça para qual até pouco tempo a gente torceria o nariz. Do ponto de vista formal, ela se aproxima da salada. Mas isso seria ouvir Sarasate com ouvidos de Beethoven. O que está em jogo aqui não é o hegeliano "puro jogo das formas". É a música do instrumento, um espetáculo vivo da arte em cena, com todos os elementos da mais alta filosofia travestidos de palhaço e arlequim.

Que Joshua Bell, nessa noite, tenha chegado ao máximo de si na *Fantasia* não diminui seu Bach ou Schubert, nem seu Ravel. Dá a medida, por outro lado, do que pode ser o espetáculo da música, sem concessões, na era da concessão e do espetáculo.

15.7.03

Orquestra de Câmara da Osesp
Cláudio Cruz

Sala São Paulo, 17.7.03

A grande peça, quem diria, foi o Ginastera (1916-83). Arriscado, arrojado, com a coragem de buscar suas verdades não só em labirintos estranhos da forma, mas em pátios obscuros da memória, para não falar nos pátios escuros a que o compositor foi virtualmente consignado pelo ditador Perón. Arriscado e arrojado também o maestro Cláudio Cruz, ao escolher este *Concerto Para Cordas* para abrir o concerto da Orquestra de Câmara da Osesp, anteontem na Sala São Paulo.

Ginastera está para a Argentina como Villa-Lobos para nós; mas teria maior afinidade com Camargo Guarnieri. De temperamento, senão propriamente de estilo: neste *Concerto* de 1965, por exemplo, o argentinismo não guarda mais um traço de pitoresco. E não só pela linguagem harmônica (serialismo não rigoroso).

O incrível primeiro movimento – um rodízio de cadências virtuosísticas dos chefes de naipe, entremeadas de explosões e comentários da orquestra – já nos põe, de chofre, cara a cara com a experiência mais adulta e séria. Faz pensar em Bartók e Schnittke, entre outros compositores capazes de resistir, de dentro, aos horrores do século passado.

Que privilégio escutar essa música, tão bem tocada. Se aqui e ali (não só nessa peça) as linhas em uníssono pareciam riscadas com lápis de ponta grossa, isso não diminuiu a comoção. E que boa surpresa terá sido, para muita gente, ver Cláudio Cruz, *spalla* da Osesp, regendo com tamanha fluência. Faz a orquestra tocar de outro jeito, mais próximo decerto de um ideal do violinista: um tempo de fundo bem largo, uma grande calma como espaço da música, palco invisível para todas as fantasias e agitações.

Mais fantasia do que agitação no *Concerto* nº 2 para trompa e orquestra de Mozart (1756-91), com o solista Dante Yenque. Um trompista de melancolias, mais que de fanfarras. Nem tudo em

Mozart é de Saturno; mas quando aquelas modulações começam... Em suma: se não foi perfeito, foi bonito.

Nem agitação nem exatamente fantasia na *Serenata* de Dvorák (1841-1904). É a felicidade mesmo. No curso de lendários doze dias, no ano de 1875, um tcheco explicou tudo em música. Parece tão simples: uma valsa da Boêmia, ou um tema todo feito de saltos de quinta, com a mais antiga das sequências harmônicas por baixo. Lindas brumas da Orquestra de Câmara, na coda do "Scherzo"; depois um solzinho; depois a luz total da manhã. Deixa a gente no limite de dizer bobagem, porque a gratidão é imensa, o coração bate solto e as palavras viram um entrave. Dá vontade de escutar tudo de novo.

19.7.03

Osesp

Jobim Sinfônico

DVD Biscoito Fino, 2003

Uma das cenas mais bonitas mal dura um instante. No meio da floresta da orquestra, o pianista Benjamin Taubkin fecha os olhos e meneia a cabeça, cercado pela beleza quase inaguentável do tema de *A Casa Assassinada.* Estamos no terceiro movimento, e o grande tema volta nas flautas, enquanto o piano toca arpejos – quiálteras de cinco contra as divisões em quatro de todo o mundo mais. Benjamin fecha os olhos, o maestro Minczuk abre a boca, a violinista Soraya Landim só pisca. Música assim salva a vida.

No CD: faixa 7, 1min41s em diante. No DVD: 44min44s. A suíte *A Casa Assassinada* foi composta por Tom Jobim (1927-94) para um filme de Paulo César Saraceni, e gravada no antológico disco *Matita Perê*, de 1973. Esse grande tema, que percorre os quatro movimentos, tem a natureza de muitos outros temas de Tom: é feito de quase nada – no caso, uma simples sequência descendente de cinco notas, uma ao lado da outra –, mas diz quase tudo, à medida que vai sendo harmonizado, elaborado, trabalhado.

"Insensatez" também é assim, para usar um exemplo mais conhecido. Experimente assobiar o tema, sem ritmo. São só duas notas, uma colada na outra, para lá e para cá. Não é tema, não é música, não é nada. Agora cante com o ritmo certo, lembrando as harmonias, e veja o que é um compositor. (Cante com a letra, e veja o que é Vinicius de Moraes.)

Exemplos assim estão por toda parte na música de Tom Jobim. Quanto mais de perto se olha para ela, mais aparece o trabalho consciente de composição, a capacidade de extrair encantamento do que há de mais simples. Pode não ser a imagem habitual do compositor; mas isto só comprova sua generosidade, distribuindo bolos finíssimos para todos nós, a massa de famintos, sem jamais chamar a atenção para si. A beleza da música cobre tudo.

Que as artes de Tom Jobim, para além do milagre, também tinham sua dose de labuta, fica mais que evidente depois desse projeto *Jobim Sinfônico*. Gravado e filmado ao vivo, na Sala São Paulo, em dezembro passado,[33] com uma orquestra de setenta músicos da Osesp e participação especial de Milton Nascimento, reúne quinze composições sinfônicas do maestro soberano (algumas em vários movimentos, como a *Sinfonia da Alvorada*, *Orfeu da Conceição* e *A Casa Assassinada*).

Partituras originais de Tom somam-se a arranjos de Claus Ogerman, Nelson Riddle, Eumir Deodato, Dori Caymmi. A edição da música e a produção do projeto ficaram a cargo de Paulo Jobim – principal responsável pela publicação do *Cancioneiro Jobim* (6 vols., 2001) – e Mario Adnet – a quem já se devia o histórico CD duplo *Ouro Negro* (2001), resgatando a música de Moacir Santos.

Recentemente, saiu em CD a gravação original de *Orfeu da Conceição*, de 1956, na série "10 Polegadas" (Odeon/ EMI). A comparação com a nova só faz ressaltar as virtudes do projeto: a música ganhou não só clareza, mas espaço. Ninguém como Tom chegou tão perto das amplitudes brasileiras de Villa-Lobos. Independentemente de gênero, sua música chega com frequência àquela dimensão: é uma Amazônia da alma, que precisava de uma orquestra à altura.

Detalhes da música? Um em um milhão: a citação da *Rapsódia Espanhola* de Ravel, no início de "Gabriela". A música francesa absorvida, como a americana, sem angústia, na música de Tom.

Detalhes da filmagem (dirigida por Luiz Fernando Goulart): o braço malhado da harpista Liuba Klevtsova; o contrabaixo de Ney Vasconcelos visto de cima, cada um de nós em voo rasante, como o bom urubu de Tom; a violoncelista Iris Regev observando, com o

---

33 Ver 11.2.02.

canto do olho, a figura de Milton Nascimento, enquanto o metal da voz se abstrai no sertão de "Matita Perê".

Pequenos flagrantes assim recriam o teatro vivo da música. Imagens serão sempre desnecessárias: a música nos fecha os olhos. Mas a filmagem repõe concretamente seus instrumentos no palco; quer dizer: registra, na carne e no osso do vídeo, a presença humana dos que fazem música.

Desse ponto de vista, nada é mais tocante do que a última cena, no final de um discreto *making of*. São só alguns segundos. Quando menos se espera, surge em preto e branco o rosto de Tom Jobim, já bem maduro, de perfil, olhando sério para uma paisagem de prédios em Nova York. Depois vira para a câmera. Dá um frio na espinha. Essa ausência, agora, somos nós – sustentados por dentro pela música de Tom Jobim.

23.7.03

Luciana Bueno, Ricardo Kanji, Nicolau de Figueiredo

Ciúme, Ódio e Loucura

CCBB/ São Paulo, 22.7.03

"Amor me traz de volta a seus terrores." Quem canta é Medeia, na seção mais delicada e melancólica de uma incrível cantata de Clérambault (1676-1749). E quem cantou Medeia foi Luciana Bueno, encarnando paixões barrocas para fechar a temporada dos "Quatro Pontos Cardeais" no CCBB.

Foram quatro programas, ao longo do mês, seguindo o cardápio de afetos que regem a música dos séculos 17 e 18: alegria, dor, amor e ódio. Os afetos se traduzem em figuras musicais, que os compositores exploram com maior ou menor virtuosismo. Organizada pela flautista Laura Rónai, a série é um exemplo do que pode ser feito numa sala como essa. Para falar à moda antiga: diverte e instrui.

Luciana Bueno já foi Carmen, foi a mãe de João e Maria, e uma das moças em *Falstaff*. Cantar trechos dramáticos barrocos, em três línguas, a dois metros da plateia, talvez seja mais difícil. A exposição é total. O mínimo que se pode dizer é que ela teve todo o mundo na mão desde o momento em que apareceu. Usa muito bem as lindas mãos, diga-se de passagem.

Canta em italiano (Monteverdi, A. Scarlatti) mais à vontade do que em inglês (Händel, Purcell); e canta com fantasia em francês. Faz poucos ornamentos, o que é sempre melhor do que muitos; passa, com algum esforço, por cascatas de semicolcheias. A coisa pega mesmo naqueles momentos em que ela se deixa tomar pelas fúrias. Nessa horas, baixa uma Maria Callas e o rosto anguloso da *mezzosoprano* vira um instrumento expressivo de graves que fazem a gente tremer e agudos que fazem a gente desvairar (para seguir nas metáforas barrocas).

A seu lado estava o flautista Ricardo Kanji, um mestre discreto, levemente irônico, consciente do muito de música que faz em qualquer pouco que toque. Entre outras coisas, tocou uma sonata aberratória de Jakob Friedrich Kleinknecht (1722-94), que foi *Kapellmeister* em Bayreuth e escrevia música experimental, nada genial: dinâmicas imprevisíveis, modulações exóticas.

Ao fundo, o flamejante cravista Nicolau de Figueiredo. Um roqueiro do cravo, estraçalhando nos arpejos. Fez muitos ornamentos, o que é sempre melhor do que poucos quando se trata de um especialista em barroco.

Ótima violoncelista (Teresa Cristina Rodrigues), muito bons violino (Paulo Henes) e teorba (Guilherme de Camargo). Um grupo enxuto e animado.

"*No rest the guilty find/ From the furies of the mind*" (tradução livre: "Quem é culpado não escapa/ Das fúrias da própria consciência"). Quer dizer: ninguém escapa. Mas terá seus momentos de exaltação, lembrando que seja das glórias da música barroca.

24.7.03

Osesp
Kurt Masur

Sala São Paulo, 31.7.03

A explosão passa em silêncio. Ou melhor: a explosão é o próprio silêncio, um buraco negro sugando todas as energias centrípetas da música de Strauss (1864-1949). Esse silêncio, tocado pela Osesp com impressionante intensidade, serviria bem de exemplo das virtudes do maestro Kurt Masur, de volta à Sala São Paulo depois de uma temporada histórica dois anos atrás.

"Mas a orquestra, com ele, toca mesmo de outro jeito?", perguntava uma senhora na fila de trás (e com certeza muito mais gente na plateia hiperlotada). A resposta óbvia é "sim". A resposta não óbvia leva um pouco mais de tempo para explicar.

"Vai dizer que mudou da água para o vinho?" Claro que não; até porque a Osesp vem fazendo vinho há muito. Nesse nível de interpretação, a mudança não será jamais espalhafatosa. Mas, entre outras coisas, não dá para não ficar impressionado com o grau de controle da forma, quer dizer, da inteligência plástica da música, que Masur exerce sem chamar a atenção para si. Os sucessivos tempos de uma composição como o poema sinfônico *Don Juan* de Strauss, por exemplo, vão se metamorfoseando uns nos outros com nova e maravilhosa coerência.

Que a orquestra inteira tinha consciência disso, anteontem, ficou claro até no jeito de cada um sentar. Se faltou a explosão transcendental, isso se deve provavelmente ao mesmo motivo: concentrada e aplicada, a Osesp não tocou um pouquinho intimidada, também?

Só foi se soltar no Brahms (1833-97). Melhor dizendo, no segundo movimento da *Quarta Sinfonia* de Brahms. O maestro rege o início desse "Andante" quase como uma marcha fúnebre, o *pizzicato* das cordas pesando nos ombros do caminhante. Tanto maior o deslumbramento do grande tema que vai surgindo nos violinos e crescendo como uma revelação. É na relação entre esses tipos diferentes de expressividade que Masur entende a música; não chega a ser uma concepção nova, mas tem um sentido de finalidade que fica depois na memória como um ideal.

E não são só as relações entre blocos, mas outras, internas, entre partes simultâneas da música. Seja em Strauss, seja em Brahms ou Beethoven (a *Abertura Egmont*), para ele a ciência mais alta da composição é o contraponto. Um pequeno *crescendo* dos violoncelos, ou alguns acentos dos contrabaixos, atraindo luz para suas linhas, fazem muita diferença.

Na terceira vez que voltou ao palco, a orquestra se negou a levantar e ficou aplaudindo o maestro junto com a plateia. Na quarta, Masur retribuiu; deu meia-volta e deixou a orquestra receber sozinha a ovação. Os aplausos eram mais do que justos, de todas as partes.

Masur está virando um amigo da casa; e a Osesp é a melhor casa de todos nós.

2.8.03

Paulinho da Viola

Meu Tempo É Hoje

Filme de Izabel Jaguaribe, 2003

O vibrato na voz de Paulinho da Viola: comentar um mistério desses já nos levaria, quem sabe, um pouco mais perto da arte de um de nossos maiores músicos. Ele usa pouco o vibrato; geralmente num fim de frase ("Não posso definir aquele a-*zul*"), mas também para reforçar certas sílabas ("Senti-*men*-tos, em meu peito eu *te*-nho de--*ma*-ais"). Às vezes, canta um trecho inteiro a seco. E é justamente por isso que o vibrato tanto importa: na vibração delicada da voz, sempre controlada e justa, abre-se uma fresta para outro tempo, resgatado sem sentimentalismo.

Ele mesmo insiste bastante que não sente saudade, ou não precisa sentir saudade, porque tem a música do passado viva por dentro. O quanto dessa mitologia é uma verdade do músico e quanto uma ilusão do cantor? O filme de Izabel Jaguaribe não põe a pergunta nesses termos, mas nos dá elementos para pensar sobre o assunto.

No fim do filme – com roteiro de Zuenir Ventura – há uma sintomática sequência de imagens de Paulinho vestido "à antiga" (terno branco), num cenário de Rio antigo, filmado em preto e branco. Há uma dose de bem-humorada ironia nessas poses, claro. Mas não é um estranho fecho para um filme chamado *Meu Tempo É Hoje*?

É um risco, também, que o filme assume na mesma medida em que recolhe anedotas cotidianas do músico como restaurador de relógios, ou colecionador de carros caindo aos pedaços. Que esse simpático antiquário carioca seja um dos maiores compositores do nosso tempo, que sua música seja tudo menos antiga, que sua ideia de mundo caia como um poema forte, perpetuamente novo, sobre nossas cabeças cansadas, é a contradição que funda o filme. Traduzida em prosa, fica mais ou menos assim: Paulinho talvez não seja bem o que ele diz, mas também não é o contrário disso; nem está livre do passado, nem preso a ele. E não há repertório de imagens capaz de nos mostrar essa suspensão.

Mas eis um caso em que imagens, afinal, não são tão necessárias. Nem prosa. A grande força do filme é nos pôr bem perto da música. Nada, aliás, bate as imagens de Paulinho cantando e tocando violão ou cavaquinho. Seja em casa, seja na marcenaria, num estúdio, ou ao ar livre, seja sozinho, seja na companhia de parceiros como Elton Medeiros (tocando sua incrível caixa de fósforos), Marisa Monte ou a Velha Guarda da Portela (Monarco, Casquinha, Jair do Cavaco, Argemiro Patrocínio – o grande rosto do filme, só comparável aos *flashes* de Pixinguinha), Paulinho da Viola fazendo música nos redime da falta de palavras, da falta de imagens, da falta de quase tudo.

As muitas cenas de convívio familiar e fraternal, neste filme feito só entre família e amigos, ficam pequenas, afinal, na memória, por mais comovente que possa ser a sabedoria cotidiana do músico. É que a sabedoria musical engole tudo, em nuances de tom e matizes da voz de um dos maiores compositores e um dos maiores cantores de "hoje" – quer dizer: do futuro.

8.8.03

TM+

Teatro da Aliança Francesa, 14.8.03

Nos anos heroicos da música contemporânea, as batalhas eram estéticas e ideológicas. A boa luta de nomes hoje consagrados, como Boulez, Berio e Stockhausen (sem falar nos compositores do Leste, que vieram depois) abriu caminho para outra geração, que não tem mais de se justificar. A batalha, agora, não é ideológica: é tecnológica. Veja-se o concerto de quinta passada, que encerrou a semana de inauguração do projeto MusArtS, com participação do IRCAM e de músicos do TM+ (que tocam hoje um programa de clássicos do modernismo, no Cultura Artística).

Foram três peças envolvendo uso de computador: *Dialogue de l'Ombre Double* de Boulez (1925), *NoaNoa* de Kaija Saariaho (1952) e *Jupiter* de Philippe Manoury (1952). Cada uma escrita para um instrumento solista (clarinete ou flauta), com seu som transformado, antes ou durante a execução, por meio de *softwares* específicos – todos desenvolvidos no IRCAM, o "Instituto de Pesquisa Acústica e Musical", fundado por Boulez em 1969, referência mundial na área.

Como explicou o diretor pedagógico Andrew Gerzso, as peças vão de um extremo a outro das possibilidades de intervenção digital. No Boulez, o clarinetista – fantástico clarinetista, Philippe Berrod – toca com a "sombra", trechos pré-gravados por ele mesmo, que se alternam com a música executada no palco.

Composto em 1985, o *Diálogo da Sombra Dupla* inspira-se, com maior ou menor proximidade, numa peça teatral de Paul Claudel. O que está em jogo, no caso, é a espacialização dos sons. A sombra varre o espaço da plateia, de um lado a outro – sem falar nas profundidades virtuais. O clarinete "ao vivo" se embrenha em labirintos delicados, uma renda de arpejos e trilos; depois silencia, na escuta de si mesmo: de si outro. Carrega seu duplo em sonhos de coincidência.

Como errar é humano, a máquina errou no começo. Deu estática. Em retrospecto, foi um momento simpático neste concerto-aula, que como quase toda aula passou um pouco do ponto. A tecnologia precisa ser explicada; a música pede outro tipo de comentário. Mas era, afinal, o encerramento de uma gloriosa semana de seminários (idealizados por Silvio Ferraz, produzidos por Regina Porto) promovidos para lançar o MusArtS – uma rede virtual integrando centros paulistas de pesquisa musical-tecnológica, financiada pela Fapesp em moldes análogos aos do Projeto Genoma Humano.

Já em *NoaNoa*, de 1992, o flautista – o virtuose Gilles Burgos – aciona intermitentemente um pedal, que dispara programas de reprodução e transformação sonora. Junto com Magnus Lindberg e Esa Pekka-Salonen, entre outros, Saariaho faz parte de um grupo de compositores finlandeses que ganhou renome na década de 1980. Ela é a mais sensual das compositoras que trabalham com *live electronics*: sua música põe lentes de aumento no mundo natural, que a gente escuta como nunca.

NoaNoa alude ao Taiti do pintor impressionista Gauguin. Mas a referência é sugestiva, mais que descritiva: o "aroma" do título torna-se metáfora para tudo o que é da ordem da sensação. E as *fleurs* que o flautista fica sussurrando no bocal amplificado crescem nessa paisagem de ventos, uma natureza íntima e misteriosa, no âmago de circuitos e números. Linda peça.

Na segunda parte, era a vez de escutar a histórica *Jupiter* (1987), para flauta e eletrônica, de Manoury. Foi a primeira composição a empregar o Score Follower, programa que compara a interpretação ao vivo com a partitura gravada na memória do computador, de modo a ativar operações à medida que a música avança. Dimensão wagneriana, caráter ponderoso: pesado, sério, relevante.

Pelo menos um conhecido jovem compositor dormia na plateia. Tinha direito, assim como tantos outros dormem em Bruckner. Naquele dia, naquela hora, era sinal de saúde. Tudo somado, a batalha vai bem, inclusive – quem diria! –, tecnologicamente falando.

18.8.03

Osesp
John Neschling

Mahler: A Canção da Terra

Sala São Paulo, 16.8.03

"*Dunkel ist das Leben, ist der Tod.*" Escura é a vida, escura é a morte: esse refrão sombrio assombra o ciclo inteiro da *Canção da Terra* de Mahler (1860-1911), como assombra a memória, para sempre, de quem escuta. Interpretada pela Osesp no sábado à tarde, sob a regência de John Neschling, essa quase sinfonia soou mais triste do que nunca, no dia da morte do poeta Haroldo de Campos, que chegou aos ceús assim, carregado na música.

Não existem coincidências; e será inevitável, daqui para a frente, pensar em Haroldo a cada vez que se ouvir a *Canção da Terra*. Mahler empregou como texto uma seleção de poemas da China antiga, recolhidos de uma antologia de traduções de H. Bethge. Mas o movimento de apropriação e recriação desses poemas pela música caracteriza o que nosso poeta chamava de "transcriação": o surgimento de novos poemas em outra língua, que se altera, ela mesma, pela invasão do estranho.

O "poema", no caso, é uma das grandes sinfonias modernas, compreendida assim por John Neschling. O que o maestro chamou de "ecologia", ao falar brevemente sobre a peça, não diz só respeito às cenas naturais que poesia e música fazem surgir, por mágica, na nossa cabeça. Mais do que o encantamento sensível, o que está em jogo é a desintegração progressiva dos sentidos, um esvaziamento do mundo, que chega ao ponto crítico no adágio final, onde a música nem mais se esforça para preservar a unidade.

Só uma orquestra madura é capaz de se desmanchar com tamanha eloquência, ou antieloquência. Já estava tudo dito no acorde grave do início da "Despedida", a combinação de contrabaixos, harpas e tam-tam, resumida ao máximo depois no dó grave dos violoncelos, a quarta corda vibrando nas profundezas. Os solos de oboé (Joel Gisiger) e flauta (o excelente músico convidado, Mauricio Freire) só explicitam, ou elaboram o que um som desses guarda sozinho em si.

E o contraste com momentos solares ou esfuziantes, como o da cavalgada na quarta canção, ou de humor torcido, no final da canção do "Bêbado na Primavera", reforça a vastidão da desesperança – que Mahler tem de vencer, apesar de tudo, com seu apego às coisas da terra. É uma quase esperança, um viço de renovação, uma força humana que só a presença de poetas como Haroldo de Campos conseguia sustentar, por nós e para nós, nesses tempos escuros.

Deste ponto de vista, a interpretação da *mezzosoprano* alemã Cornelia Wulkopf e do tenor austríaco Wolfgang Ablinger-Sperrhacke soou adequadamente pouco estrelar. Mesmo os vários pontos em que foram engolidos pela orquestra faziam involuntário sentido, num ambiente de desconstrução geral. Para falar como o filósofo Adorno (em *Quasi Una Fantasia*), a música de Mahler traduz musicalmente um estado de incerteza: entre o aniquilamento e a diferença.

Foi bom escutar, antes disso, a nova *Vereda*, de Marisa Rezende (1944). Faz diferença, sempre, ter música nova. Haroldo:

falas
muda
música
mortal

e o pássaro de vênus turturina

19.8.03

Orquestra Sinfônica Municipal
Waldner, Mesquita, Dowd, Warren, Weintraub
Ira Levin

JANÁČEK: JENUFA

Teatro Municipal, 19.8.03

Difícil de acreditar, mas é a primeira montagem brasileira de *Jenufa*. Aos 99 anos de idade, a ópera de Leos Janáček (1854-1928) não dá sinal de cansaço: estupenda música, descomunais paixões, uma inteligência humana inteiramente dentro da vida. Dentro do teatro, a gente fica pequeno, escutando o grandioso elenco de cantores, soprano polonesa Therese Waldner à frente.

Janáček (pronuncia-se "Iá-na-tchek") teve uma das carreiras mais incomuns da história da música. Até os cinquenta anos, era desconhecido; professor de música numa cidadezinha da Morávia. O sucesso de *Jenufa*, primeiro em Praga, depois no resto da Europa (traduzida para o alemão por Max Brod, o amigo e editor de Kafka), mudou tudo.

A isso soma-se o encontro, em 1916, com uma mulher 38 anos mais jovem (e casada), por quem o sexagenário compositor (também casado) nutriria um amor forte o bastante para estimular uma sucessão de obras-primas: as óperas *Katya Kabanova* e *O Caso Macropoulos*, os dois quartetos de cordas, as peças para piano e o ciclo de canções *Diário de um Desaparecido*, entre outras. Como se toda a pressão amorosa e erótica estocada encontrasse afinal um objeto à altura, convenientemente inacessível.

Sabendo disso, tudo muda agora em *Jenufa*; e a direção de Naum Alves de Souza tem o mérito de preservar a ambientação quase folclórica e quase simplória do libreto original, baseado numa peça de Gabriela Preissova. Mesmo a encenação, que às vezes tende para o televisivo, em especial nas cenas do coro, ganha um ar "antigo" que agora, curiosamente, duplica o antigo da peça. É o "realismo" entre aspas, que a música explode de dentro, como os amores e horrores explodem o texto também.

Nesses tempos de bonança vocal, fica até repetitivo dizer que o elenco está homogeneamente bem. Só não se pode deixar de dar destaque para a voz intensa e sensual de Therese Waldner. Tem sempre um pé na terra e outro no inferno; equilibra a franqueza direta com o entendimento velado. Sua opção final pelo homem que lhe desfigurou o rosto – o tenor americano Jeffrey Dowd, voz de cobre – ganha com isso ares de verdade: alegre e triste.

Mas o negócio de Janáček é mesmo a erotomania. E ninguém encarna isso melhor que a Madrasta, cantada aqui pela soprano americana Nina Warren. Enrustida, toda de preto (no ótimo figurino de época, de Miko Hashimoto), cabe a ela praticar o infanticídio no centro da história. Só a susansontaguiana mecha sugeriria esse fogo, esse gelo. Só isso – e a voz.

Prata da casa: Regina Elena Mesquita (avó), Sebastião Teixeira (capataz) e Sérgio Weintraub (Steva). Mais Carlos Eduardo Marcos e Maria Lucia Waldow, entre outros. Todos cantando em tcheco – o que é fundamental, porque Janáček explora aqui, pela primeira vez, a "melodia da fala", uma apropriação musical da prosa espontânea da língua, que o compositor anotava com afinco de ornitólogo.

Talvez não pareça, mas a música é bem difícil para a orquestra. Um pouco demais, talvez, para a Sinfônica Municipal, que levou a coisa com raça, sob a regência energética de Ira Levin. O maestro está mantendo seu projeto de fazer a orquestra encarar um repertório acima do que confortavelmente poderia. A aposta é em resultados a médio prazo. Vale a aposta; e uma montagem como essa, no contexto, é um arrojo.

21.8.03

Festival Música Nova

Homenagem a Berio

Teatro São Pedro, 24.8.03

Quem botou fogo na tarde foi o clarinetista Luis Afonso Montanha e é justo que se comece com ele. Tocou a *Sequenza 9*, para clarinete solo, de Berio (1925-2003), como se fosse o autor, improvisando na hora os mirabolantes arabescos – que é o que essa música pede, mas raramente se vê. Foi uma homenagem e tanto ao compositor italiano, fechando o concerto de anteontem no Teatro São Pedro.

Cada concerto de música contemporânea é uma homenagem à música contemporânea; e o Festival Música Nova, em especial, sempre teve esse caráter de tributo e festa. Chega agora à 38ª edição: fundado em 1962 pelo compositor Gilberto Mendes, foi interrompido entre 1965 e 1967, durante a ditadura, e cancelado pelo mestre santista no ano passado, em protesto "contra a falta de respeito". Graças a Lorenzo Mammì (Maria Antonia/ USP) e Luiz Gustavo Petri (Sinfônica Municipal de Santos), retorna este ano para uma semana intensa de concertos, aqui e na Baixada.

Será uma chance de escutar coisas novas de nomes como Edson Zampronha, Hermelino Neder e Rodolfo Coelho de Souza, lado a lado com o inglês Lawrence Casserley, a francesa Françoise Choveaux e o espanhol Jesús Jara, entre muitos outros.

Se a "Homenagem a Luciano Berio" não teve todo o lustro que se esperava, isto se deve, paradoxal mas tristemente, à falta de músicos. Quer dizer: falta de músicos para fazer música contemporânea. A opção salvadora foi a música eletroacústica.

Foram apresentadas três composições de Berio, todas do período heroico da "música nova": *Momenti*, de 1960, *Thema (Ommagio a Joyce)*, de 1958, e a monumental *Visage*, de 1961, que sintetiza a experiência até então com o uso de sintetizadores e voz humana. Nem tudo resiste, quatro décadas depois, mas a força da imaginação de Berio se faz ouvir em cada chiado.

Responsável pela difusão eletroacústica, Flo Menezes mantém o hábito de tocar essas peças no escuro. É a forma clássica, desconfortável para uma plateia num teatro. O que não justifica o barulho de algumas senhoras ao fundo – castigadas por uma saraivada verbal, nem bem *Visage* acabou. No contexto, isso tinha seu papel simbólico: um bando de moleques passando a carraspana em três tias, que não sabem se comportar num concerto.

Foi curioso escutar essas peças junto com as *Quattro Canzoni Popolari* (1947), cantadas por Andrea Kaiser, acompanhada por Rosana Civile. Mesmo ali já se adivinha o impulso mais fundo, misto de melancolia e esperança, que uma peça como a *Sequenza 9* realiza em tom maduro. Mesmo a *Sequenza 1* (1958), para flauta solo, tocada por Cássia Carrascoza, ainda guarda um quê de juventude programática – no caso, a exploração da escuta polifônica (pela alteração rápida de tipos de figura sonora).

Tudo em Berio acaba convergindo para uma espécie de teatro musical. Tanto maior o efeito da interpretação de Montanha, gingando jazzisticamente no palco à medida que se deslocava, lendo a partitura na "sequência" de estantes.

A *Sequenza 9* é uma única longa melodia, que articula dois campos harmônicos (um com alturas fixas, recorrentes; outro variável). Essa é a descrição técnica. A memória não fala nesse tons. Um concerto, convenhamos, muito frio, terminou em ebulição.

26.8.03

Antonio Meneses/ Menahem Pressler

Cultura Artística, 25-26.8.03

"Foi uma maratona", dizia sorridente Antonio Meneses, ao final do segundo concerto, terça-feira no Cultura Artística. O pianista Menahem Pressler e ele acabavam de tocar a integral da obra para violoncelo e piano de Beethoven (1770-1827) – cinco sonatas e três ciclos de variações, divididos em duas noites. Para descansar, tocaram Debussy e Brahms.

Intérpretes desse porte provocam até algum masoquismo em outros músicos: nunca se vai tocar como eles. Mas a música, afinal, nos livra disso também. Um violoncelista como Meneses confirma a ideia do ensaísta Edward Said (em seu livro mais recente, *Reflexões Sobre o Exílio*),[34] de que há um efeito *utópico* na interpretação. A música atinge, ou aponta para uma dimensão ideal; e a gente vai junto na grandeza.

De sua parte, o pianista Menahem Pressler, chegando aos oitenta anos, parece habitante honorário de lá. Minúsculo e espevitado, ao lado do grandalhão bonachão, ele toca com o corpo todo e nunca está menos do que inteiro na música. Quase cinquenta anos depois de fundar o Trio Beaux Arts (em 1955), continua fazendo Beethoven como se fosse uma nova paixão. Tudo é substância, tudo é fantasia.

Vai comemorar os oitenta no dia 16 de dezembro: aniversário de Beethoven, também. Que, entre tantas invenções, inventou a sonata para violoncelo e piano. A nº 1 (op. 5/1) é de um arrojo incrível. Desde a introdução – bem lenta, cheia de irregularidades métricas e harmônicas – a precursora arte mozartiana está sendo explodida de dentro. Para entender como Meneses e Pressler tocaram essa sonata (na terça), era preciso ter escutado a nº 2 (que fizeram um dia antes). Ali, a pró-

---

34 Tradução de Pedro Maia Soares. São Paulo: Companhia das Letras, 2003.

pria divisão de movimentos não tinha mais distinção real: dois ou três? Se a plateia aplaudiu errado, tinha bons motivos para isso.

No centro geométrico de tudo, ficou a *Sonata* nº 3, op. 69. É uma peça do período médio da carreira do compositor. O estilo clássico se recompõe em outras bases, agora, a partir da exploração "orgânica" dos elementos da composição.

Exemplo: uma simples segunda maior no piano, pontuando a melodia do violoncelo, no segundo movimento. Ou os acentos trocados. Não seriam música antes de Beethoven. Ou ainda, com especial ênfase, ou mais propriamente antiênfase, do jeito como esses dois tocaram, as cenas de suspensão, a expectativa sustentada como expectativa, num lusco-fusco entre *piano* (suave) e *pianissimo.* E a última cadência, dominante-tônica, como quem bate delicadamente a porta, sem barulho.

Imagens do concerto: Menahem Pressler acabando uma frase, a mão gorda bailando para fora do teclado, a boca aberta, os olhos vivos voltados para Antonio Meneses. O violoncelista serrando a quarta corda e balançando a cabeça; depois refeito, mas com a cara vermelha do esforço, até se acomodar em melodia.

As variações são peças menores, mas não de menor interesse. À luz do resto, Meneses tocou as duas séries de variações sobre temas de *A Flauta Mágica* com intensidades de exegeta. Foi um Beethoven distante do pós-modernismo corrente (o compositor desconstrutor); mas também não era seu inimigo. Era um pai.

Para o final ficou a *Sonata* nº 5, op. 102/2. Só o "Adagio" já valeria a noite. Que registro afetivo era esse? Em momentos assim, a música soa do outro lado, entreouvida apenas de cá. Em momentos assim, a música é um silêncio, que nos ensina, afinal, a ouvir.

28.8.03

Osesp/ Lisitsa/ Steuerman Roberto Minczuk/ John Neschling

Sala São Paulo, 21/28.8.03

Foi tanta música boa em duas semanas que não há como dar conta. Pode-se começar comendo a língua: Roberto Minczuk estava certo e todos nós, antibruckerianos, não tínhamos ideia do que é uma peça como a *Sinfonia* nº 7, que ele regeu na quinta retrasada. Bruckner (1824-96) é um espanto. Ou melhor: o Bruckner de Minczuk é um espanto e foi o ponto alto de uma quinzena só de maravilhas.

Em janeiro, Minczuk regeu a mesma peça no Musikverein, em Viena, com a orquestra Tonkünstler. Lá como cá, regeu de memória os 65 minutos de música; mas isso, em si, não seria gênio, seria só uma proeza. Gênio é fazer de Bruckner algo muito maior – enigmático – imperscrutável – do que jamais se imaginou na música do provinciano organista da Áustria. Depois desse concerto, quem diria?, Bruckner passa a ser uma necessidade na vida.

Tecnicamente, o que mais causou impressão foram coisas como o domínio das dinâmicas e a intensidade das cordas. E os corais dos metais, com destaque para as quatro tubas wagnerianas (que têm um som todo seu).

A sensação que se tinha, na saída, era a de ter assistido ao melhor concerto do ano. Minczuk está regendo melhor do que nunca; e a Osesp só melhora. Se não dá para fazer esse juízo ainda é porque há muito ano pela frente, incluindo a turnê europeia da orquestra (dois concertos na Alemanha, cinco na Suíça, em fins de outubro).[35]

Antecipando um dos programas de lá, John Neschling regeu anteontem *O Mandarim Maravilhoso* de Béla Bartók (1881-1945) e o *Concerto* nº 2 para piano e orquestra de Villa-Lobos (1887-1959), com o solista Jean-Louis Steuerman. A estreia do *Mandarim* em Colônia, em 1926, deixou indignado o prefeito (e futuro chanceler da Alemanha) Konrad Adenauer. Mas Adenauer era um democrata-cristão conservador, para quem o tema do balé – envolvendo uma prostituta, ladrões, burgueses devassos – já seria demais, que dizer de episódios atonais, dissonâncias não resolvidas etc. A indignação soa pitoresca hoje; já a música não tem nada de pitoresco: é uma obra-prima do século passado, e cai naquela faixa do repertório que Neschling rege melhor do que tudo.

Esfalfou-se no pódio, mas valeu a pena. Se a Osesp tocar assim em Genebra, vai causar sensação. Maior ainda no Villa-Lobos, um desconhecido também por aqui, onde mal se começa a entender sua música.

Mal se começa a escutar – porque o que se escutava até aqui não valeu. As gravações antigas são frustrantes. Tocada nesse grau de exce-

---

35 Ver 4.11.03.

lência, sua arte ganha outra dimensão. Exemplo pontual: o contraponto dos trombones, enquanto as cordas trabalham o tema do primeiro movimento. Dois planos separados, numa geografia própria, cenário raro para a entrada do piano em acordes.

O Steinway da Sala São Paulo pode não gostar de Nelson Freire, mas como gosta de Steuerman! Os dois juntos fizeram um Villa-Lobos gigantesco, expansivo, arrojado. O segundo movimento ficará na cabeça da gente: música que inventa um país. Sem maneirismo, sem amazonismo, sem carioquizar nada. Steuerman achou um registro inusitado lá dentro das brumas, profundezas antigas e novas.

Antes de terminar: a loiraça russa Valentina Lisitsa tocou um eletrizante *Concerto* nº 2 de Shostakovich (1906-75) na semana passada com Minczuk. Neschling fez uma linda *Quinta Sinfonia* de Sibelius (1865-1957); final apoteótico, a roda do tema girando no glorioso mi bemol. Música suficiente para sustentar a roda da vida pelo menos por mais duas semanas, girando na afrontosa pauliceia.

30.8.03

Rudolf Buchbinder/ Zürcher Kammerorchester

Sala São Paulo, 1 e 2.9.03

Alguns músicos têm isso: o domínio absoluto da prática, uma segurança total para o exercício da música, misto de virtuosismo técnico e compreensão analítica. Desde os primeiros compassos da primeira noite, já se sabia que o pianista Rudolf Buchbinder jamais erraria uma nota, jamais teria um momento de hesitação, do primeiro ao quinto concerto para piano e orquestra de Beethoven (1770-1827), que ele tocou e regeu, segunda e terça-feira na Sala São Paulo, com a Orquestra de Câmara de Zurique.

Parecia tudo tão natural, que logo o espanto se acomodou em hábito. Como se tocar um único movimento com esse grau de controle e minúcia já não fosse uma proeza – que dizer de quinze, tocando e regendo de memória? Reger e tocar para ele, aliás, parecem uma coisa só; apertar as teclas ou mexer os braços são só maneiras de produzir algo mais abstrato e, ao mesmo tempo, muito mais concreto do que marfim e ar.

Em muitos momentos (finais de frase, cadências), Buchbinder ainda não tirara a mão direita do teclado e já estava com a esquerda erguida, virado para a orquestra, certo de que as dezenas de semicolcheias faltantes cairiam no lugar. E caíam. Não só no lugar certo, mas com a intensidade justa. E a orquestra entendia. Acompanhou o solista no sentido mais fino da palavra: estava com ele em tudo.

Não houve um músico ali que não demonstrasse prazer de tocar, a começar pelo pianista. Tranquilo para entrar no palco, dando pequenos passos sem pressa, o músico austríaco parecia mais um bibliotecário, um relojoeiro – quem sabe um filósofo? "A vida é isso" (portas do abismo que abrem). "Vamos tocar Beethoven" (crença na ação, salvação pelo positivo).

O curioso, então, foi perceber quanto o Beethoven dele não causa surpresa. Buchbinder é um pianista de excelências, não de originalidades. Tem toda essa música inteiramente absorvida, sabe exatamente o que quer; é um prazer de se ouvir, mas não chega a transformar nossa ideia dos concertos, como fazem outros até menos capazes, mas com outros arrojos de gana e intuição.

Só num ponto ele fez seu Beethoven soar novo: no humor. Um humor propriamente musical, seja nas piadas à maneira de Haydn (modulações aberratórias no final do "Rondó" do *Concerto* nº 1, por exemplo), seja nos trinados, pianíssimos súbitos, acentos trocados (por exemplo, no "Rondó" do nº 2). E isso é novidade? Não; mas Buchbinder entende o humor como ninguém. Fala musicalmente com acento vienense e faz valer ao máximo a arte dos contrastes (arte trágica no "Andante" do nº 4, comédia no final do nº 3).

Sem pretensão de performance "autêntica", a Orquestra mesmo assim empregou trompetes naturais, sem válvulas, como os da época de Beethoven. O timbre menos brilhante contrastava com a sonoridade bem cheia das cordas. Musicologicamente, era uma mistura estranha: nem lá, nem cá. No ouvido, foi bom.

Uma amiga que sabe de tudo comentava, depois, que um concerto desses encanta a gente, mais do que comove. "Mas como encanta!", ela completou, fazendo justiça a um dos pianistas mais dedicados, mais diligentes, mais civilizados da dúzia e meia de grandes pianistas que estão por aí.

4.9.03

Osesp/ Bruno Leonardo Gelber John Neschling

Sala São Paulo, 4.9.03

A sequência de bons pianistas na cidade – Valentina Lisitsa, Menahem Pressler, Jean-Louis Steuerman e Rudolph Buchbinder, no intervalo de dez dias[36] – chegou ao ponto mais esperado com o argentino Bruno Leonardo Gelber, tocando o *Concerto* nº 2 de Brahms (1833-97) anteontem com a Osesp, regida por John Neschling.

Mais esperado e mais inesperado. Gelber é o mais imprevisível dos pianistas, o que deve ser entendido como virtude. Não só não se pode imaginar como tocará o mesmo Brahms hoje à tarde, por exemplo, como não se pode imaginar como será o compasso seguinte, depois que a coisa começou. E a coisa foi gigantesca, na quinta: um Brahms avassalador, seja no sentido formal – grandes massas de música em movimento –, seja no sonoro, com esse pianista capaz de cobrir a orquestra com a mão direita sozinha.

Nem se fale dos acordes tonitroantes da mão esquerda, que não deram sopa nem para os contrabaixos. No começo, ninguém suspeitaria. Gelber tocou a primeira frase muito delicadamente, no limite do exagero, esticando dinâmica e tempo. No limite: é o tipo de entrada que deixa clara a presença viva de um pianista em cena. Quando chegou a *cadenza*, atacou com ferocidade impressionante. Não é um Brahms para os tímidos, nem para os professores.

Talvez não haja, na atualidade, outro pianista deste porte capaz de errar tantas notas num concerto. Sem que isso tenha maior importância. Ouvir Gelber é aceitar a música em seus termos: tocou a passagem mais difícil do Brahms (um pequeno trecho do segundo movimento, onde a coordenação é especialmente desconfortável) como se fosse *O Pife*; mas entregou a Deus dezenas de notinhas óbvias. Reclamar disso desqualifica o candidato a ouvinte.

E o "Andante"? Foi lindo, com um solo expressivo do *spalla* convidado dos violoncelos, Johannes Gramsch. Mas Gelber estava mesmo numa noite de Marte, não de Vênus. Depois dos dois primeiros movimentos, o fogo já não queimava igual. O último já tinha pouco gás, a despeito do *Schwung* que Neschling arrancou da banda, com eloquência vienense.

---

36 Ver as três resenhas anteriores.

Um pianista desses se ama ou se detesta. Quer dizer: alguns amam. Os outros ainda não.

Agora podemos voltar ao começo. Na primeira parte, o Coro da Osesp cantou duas obras-primas para coro e orquestra de Brahms: *Nênia* e *A Canção do Destino*. Tudo começa no oboé (belo solo de Arcádio Minczuk); as cordas fazem uma sucessão de dissonâncias. O coração já se quebrou e as vozes nem entraram ainda: "*Auch das Schöne muss sterben!*" ("Até o belo tem de morrer!"). Palavras do poeta romântico Schiller, que redobram seu sentido na música.

O suavíssimo toque dos tímpanos, no final da *Canção do Destino*, reescreveu a poesia de Hölderlin também, em termos de Brahms: a "claridade eterna" dos deuses não é para nós. Exceto em momentos assim. Depois cada um que se cuide, "caindo no incerto" anos a fio.

6.9.03

Budapest Festival Orchestra
Iván Fischer

Cultura Artística, 16.9.03

A temperatura e a chuvinha lembravam Budapeste. Na semana de lançamento do romance *Budapeste* de Chico Buarque, tudo já parece um pouco a Hungria. Mas a procissão da Virgem, em plena Praça Roosevelt – à porta do teatro dos Satyros e à meia quadra de uma dúzia de boates da pesada – era definitivamente brasileira. Tudo isso ganhou outro relevo dez minutos de Stravinsky adiante, na versão legitimamente magiar da Budapest Festival Orchestra, regida por Iván Fischer.

Foi um Stravinsky pouco conhecido: *Jogo de Cartas*, música encomendada pelo American Ballet, de Balanchine, para um balé de 1937. Pouco conhecido porque pouco tocado; e pouco tocado porque muito difícil, até para os padrões do compositor de *Petrouchka* e da *Sagração da Primavera*. Partituras como as duas últimas foram de grande dificuldade na década de 1910; hoje qualquer orquestra de escola toca. *Jogo de Cartas* não.

Aos 55 anos, Stravinsky escrevia música de um virtuosismo incrível – não só (como sempre) de métrica e orquestração, mas também de outro plano da arte. Na falta de outro termo, pode-se chamar de inteligência. As "três rodadas" do *Jogo de Cartas* vão sobrepondo seus quebra-cabeças, no maior bom humor. É um pôquer musical, que faz pensar em Rossini, mas um Rossini cubista. Precisa uma orquestra húngara, para entender como se faz.

Levou cinco minutos aquecendo. Daí para a frente, a orquestra deu um show. O som deles tem algo muito estranho, para quem está acostumado às sinfônicas americanas e da Europa do Oeste. No Leste, uma outra coisa foi preservada, ao longo das décadas de regime comunista. Os metais, por exemplo, têm bem menos brilho do que hoje se espera. Já os clarinetes vêm abertos. As cordas vibram no registro mais escuro e mais quente. Os fagotes são demais.

O próprio regente Iván Fischer exibe sua dose de idiossincrasia. Rege desengonçado, rege feio. Mas como rege bem! Iluminou o Stravinsky por dentro, como se fosse simples. Às vezes chacoalha inteiro: chacoalha a cabeça, a mão esquerda, a batuta, até pula. Depois sossega e estamos conversados. Não hesita meia colcheia.

Se o Stravinsky foi tudo isso, a *Suíte de Danças* do compatriota Béla Bartók (1881-1945) foi ainda melhor. O duo de tuba e piano, no começo, seguido de um quarteto de violinos acompanhado por doçuras dos violoncelos, já valeria a noite. Mas isso seria desprezar os acordes paralelos, alternando sopros e cordas, no quarto movimento. E o sincopado dos metais, no fim, arrebentando a boca do trombone. Ninguém acentua Bartók como eles, por motivos linguisticamente óbvios.

O que foi mesmo que tocaram na segunda parte? Ah, sim: a *Nona* de Schubert (1797-1828). Não foi ruim, de modo algum. Só a disposição da orquestra, com flautas, clarinetes e oboés à frente das cordas, já mereceria estudo. É que, depois de Stravinsky e Bartók, ninguém tem cabeça para Schubert. O ouvido até vai, mas a cabeça não. E, quando a cabeça vai, o coração fica.

Regra ingrata da música: até nas excelências pode haver mesmice. Já uma orquestra dessas é interessante até quando as coisas não estão cem por cento. Praça Roosevelt, Satyros, Virgem; Budapeste, Fischer, Bartók. Tudo fazendo sentido. Istfcik que é globaliszabó.

18.9.03

Musica Antiqua Köln

Cultura Artística, 29.9.03

Evaristo Felice Dall'Abaco. Alguém conhece? Só a escolha de um compositor como esse já definia muita coisa no programa do Musica Antiqua Köln, anteontem no Cultura Artística. Que uma peça como a *Sonata em Sol Maior*, para dois violinos e baixo contínuo (violoncelo e cravo), possa ser tão ignorada hoje nos faz perceber, para além das virtudes de interpretação, a importância quase filosófica do trabalho desses mestres da música antiga.

Era o poeta romântico Novalis que perguntava: "Quem disse que a *Bíblia* acabou?". Quer dizer: quem disse que o cânone está pronto? A verdade é que a música não para de crescer – não só para a frente, mas para trás também.

Dessa perspectiva, a mera lista de compositores no programa já tinha algo de barroco. Contrastando com o edifício habitual, de grandes linhas bem definidas (Bach, Vivaldi, Haendel), ali se viam as mil e uma dobras e nichos do mundo seiscentista: Marini, Farina, Legrenzi, Dell'Abaco, Gallo (era um concerto italiano).

A noite foi uma loucura. No sentido quase literal, uma vez que duas peças, mais o bis, eram sonatas sobre "La Follia" (um "baixo obstinado" comum no barroco, que serve de base para variações), outra era um *Capriccio Stravagante*. A loucura barroca vai das paixões trágicas, como nas dissonâncias da *Sonata em Dó Menor* de Legrenzi, às estripulias fantásticas do *Capriccio* de Farina.

Descrita como "uma peça ridícula" pelo diretor musical, violinista e violista Reinhard Goebel, falando com simpatia, o *Capriccio* é a música que iconoclastas de vanguarda como Tim Rescala ou Gilberto Mendes gostariam de escrever, se pudessem entrar no túnel do tempo e descer na corte de Mântua por volta de 1630 (ou Dresden, onde o mantuano Farina escreveu essa peça). É uma grande piada musical, com direito a desafinações, gritos, sussurros, mudanças abruptas de métrica e andamento, arcadas especiais. O Musica Antiqua toca tudo com gosto e com brio; aqui, além do mais, estavam se divertindo.

E Domenico Gallo? Esse é um desconhecido melhor conhecido, por conta do balé *Pulcinella* de Stravinsky (1882-1971). O próprio Stravinsky achava que tinha empregado temas de outro compositor barroco, Pergolesi; agora se sabe que a maioria vem de Gallo, autor de uma *Sonata a Quatro* sobre "La Follia". Lindo "Allegro", cheio de acentos sincopados; lindo "Adagio", ensinando o valor do silêncio.

Nada bate a exaltação dos arcos para cima e para baixo, a toda velocidade e a todo volume, quando o rock do barroco pega mesmo, como no final do Gallo, ou na *Sonata* op. 1/12, "La Follia", de Vivaldi (1678-1740).

Barroco: santa loucura. Nem tudo é uma obra-prima, num programa assim. Aliás, quase nada é. Mas o conjunto transborda de energia e interesse, e a gente bebe a espuma contente.

1.10.03

Filarmônica da Rádio de Hannover/ Paul Meyer Eiji Oue

Sala São Paulo, 6.10.03

Os deuses baixam nos lugares mais diferentes. No Teatro Oficina, claro, onde a jagunçada transcendental incendeia os sentidos da vida, todo dia. Mas também em plena segunda-feira engravatada na Sala São Paulo, onde o clarinetista francês Paul Meyer tocou o *Concerto* K. 622 de Mozart (1756-91), acompanhado pela Filarmônica da Rádio de Hannover, regida por Eiji Oue.

Foi como se o *Concerto* tivesse sido escrito na semana passada e trouxesse verdades novas e urgentes para todos. Não que alguém não soubesse: só que a música às vezes alcança essa presença humana, inigualável e inexplicável. O Mozart é dos mais conhecidos; mas nunca se ouviu o retorno do tema do segundo movimento num pianíssimo tão pianissíssimo assim.

Meyer é bom de escalas e arpejos, mas o que mais pega são mesmo as notas doces, aveludadas. Há clarinetistas que tocam no limite da audição; não é o mesmo que tocar no limite do inaudível – aliás, é quase o contrário. Assim se compreende também sua postura, sempre de olhos fechados, seja tocando, seja esperando para tocar. No segundo caso, fica imóvel, a cabeça erguida para cima, o clarinete seguro com as duas mãos à frente do corpo, como um pequeno tótem.

De bis, tocou sozinho "Send in the Clowns", de Stephen Sondheim (1930). Parecia uma homenagem aos colegas na plateia, Sérgio

Burgani e Nivaldo Orsi, do naipe de clarinetes da Osesp e do quinteto Sujeito a Guincho (que tocou uma versão deslumbrante da mesma canção no mês passado, num show com Mônica Salmaso). Até os zíperes das bolsas e o celofane das balas ficaram quietos para escutar.

No extremo oposto de movimento e vivacidade fica o maestro japonês Eiji Oue. Pouca gente se mexe tanto no pódio – mesmo em se tratando de maestros. Que é baixinho, mas domina a cena girando a batuta literalmente do chão aos céus. Regendo a *Sinfonia Fantástica* de Berlioz (1803-69), chegou várias vezes a se apoiar com a mão esquerda na barra de proteção atrás de si e estocar o espaço, para baixo, com a direita, cavando o nada em busca de um acento ou um acorde.

Também baila; e a Filarmônica, se não é uma orquestra dos sonhos, vai com ele na fantasia. Com direito a encenação, no caso do oboé fora do palco, na "Cena Campestre", entrevisto e entreouvido detrás do coro, com a porta do mezanino aberta.

Mas o forte da orquestra são os fortíssimos. O "Dies Irae", no último movimento, foi a resposta à altura, de dentro da música, para as alucinações eróticas do "Sonho de Uma Noite de Sabá", onde Berlioz dá corpo à amada como bruxa (e a si mesmo como supliciado).

Não se compara ao cavaquinho de Letícia Coura, lá no Oficina, mas chega perto, o que já é quase o máximo.

8.10.03

Camerata Strumentale Città di Prato
Alessandro Pinzauti

Cultura Artística, 7.10.03

"Senhoras e senhores: uma vez que a soprano Silvia Dalla Benetta está acamada..." Assim dizia, pelos alto-falantes, a voz com sotaque francês inconfundível de Gerald Perret, diretor do teatro Cultura Artística. Com a soprano doente, o programa inteiro mudou para o concerto da Camerata Strumentale Città di Prato, anteontem.

Caíram as duas principais peças: o sexteto "Questo È un Nodo" da ópera *La Cenerentola* e o final do Ato 1, um septeto, de *L'Italiana in Algeri*. Sendo um programa só de música de Rossini (1792-1868), essas peças com muita gente no palco seriam o clímax de tudo:

daquelas cenas em que a fúria e a graça crescem desabaladamente, até a grande catástrofe. Depois do quê, nada. Ou melhor: o nada, o buraco melancólico que se escancara por baixo do ceticismo alegre do maior compositor da ópera italiana de início do século 19.

Num tratado hoje esquecido, escrito em 1834, o teórico Raphael Georg Kiesewetter refere-se a seu próprio tempo como "a era de Beethoven e Rossini". A expressão soa meio absurda hoje; mas resume bem a situação de uma cultura dupla, dividida entre ópera italiana e música instrumental alemã. Outro modo de dizer a mesma coisa: Beethoven é a música como ideia, irmã da filosofia e da literatura; Rossini é a música como performance, irmã do teatro e da dança. Outro ainda: Beethoven quer a essência; Rossini, a superfície – a essência, para ele, *está* na superfície.

Vale dizer que essa música só ganha sentido quando espetacularmente benfeita. A *mezzosoprano* russo-americana Marianna Kulikova tem toda a aparência que se pode sonhar para esse repertório. Faz parte de uma nova geração inesperada de cantoras: alta, magra, sexy. Sua voz tem um timbre escuro, que impressiona muito no início. O problema é que não nasceu para cantar coloratura (aquela típica linha melódica muito rápida e ornamentada que é a glória da arte vocal italiana).

Outro problema é que não nasceu para fazer comédia. E o pouco de encenação que ela e os outros cinco cantores prepararam para essas versões de concerto de trechos das óperas de Rossini não ultrapassou o registro escolar. A *mezzo* Silvia Regazzo – alta, magra, sexy –, que cantou uma ária de *Il Barbiere di Seviglia*, sofreu bastante com a falta de direção: parecia mesmo estar sofrendo, não gozando. Só quem se salvou, neste quesito, foi o barítono ítalo-argentino Fernando Ciuffo, mais à vontade não só com a voz, mas com o corpo inteiro.

Algo de escolar também vinha à tona na interpretação da orquestra, que reúne músicos jovens da Itália, num *workshop* de alto nível. Regida com discrição e inteligência por Alessandro Pinzauti (professor no Conservatório de Florença), a Camerata não faz bobagem, toca afinada, tem sentido de conjunto, chega a vibrar um pouco com a música. Só falta... alguma coisa... – quem sabe arrojo? Arroubo? Se os cantores fossem espetaculares, se a coloratura fosse um show, se isso, se aquilo, se aquilo ainda, até não se notaria quanto não havia para notar.

Terminar a noite com a "Sinfonia" de *L'Italiana in Algeri*, sem nenhuma voz em cena, soou como anticlímax. Sejamos francos: o concerto inteiro foi um anticlímax para a excelente temporada do Cultura Artística. Uma pena. Vem aí 2004.

9.10.03

Frank Peter Zimmermann

Teatro Municipal, 16.10.03

"A primavera é quando ninguém mais espera", diz a canção de Zé Miguel Wisnik. Até que essa – a sonata "Primavera" de Beethoven (1770-1827) – era uma beleza anunciada; mas faz tanto tempo que não se escuta música de câmara no Municipal que o concerto do violinista Frank Peter Zimmermann parecia mesmo um início e não um fim de temporada. O fato de o Mozarteum já anunciar no programa a temporada de 2004 – com Gidon Kremer, José van Dam e Nelson Freire, entre outros – reforçava a sensação de eterno começo.

Zimmermann, que toca num Stradivarius maravilhoso, de 1706, veio acompanhado pelo pianista italiano Enrico Pace (no bom e velho Steinway do teatro). Além da "Primavera", tocaram coisas pouco escutadas de Busoni (1866-1924) e Richard Strauss (1864-1949). O show ficou para o bis, com uma espetacular suíte das valsas de *O Cavaleiro da Rosa* de Strauss.

"A primavera é quando do escuro da terra ascende a música da paixão", mas não foi bem isso o que se ouviu no começo. As perfeições de Beethoven são tão equilibradas, tudo está tão harmoniosamente ajustado, que é chocante pensar no compositor escrevendo essa música em 1801, o ano da virada, quando já sentia o avanço da surdez. É tudo tão perfeito, que só destruindo – mais ou menos o que ele faria dali para a frente. "A primavera é quando não."

Só que não foi essa paixão toda anteontem. Os músicos estavam visivelmente incomodados com o barulho do sistema de ventilação; tocaram com maestria, tocaram com delicadeza, mas faltou muito para desesperar tudo em flor.

Ferruccio Busoni é um daqueles compositores que inspiram torcida: sempre se quer que sua música seja um pouco melhor do que é. Metade da *Sonata* nº 2 para violino e piano soa imediatamente olvidável, música de aplicação e esforço. Outro tanto chega a momentos lindos, o espírito e a letra dos corais luteranos de Bach traduzidos para um ambiente contrapontístico de fins do século 19, com direito a tocatas e fugas.

Para além do mérito de programar peças como essa, Zimmermann só pode colher elogios pelo virtuosismo. Tudo o que ele faz parece natural e simples. Não é uma coisa nem outra, e a habilidade do pianista em acompanhá-lo, reagindo compasso a compasso, dinâmica por dinâmica, deixava claro quanto de trabalho não se oculta na facilidade.

São os 99 por cento de transpiração, cuja contraparte – o um por cento de gênio – ficou para outra noite, ou a próxima primavera.

18.10.03

Orquestra Sinfônica Municipal
Fadayomi, Schmidt, Imbert, Albert
Ira Levin

Richard Strauss: Salomé

Teatro Municipal, 27.10.03

A cabeça era boa. Trazida na baixela de prata, de olhos fechados e cabelos escorridos, encarnava o fetiche supremo da musa da histeria. Já o beijo não foi tão sexy assim. Entre a potência dos símbolos – redobrada no erotismo da música de Richard Strauss (1864-1949) – e uma relativa impotência do drama – na adaptação operística da peça de Oscar Wilde (1854-1900) –, esta nova montagem de *Salomé* se esforça para encontrar seu tom.

Estreia é estreia: tem direito a desconto. Assim, por exemplo, seria injusto reclamar do desajuste de tempos que comprometeu a última cena, sexta-feira no Municipal, com os panos vermelhos cobrindo o mundo de horror enquanto a princesa é esmagada pelos soldados. Ou dos trombones em crise justamente quando o profeta grita para a tentadora morena: "Tu estás amaldiçoada!".

O profeta está dentro de uma jaula espetacular, um globo da morte que é a grande invenção da diretora Ana Carolina. Conhecida como a cineasta de *Amélia* e *Gregório de Mattos*, entre outros filmes, tocou por anos no pioneiro conjunto Musikantiga. Com um currículo desses, era de se esperar a Salomé das Salomés – provavelmente incapaz de encarnar fora da imaginação.

Além de altas, magras e sensuais, as cantoras líricas agora também são etnicamente corretas, sem ironia. O mínimo que se pode dizer da soprano inglesa Morenike Fadayomi (da Ópera de Düsseldorf) é que ela é uma morena capaz de atormentar um santo. Por outro lado, também não dá para não dizer que sua anunciada sensualidade não explode jamais, nem vocal nem dramaticamente. Canta e dança com fluência, mais do que com liberdade.

Entende-se a opção de Ana Carolina: para contornar falsidades dramáticas, nada melhor do que a estilização. Uma espécie de homeopatia, que se ajusta ao registro carregado do texto e à perversidade *kitsch* de Strauss.

No caso do tenor alemão Wolfgang Schmidt (Herodes) e da *mezzo* paulista Céline Imbert (Herodíade), isso funciona, tanto mais que os dois cantam tão bem. Quase imóvel, dentro ou fora do globo, o barítono americano Donnie Ray Albert também é um centro de energia. Mas para esse conjunto semiestático funcionar – incluindo Narraboth (Paulo Queiroz), o Pajem (Denise de Freitas) e uma dezena de coadjuvantes – não seria preciso uma Salomé metralhadora-sexual-giratória?

"A lua parece uma mulher alucinada à procura de seus amantes", diz o rei Herodes, chegando à aridez das dunas do cenário. Será? Estava tão calma no céu. Já a Sinfônica Municipal se equilibra numa fortíssima onda: sustentar 100 minutos de alucinação, prodígios de metamorfose que o maestro Ira Levin dirige sem correr riscos.

Salomé sem riscos é pouco para o que se sonha? Pode ser, mas a ópera é uma enormidade, o esforço investido foi tremendo, e assistir a essa obra-prima ao vivo é um privilégio maior do que qualquer ressalva.

30.10.03

Daniel Barenboim/ Edward W. Said

Paralelos e Paradoxos

São Paulo: Companhia das Letras, 2003

"O argumento é interessante: de todas as artes, a menos conhecida entre pessoas com cultura geral é a música. Em outras palavras, um sujeito culto [...] se interessa por literatura [...], sabe muito de cinema, pintura, escultura, teatro, e não sabe nada de música. Existe uma espécie de *apartheid* envolvendo a música, uma coisa que me parece exclusiva desta época."

Quem diz isso é o professor de literatura e crítico cultural Edward Said (1935-2003), em conversa com o maestro e pianista Daniel Barenboim, há três anos. Uma apenas entre muitas passagens desse teor, a citação não só justifica de dentro este livro de *Paralelos e Paradoxos*, mas sinaliza o registro incomum dos diálogos: não por acaso, a palavra que mais chama atenção é *apartheid*.

Foi Ara Guzelimian, consultor artístico do Carnegie Hall, quem teve a ideia de gravar conversas entre Said – um dos críticos mais estudados ao redor do mundo desde a publicação de seu estudo já clássico sobre o *Orientalismo* (1978), também crítico musical e uma das vozes mais eloquentes da causa palestina – e Barenboim, grande músico, conhecido pelo apoio a Israel (onde foi criado), mas também pelas polêmicas que causou, por exemplo, ao reger Wagner em Jerusalém, ou assumir a direção da Deutsche Staatsoper em Berlim (onde mora).

Bem traduzido em português por Hildegard Feist, o livro é um registro de quatro desses encontros, ocorridos entre 1995 e 2000 (quer dizer: todos antes do 11 de setembro), mais dois debates públicos. Traz ainda um texto de Barenboim, comentando sua situação como músico judeu dirigindo uma casa de ópera na Alemanha e outro de Said, discutindo "Barenboim e o Tabu Wagner". O maestro e o professor, além de grandes amigos, foram também fundadores do *West-Eastern Divan* (Divã Ocidental-Oriental), um seminário em Weimar – batizado no espírito cosmopolita do poeta Goethe (1749-1832) –, para jovens instrumentistas judeus, árabes e alemães.

Não causa surpresa que o primeiro assunto seja a questão da identidade; ou melhor, das identidades, já que "no começo do século 21, ninguém pode afirmar convincentemente que tem uma única identidade". Parece uma frase de Said, mas é uma citação de Barenboim, que em outro ponto vai mais longe ainda: "ter múltiplas identidades é não só possível como desejável". De uma perspectiva ideológica, aqui está o ponto de fuga do livro, para onde converge um leque de comentários.

No outro extremo, fica a questão da globalização, que tende a homogeneizar comportamentos até no mundo aparentemente protegido da música de concerto. Contra essa universalização padronizada, surgem as estratégias de reforço da identidade local – igualmente regressivas, seja na forma extremada dos fundamentalismos, seja no conservadorismo de versões regionalistas e nacionalistas. "Globalização ou fascismo", como resume Said. Nessas circunstâncias, o artista, assim como o intelectual, se vê largado numa corda bamba. O filósofo Adorno já preconizava, na década de 60, que seria preciso, ao mesmo tempo, participar e não participar da cultura: intervir de dentro, para ter algum efeito, mas manter-se fora, para cultivar alguma lucidez.

É naqueles pontos em que preocupações dessa ordem se cruzam com a prática da música que o livro ganha singularidade. Veja-se por exemplo a discussão de Barenboim sobre a ética da performance. Tocar um *crescendo* até o fim numa sinfonia de Beethoven passa a ser uma questão de ética: a maioria dos músicos diminui a intensidade um segundo antes daquele *piano* súbito que é uma das marcas mais características do compositor. Levar o *forte* até a beira do precipício exige coragem: uma assumida "ética do conflito", não "do profissionalismo".

A defesa da diferença ganha concretude nas lembranças de Barenboim do maestro Furtwängler (1886-1954). Regente da Filarmônica de Berlim durante o regime nazista – muito atacado depois por isso –, Furtwängler não gostava de gravações (música tem de ser ao vivo, diferente a cada vez) e jamais mantinha o pulso (acelerava e retardava as frases, mínima mas constantemente). Para Barenboim, à maneira deste precursor, a música é sempre uma questão de fluxo e refluxo; todo som tende ao silêncio, para não dizer à morte, e a arte da interpretação visa sustentar uma continuidade viva.

Se o livro, nalguma medida, é frustrante, isso se deve à expectativa levantada por ideias fortes assim – a expectativa, em especial, de mais comentários de Said. Quando ele descreve a Segunda Escola de Viena (Schoenberg, Berg e Webern) como uma "música de exilados", dá mostra do que se poderia esperar: três palavras que mudam a concepção do repertório. Mas passagens como essa são raras; Said está tocando o segundo piano, para o solo brilhante de Barenboim. Quem quiser estudar o que Said tem a dizer sobre música, fará melhor consultando outro volume recente, *Reflexões Sobre o Exílio*.[37]

Vale o mesmo para quem espera mais do que críticas rápidas sobre o Acordo de Oslo e o conflito no Oriente Médio. Que os dois amigos discordam em sua avaliação de alguns pontos fica claro. Mas as conversas não chegam a avançar. O livro tem evidente papel pacifista e servirá como exemplo da boa convivência possível entre um árabe e um judeu, cada qual comprometido com sua causa.

Por outro lado, é mais que relevante esses diálogos terem seu foco na música. Se ela constitui, às vezes, "o meio mais eficaz de fugir da vida", também pode ser "a melhor escola de vida", diz Barenboim. "Num sentido profundo, a música talvez seja a resistência final à aculturação e à mercantilização de tudo", escreve Said. As frases podem soar como inesperado otimismo, da parte de dois homens tão realistas; mas resumem a defesa apaixonada de um ideal humanista, que um e outro encarna contundentemente, para além das diferenças.

1.11.03

Osesp/ Jean Louis Steuerman John Neschling

Tonhalle (Zurique), 2.11.03

A ovação era previsível, depois do sucesso em Genebra no sábado. Mas ninguém esperava que fosse tão cedo. Mal a Osesp tocou o último acorde do *Mandarim Maravilhoso* de Béla Bartók (1881-1945), a plateia da Tonhalle em Zurique veio abaixo, surpreendendo até o maestro Neschling, que há tantos anos convive com a serenidade suíça.

Já é estranho sentar numa sala onde sentou Johannes Brahms. Mais estranho ainda ver as caras conhecidas da orquestra paulista no palco. Mas o mais estranho e o mais bonito de tudo foi perceber a confiança da Osesp na Tonhalle, assim como no Victoria Hall em Genebra. Um ano depois da consagração no Avery Fischer Hall, em Nova York, eles agora parecem prontos para tocar onde quer que

37 Tradução de Pedro Maia Soares. São Paulo: Companhia das Letras, 2003.

seja, com a naturalidade conquistada de um conjunto de nível internacional.

O concerto em Genebra foi diferente. Grandezas de Villa-Lobos (1887-1957) e festas de Ottorino Respighi (1879-1936) testavam o limite sonoro da estreita sala vitoriana, carregada de reboco e grená. A intimidade é uma virtude, mas as exuberâncias da música às vezes pedem mais espaço e mais ar, e o auditório, com toda sua história, parecia pequeno para a orquestra.

A Tonhalle, de sua parte, beneficia muito essa projeção cada vez mais aberta, só ampliada pela importância da ocasião. Ampliada para os dois lados do espectro: fortíssimos espetaculares nos trombones, pianíssimos virtuosísticos dos violinos. Sem falar na percussão arrebentando – nada menos do que dez percussionistas nas *Festas Romanas* de Respighi. Ajudados por algumas dezenas de pares de pés, batendo o compasso nordestino do *Mourão* de Guerra-Peixe, no show-bis.

Sua contraparte de alto arrojo foi o *Mandarim* de Bartók, uma obra-prima do modernismo, mas nem por isso muito tocada. É difícil para a orquestra e instigante para a plateia; e não é qualquer sinfônica que se aventura a provocar a imaginação desse modo. Pontos para a coragem da Osesp, que aposta com consciência neste repertório.

Somando audições lá e cá, o *Concerto* nº 2, para piano e orquestra, de Villa-Lobos vai nos educando rapidamente para suas belezas caóticas. E Jean Louis Steuerman, sem desconfiar decerto das angústias de seu amado Botafogo, transformou o concerto num espetáculo de texturas e contrastes. Em retrospecto, os acordes alterados no final da *cadenza* sugeriam nada menos que a invenção de um piano brasileiro.

Fazer depois disso a "Tocata" do suíço Othmar Schoeck (1886--1957) foi um agrado charmoso para os zuriquenhos.

Charme também é o que não falta para o maestro Neschling, quando as coisas correm tão bem como aqui. Seduziu os genebrinos em francês; e atacou de alemão na Tonhalle, com o mesmo gosto. Nada disso é trivial, num concerto que exibe as honras cosmopolitas da Osesp.

Só a gente sabe como é difícil fazer música – como é difícil fazer qualquer coisa no Brasil. O espanto dos suíços não pode ser maior, então, do que o nosso, frente à evidência do que se fez em meia dúzia de anos. Não é por nada que Roberto Minczuk teve de voltar ao palco dez vezes em Nurembergue, e Neschling teve de abanar para a plateia, que não queria ir embora em Zurique.

Talvez isso explique a comoção final do "Prelúdio" das *Bachianas Brasileiras* nº 4. Não era música: era vida.[38] Não era só uma orquestra, embora sem essa a gente jamais saberia.

4.11.03

Keith Jarrett/ Gary Peacock/ Jack DeJohnette

UP FOR IT

CD ECM, 2003

Quem conta a história é o próprio Keith Jarrett, no encarte. Foi em julho de 2002. O pianista estava num festival de jazz na Côte d'Azur (França), com seus parceiros de vinte anos, o contrabaixista Gary Peacock e o baterista Jack DeJohnette. A cidadezinha de Juan-Les-Pins é conhecida pelo festival ao ar livre, pela beleza da praia e pelo clima de paraíso.

Naquela semana, chovia sem parar. Não bastasse isso, os três chegaram lá deprimidos: Peacock, com 67 anos, saindo de uma operação de câncer; DeJohnette, 59, sofrendo as sequelas de um acidente, um painel que desabara sobre sua cabeça justamente ali, no ano anterior; e Jarrett, 57, recuperando-se da encefalite que o vem deixando incapacitado por longos períodos, desde 1996.

O trio jantava embaixo de uma tenda na areia, atrás do palco, decidido a cancelar o show. A chuva parou por alguns minutos; um solzinho apareceu. Jarrett tomou isso por um sinal e convenceu os outros dois a tocar. Dali para a frente, a história está registrada em disco.

O momento decisivo acontece aos 51 segundos. É quando o baterista aceita o milagre – Keith Jarrett tocando piano – e ataca pela primeira vez, com toda leveza, um prato. Quatro segundos depois, é Gary Peacock quem tange um fá bem longo, pondo o círculo das quintas para funcionar – dominante da dominante da dominante – e recriando a vida em lá bemol maior.

---

38 "Não era música: era vida." Citação de um texto autobiográfico de Tom Zé, que abre o volume Tropicalista Lenta Luta *(São Paulo: Publifolha, 2003) e aparece também na contracapa do livro.*

Neste minuto, existe música suficiente para sustentar um ano. Primeiro Jarrett sozinho, embora já pareça três: a mão direita desenhando com fluência uma melodia angulosa e sestrosa; a esquerda fazendo um contraponto no baixo que dá a impressão de estar noutro pulso, quase como aquelas pianolas fantásticas do compositor Conlon Nancarrow; e a mão do meio marcando acordes bem curtos, sincopados.

Depois DeJohnette, o mais elegante dos percussionistas, que toca bateria como se fosse harpa – uma harpa de 1001 timbres. A entrada do contrabaixo libera o piano harmonicamente e ritmicamente a bateria. É quando a música vira um organismo, uma entidade natural, embora também expresse a mais alta forma de filosofia.

Mais contundente ainda é a alta forma de alegria. Não parece exatamente júbilo. Está mais para confiança, ou entrega. Um engajamento voluntarioso e positivo no mundo. Ao longo de todo o repertório – que segue o padrão da maioria dos outros 15 discos do trio, reinterpretando *standards* consagrados, como "My Funny Valentine", "Autumn Leaves" e "Someday My Prince Will Come" – não é isso o que mais encanta e mais comove? E não é isso o que Jarrett quer dizer, quando fala da "chocante falta de poesia no mundo"?

Dessa perspectiva, ganham outro apelo também os prodígios de continuidade que o pianista vai desfiando, como se tudo estivesse dentro da canção original e só fosse preciso... continuar.

Seja nas vitalidades do *be-bop*, seja nas felicidades do cancioneiro, a música de Keith Jarrett não perde nunca esse compromisso. Foi um acaso, decerto, mas faz todo sentido que o disco termine voltando ao piano praticamente sozinho e sumindo. O disco não acaba: recomeça. No meio do caminho da chuva, este ciclo é um sol.

11.11.03

Caetano Veloso

Letra Só

Organização: Eucanaã Ferraz
São Paulo: Companhia das Letras, 2003

É um livro de poemas. Ninguém deixará de escutar melodias e harmonias, ninguém deixará de ouvir a voz de Caetano cantando esses milhares de versos, alegrias para sempre, que calam no fundo da memória, onde o que é dos outros e o que é nosso viram uma coisa só. Mas o livro, o livro só, lança ainda outros mundos no mundo, entrando agora na nossa vida como a radiação de um corpo azul.

Outra versão desacompanhada de *Letra Só* saiu antes em Portugal, em maio de 2003. Mas não se compara ao deslumbrante objeto-livro projetado por Raul Loureiro, um transcendental e táctil araçá. E esse vem com *Sobre as Letras*, uma coletânea de pequenos comentários, recolhidos pelo organizador Eucanaã Ferraz (ele mesmo um dos poetas mais estimados da nova geração).

É um livro de poemas, então; e toma por modelo, explícito e confesso, a *Antologia Poética* de Drummond, de 1962. Quer dizer: o livro é dividido tematicamente, não por discos. Os 180 poemas vêm divididos em 17 categorias, desde "a cidade natal" e "a Bahia", até "o cinema", "a literatura" e "o carnaval", passando, entre outros, por "gente", "o amor", "a música", "a cidade" e "os deuses". Não há identificação imediata de fonte ou data; para quem quiser, está no fim do volume. Nosso autor já tem coragem de saber que é imortal e nos libera da obsessão didática. Toda essa poesia existe, agora, e é uma letra só.

Aparece aqui em sua edição de referência, já que cada poema foi revisto por Caetano. As alterações vão desde detalhes de quebra de linha e pontuação – nenhuma letra tem ponto final –, até verdadeiras revelações. Dois exemplos: onde se lia "À noite, a chuva que cai lá fora", leia-se "A noite à chuva que cai lá fora", sintaxe que talvez só ele tivesse a audácia e a arte de escrever; e onde se lia "Porém parece que a golpes de pê, de pé, de pão", leia-se "há golpes", que é bem outra pipoca.

Esses exemplos podem servir de entrada para as duas grandes linhas dessa poesia "para a voz", uma "poesia pública", como diz Eucanaã Ferraz. Num extremo fica a poesia mais direta e simples, aspirando à transparência da língua, que é também o engajamento pleno com as coisas; no outro, fica a linguagem mais autorreferencial, o "samba inteligente", onde se podem escrever e cantar versos como "o adjetivo esdrúxulo em U". Que a primeira frase do primeiro poema seja "Onde eu nasci passa um rio" e que a última do último seja "Rima mira terça certa/ E zera a reza" parece bom demais para ser acaso.

Entre uma e outra, são mil gradações de registro, onde se cruzam, de modo único, as vozes de precursores como Drummond, Cabral, Augusto e Haroldo de Campos, Noel Rosa, Dorival Caymmi e Vinicius de Moraes com a de contemporâneos (Chico Buarque, Jorge Ben) e sucessores ("Gente quer respirar ar pelo nariz" não soa hoje como Arnaldo Antunes?). Cruzam-se ali, também, tantas questões da cultura brasileira desses últimos quarenta anos que o mínimo que se pode dizer, no calor da hora, é que o livro pede estudo e comentário, no largo âmbito da crítica.

Desse ponto de vista, o *Sobre as Letras* fica um pouco frustrante, quase limitado ao anedotário. Mas também não faria sentido reescrever *Verdade Tropical* [1997]. *Letra Só* é irmã da *Verdade*.

Quem senão Caetano poderia pôr numa letra de música a palavra "revelar-nos-íamos"? Quem mais rimaria "capte-me" com "*it's up to me*"? Quem cantaria "infinitivamente"? E a "deusa de assombrosas tetas"? E "a subsombra desumana dos linchadores"? O que mais pode esta língua?

Os momentos de virtuosismo são tantos que, à maneira do próprio livro, se poderia falar em categorias. Sem muito rigor: virtuosismo da forma, tanto no plano da frase – "A carne, a arte arde, a tarde cai" (onde o "c" de "carne" viaja até o "cai" e "arte" + "arde" = "tarde") –, como no da estrutura (veja-se a variação do refrão de "Gente"; ou, no extremo oposto, as repetições imutáveis do "Tempo Tempo Tempo Tempo").

Virtuosismo do vocabulário: "desentristecer", "orgasmaravalha-me"; de imagens: "Onde queres revólver, sou coqueiro"; e de ideias: "A verdade é seu dom de iludir"; "alma tranquila de dor".

Virtuosismo da sintaxe: "E éramos olharmo-nos intacta retina"; das rimas: "Tranquilo e infalível como Bruce Lee/ Virá que eu vi", ou a sequência "néon/ som/ Hebron/ tom", diferenciando "on" e "om"; virtuosismo dos jogos de palavra: "Ele já tem a alma saturada de poesia, soul e rock'n'roll", onde a alma se satura de "soul"; e das citações: "Como a própria perfeição da rima para amor", que naturalmente é "dor" e alude ao refrão "pra que rimar amor e dor?" de Monsueto Menezes, que o próprio Caetano gravou para ninguém nunca mais esquecer.

Seu nariz de poeta aponta sempre contra os chapadões. Mesmo no contexto de absurda excelência da poesia da música popular brasileira – um de nossos maiores patrimônios, relativamente pouco estudado –, a arte de Caetano Veloso é qualquer coisa, ou muito. Encanta e surpreende a cada página, que nunca se dá sem fogo, sem o brilho da consciência e da paixão. Depois do quê, ficamos nós, gente só, desastrados tropeçando nos milagres.

15.11.03

Orquestra Sinfônica da USP
Carlos Moreno

Sala São Paulo, 25.11.03

Muita gente foi embora, anteontem, antes de chegar a *Aurora* de Almeida Prado (1943). Nem se pode culpá-los: eram 11 e tanto da noite e o piano mal começava a surgir das profundezas do palco da Sala São Paulo. Mas foi uma pena, porque deixaram de ouvir uma peça extraordinária, bem tocada pela pianista Sônia Muniz, com a Sinfônica da USP.

Verdade que antes disso as coisas não correram tão bem como poderiam. A temporada mensal de concertos da Osusp, regida por Carlos Moreno, foi uma das melhores do ano, a mais grata surpresa no contexto tão rico da música clássica que se faz hoje regularmente na cidade. Tanto maior a frustração de um concerto assim descosturado: uma maratona de música, entremeada de falatório, sem preocupação de manter o tom e o ritmo do espetáculo. Não há humor que resista.

De mais importante, é preciso ressaltar o resultado do Prêmio Camargo Guarnieri de composição. Os jurados – compositores Osvaldo Lacerda, Mário Ficarelli e Paulo C. Lima, maestros Roberto Duarte e Moreno – não chegaram a consenso. Seguindo as normas, então, não foi concedido o primeiro lugar. O segundo ficou com André Mehmari. Aos 26 anos, ele já é um dos maiores nomes da nossa música popular, respeitadíssimo como pianista e arranjador; vem abocanhando com justiça um prêmio de composição atrás do outro.

Outra notícia em primeira mão: Sônia Muniz, viúva de Eleazar de Carvalho (1912-96), anunciou que a planejada nova sala de concertos do Rio de Janeiro terá o nome do maestro. O concerto da terça era o primeiro da Semana Eleazar de Carvalho, que vai até domingo, encerrando com a apresentação dos vencedores do Prêmio Nacional de Composição (André de Oliveira Ribeiro, Alexandre de Paula Schubert, Paulo Zuben).

O maior prêmio de todos vai para o sexagenário Almeida Prado: é a constatação de que sua música só melhora com o tempo. Uma peça como *Aurora* teria sido ouvida, há alguns anos, como representante típica da década de 70. Hoje está livre de sua própria circunstância; ou melhor, transformou a circunstância em substância.

Veja-se também a *Fantasia*, para violino e orquestra, de 1997, tocada com garra e fluência por sua filha Maria Constanza Almeida Prado. Até a "Grande Fuga" de Beethoven cabe agora nessa música, sem pompa e sem receio.

O clarinetista Luiz Affonso Montanha foi simpática e discretamente virtuosístico no *Choro* de Camargo Guarnieri (1907-93). O mesmo não se pode dizer do quinteto não identificado de cantores solistas no *Oratório de Natal* de Saint-Saens (1835-1921). Não era a noite deles. O Coral da ECA fez sua modesta parte com segurança; mas a música foi tocada de fora pela orquestra, exceção feita ao organista José Luís de Aquino (também não identificado no programa).

Foi um grande ano para a Osusp, a despeito desse concerto esquisito. Quem sabe para 2004 não se pensa num festival Almeida Prado?

27.11.03

Orquestra Experimental de Repertório
Portari/ Freitas/ Bruno/
Ferreira/ Riccitelli/ Bueno
Jamil Maluf

Offenbach: Os Contos de Hoffmann

Teatro Municipal, 29.11.03

"É ridículo: ninguém se apaixona por uma boneca!" Assim dizia um senhor mal-humorado, no intervalo dos *Contos de Hoffmann*, que teve sua estreia sábado no Municipal. A frase é uma estultice, mas merece ser citada porque serve involuntariamente de espelho para verdades antigas da música de Offenbach (1819-80), bem como para a nova e brilhante montagem de Jorge Takla, com a Orquestra Experimental de Repertório regida por Jamil Maluf.

É no ato 2 que o poeta Hoffmann se apaixona pela boneca Olympia – primeiro estágio de sua educação sentimental, como recriada engenhosamente no libreto (de Jules Barbier), a partir de alguns "contos fantásticos" do próprio escritor romântico alemão. A fonte ali é "O Homem da Areia", talvez o mais famoso de todos, depois da leitura de Freud. O que Freud chamava de "o estranho" se cruza nessa história com a paixão amorosa, alegorizada no olho mecânico; já na ópera isso ganha outro sentido, porque o órgão da paixão é o ouvido.

Estranha verdade: uma sequência de notas pode transformar um homem. Não só o tenor Fernando Portari, encarnando Hoffmann com seu costumeiro brio e fluência. Mas também as 1.500 pessoas que lotavam o teatro, e que se apaixonaram coletivamente pela soprano Andrea Ferreira.

A ovação de mais de um minuto, interrompendo a cena depois da "ária de Olympia" foi um tributo espontâneo e feliz. Ferreira encontrou um meio termo raro entre a rigidez mecânica dos gestos e o canto, que encontra outro canto dentro de si. Foi cômica e freudianamente "estranha": só um surdo não cairia pela boneca. E os figurinos (Mira Haar) e cenários (Takla), passando da elegância *cool* do verde-Prada às alegrias multicoloridas no balé dos autômatos, davam concretude ao que já estava dramatizado na voz da nossa diva.

A partir daí, ficou mais fácil inclusive aceitar o artificialismo da encenação. Em particular nos diálogos – em português, contrastando com a música cantada em francês –, a dramaturgia tende a cair nos tiques de TV. Mas não é disso, afinal, que se trata? A própria música de Offenbach não é feita, em boa parte, de efeitos comuns? E não é isso mesmo que se vê refletido nos mil espelhos e janelas do cenário? Ou em casa?

A diferença, claro, é que em casa não tem Cláudia Riccitelli no papel de Antônia, nem Luciana Bueno no da cortesã. A primeira já entrou para aquela categoria dos artistas sobre quem não resta mais qualquer dúvida. Ferreira esbanja a espoleta divina; Riccitelli é outro tipo de deusa, serena até no desespero.

Do verde e laranja do ato 2, passou-se aqui ao azul (figurinos de Attílio Baschera). No ato 4, seria a vez do vermelho, no cabaré veneziano (figurinos de Elena Montanarini). No meio do vermelho, um smoking, o Schlemil do barítono Sebastião Teixeira. E o preto sexy de Giulietta, que a sempre sexy Luciana Bueno dramatizou com requintes de malícia. O poeta parecia um menino, ao lado dessa loba. E a loba canta!

Nessa hora, nem o bom conselheiro teria alguma chance de diálogo. E olha que era Denise de Freitas, dobrando de Musa e Niklausse. A meio-soprano é outra glória nessa constelação de bons cantores brasileiros reunidos pelo maestro Maluf, que incluem Lício Bruno, excelente nas várias versões do diabo (Coppélius, Dr. Miracle etc.), Luciano Botelho (contraparte cômico), Pepes do Valle, Magda Painno, Paulo Queiroz, Leonardo Pace e Walter Felippe-Fawcett, sem falar no Coral Lírico.

A ópera é longa, a vida é curta, mas passam depressa e a gente nem sente. Tanta coisa para lembrar: o trio dos óculos, a barcarola tecno, a ária do fantasma da mãe. Esplendores e desastres do coração, traduzidos em comédia, mas também em melodrama, no sentido literal da palavra: teatro da melodia. E todo o mundo, afinal, sai do teatro de alma leve. Mistérios da música, comédias do enigma, que se desfaz e refaz aos olhos de quem ouve esses bonecos.

3.12.03

Dezsö Ranki e Edit Klukon

Sala São Paulo, 8.12.03

Todo o mundo que estava na Sala São Paulo anteontem foi para ouvir a *Sonata Para Dois Pianos e Percussão* de Béla Bartók (1881--1945), uma das sete ou dezessete maravilhas da música do século passado. A instrumentação é rara e as performances escassas. Mais rara ainda a chance de ouvir o Bartók tocado com acento original, por dois conterrâneos tão provadamente bons como os pianistas Dezsö Ranki e Edit Klukon. Ninguém contava com Mozart (1756-91), no começo da noite; nem com o *Bolero* de Ravel (1875-1937), depois.

A *Sonata em Fá Maior* (K. 497) foi escrita por Mozart em 1786, uma das peças que compôs para sua aluna vienense Franziska von Jacquin. A julgar pela música, uma espetacular Franziska: coisa mais linda e cheia de graça, carregando toda a dor e a malícia da vida, sensualidade máxima nutrida de desejo de morte.

O Mozart dos húngaros foi a melhor coisa do programa? Muita gente diria que sim. Assim como o *Concerto* K. 365, que os dois tocaram com a Osesp quinta passada, a *Sonata* soou transparente, mas cheia de sombras; fluente, mas capaz de interromper a fluência com a sugestão de sentidos transcendentais. Exemplo: os dongiovanescos baixos no meio do terceiro movimento, constrastados às delicadas sequências barroquizantes no agudo.

Ranki e Klukon tocam um Mozart intensamente europeu. Mais que europeu, é o Mozart da Europa central, o compositor do império austro-húngaro do século 18, traduzido para o início do século 21 sem perder a consciência de tantas catástrofes de lá para cá, e nem por isso indiferente à sedução de formas perfeitas.

Sedução de formas seria o nome do jogo, por excelência, para Maurice Ravel. Ninguém namorou a orquestra com maior refinamento. Tanto maior a curiosidade de escutar o *Bolero* – um *tour de force* da orquestração – nessa versão para dois pianos. Tudo o que, na partitura grande, vive das mil e uma cores instrumentais, agora depende de outros elementos, como textura e dinâmica.

O efeito pode ser revelador, como no caso das melodias dobradas em intervalos dissonantes, ou nos acordes alterados paralelos: a música reaparece devolvida ao íntimo de si. A Espanha perde aroma, mas ganha em luz, um sol abrasador na areia pedregosa do teclado. Se o andamento acelerou no fim, isso era quase inevitável, depois de quinze minutos de *tantantan-tantan-tã*, e com aquele *crescendo* incrível, antes da modulação (a única na peça inteira).

Intervalo e água. Depois, Bartók, com os pianistas acompanhados por dois excelentes percussionistas da Osesp, Elizabeth del Grande e Ricardo Righini (só identificados num rodapé do programa).

A *Sonata*, de 1937, é uma das obras supremas do modernismo. Prodígios de artesanato servem, aqui, a uma visão pessoalíssima das coisas, que só vai se tornando mais forte com o passar dos anos. O quarteto fez música de câmara elegante e refinada, sempre delicada nos detalhes. Se faltou alguma coisa, foi explosão – mas isso tem de ser entendido como escolha. Ouvida assim, a *Sonata* ganha conotações de recolhimento que só redobram sua contundência, às vésperas da explosão do horror.

10.12.03

Gilberto Gil

Todas as Letras

Organização: Carlos Rennó
São Paulo: Companhia das Letras, 2003

São dois livros. Que se tramam e destramam: todas as 460 letras de Gilberto Gil, em contraponto com cerca de duzentos comentários, muitos deles extensos, que ampliam em muito a primeira edição, de 1996. Supremamente bem editados por Carlos Rennó, que gravou mais de quarenta horas de depoimentos do artista e transformou o mar de prosa num mosaico único de autobiografia, crítica, filosofia, política, história e religião, eles refratam a luz da poesia num diamante original da língua, instrumento de uma lente humana como nenhuma outra entre nós.

"Tudo está ligado e tudo tem a ver, não havendo fato isolado no universo", diz Gil, em certo ponto. Tudo está certamente ligado no universo desse cancioneiro, que a essa altura já é patrimônio comum, uma das coisas que nos liga no meio do caos. O que José Miguel Wisnik descreve como o "sentimento do universo e o senso da medida humana", num lindo ensaio de abertura – uma meditação sobre o emprego da palavra "ilusão" na poesia de Gil, e também uma reflexão sobre o tempo – ganha aqui uma equação brasileira capaz de ser, ao mesmo tempo, e com pleno domínio das ilusões, cosmopolita e local, ultramoderna e arcaica, erudita e popular, cientificista e mística, sem se prender ao balanço das dualidades.

O próprio compositor parece responder às intuições de Wisnik ao comentar agora uma de suas canções mais bonitas, "Seu Olhar": "Eu não costumo usar 'ilusão' no sentido corriqueiro [mas sim] na acepção budista [...] no sentido do profundo engano [...]. Só sendo a vida uma ilusão poderá a morte ser alguma coisa; só o desiludir-se da vida pode fazer da morte alguma coisa".

Que isso não soe despropositado no contexto de uma conversa sobre sua canção de amor, que seja de fato o fecho de uma descrição memorável da fabricação noturna de poesia e música serve de exemplo para o âmbito do livro. Aqui se expressa com todas as letras aquilo que as letras todas expressam sem. Mas essa é mais uma ilusão, porque os comentários não são uma verdade fechada, nem mesmo uma verdade tropical: eles nos remetem de volta, com outros olhos, à poesia, de volta com outros ouvidos à música e de volta, com outra atenção, à voz de Gil, que ressoa silenciosa por todas as páginas, conferindo outra presença e outra eloquência à mais eloquente que seja de suas falas.

A construção das canções dá pano para luxuosas mangas. O prazer e a dificuldade de escrever poesia são reencenados dezenas de vezes, cada vez de modo particular. Seja nas assimetrias e simetrias do metro em "Super-Homem", seja nas conotações sociotopológicas de "Ladeira da Preguiça", seja na sabedoria chinesa de "Realce", entre tantas outras, "o feitio de uma canção é uma loucura!" – onde a palavra "feitio" pode ser lida em dois sentidos: fabricação e resultado.

Aquele que, em outro lindo texto de apresentação, Arnaldo Antunes descreve como "o receptivo", faz do seu cadinho um cosmos, onde podemos afinal nos entender, através do que ele faz. "Viver só me custa a vida", diz um dos homens de vida mais vivida entre nós. (O livro é também registro dessa riqueza.) Despojamento, desapego: são termos assim, nada comuns, que reverberam na gente logo após a leitura de tanta poesia. Se as lições e vivências ali concentradas, se tantas décadas dessa vida brasileira vêm se traduzir agora, musical e definitivamente, em maturidade e bem-estar, isso talvez seja a ilusão da ilusão, mas reforça o sentido de sabedoria humana da arte de Gilberto Gil.

14.12.03

Yamandú

Sesc Vila Mariana, 18.12.03

Lá pela quarta música, a gente começa a achar tudo aquilo normal. Mas não é: só Yamandú toca esse instrumento, que ainda não tem nome. Visto de longe, parece um violão de sete cordas. Ouvido de perto, ele se transforma numa parte exótica do corpanzil do gaúcho, cuja música parece explodir de dentro para fora, pela barra das bombachas e pela rosácea do yamandulão.

Era o show de lançamento do CD (independente) *Yamandú ao Vivo*. Quer dizer: era *Yamandú ao Vivo* ao vivo, no auditório lotado do Sesc Vila Mariana, quinta passada. Junto com ele estavam o virtuosístico e expansivo baixista Thiago do Espírito Santo – filho do mestre Arismar, que deu uma canja – e o virtuosístico e discreto baterista Edu Ribeiro: ótima combinação, bem ao contrário do habitual (baixistas cômodos, bateristas incômodos).

Que Yamandú tenha atacado, de cara, um tema de Baden Powell (a "Valsa nº 1") soou como homenagem ao precursor. No imenso céu do violão brasileiro, já se formou, a essa altura, uma constelação quadrangular: Garoto, Baden, Raphael Rabello e Yamandú. Garoto é o pai de todos. Raphael é Rafael para o Michelangelo de Baden. E Yamandú é a estrela exorbitante, um Caravaggio do sete cordas, esbanjando confiança e extravagância.

Nos momentos de maior felicidade, a extravagância é avassaladora e consome qualquer ressalva com o fogo da música. Yamandú chega no limite do descuido, para não dizer do desprezo pela beleza clássica do som. Independentemente da amplificação (alta demais, metálica nos agudos, embolando o baixo e o violão – a miséria de sempre), o negócio dele é outro. E não só quando o que importa é o efeito do brutalismo mesmo.

Até na impressionista "Nuages", de Django Reinhardt (1910-53), que ele teve a inspiração de ressuscitar, chega um momento em que algo sai de dentro da calma, outra música, sem paciência com a própria elegância.

Quando vira samba, então, ninguém segura. Chega a ser incongruente ver essa criatura de lenço maragato no pescoço suingando como Baden no Paraíso. "Essa é bagual!", disse ele, antes de mudar de registro e lascar uma versão antológica do "Taquito Militar" (Mariano Moraes).

Quando as incongruências chegam na música é que a coisa, às vezes, complica. Dois exemplos: uma versão jazzística, quase à New Orleans, de "Sampa" (Caetano) e uma "Disparada" (Geraldo Vandré e Theo de Barros) tirada do fundo do baú e vestida de alegria. No primeiro caso, não se perdeu todo o universo de referências da canção? (Vanzolini, "Ronda", tropicalistas paulistas.) No segundo, não se esqueceu o contexto? (Ditadura, rebelião, "na boiada já fui boi" etc.)

A sensação que se tem é que Yamandú simplesmente não está preocupado com isso. As letras nem entram em questão. Nem como lembrança: a força da música cobre tudo de espanto e encantamento.

Encantados e espantados, a gente nem se dá conta de que essa música, com todo seu delírio maravilhoso, comove pouco, afinal. Mas é um espetáculo incrível: Yamandú aos 23 anos já se tornou, sem nenhum favor, um dos maiores violonistas do mundo. Que ele esteja por aí, dando sopa nos palcos brasileiros, é um privilégio; e imaginar o que vem pela frente anima qualquer um.

22.12.03

Natal Musical Brasileiro 2003

Com todos os senões do panorama discográfico brasileiro, continuam aparecendo coisas boas, e muito mais que boas, num largo espectro que vai da música colonial mineira à vanguarda paulista.

Nem sempre é possível dar conta em detalhe do que merece. Exemplos: o primeiro disco de uma projetada integral das sonatas para piano de Mozart (1756-91), interpretadas por Clara Sverner (Visom); a coletânea de peças recentes do paulistano Edson Zampronha, sobre quem um ex-orientador fica impedido de fazer os devidos elogios (Annablume); e o simpático estrambótico CD do Duo Clarones (YB).

Num plano ainda mais alto, onde o virtuosismo dos dedos nem chama a atenção, à sombra dos fogos musicais, é preciso mencionar o disco (independente) de estreia da pianista Olga Kopylova, *Estrela da Manhã*. Nascida no Uzbequistão, radicada no Brasil desde 1999, aos 24 anos a pianista da Osesp é uma das maiores em atividade no país. Esse consenso só deve aumentar com o lindo disco, em que interpreta compositores russos: Medtner, Scriabin, Rachmaninoff e Prokofiev.

A seleção de lançamentos a seguir deve ser entendida no sentido estrito do termo: é uma seleção, uma meia dúzia mínima de discos, defendendo as cores da nossa música no panteão das artes de agora.

Osesp
John Neschling

GUARNIERI: SINFONIAS N°s 1 E 4

CD BIS, 2003

Osesp/ Banda Mantiqueira
John Neschling

CD Osesp

Na sequência de seu elogiado disco de estreia, com as *Sinfonias* n°s 2 e 3 e a *Abertura Concertante* de Camargo Guarnieri (1907-93),[39] a Osesp lança agora sua gravação das *Sinfonias* nº 1 (1944) e nº 4 ("Brasília", 1963), mais a *Abertura Festiva* (1971). Dá continuidade, assim, ao verdadeiro renascimento de um dos maiores nomes da cultura brasileira do século 20.

Até pouco tempo, Guarnieri continuava injustamente mal conhecido, porque perenemente mal tocado – acima de tudo no que diz respeito à obra orquestral. Adotada agora pela Osesp, a música de Guarnieri vem abrir todo um campo de afeto e inteligência, a ser habitado por nós. A gravação é brilhante, com a orquestra dando o melhor de si, sob a regência alternada e empaticamente enérgica e sonhadora de John Neschling.

Junto com esse disco, pelo selo sueco BIS, sai também um CD independente, registrando o concerto da Osesp com a Banda Mantiqueira em dezembro de 2000. No repertório, clássicos como "Naquele Tempo" (Pixinguinha) e "Insensatez" (Jobim/ Vinicius), em arranjos especiais para a sinfônica, com a "big band" de solista. No caso de "Forrólins", vai-se mais longe: a composição de André Mehmari é uma virtuosística série de variações sobre tema de Cacá Malaquias (transfigurado do barroco a Stravinsky).

Ninguém toca essa música melhor do que Proveta e seus companheiros. A combinação com a orquestra poderia ter engessado as coisas, mas não: o resultado é empolgante e único, inventando um novo gênero para si.

---

39 Ver 9.5.02.

Tuca Fernandes e Quinteto Delas

Luar: Canções de Arrigo Barnabé

CD YB, 2003

Arrigo Barnabé será para sempre o compositor de *Clara Crocodilo* (1980). As ironias ácidas da ópera, escrita num registro que mistura elementos de rock e dodecafonismo à canção popular brasileira, pintaram a cara daquela vanguarda paulistana que floresceu uma geração depois do tropicalismo. Pouca gente conhece as canções, entre aspas, "líricas" de Arrigo. Formam um repertório bem diferente, incluindo meia dúzia de obras-primas, que ganham agora uma gravação de referência com a cantora Tuca Fernandes acompanhada pelo Quinteto Delas.

Composições como "Luar" (1995) e "Londrina" (1978) teriam de estar em qualquer antologia das maiores canções brasileiras – populares, eruditas, ou aquela terceira coisa estranha que ele faz. Modinha, valsa, toada, o cancioneiro dos fundões se deixa iluminar de outras luas, cromaticamente reinventadas nessas árias para óperas que não existem. "Tamarana" (1978) e "Ibiporã" (1980) exploram outro caminho: são os amazonismos bem-humorados de Arrigo. Como tudo no disco, equilibram-se com graça entre a paródia e a revelação.

É um teatro musical como nenhum outro. Encontrou sua Bidu, musa da experiência e da inocência, na afinadíssima Tuca, cercada das mimsicais pintalouvas.

Os arranjos poderiam ser mais variados? Poderiam explorar melhor o quinteto? Sim; e provavelmente. Mas ninguém precisa ouvir as 17 canções de uma vez, e meia dúzia de obras-primas justificam uma vida, quanto mais um disco.

Museu de Música de Mariana

Restauração e Difusão de Partituras

Vols. 7, 8 e 9

Agora que o projeto "Acervo da Música Brasileira" entrega a terceira e última parte, pode-se dizer que foi impecável do início ao fim. Servirá de modelo para toda empreitada similar de restauração da nossa memória musical; e deveria mesmo servir de estímulo para que outros pesquisadores e artistas ponham mãos às obras – da música colonial ao samba do Bixiga, do maracatu de Minas a Radamés Gnatalli e Almeida Prado. Quase tudo está para ser estudado e/ou grafado e/ou gravado.

Neste caso, foram ao todo 51 composições para cerimônias religiosas, na coleção do Museu de Música de Mariana, de autores do século 18 e 19 como José Maurício Nunes Garcia (1767-1830) e Lobo de Mesquita (1746?-1805), sem falar no prolífico Anônimo. Sob a coordenação geral de Eleonora Santa Rosa, com a *expertise* musicológica de Paulo Castagna e a direção editorial de Carlos Alberto Figueiredo, as obras foram registradas em CD e exemplarmente editadas em partitura, com minucioso aparato crítico e notas (tudo disponível no site do Museu).

O ponto alto do lote está nas profundezas da "Música Fúnebre", interpretada pelo Conjunto Calíope e a Orquestra Santa Rosa, regidos por Julio Moretzsohn. Sem desfazer do excelente Coral de Câmara São Paulo e da Orquestra Engenho Barroco, regidos por Naomi Munakata ("Ladainha de Nossa Senhora"); nem do maestro Rafael Grimaldi e seu Grupo Árcade ("Devocionário Popular aos Santos"). É que nem sempre o repertório se alça para além do interesse de época. Mas nos *Responsórios Fúnebres* de Castro Lobo e *Mementos* de Nunes Garcia a música atinge outro nervo. Memória e música se fundem noutro plano, quando a música é ao mesmo tempo a memória arqueológica de si e a restauração eterna de nossa própria morte.

29.12.03

Nó em Pingo d'Água/ Paulinho da Viola

Sesc Vila Mariana, 9.1.04

"Ué: 'Sinal Fechado' agora é choro?", questionava um entendido, na saída do show. A pergunta diz mais do que sabe, talvez. Na versão do Nó em Pingo d'Água, a clássica enigmática canção de Paulinho da Viola – que é e não é samba-canção – volta ou vai para o choro também. Leva a canção a um limite de si e faz reverter sobre o próprio Paulinho suas lições de ecologia musical: a autossustentação do repertório, pela renovação natural dos recursos.

"Mas não me altere o samba tanto assim", cantarolava uma amiga, bem-humorada, em resposta. O próprio compositor, como sempre, era o mais bem-humorado de todos, muito à vontade, de branco no meio da rapaziada de preto. Todos nas brumas, claro, porque alguma lei insondável decretou há décadas que show de música popular precisa de gelo seco e fachos de luz, sem falar nas mandalas.

Era o primeiro espetáculo da turnê de lançamento do novo disco do Nó em Pingo d'Água, só com músicas de Paulinho da Viola (mais uma de seu pai, César Faria). E o auditório do Sesc Vila Mariana estava lotado na sexta, como era previsível. Não bastasse tudo o que já fez, depois do filme de Izabel Jaguaribe e Zuenir Ventura, Paulinho da Viola virou um amigo querido de todos. Mais do que isso: sua figura torna concreta certa aspiração de harmonia na vida, uma verdade ideal do país, negada dia após dia pelas desarmonias.[40]

Tal harmonia passa também pelas harmonias propriamente ditas. Seja em números consagrados, como "Sarau pra Radamés" e "Beliscando", seja em novidades como "Chuva Fina Também Molha" e "Lembrança de Jonas", as harmonias de Paulinho têm algo do espírito não coercitivo, da convivência respeitosa e afetiva que a gente agora sabe que não é só da música, é do autor. No meio do sol, vêm os cromatismos, as nostalgias; mas também no meio do lamento pinga um acorde alterado, nascem modulações para reconstituir o equilíbrio. Nada se perde, tudo se transforma: isso agora virou um provérbio do coração.

Na vida real não é sempre assim, a começar pelas perdas musicais. Santo Nó em Pingo d'Água, então, que faz ouvir o gênio de

---

40 Sobre isso, vale a pena ler a resenha de Milton Ohata, na revista Novos Estudos *(vol. 67, nov. 2003).*

Paulinho compositor. Mesmo numa noite de estreia, com inevitáveis nervosismos, mesmo se nem tudo chegou a decolar com a leveza transcendental que se sonha, o que se ouviu é um repertório tão forte que custa lembrar que esses choros não existem desde sempre, não foram compostos por Deus no céu, ou Pixinguinha em Catumbi. E sambas: porque Paulinho também cantou coisas como "Dança da Solidão" (novos lindos acordes no início) e "Timoneiro" (arranjo arrojado) – e um samba novo, meio bossa-nova, ainda sem nome.

Que o show ainda não estava no ponto foi óbvio. O grupo teve de recomeçar uma música, certa estrofe foi cantada com a harmonia do refrão etc. Não tem maior importância. Passada a estreia, tudo cai mais fácil nos dedos. Cai na consciência desde já: centrado e sorridente, no meio de tantas lembranças – Radamés, Jonas, Jacob, Raphael – e agora no meio da moçada, Paulinho da Viola nos concede sem esforço a sua arte, que volta ou vai para o choro como quem diz amém.

12.1.04

Família Assad

Sesc Vila Mariana, 16.1.04

Os irmãos Assad começam por onde os outros nem teriam coragem de terminar. Sexta-feira, no Sesc Vila Mariana, entraram em campo, o juiz apitou e eles atacaram direto o "Baião Malandro" de Egberto Gismonti (do disco *Carmo*, de 1977). Mal cabe no piano, quanto mais em dois violões. Mas os Assad são craques nesse tipo de adaptação e tocam fusas para cima e para baixo como se não fossem nada.

Mais bonito que tudo não é a rapidez, mas o tempo. Quando uma canção começa, já se está noutro domínio da vida. Seja tocando em duo, seja com a irmã Badi (outra violonista excepcional, além de excepcional cantora), os filhos estreantes Clarisse (piano e voz), Carolina (voz) e Rodrigo (voz, violão), e os estreantes pais, Jorge (bandolim) e Ica (voz), os irmãos Sérgio e Odair regem as coisas de dentro, até quando não estão no palco.

O espírito vivo da música encanta tudo o que a família faz. São claras as diferenças, mas que DNA! Quem ainda não tinha ouvido Badi, por exemplo, terá ficado de queixo caído: uma odalisca pós-

-moderna, entoando multifônicos com delicadeza e dedilhando lindamente o violão. De pé (ela) ou deitado (ele). Nesse último caso, trespassado por uma barra sob as cordas, o violão transforma-se numa cítara, de afinação aberratória; e Badi canta seus acalantos enquanto pinça tons bem temperados, à sombra dos caracóis do seu cabelo.

Com as duas sobrinhas, cantou "Joia", genial miniatura de Caetano Veloso (de 1975). À capela, cheia de harmonias dissonantes sustentadas. Nesse tipo de recuperação do cancioneiro – chegando até coisas como a valsa "Rosa", de Pixinguinha (de 1937), e "Doce de Coco" (1967), de Jacob do Bandolim, mais Edu Lobo, Chico etc. – está a razão de ser do projeto, combinado com a apresentação da moçada: uma bela canção da fluente pianista Clarisse, inspirada nos arpejos do segundo movimento do *Concerto* nº 2 de Rachmaninoff, e um *funk* anos 90 de Rodrigo, entre outras.

O difícil é dar liga na mistura. Em parte, ela é extramusical: tudo foi feito também para congregar a família, convergindo para os grandes números finais, com o lindo casal de avós mandando ver junto com os netos. Seu Jorge de chinelos, orgulhoso dos filhos, solando o bandolim sem pretensão. E Dona Ica ao lado: "traça tudo", como ela mesma cantou, com maroto sorriso e *vibrato*.

Mas afinal, se a música aqui serve à família, tanto ou mais do que o contrário, isso vira virtude. Nada foi feito à pressas, os ajustes de repertório são previsíveis, e a família fazendo música é uma beleza.

19.1.04

Maurizio Pollini

Beethoven: Sonatas op. 54, 57, 78 e 90

CD Deutsche Grammophon, 2003

O final é fantástico. Literalmente as últimas notas da última sonata (op. 90) no disco. Uma grande frase se ergue, acompanhando o arco de dinâmica e ritmo, com aquela simplicidade ao mesmo tempo tão concreta e tão abstrata que caracteriza a última fase de Beethoven (1770-1827). E a música se encerra sem nenhuma ênfase, nenhuma indicação de que estamos chegando ao fim. É preciso um pianista como Maurizio Pollini para tocar o final desse modo, desbastando camadas e camadas de estilo e paixão.

Paixão e estilo não faltam ao pianista milanês, que aos 62 anos parece cada vez mais livre de suas próprias determinações, sem trair seu caráter. Como escreveu Edward Said, "ao reagir aos infinitamente variáveis impulsos, acentos, frases, pausas e inflexões rítmicas e retóricas, [Pollini] está *comentando* [cada] peça, dando sua versão dela" (em *Reflexões Sobre o Exílio*, 2003). A palavra-chave é "comentando": um pianista desses se assemelha ao ensaísta, capaz de reinventar a música pelas vias do comentário. E a própria carreira do artista ganha, assim, uma dimensão crítica também.

Certa reserva de fundo, que se ouvia nas gravações das décadas de 1970 e 80, desapareceu em benefício de um "estilo tardio" que faz pensar, justamente em Beethoven. E todo seu Beethoven – inclusive sonatas do período médio, como a op. 54, a "Appassionata" e a op. 78, neste disco – surge agora revisto, da perspectiva de quem foi adiante, com toda a carga de compreensão emotiva a que faz jus.

O que talvez mais tenha mudado é a própria ideia que Pollini nos dá do estilo tardio. O antissentimentalismo de ontem, fascinado com as formas, cedeu espaço para outros interesses, sem cair no seu contrário. Para quem acompanhou o percurso, ouvir Pollini hoje tocando a "Appassionata" sugere até que ponto chegou a assimilação da vanguarda.

Só um pianista versado em Stockhausen e Boulez tocaria como ele as brutais mudanças de textura e dinâmica que já estão nessa partitura de 1804, mas quase ninguém tem coragem de seguir. E só um pianista com essa vivência saberia alternar tão rápido as voltagens afetivas, até compor uma espécie de terceira margem do rio da música. A "intensidade hipnótica" de Pollini, como diz o verbete do novo dicionário *Grove*, tem a ver com essa arte de extremos, tanto quanto "a força progressiva ao longo de grandes parágrafos musicais".

Que os extremos são mesmo da essência de uma sonata como a "Appassionata" – composta um ano depois de o compositor trocar o velho fortepiano pelo novo piano Erard, capaz de grandezas antes irrealizáveis – fica fisicamente claro nessa interpretação. E o impacto é ainda maior na versão ao vivo, gravada no Musikverein de Viena, em 2002 (no disco-bônus).

A liberdade da música vence toda e qualquer contingência, mas pede para ser acolhida no mundo humano da sala de concerto. As franquezas rigorosas do pianista comentam e recriam essa arte em tempo real. Gravada em estúdio, depois, ela vira a tradução de si: mais madura, mais bonita, mais distante de nós.

19.1.04

Orquestra Experimental de Repertório Sujeito a Guincho Jamil Maluf

Teatro Municipal, 31.1.04

O concerto já tinha acabado, o Sujeito a Guincho até já tocara um bis ("Espinha de Bacalhau"), mas ninguém saía do lugar. Nem a plateia, nem a moçada da Orquestra Experimental de Repertório, batendo palmas no palco do Municipal, sábado passado. Até que a fabulosa falange de clarinetistas voltou, junto com o maestro Jamil Maluf, para repetir o *Sarau Pro Vadico*, de André Mehmari.

Foi um presente e tanto escutar esse anti-*pot-pourri*, que homenageia o grande paulistano, parceiro de Noel Rosa ("Conversa de Botequim", "Feitiço da Vila", "Feitio de Oração" etc.) do jeito mais paulista que há: revitalizando tudo noutra linguagem, misturando antigo e novo no caldeirão da música. Era um presente para a cidade também, pelos 450 anos; e só ali, talvez, realizou-se o ideal de inovação brasileira que as paredes do teatro preservam pelo menos desde 1922.

Dentro dos limites desse repertório – música sinfônica "leve" (descrição grosseira, que o próprio André Mehmari provavelmente contestaria) – simplesmente não existe melhor no mundo, como bem disse o maestro Maluf. A proximidade, para os paulistas, tende a gerar ceticismo, mas não se deve deixar de ressaltar o privilégio que é ter um jovem compositor e pianista como Mehmari (n. 1977) por aí, comendo seu pão bem quente com manteiga à beça numa esquina qualquer da capital, e sonhando novas músicas por nós.

Na primeira parte do concerto, o privilégio foi de outra natureza. Composto para soprano, coro a cinco vozes, grande orquestra, sons eletroacústicos (gravados) e eletrônica (em tempo real), o *labORAtório* de Flo Menezes confirma a estatura do compositor, que se destaca à frente da geração na casa dos 40.

Suas influências são claras: não só os professores Luciano Berio (1925-2003) e Karlheinz Stockhausen (1928), mas também a constelação paulistana concretista e seus herdeiros. E não apenas na colagem de textos do oratório, mas na própria ideia metaglutinavanguarticipativa de tudo. "*Adieu, père – et merci*" ("Adeus, pai – e obrigado"), diz o texto a certa altura. "Adeus, pais" seria um bom subtítulo para o oratório, ou "AdEUs, pAIs", para manter o estilo característico do compositor, nesse grandioso ritual.

Mesmo a encenação semiescolar se salva num conjunto de exuberâncias orquestrais e belezas madrigalescas (convincente soprano Martha Herr, seguríssimo Coral Paulistano, regido de cor por Mara Campos).

Os festejos oficiais de SP 450 provocaram muita coisa boa. Mas ficou para a Orquestra Experimental de Repertório o maior dos privilégios, afinal: comemorar o passado com o futuro. Quer dizer: agora.

3.2.04

Eveline Hecker

Ponte Aérea

CD Biscoito Fino, 2004

Uma vez é pouco. Duas é pouco. Nem três bastam para se começar a dar conta desse acervo impressionante de canções de Zé Miguel Wisnik. Gravadas pela cantora carioca Eveline Hecker, num registro de intimidade leve que é a própria alma sonhadora das vozes do Rio, o disco renova e/ou apresenta nada menos do que 15 músicas, organizadas com fino senso de quase narrativa. A *Ponte Aérea* do título, desde logo, responde ao *São Paulo Rio* (2001) do próprio compositor e nos dá com isso um modelo de saudade e descoberta que vai longe no entendimento da arte de Zé Miguel.

Antiga vocalista de Tom Jobim, depois de Beth Carvalho, ex-integrante (fundadora) do grupo de samba Arranco de Varsóvia, ativa também como professora de canto, Eveline Hecker habita o cosmos da deusa Nara, que segue espalhando suas bênçãos. Em seus melhores momentos, ela concretiza um ideal de canto amistoso, aconchegante, quase privado, que esconde seus esmeros com delicadeza.

Há nisso um risco paradoxal de distanciamento, tanto maior quanto mais efusiva a canção. Mas o risco já não está na música também? A "expressão mais simples" invocada com sutilíssimas doses de canto e poesia por Zé Miguel desde seu primeiro disco (de 1993) nunca será naturalmente simples para ele, nem para ela. E só tem a ganhar na companhia de músicos como os violonistas Luiz Brasil e Maurício Carrilho, o violoncelista Jaques Morelenbaum e o contrabaixista (e produtor) Zeca Assumpção, entre outros mestres da sutileza.

Um poeta que escreve versos como "Uma vez amanheceu/ Meu pai mostrou o céu/ Onde nasceu redondo o sol" ("A Olhos Nus") vive para sempre na saudade da experiência plena, perdida e ganha a cada canção, naquele amoroso "recomeço sem ter fim" descrito também por seu parceiro Paulo Neves (esplêndido recôndito letrista porto-alegrense). Não por acaso a saudade é um de seus temas, e ganha emblemas definitivos nas músicas que fixam o arco do disco: "Ponte Aérea" e "Saudade da Saudade".

O já consagrado "Assum Branco" (gravado por Zé Miguel e Caetano Veloso em *Pérolas aos Poucos*, de 2003) nos faz compreender quanto dessa nostalgia será dominada com potências da própria música, talvez a única força capaz de inverter o sentido do apego. Não é verdade que agora a gente lembra de "Assum Branco" sempre que escuta "Assum Preto"? "Quando ouvi o teu cantar/ Me lembrei nem sei do quê", dizem os primeiros versos. E ninguém sabe mais o que lembrar: tudo se recompõe na nova canção, a nosso favor.

Cada música de Zé Miguel recorta de outro jeito seus caminhos, para descer a ladeira da memória, depois subir mais rica e mais livre. "Muito além ou aquém da saudade", a cantora acata também seus destinos por essa "Terra Estrangeira". A ladeira pode até ser dos infernos, como em "Orfeu" e "Viúvo". Mas de lá, incrivelmente, vem a música.

Com tanto peso no coração, ainda bem que existe a vida regalada de "Comida e Bebida", parceria dionisíaca com Zé Celso Martinez Corrêa, gravada antes por Elza Soares e regravada agora por Eveline Hecker, do modo mais wisnikiano: depois.

Fazer disso uma alegria é uma sabedoria. E a sabedoria alegre de Zé Miguel – ele mesmo o maior comentador da gaia ciência de nossa canção popular[41] – nos ensina a escutar esses delírios com serenidade.

---

41 Ver o ensaio "A Gaia Ciência: Literatura e Música Popular no Brasil", em J. M. Wisnik, Sem Receita. Ensaios e Canções *(São Paulo: Publifolha, 2004).*

Seja porque são como a própria seiva da árvore da música, seja por outro sentido, mais específico.

O que um disco como esse comprova é quanto sua música já se transformou, para tantos de nós, naquela arte que não tem mais dono, virou patrimônio íntimo e comum. Ela sente e não sente saudade. Porque nossa saudade maior, nesse ponto, é pela própria música de Zé Miguel Wisnik, que a voz de Eveline sacia até a próxima vez.

19.2.04

Jussara Silveira

Sesc Vila Mariana, 27.2.04

Quando abriu a cortina, ela já estava lá. De preto, imóvel, no centro do palco, contra o fundo de cor e a sombra dos três músicos, compondo o círculo mínimo de forças para a grandeza máxima da música que vinha. "Eu hoje acordei pensando...", dizia ela, naquele tom que corta a gente ao meio desde a primeira sílaba, porque uma voz como essa tem encantamentos que vêm de antes da arte, até. "... por que é que eu vivo chorando", continuava – e aí a arte já inundava a vida e Jussara Silveira, ao final do quarto compasso, tinha todos nós na palma da canção.

Foi o primeiro *show* da série "Mulheres", no Sesc Vila Mariana, sexta-feira. E foram tantas mulheres numa só que esse, sozinho, podia ficar no plural. De Lupicínio Rodrigues, ela passou a Jorge Ben ("Por Que é Proibido Pisar na Grama"), e daí para "A Volta de Xanduzinha", de Tom Zé, até chegar na angolana "Carapinha Dura", de Teta Lando.

Essas últimas são canções do seu disco mais recente, *Jussara* (Maianga, 2002), mas a versão ao vivo teve a grande virtude de trazer a voz para a frente da música. Nuanças que se perdem, aqui e ali, na mixagem, belezas que se deixam confundir com o acompanhamento agora soavam mais livres, o que, no caso dela, quer dizer também inteiramente senhoras de si.

Dá vontade de escrever uma resenha inteira só descrevendo detalhes: o rosto tremendo para lá e para cá quando canta a palavra "apaixonada" (ou "afogar") e a delicadeza precisa de pequenos gestos das mãos, esculpindo ironicamente a melodia, mas também a alegria, quando ela dá um giro e se transforma no corpo visível e leve da música; ou o canto à boca fechada do fado, chegando sabe-se lá de que distâncias.

Jussara está naquele ponto lindo da carreira, capaz de fazer o que quer e como quer. Produziu energias incríveis com seu trio (Marcelo Costa, percussão, Érica Nande, baixo e violão, e o animado suingado estilizado violão de cordas de aço de Walter Villaça). Revisitou preciosidades ("Como Dois e Dois", de Caetano Veloso, de 1971, e "Desencontro", de Chico Buarque, de 1968, por exemplo) e apresentou coisas novas (como a canção composta a oito mãos por Arnaldo Antunes, Alice Ruiz, Paulo Tatit e João Bandeira, sem falar na safra angolana). Cantou Batatinha. Cantou Caymmi.

E já que falamos em fado: além de "Fria Claridade", que está no disco, fez uma versão antológica de outro sucesso de Amália Rodrigues, "Barco Negro" (composto por Caco Velho e Piratini – depois de Lupicínio, era mesmo a noite dos gaúchos).

O mistério do timbre está para além do que os adjetivos sabem dizer; mas o mistério do tempo, quem sabe? Quando ela canta "são loucas!", a gente enlouquece sem defesa. Neste si menor ela vira uma imensidão de si, e nos leva de roldão. Mas quando segura a música, com o acorde de dominante irresolvido nas reticências de "tudo, em meu redor, me diz que estás sempre...", uma infinidade e meia até atingir o "comigo", este sol e este dó são luzes e penas de uma grande cantora que é também uma grande artista, além de ser uma grande artista que canta.

"Eu hoje acordei pensando..." E quem não, depois de uma noite dessas? "Quem souber cantar que cante" – e é Jussara, agora, quem faz esse mundo acordar.

1.3.04

Osesp
Théorin, Francesconi, Van Hal, Smits
Roberto Minczuk

Beethoven: Nona Sinfonia

Sala São Paulo, 4.3.04

Era o início da temporada e lá estava ela, novamente, depois de tanto tempo. Viçosa, arrojada, confiante, fazendo-se outra em si mesma, a *Nona Sinfonia* de Beethoven (1770-1827) enchia a Sala São Paulo de inteligência e emoção. E a Sala lotada vibrava do jeito mais intenso que há: em silêncio, ninguém sequer respirando durante a gravação ao vivo da Osesp, regida por Roberto Minczuk, na última quinta.[42]

Só uma performance ao vivo consegue resgatar a *Nona* dos calabouços da repetição. Para dar o exemplo mais óbvio: o grande tema do quarto movimento, a essa altura degradado a musiquinha de telefone celular. Quando os violoncelos e contrabaixos atacaram, parecia uma música inédita, maravilhosamente nascida naquele momento.

Isso tem a ver, em parte, com o timbre e a dinâmica que Minczuk imprimiu à frase, começando no escuro e só crescendo no final do terceiro grupo de quatro compassos, para logo depois voltar ao fundo de onde saiu. A ironia é que se trata exatamente do que está escrito na partitura (e não é a menor virtude do regente esse respeito pelo texto da música). Mas vem também de uma ideia da sinfonia como um todo, que se vai dando a conhecer, com as surpresas de uma história real.

Surpresas e frustrações também, nalguma medida, para as expectactivas que ela mesma criou. Foi tanta coisa bonita que se ouviu – como as escalas dos sopros, ou o colchão sonoro sustentando as larguezas do "Adágio", ou as luzes do Coro da Osesp (mais Coral Paulistano), ou o equilibrado quarteto vocal (Théorin, Francesconi, Van Hal, Smits) –, que parece injusto reclamar. Nem se trata de cobrar afinação no início, ou num acorde aqui e ali. Sempre se pode passar o Pro-Tools nas trompas, depois.

Também não seria legítimo pedir uma interpretação revolucionária da mais revolucionária das sinfonias. Minczuk nunca teve pre-

---

42 CD lançado em 2005 (gravadora Biscoito Fino).

ocupações dessa ordem. Rege de dentro para fora da música, o que é menos comum do que parece. Dessa perspectiva mesmo é que se pode entender sua *Nona*: esculpida em mármore, não titânio.

Mas o que faltou, então? De um dicionário de sinônimos: arrebatamento, deslumbramento, êxtase? Mas era o primeiro concerto do ano, e ainda por cima sendo gravado. Já foi uma *Nona* e tanto e daqui para a frente provavelmente estoura.

6.3.04

David Byrne

Grown Backwards

CD Nonesuch, 2004

No outro lado da vida, as pessoas acordam cedo e vão trabalhar. Habitam edifícios de vidro, concreto e pedra. Dançam à noite em discotecas e bares; ou tentam encontrar velhos amigos. Mulheres e homens se agarram às delícias de si. Enquanto isso, impérios vão à guerra: tribulações, revelações e absolvições se alternam profeticamente, com a convicção de uma história em quadrinhos.

Daí a surpresa, daí o espanto – e David Byrne faz de seu mais novo trabalho, *Grown Backwards*, uma espécie de relato de quem acaba de chegar de outro planeta. Tudo o que é humano lhe é estranho, diz numa das 14 canções. Com a memória em carne viva, repassa mil imagens quebradas desse mundo aos pedaços; espantosamente calmo, soa quase feliz, ou etéreo, para usar palavras de uma ária de Verdi (1813-1901), com que fecha surpreendentemente o disco.

A expressão "*grown backwards*" pode ser entendida em vários sentidos: "de trás para diante", antes de mais nada, pelas referências. Não apenas Verdi, mas também Bizet (1838-75), de quem canta, com Rufus Wainwright, o dueto "Au Fond du Temple Saint". De trás para diante, porque aqui a raiz do pop se vê animada pela própria descendência; reanimada e jogada para a frente, poderosa forma de canção. Se o francês e o italiano cantados são quase incompreensíveis, isso não importa: assim como nas canções sem palavras que Byrne escreveu há anos para uma peça de Robert Wilson (*The Forest*), uma ária dessas libera catarticamente o que as outras canções não podem, nem querem liberar de modo tão direto.

De trás para diante também pela manufatura. Ao contrário de seu modo habitual de compor, partindo de pequenas cadeias de acordes para depois criar as melodias, aqui o processo foi às avessas. Ao longo de meses, o multiartista escocês foi cantarolando pedaços de linhas melódicas num gravador de mão, que levava sempre consigo. Escutando tudo depois, começou a montar as músicas. E as letras: poesia americana, que vibra sentidos irreais no que há de mais real e sentido.

De trás para diante, ainda, porque quase tudo parece invertido, sob as lentes do compositor-fotógrafo (autor de quatro livros, incluindo o recente *EEEI*). Se o compositor-etnógrafo podia vir ao Brasil, em fins da década de 1980, para filmar um documentário sobre o Ilê-Ayê; se antes disso já via tudo um pouco acima do chão, nos anos de Talking Heads (1976-88); se em sua gravadora, Luaka Bop, fez ouvir estranhamentos como os da peruana Susana Baca, do português Paulo Bragança e, com relevo especial, de Tom Zé, ele agora se resume, essencial e variadamente, para compor o disco que define um momento e um lugar.

Observado por "um astronauta", sobrevoando o "ninho das vespas", o panorama parece real demais para ser sonho, mas também parece demais com os sonhos que o próprio Byrne relata no encarte, em pequenos despretensiosos poemas em prosa que criam mais um contraponto para esse disco tão rico. Tanto mais força ganham as harmonias chapadas e os ângulos retos das modulações, que nem por isso deixam de guardar sutilezas. Figura típica: dó maior-mi maior. Abrupto, sem preparação; sutil, porque eleva o quinto grau, um semitom entre um acorde e outro. Deslizamentos assim são o equivalente sonoro dessa arte de ver o que há de mais concreto ao redor e alterar levemente o foco, o suficiente para desentender a imagem.

Daí também a mistura levemente aberratória de instrumentos: a percussão de Mauro Refosco, incluindo marimbas e piano preparado, e o baixo de Paul Frazier acomodam-se bem com a orquestra de cordas Tosca Strings, seja nos arranjos (de Stephen Barber) paródico-beatlesianos, seja em aventuras menos irônicas. E seja ainda com a orquestra de Carla Bley, que participa em "Empire", entoando um coral de metais que ao mesmo tempo dramatiza e anula a belicosidade da letra. Sons pequenos e sons majestosos se misturam, assim como o gênero das canções: da rock-ária ao rock-canção, do bossa-rock ao rock cubano, tudo se reflete e se deforma nessa casa de espelhos da música.

Do outro lado da vida, as pessoas acordam e trabalham. Moram em vidro e concreto. Dançam, se encontram, se agarram. Os sintomas só pioram e os impérios entram em guerra. Do lado de cá, fica o "misterioso outro", de que fala Verdi, "delícia e cruz do coração". Vendo no espelho, de esguelha na esquina, um compositor resiste à ressaca do real. Do lado de cá, fica a música, reescrevendo tudo de trás para diante, na desespantada arte de David Byrne.

15.3.04

Grupo Rumo

Sesc Pompeia, 21.3.04

Se não existisse o Rumo, seria preciso inventar. Que bom que eles mesmos se reinventaram agora, exatamente 30 anos depois das primeiras canções, comemorando a data redonda e o relançamento da discografia completa (seis volumes) com uma minitemporada no Sesc Pompeia.

Já estava tudo profeticamente anunciado por Luiz Tatit em "Release", a canção de abertura, escrita quando 2004 parecia uma cifra futurista, meia eternidade à frente. E aqui estamos nós, no futuro do passado, convertido em presente, em boa medida, pela música deles, que ao se inventar nos inventou. No fim da tarde de domingo, o auditório era um misto comovido de alegria e nostalgia; e foi lindo quando o mar partido de gente entoou "Rumo... Rumo... Rumo...", reclamando a volta dos 11 mágicos, até que Luiz entrou pelos baixios, para tocar o primeiro dos quatro bis, conduzindo grupo e plateia de um lado a outro da história.

Se o Brasil nem mereceu a bossa nova ainda, o que dizer desse repertório? Espantosamente, foi-se construindo esse acervo inteiro de composições, num registro tão singular que ninguém teria acreditado antes. Era Schoenberg quem dizia, nos anos heroicos de dodecafonismo (primeiras décadas do século 20), que algum dia sua música seria assobiada na esquina. Ora, veja: assobiada em esquinas da Vila Madalena, só que misturada com Lamartine Babo e Noel.

O "canto falado" do Rumo parte do contorno natural de células mínimas da fala para compor canções intuídas de dentro para fora, como se a música estivesse dentro da pedra da língua e só fosse preciso desbastar um excesso. Que o resultado seja tão generoso e espontâneo, com todo seu artifício, que tantas vezes seja tão positivamente engraçado, que nunca se prenda às distinções encantadoras da forma, sem por isso trair sua confiança na nossa inteligência e empatia, já representa praticamente uma aposta na cultura do país. Só aqui, talvez, nesse campo inesperado e abençoado da canção popular, continua possível cruzar fronteiras gingando.

A música do Rumo convoca emoções da razão com delicadeza ímpar. É uma inteligência que não oprime; pelo contrário, torna mais inteligente quem ouve. Mas essa palavra talvez não seja a melhor: "inteligência" aqui vira sinônimo de percepção, bom humor, vivacidade, liberdade.

A gente escuta as fantasias carnavalescas de Geraldo Leite e Pedro Mourão, escuta as charmosas cantigas para criança de Hélio Ziskind e as euforias gentis de Paulo Tatit, escuta a voz total de Ná Ozzetti, passando da comédia desbragada aos milagres mais íntimos, e sai do teatro de alma leve, se sentindo melhor do que é. E ainda tem o Luiz, o menos reconhecido dos mais extraordinários compositores da nossa música. (Se o Brasil nem mereceu a bossa nova ainda...)

Para quem viveu em São Paulo na década de 80, frequentando o Lira Paulistana e começando amanhãs junto com eles, a cena no Sesc era de partir o coração. Para quem não tinha chegado ainda, dá saudade do que não viveu. Mas o saldo, agora, é de todos nós. Que privilégio ter essas canções, descendo a ladeira da memória, para cima e para sempre.

23.3.04

Orquestra Sinfônica Municipal
Teixeira, Vanucci, Marangon Martins, Sperandi
Roberto Duarte

Carlos Gomes: Colombo

Teatro Municipal, 26.3.04

Há várias ironias involuntárias na ópera *Colombo* de Carlos Gomes (1836-96); e outras tantas, voluntárias, na montagem que estreou sexta-

-feira no Municipal, regida por Roberto Duarte e dirigida por William Pereira. A maior de todas é uma grande virtude: faz de uma obra menor, cheia de ambições frustradas, a ocasião para um espetáculo arrojado e apurado, que reinventa a música sob o domínio do teatro.

Além de voluntárias e involuntárias, existem as ironias explícitas. A começar pelo começo, antes ainda do primeiro acorde, com os cantores-atores escolhendo figurinos nas araras e o barítono Sebastião Teixeira no papel não de Cristóvão Colombo, mas de Sebastião Teixeira mesmo, carregando um holofote e procurando um foco, até acertar na imagem em alto-relevo do próprio Carlos Gomes, no teto.

Dali para a frente, William Pereira tinha assegurado seu direito de escrever roteiros alternativos, em contraponto com o não roteiro original de Albino Falanca. Visualmente, o resultado é discreta e extravagantemente expressivo. Transfere os ideais gastos da epopeia descobrimentista (*Colombo* foi escrita para comemorar os 400 anos da descoberta da América) para um outro mundo, onde se cruzam lembranças de gênios da cena como o cineasta Peter Greenaway com artes mais convencionais da ópera e reescrituras politicamente afinadas.

Véus e telões servem de filtro e suporte para imagens de cinema (ondas do mar em câmera lenta) e projeções de textos, mapas, partituras. A involuntária atualização do grito do Rei da Espanha – "Guerra ao Islã!" – segue-se à projeção sugestiva de fogos, fazendo pensar na Inquisição: a barbárie vem de todos os lados. E a dedicatória, "*to the American People*" (o "poema vocal-sinfônico" foi composto com vistas a uma exposição em Chicago) ganha outro acento, depois que um texto rola no fundo, narrando a derrocada de Colombo, que defendeu indígenas de maus-tratos e caiu em desgraça com a realeza. Etc. etc.: são dezenas de detalhes assim.

Sebastião Teixeira faz um Colombo forte e seguro, mas relativamente neutro, o que só pode ser bom nesse contexto. Não há propriamente um personagem, com mudanças e crises; tanto melhor que não se force a mão do drama. Vale o mesmo para os ótimos Rei (Marcello Vanucci) e Rainha (Monica Marangon Martins) e para o Frade (Sávio Sperandi). *Colombo* não é lugar para exercitar loucuras e carismas; de resto, a imaginação visual – incluindo os figurinos – já cumpre compensatoriamente essa função.

Que Carlos Gomes tenha escrito uma de suas obras mais ousadas tematizando a descoberta de um Novo Mundo, mas dando as costas para o novo mundo da música, é uma história conhecida. Não haveria por que fantasiar a partitura de modernidades, e o maestro

Roberto Duarte conduziu as coisas com vigor natural. O espetacular hino foi espetacularmente cantado pelo Coral Lírico, que também fez bem o papel de marinheiros de ópera (limpinhos, educados) e cortesãos (catolicamente elegantes, em branco e preto). Balé escolar, mas até isso funciona no meio da alegoria.

Só é pena que tanto esforço se consuma em três apresentações. Não é hora de o Municipal pensar em rádio, internet, TV, DVDs?

29.3.04

Osesp
Meneses, Hope, Castro
Minczuk, Barrios

Sala São Paulo, 1 e 8.4.04

Voltando ao palco pela terceira vez, no meio da ovação, Antonio Meneses ergueu rapidamente o punho fechado, como fazem os boleiros e os roqueiros. O gesto tinha dupla razão de ser: a vitória era não só do violoncelista e de seu espetacular parceiro, o violinista Daniel Hope; mas também, e acima de tudo, da música do compositor Alfred Schnittke (1934-98), tão bem tocada por eles com a Osesp, regida por Roberto Minczuk.

O *Concerto Grosso* nº 2 de Schnittke foi o ponto alto de duas grandes semanas de música. Faz referência ao *Concerto Duplo* para violino, violoncelo e orquestra de Brahms (1833-97), que os mesmos Hope e Meneses tocaram na primeira parte; mas traduz sua sabedoria melancólica para outro registro, onde as mais variadas memórias da música se encontram e se chocam sem ilusões.

Na dicção "poliestilística" do compositor russo, guitarra e bateria ficam lado a lado com cravo e celesta, e fanfarras barrocas se alternam com passagens atonais e microtonais. Há compositores que importam pelo modo como dizem as coisas; outros, pelo que estão dizendo. Schnittke importa por tudo o que diz e como diz. E são muito raros os autores da segunda metade do século passado que souberam, como ele, dizer o tanto que tinham a dizer.

Que alento, então, escutar o violoncelista pernambucano e seu colega inglês (no Trio Beaux Arts) devolvendo Schnittke a Schnittke e nos fazendo entender nossa própria arte com a mesma inteligência e devoção que concedem ao passado.

A Osesp já está a todo vapor, depois desse primeiro mês de concertos. Metais tinindo e cordas animadas. Será exagero dizer que Minczuk, de sua parte, está mudando um pouco seu modo de reger, com a experiência cada vez mais intensa nos Estados Unidos (Filarmônica de Nova York e outras)? A música soa mais concreta e com o desenho mais nítido. Ganhou massa muscular. Assume distinções de outra ordem, com a naturalidade de um exercício profissional chegando às alturas de si.

O mesmo se poderia dizer do pianista baiano (radicado na Suíça) Ricardo Castro, que tocou o *Concerto em Ré Maior* de Britten (1913-76) na quinta retrasada, regido pelo mexicano Enrique Barrios. Veludo e pólvora, humores e fantasmagorias: mil planos da música, controlados de dentro por um pianista que tem o que dizer, e diz como sabe.

10.4.04

European Union Youth Orchestra Vladimir Ashkenazy

Sala São Paulo, 18.4.04

"*Aren't they fantastic?*" (Não são fantásticos?), perguntou o maestro Vladimir Ashkenazy à plateia, antes de tocar o bis. Nos dois últimos movimentos da *Quarta Sinfonia* de Tchaikovsky (1840-93), certamente foram; antes disso, talvez não tanto. Mas no final já estava todo o mundo tomado pelo esplendor e pela loucura da música, e a simpatia energética do maestro só reforçava a vibração comum na Sala São Paulo, num domingo especial.

A European Union Youth Orchestra (Orquestra Juvenil da União Europeia) é formada por músicos de até 23 anos de idade, vindos de 15 países, com bolsas de estudo. Dos 4 mil que se inscrevem, são selecionados 140. A cada ano, um grande maestro assume a orquestra. Patrocinada pelo Parlamento Europeu, viaja pelo mundo como porta-voz do melhor que o continente pode dar.

Fazia sentido, então, escutar essa orquestra num concerto comemorando o aniversário da Congregação Israelita Paulista, que, como disse o rabino Henry Sobel, quer "semear a tolerância" e promover uma sociedade onde "os valores humanos se sobreponham às diferenças". As dezenas de autoridades presentes – incluindo o vice-presidente José de Alencar, o vice-governador Cláudio Lembo e a prefeita Marta Suplicy – já terão ouvido palavras desse teor até o limite da insensibilidade; mas não seguidas de Mozart (a abertura de *Bodas de Fígaro*), com um sentido que é só mesmo de Mozart e ali, quem sabe, se fazia de novo ouvir.

Além de reger, Ashkenazy foi o solista no *Concerto* nº 3, para piano e orquestra, de Beethoven (1770-1827). Momentos brilhantes (como a *cadenza* do "Allegro") e momentos de embaraço (plateia aplaudindo entre movimentos e fazendo barulho); tudo somado, uma interpretação fluente e equilibrada de um concerto que, a essa altura, pede mais do que fluência e equilíbrio. Mas o pianista, domingo, estava a serviço do regente; e o regente veio mesmo para o Tchaikovsky.

Tolerância, na Rússia do século 19, não era exatamente um esporte nacional. A *Quarta Sinfonia*, de 1877, foi escrita num dos períodos mais atormentados da vida do compositor: forçado a esconder a homossexualidade, casou-se com uma admiradora que mal conhecia, numa aventura que durou um mês e o deixou à beira do colapso. Anos mais tarde, o mesmo motivo – segundo uma teoria recente – levaria Tchaikovsky ao suicídio (bebendo água contaminada), mas por ora o inferno se resolvia em forma de música.

Tanto maior o apelo dos momentos de felicidade e tanto maior nossa dívida com a oboísta holandesa Anita Janssen, pelos solos no segundo movimento. Mas foi no terceiro, o famoso "Scherzo" em *pizzicato* (cordas pinçadas com os dedos), que a EUYO deslanchou.

Regida em alta velocidade pelo vibrante minúsculo maestro, a orquestra virou uma máquina incrível, com precisão sueca e alma espanhola. Dali para a frente, a loucura pegou com tudo: nos acordes dissonantes dos metais, nos corais exuberantes das madeiras, nas cordas serrando alucinadas (e nos violoncelos, sincopando suas ânsias). Gostar de Tchaikovsky é gostar desse caos; e Ashkenazy rege a loucura com gosto.

Loucura bem de outra ordem foi lembrada pelo rabino Sobel. Domingo era Dia do Holocausto. Para isso, não existe música. Um minuto de silêncio, e a orquestra atacou o "Vocalise" de Rachmaninoff (1873-1943) – depois do quê, nessas circunstâncias, não havia mais nada a dizer.

21.4.04

Mônica Salmaso

Iaiá

CD Biscoito Fino, 2004

Um dos instrumentos mais lindos do mundo é a voz de Mônica Salmaso. E ninguém toca a voz de Mônica Salmaso melhor do que Mônica Salmaso. Que ela não se contenta com suas virtudes naturais, mas usa o instrumento para realizar projetos do maior relevo para todos nós, nesse momento da nossa música, fica demonstrado mais uma vez em seu novo disco, *Iaiá*.

É o quarto CD, quase dez anos depois dos *Afro-Sambas* (1995), com o violonista Paulo Bellinati, e dando continuidade, num outro plano, aos trabalhos de pesquisa de repertório em *Trampolim* (1998) e *Voadeira* (1999). Se o mundo fosse um lugar mais generoso, *Iaiá* viria em cinco volumes, já que o disco reúne canções representativas de pelo menos meia dezena de aventuras musicais que Mônica vem realizando há dois anos na série "Ponto In/ Comum" do Sesc Ipiranga, em São Paulo, e em outros projetos similares.

A natureza desses encontros já define o caráter da cantora: para cada show, ela convidou artistas de ponta de acervos menos visitados da música popular na atualidade. Foi assim com o novo samba e o novo choro do Rio – representados no disco pelas faixas de abertura, "Moro na Roça" (Xangô da Mangueira) e "Cabrochinha" (Maurício Carrilho/ P. César Pinheiro), e pela última, fechando temática e musicalmente o ciclo do disco, "Na Aldeia" (de Sílvio Caldas) –, que ela canta acompanhada por Carrilho, Luciana Rabello e seus parceiros da Acari.

O disco também tem participação do pianista André Mehmari, reinventando com virtuosismo composições de Jair do Cavaquinho e Chico Buarque (em arranjos que conjugam vanguardas da música de concerto e da música popular). O quinteto de clarinetes Sujeito a Guincho acompanha um samba cômico, "Cidade Lagoa" (do repertório de Moreira da Silva), fazendo proezas de madrigalismo: quem quiser saber como se faz um pescoço de girafa ao clarinete, pode consultar a faixa 8. Bellinati toca "Por Toda a Minha Vida" (Jobim/ Vinicius) e faz o arranjo de "Assum Branco" (Zé Miguel Wisnik), traduzida da dicção musical nordestina para um registro de música negra mineira. Rodolfo Stroeter tocou baixo, produziu o disco e ainda deu de lambuja uma toada (em parceria com Joyce).

Integrante da Orquestra Popular de Câmara, Mônica convidou o pianista Benjamin Taubkin e outros colegas para fazerem algumas canções definitivas, como "É Doce Morrer no Mar" (Dorival Caymmi), com direito a contrapontos bachianos, "Onde Ir" (de Vanessa da Mata, liderando a ala dos novíssimos compositores) e "Menina Amanhã de Manhã" (de Tom Zé, resgatada de um disco de 30 anos atrás).

O arranjo dessa última transforma a canção numa sofisticada peça de música de câmara, com episódios modulatórios, valorizando ao máximo o maracatu do percussionista Ari Colares e, ao mesmo tempo, os sonhos circenses do flautista e saxofonista Teco Cardoso. Sem falar na sanfona de Toninho Ferragutti, que também acompanha a cantora numa versão de partir o coração de um clássico caboclo, "Vingança".

O fato é que não dá para falar da cantora Mônica Salmaso sem falar dos arranjos, das felicidades particulares de cada canção reimaginada por ela em parceria com os outros músicos. É ela quem dá sentido a toda essa constelação de artistas, assim como é ela quem cria significados novos para as canções, postas na vizinhança umas das outras. São muitos tipos de inteligência musical em jogo; e a garimpagem do repertório se justifica e completa pelo filtro do canto.

Já era essa, decerto, a proposta nos discos anteriores; mas *Iaiá* lança Mônica Salmaso numa outra dimensão, ao mesmo tempo mais trabalhada e mais aberta, mais disponível para ocupar o lugar que lhe cabe. Se tudo, afinal, nos leva de volta para a voz, esse retorno não é qualquer retorno: é um avanço. Voltar com Mônica Salmaso à voz de Mônica Salmaso passou a ser, para todos nós, um dos modos necessários de educação musical. Vale dizer: um dos modos de entender nossa roça e nossa aldeia, na cidade lagoa do agora.

1.5.04

Concerto Italiano

Cultura Artística, 18.5.04

A Bach o que é de Bach e à Itália o que é da Itália. Mas o gênio de um e o espírito da outra se confundem muito mais do que se pensa, como ficou demonstrado pelo Concerto Italiano, anteontem, tocando *Concertos Brandemburgueses* no Cultura Artística.

Os seis *Brandemburgueses* foram compostos por Bach (1685--1750) provavelmente em fins da década de 1710, quando morava em Cöthen, com um excelente grupo de músicos à disposição. Levam ao limite as lições de seu contemporâneo italiano Antonio Vivaldi, de quem Bach absorve a ideia do concerto moderno, para um ou mais instrumentos solistas e orquestra.

Na terça-feira, o maestro/ cravista Rinaldo Alessandrini e seu grupo – 3 violinos, 3 violas, 2 violas da gamba, 3 violoncelos, violone (o contrabaixo antigo), flauta, 3 oboés, fagote e 2 trompas, em variadas combinações e todos na devida versão barroca – tocaram os *Brandemburgueses* nos 1, 3 e 6, entremeados de "Sinfonias" (termo barroco para abertura, ou prelúdio). E tocaram como se fosse música italiana, escrita à moda contrapuntística alemã, o que afinal é só outro ponto de vista para a música alemã escrita à moda italiana.

A Bach o que é de Bach; e a sensação habitual é de que tudo está ou vem de Bach. Como se tudo mesmo, na música dos últimos trezentos anos, começasse na cabeça do prodigioso provinciano organista barroco. Isso só prova a força dessa música, e comprova mais uma vez nossa vontade de inocência. Pois é justamente no que Bach faz da música italiana, por exemplo, que seu gênio se manifesta com expressão mais viva. A repetição dessa verdade se deve ao Concerto Italiano, numa noite em que não chegou a ser o que é, mas mostrou bastante do que pode ser.

De melhor: a energia, a velocidade, a precisão. No terceiro movimento do *Concerto Brandemburguês* nº 3, o metrônomo parecia enlouquecido; mas a *spalla* Francesca Vicari mantinha afinação e charme como se estivesse num minueto, regendo de dentro da música tanto quanto o cravista.

Já nos minuetos do *Brandemburguês* nº 1, o conjunto inteiro torcia para as trompas de caça não fazerem de novo o que tinham feito no "Allegro", acabando com qualquer pretensão de charme ou elegância. É dura a vida do trompista, e muito pior a do trompista barroco, que nem ao menos tem chaves para ajudar. Acerta um milhão de notas, mas basta perder a tensão nos lábios por um segundo... e catástrofe.

Como são lindos os oboés barrocos, por outro lado. Cada escalinha em terças soa como se nunca se tivesse ouvido isso antes. E as dissonâncias suspensas na "Sinfonia" da *Cantata* BWV 35, com Alessandrini fazendo seu *rock* por baixo, foram um momento de grande música, onde a qualidade sonora dos instrumentos antigos fazia toda a diferença. Também no *Brandemburguês* nº 6 – duas violas solistas em confronto com a gamba –, a escuridão dos timbres era de espantar.

Um concerto que ensina e surpreende já não é pouca coisa. Se se pode cobrar encantamento, é só porque a gente sempre quer mais – sempre quer tudo – da música.

19.5.04

Osesp
Krzysztof Penderecki

Réquiem Polonês

Sala São Paulo, 10.6.04

O final explode em fortíssimo, com as vozes abrindo espetacularmente o espectro, em movimento contrário (graves indo para baixo, agudos para cima). "Passar da morte para a vida", como diz o texto, tem muitos sentidos aqui, abarcando desde enigmas humanos até as lutas políticas que o *Réquiem Polonês* rememora e consagra nos tons comovedores da música de Krzysztof Penderecki.

Nascido em 1933, o compositor está para além do bem e do mal no cenário da música contemporânea. Não tem hoje, talvez, o mesmo prestígio entre seus pares que teve nas décadas de 60 e 70, quando se tornou mundialmente conhecido como o autor da *Trenodia Para as Vítimas de Hiroshima* e da ópera *Os Demônios de Ludum*, entre outras peças.

Na época, o que mais impressionava era seu uso de efeitos inusitados (como os cachos de quartos de tom e os glissandos simultâneos nas cordas), que logo se tornariam língua franca da vanguarda. Mas, em retrospecto, o que mais se revela é o caráter humanista, política e historicamente engajado dessa música; até porque falar retrospectivamente significa falar do ponto de vista do *Réquiem* (1984-93), que o próprio Penderecki regeu quinta-feira na Sala São Paulo.

Monumental, não só pelas forças envolvidas – grande orquestra, incluindo sete percussionistas, coro e (ótimos) solistas poloneses convidados – e pela duração – 105 minutos –, mas pela natureza da música, que parece talhada direto nas montanhas, o *Réquiem* deixou a plateia em estado de respeitoso transe. Depois foi uma ovação de mais de cinco minutos.

O caso desse *Réquiem* se destaca como exemplo da comoção vivida por uma plateia que, afinal, encontra a música de seu próprio tempo. Todos os horrores de uma história recente (Segunda Guerra, stalinismo, Solidariedade) aparecem agora traduzidos num idioma onde sofrimento e sentido são uma coisa só.

Com a segurança de um compositor escrevendo para Deus e os homens, consciente de uma responsabilidade que só raramente se impõe sobre os ombros de seus colegas, Penderecki ali é, quase paradoxalmente, um dos grandes compositores do nosso momento. Paradoxalmente: porque "nosso" momento está sempre fora de fase com a música. E "quase": porque esse paradoxo é a própria verdade da composição, caindo mais uma vez sobre 3 mil ouvidos num canto gelado do mundo.

12.6.04

Orquestra Experimental de Repertório
Lamosa, Portari, Szot
Jamil Maluf

Gounod: Romeu e Julieta

Teatro Municipal, 13.6.04

"A luz inebriante do amor": acreditar ou não numa frase como essa, extraída de uma das árias do quarto ato de *Romeu e Julieta*, define hoje não o destino da arte de Charles Gounod (1818-93), mas talvez o de quem ouve. Encenada em tons caracteristicamente irônicos por José Possi Neto, e regida com característica energia por Jamil Maluf, com um elenco caracteristicamente espetacular no palco, a ópera teve sua estreia domingo no Teatro Municipal, dividindo as paixões no centro da cidade com as dezenas de espetaculares Romeus e Julietas que mandavam ver a duas quadras dali, na parada *gay*.

A questão, no fundo, não é acreditar na frase, mas na forma da frase. O próprio compositor deixava isso claro nas suas *Reminiscên-*

cias: "Que ninguém mais venha nos jogar na cara esses termos barulhentos e equivocados – 'naturalismo', 'realismo' etc. A Arte é Natureza, sim [...], mas ponderada e *julgada* na corte da razão". Traduzindo em música: a simetria continua sendo a grande arma da beleza. Por mais descabelado que seja o sentimento, nada altera o equilíbrio das formas.

Não é o mesmo equilíbrio que rege essa produção da Orquestra Experimental de Repertório? Seu símbolo mais memorável é a grande lua, um inconstante grande círculo iluminado que manda no fundo do palco, como manda no destino dos amantes. Também a capelinha matrimonial acolhe os adolescentes com equânimes braços de arame, o que talvez sirva como metáfora da música. Dessa perspectiva, o grande mérito de Possi – auxiliado pelo cenógrafo Jean-Pierre Tortil e pelo figurinista Fábio Namatame – foi liberar o repertório de referências, combinando alegremente renascença e pós-moderno. Está tudo sob controle: dá para fugir do controle.

O *Romeu e Julieta* original de Shakespeare tem boa dose de comédia; fica a um passo de *Sonho de Uma Noite de Verão*. Outra virtude dessa montagem, então, é não forçar a mão da tragédia, até o ponto em que as coisas realmente desandam. Se isso tira alguma expressão do casal-20, Rosana Lamosa e Fernando Portari, por outro lado garante o ritmo do espetáculo.

Outros solistas, como o barítono Paulo Szot (fazendo um Mercutio *punk*), o baixo Lício Bruno (Capuleto, bebendo seu uisquinho de manhã enquanto fala ao celular) e a *mezzo* Magda Painno (a ama, em versão MTV), têm bastante espaço para o humor. Mesmo o Tybalt de Luciano Botelho (à frente da gangue dos Capuletos), o frei de José Galliza (de batina de couro) e o Stephano de Lys Nardoto (fazendo serenata com guitarra, contra os arranha-céus projetados em preto e branco) têm também sua dose de comédia, lucidamente misturada aos venenos trágicos. Idem, Coral Lírico, até no glorioso lamento, com as luxuosas dissonâncias lutuosas.

Assim, ainda, a mistura de elementos da nossa própria decadência, desde a maquiagem e o cabelo de Romeu, *à la* Edward Mãos de Tesoura – sem falar nos dedos de cisalha de Mercutio –, passando pela Julieta meio Alanis Morissette, até a grande cerimônia *dark* do casamento forçado da moça (pré-desmaio), com direito a candelabros gigantescos e fantásticos seres caudados, bem como a mistura de registros no teatro e no canto de Lamosa e Portari, resulta mais sutil e variada do que pode sugerir essa descrição. Até mesmo a cama de rosas da noite de núpcias, dando um sentido bem colorido e concreto à outra metáfora principal da ópera (junto com a lua), consegue se equilibrar no limite de sua própria graça.

Mesmo nessa tarde de estreia, onde o controle falou mais alto do que a liberdade, e alguém esqueceu de pôr filtro mágico na água dos artistas, a montagem foi um prazer de se ver. Até um garoto que rolava no chão do corredor não tirava os olhos de Julieta morrendo e cantando. Pouco mais tarde, a duas quadras dali, natureza e arte se confundiam num carnaval de inverno, e a lembrança da ópera já começava a ganhar contornos de beleza ponderada e clássica.

15.6.04

Orquestra Sinfônica Nacional da Rádio da Polônia
Boris Belkin
Gabriel Chmura

Sala São Paulo, 25.6.04

Tudo estava diferente, na noite de sexta passada. O trânsito, por exemplo, fluía tão bem que até o estacionamento acolhia os carros sem estresse. No *foyer*, a quantidade de ternos escuros e vestidos pretos era excepcional, mesmo para os padrões da Sala São Paulo. Rolava o coquetel do patrocinador, que depois quase estragou tudo com o vídeo projetado antes do concerto da Orquestra Sinfônica Nacional da Rádio da Polônia, ao som de um *pop* anônimo, recebido em constrangido silêncio por todos.

Entra a Sinfônica – e ataca a *Pequena Suíte* de Lutoslawski (1913-94). Nem toda orquestra se revela ao primeiro compasso; mas aí está uma que sim: som cheio, enérgico, de uma eficiência expressiva. A *Pequena Suíte* foi composta em 1951; está muito mais próxima da *Suíte de Danças* de Bartók – uma referência assumida quase explicitamente – do que da música posterior do próprio Lutoslawski. De quem, aliás, essa orquestra gravou a obra sinfônica completa, junto com a do outro grande compositor polonês Penderecki (que regeu seu *Réquiem* na Sala há duas semanas).[43]

---

43 Ver 12.6.04.

Depois foi a vez dele, o pobre e maravilhoso *Concerto Para Violino e Orquestra* de Tchaikovski (1840-93). Pobre porque desde sempre tem sido alvo de sarcasmos, que continuam se repetindo a despeito de sua posição confirmada no cânone. E maravilhoso, não só no sentido espontâneo da palavra, mas porque o maravilhamento faz parte da música aqui. Toda a dificuldade, todo o virtuosismo, tudo o que o *Concerto* tem de mais chamativo, justifica-se como experiência de superação, instrumental e humana. Estamos no reino do sublime romântico, que pede um violinista de coragem.

Veio um para ninguém botar defeito – aliás, já veio muitas vezes. Mas o russo Boris Belkin talvez nunca tenha tocado tão bem por aqui quanto na sexta. A essa altura – depois de já ter feito o mesmo Tchaikovski, há anos, com Leonard Bernstein e a Filarmônica de Nova York e o gravado duas vezes (com Ashkenazy e a Philharmonia e com Michael Stern e a Filarmônica de Londres) –, o mínimo que se pode dizer é que tem a música nos dedos. Mas o mais importante não depende só disso: um sentido das coisas, minuciosamente trabalhado a cada gesto, em cada pequena intenção.

Seu cacoete de passar os dedos ao longo do arco, entre a madeira e a crina, enquanto espera a próxima entrada, tem algo de teatral e algo de musical, assim como sua postura levemente inclinada, com os joelhos um pouco dobrados e os olhos fechados, lembrando um guitarrista de *rock*. Belkin toca com gana; toca também num limite da velocidade, mas fecha as escalas com um sorriso, de quem está fazendo tudo com prazer. Não acertou mil por cento das arcadas, o que não tem a menor importância. Foi arrebatador.

Na segunda parte, a vigorosa Sinfônica fez a *Sétima* de Dvorák (1841-1904), bem regida (de cor) por Gabriel Chmura. A glória dos poloneses são os violinos. Chmura, de sua parte, é um daqueles regentes relativamente discretos, que não chegam a encantar, mas jamais fazem um gesto musical em falso. Juntos, deram um lindo bis, a *Valsa Triste* de Sibelius (1865-1957), que fechou a noite em tons de sábia melancolia. Voltou o silêncio, então, mas não tinha mais nada de constrangido. Era música.

28.6.04

Haydn

O segundo movimento da *Sinfonia* nº 94 de Haydn (1732-1809) começa com as três notas de um acorde de dó maior, tocadas uma depois da outra. O ritmo é muito simples, com a melodia caindo banalmente sobre os tempos do compasso. A resposta a essa primeira frase também não poderia ser mais simples: o caminho de volta, num acorde de dominante com sétima. É a mesma sequência de acordes de "Parabéns a Você" e melodicamente mais ingênua ainda.

Cinco minutos depois, já passamos pelo céu e o inferno, cruzamos os Alpes e dobramos o Cabo da Boa Esperança, enfrentamos tempestades e chegamos, afinal, à paz da vida ensolarada, ao som de flautas e oboés delicadamente planando sobre o jardim das cordas. Que tanta emoção e tanta experiência tenham saído daqueles dois acordes do início parece inacreditável, mas é característico dessa arte total da composição, exercida por Haydn em mais de seis décadas de uma carreira produtivíssima, ao longo da qual elaborou os modelos clássicos da sinfonia, do quarteto e da sonata, escreveu oratórios, missas e óperas, e foi responsável ainda pelos primeiros reconhecimentos da figura do compositor como profissional autônomo.

Aquilo que se firma como o "estilo clássico" em fins do século 18 depende justamente desse entendimento das polaridades básicas do sistema tonal, tratadas como células fissionáveis, de energia infinita. As dissonâncias, cruciais à expressão da música barroca, são agora traduzidas para um plano maior: toda uma seção de determinada peça será ouvida como "dissonante" em relação ao ponto de onde veio e para onde vai. As tensões e resoluções que marcam cada frase e cada período da música são amplificadas para o domínio da forma – de um movimento ou até mesmo de uma sinfonia inteira.

O gênio de Haydn foi descobrir modos como a ação dramática – o teatro da ópera – encontra equivalentes musicais que se sustentam em seus próprios termos. A linguagem resultante permite, entre outras coisas, variação de afetos, interrupções da continuidade, sem perder a coerência. Uma peça de Bach basicamente mantém o mesmo clima emocional do início ao fim; já com Haydn, quem canta (com ou sem palavras) pode viver emoções diversas, contraditórias, ambivalentes, sem que jamais a música perca seu sentido de unidade.

As surpresas e excentricidades são mesmo parte do que há de mais encantador no seu estilo. Naquele início de segundo movimento, por exemplo, quando tudo parece muito calmo, a orquestra inteira subitamente ataca em fortíssimo. Só um acorde. Depois volta ao que vinha fazendo, como se nada tivesse acontecido. É claro que as consequências desse estrondo serão sentidas mais tarde, quando a música leva ao limite os decibéis e as paixões. Nada em Haydn é gratuito: por mais espetacular que seja algum efeito desses, há de se revelar essencial também para a forma.

A mistura de registros na sua arte – contraponto antigo e folclore austríaco (ou húngaro, italiano, croata, esloveno etc.: Viena era o centro de um império multinacional), cidade e campo, música popular e música de corte, música litúrgica e música de cena, catolicismo e maçonaria – sempre se dá sem a menor sugestão de artificialismo. E o que tem de ingênuo tem de sofisticadíssimo. A ingenuidade está na superfície, a sofisticação vem ironicamente velada, seguindo um modelo de civilidade que é o equivalente musical das lições do Iluminismo.

Sem prejuízo de tanta riqueza, Haydn descobre, ou inventa, um caráter público da composição. Seja nas sinfonias e nos quartetos, seja nas sonatas, concertos e oratórios, a música agora é concebida para a performance aberta, em frente a uma plateia. A própria organização sonora de um conjunto do porte de uma orquestra obedece a essa exigência; e a inteligência da música precisa dar conta disso, de dentro. Nesse sentido, também, sua música, além de eterna, é decisivamente moderna.

Do menino Mozart, que aprendeu quase tudo com ele, até o menino Beethoven (que "recebeu o espírito de Haydn das mãos de Mozart"), essa música deixou seguidores nos mais variados cantos, chegando até Emerico Lobo de Mesquita, em Diamantina, e José Maurício Nunes de Garcia, no Rio, para ficar só nestes dois haydnianos brasileiros. A partir daí, ela se transforma de modo tal que nem mesmo Haydn poderia imaginar. O retorno a Haydn, então, é sempre uma revelação, além de uma felicidade. Ali se escuta um ideal de originalidade, de liberdade e de engenho, que concretiza muito do que a música pode nos dar, e nos faz entender, mais uma vez, quanto a música vai também – nesse caso, pode-se dizer, para sempre – muito além da música.

***Bravo!*, julho de 2004**

Orquestra Sinfônica Municipal
Souza, Arévalo, Esteves, Konstantinov
Ira Levin

VERDI: DON CARLO

Teatro Municipal, 19.8.04

Tinha tudo para dar certo: guerra, religião, incesto, homossexualidade, tragédia grega, Che Guevara e Guns N' Roses, sem falar nos sete espetaculares pastores alemães da Polícia Militar. Tinha tudo para dar errado: guerra, religião, incesto, homossexualidade, tragédia grega, Che Guevara e Guns N' Roses, sem falar nos sete espetaculares pastores alemães da Polícia Militar. No final das contas, foi uma mistura de acertos e desacertos a estreia do *Don Carlo* de Gabriel Villela anteontem no Teatro Municipal.

Que este é o *Don Carlo* de Villela ninguém tem dúvida. A ópera de Verdi (1813-1901) foi reinventada mais uma vez, um século e meio depois de sua primeira apresentação, não só porque qualquer geração, sem fazer força, é autora daquilo que ouve, mas porque o diretor mineiro entrou nas águas líricas como um poderoso reagente, que tinge tudo de outra cor. Se a impressão que fica, depois, não é fácil de definir, talvez seja porque o resultado acaba se mostrando insuficiente comparado às ambições que a própria montagem criou.

O que não seria justo é reclamar contra o princípio dessa montagem: ela tem de ser julgada segundo os seus critérios (não necessariamente os de quem critica). Não vale, por exemplo, reclamar da mistura de teatro grego – sugerido pela projeção de um anfiteatro na lateral do palco, pelas colunas e afrescos no fundo e pela armação das arquibancadas do coro – com o figurino de roqueiro-teatreiro dos soldados – capacetes, jaquetas de couro com a cara de Che Guevara na frente e o nome das bandas americanas atrás, saias quadriculadas (para homens e mulheres) e All Star vermelhos –, tudo isso para encenar uma história que se passa na Espanha barroca, recontada a pedido do gênio italiano pelos libretistas oitocentistas franceses, a partir da peça original do romântico alemão Friedrich Schiller.

Tantos contrastes, reforçados pelo cromatismo do cenário (lilás com vermelho e verde, por exemplo), servem, antes de mais nada, para destruir qualquer fixação histórica da peça, atualizando a barbárie num contínuo que iguala um rei católico da Inquisição a um presidente norte-americano atual, assim como aos facínoras que atacaram Troia etc. Entendidos no contexto da encenação propriamente dita – um palco dentro do palco, um tablado à maneira do teatro mambembe – eles têm ainda outro papel: contribuem para dinamitar qualquer vestígio de teatro realista e transformam a ópera num teatro do teatro.

Só assim se pode aceitar, também, a encenação dos cantores-atores, engessados pelo diretor num registro quase hierático. Uma forma, quem sabe, de controlar os maneirismos de praxe, mas que, afinal, acaba criando outros maneirismos. Exceção feita ao rei Felipe do ótimo baixo búlgaro Julian Konstantinov, que já surge monolítico no palco e faz as almas delicadas correrem. Já no caso dos outros solistas, o tenor mexicano Octavio Arevalo (Don Carlo), a romena Mariana Cioromila e os brasileiros Laura de Souza (soprano) e Rodrigo Esteves (barítono, brilhante na quinta-feira), a balança natural continuava pendendo para o melodrama, sem que nenhum ficasse à vontade no papel de fazer um papel.

E o incesto? Tecnicamente, é só adultério (platônico), entre o filho do rei e sua madrasta (que era sua antiga noiva). Villela não força a mão neste ponto, assim como passa quase batido pela amizade entre Carlo e Rodrigo, que qualquer leitor de hoje saberia enxergar também com outros olhos. Especialmente com outros ouvidos. Aqui se toca no ponto mais frágil: Villela parece pouco interessado nas nuances da música, para além da sua ordem narrativa.

Coral Lírico, como sempre, muito bom; já a Sinfônica, regida por Ira Levin, fez uma estreia fraca (com destaque positivo para o lindo solo de violoncelo no Ato 3). Quem estava bem mesmo era o coro de cães: sempre naturais, aprumados, calmos, mas latindo no fim com eloquência; e, de longe, os mais bem vestidos da companhia.

21.8.04

Osesp
John Neschling

Sala São Paulo, 26.8.04

Era tanta gente no palco que parecia uma floresta, mais do que uma orquestra, avançando luxuriosamente pelas coxias. Além da

Sinfônica completa (incluindo duas harpas, piano, celesta e todo um arsenal de percussão), nada menos que uma banda da Polícia Militar, em farda de gala, coloria de branco e dourado a lateral esquerda da cena, enquanto outra banda, invisível no porão, era anunciada pelo maestro Neschling. Tudo isso pra tocar pela primeira vez a edição crítica da *Sinfonia* nº 4 de Villa-Lobos (1887-1959), preparada pela própria Osesp e tocada anteontem com fogos de verdadeira estreia.

A *Quarta* é de 1919. É a sinfonia do meio, "A Vitória", numa trilogia composta por Villa-Lobos logo após a Primeira Guerra Mundial; a Osesp deve tocar a nº 3, "A Guerra", em breve; a partitura da nº 5, "A Paz", foi perdida. ("Como alguém pode perder uma sinfonia?!", perguntava rindo uma amiga – casada com um compositor que perdeu uma.)

Nem o próprio Villa, decerto, ouviu nada de parecido com as exaltações e mistérios que imantavam a Sala São Paulo na quinta. Texturas multilaminadas, sobreposições de camadas em tempos diferentes, combinações únicas de sons: um maravilhoso delírio, que nos obriga novamente a rever a imagem do compositor – sem patriotada, um dos maiores orquestradores do século passado –, o que significa rever nossa imagem de nós mesmos.

Se o primeiro movimento carrega nos triunfalismos e getulismos, a partir do segundo as coisas vão se desenhando em outra direção. E se as referências francesas (Debussy acima de tudo) fazem do "Andantino" uma espécie de *Images* à brasileira, dali se mergulha na noite inadjetivável do "Andante", com o solo de corne inglês dobrado pela viola e acompanhado dos sinos. São vastidões para dentro e vastidões para fora, que Neschling regeu com arrojo e apuro.

Que loucura de música, depois, com aquela banda escondida tocando em contraponto com os fragmentos de fanfarra no palco. E que confiança tinha o compositor, para jogar essas impraticáveis forças contra as insuficiências do mundo. Villa-Lobos já era, então, maior que o Brasil; e o Brasil nem se tinha inventado direito, porque tanta coisa o próprio Villa não tinha composto ainda. A maior loucura é pensar que só agora se escuta o que ele nos compôs.

Foi um contraste e tanto com as apuradas e arrojadas delicadezas do *Concerto Para Violino* de Kurt Weill (1900-50), que a solista Viviane Hagner interpretou na primeira parte, acompanhada pelo insólito conjunto de sopros, metais, percussão e quatro contrabaixos. Este é o Weill pré-brechtiano, escrevendo com maestria aos 24 anos de idade, num idioma que faz pensar, por um lado, em Berg e, por outro, em Hindemith (com quem, aliás, escreveria uma ópera radiofônica pouco tempo depois).

A parte do violino é assustadora; mas a morenaça alemã tocou os mil motos-perpétuos como se não fossem nada demais. Quer dizer: como se a música fosse tudo, e dedos, arcos, cordas apenas um instrumento natural da expressão. Ovacionada (o que não era tão previsível, tendo em vista o caráter do *Concerto*), voltou e arrasou num bis virtuosístico, tocado como se fosse grande música: a *Paganiniana* de Nathan Milstein. Já era o bastante para sustentar a vida, e o Villa-Lobos nem tinha começado.

28.8.04

Gidon Kremer

Teatro Municipal, 30.8.04

Gidon Kremer não é só um dos maiores violinistas, mas um dos músicos mais interessantes da atualidade. Com seu prestígio acima de qualquer dúvida, tem a audácia de programar compositores menos conhecidos, seja do presente, seja do passado. Toca com músicos novos e novíssimos, com tanta ou maior frequência do que com as estrelas de sua própria geração (ele nasceu em 1947). Tudo isso era incentivo certo para ir ao Municipal anteontem, escutar o letão interpretando Bach, Arvo Pärt e Piazzolla.

O estoniano Pärt (1935) deve ser o compositor mais tocado do repertório contemporâneo. Uma peça como *Fratres*, de 1977, foi usada até como trilha de filme (do diretor Atom Egoyan), na mesma versão para violino, piano e percussão que Kremer tocou com seus jovens companheiros da Kremerata Báltica – conjunto que ele criou em 1997 e com quem esteve em São Paulo há dois anos.[44] Já foi gravada muitas vezes também (merece destaque a versão com orquestra interpretada por Gil Shaham, num deslumbrante disco da série "20/21" da Deutsche Grammophon). E a cada vez confirma sua força, feita de tão pouco para sustentar quase tudo.

---

44 Ver 11.11.02.

É uma das peças inaugurais da técnica de *tintinabuli* ("tintinábulos", sinos). Uma nota serve de base para melodias que se deslocam lentamente em torno a ela, harmonizadas pelas notas do acorde tonal centrado naquela mesma base. Começar o programa com essa peça foi um gesto característico de Kremer, e obrigou a plateia a um silêncio digno das comoções da música – só perturbado pelo incorrigível ruído, ou rugido, do ar-condicionado.

Se depois a "Chaconne" [da *Partita* nº 2] para violino solo, de Bach (1685-1750), tinha alguma coisa de música contemporânea da Estônia não era mera coincidência. Quem tem uma relação tão viva com a música do seu próprio tempo necessariamente há de ver com outros olhos a música de qualquer outro período. Para além do virtuosismo digital, seu Bach sem ornamentos (nem na última cadência) guardava relações inusuais de tempo entre uma seção e outra, explorava grandes diferenças de dinâmica e fazia de um novo ascetismo o idioma mais antigo e expressivo.

Algo dessa mesma mistura de contemporâneo e arcaico se ouviu também na interpretação da *Fantasia Cromática e Fuga* pelo pianista lituano Andrius Zlabys. É o barroco pós-moderno do Leste, vigoroso e corajoso, sem problemas morais com a inautenticidade. Zlabys tem um som gigantesco, que ele faz contrastar, por um lado, com as doçuras (nas sequências de arpejos) e, por outro, com as angulosidades (na fuga).

A mistura era bem outra nas três *Invenções*, também de Bach, usadas como material de improvisos para vibrafone solo pelo virtuosístico Andrii Pushkarov (da Ucrânia). Virtuosismo de baquetas, virtuosismo de ritmo e virtuosismo de ideia: elaborações fluentes à maneira de Bill Evans, Jacques Loussier e Oscar Peterson. Mas aqui o concerto já mudava de caráter e dirigia a gente para a segunda parte, com as sete peças curtas de Piazzolla (1921-92).

O violinista é um verdadeiro apóstolo do *nuevo tango*, que ele toca e grava há anos, com sinceridade e simpatia. Mas sete vezes sedução e sete vezes nostalgia foi um pouco demais – e de menos, para quem ficou com fome de ouvir Kremer exigindo mais de si, e de todos nós.

1.9.04

João Carlos Martins

A Paixão Segundo Martins

Direção de Irene Langemann

As quatro primeiras cenas resumem os mil e um caminhos que se cruzam sugestiva e problematicamente no filme. Na primeira, o pianista João Carlos Martins aparece na sala de seu apartamento em São Paulo, tocando a "Chaconne" [da *Partita* nº 2] de Bach (1685-1750), na transcrição de Busoni, só para a mão esquerda. A cena seguinte se passa num hospital, em 2002, onde o pianista submete-se a tratamento para recuperação dos movimentos da mão. A terceira é o vídeo histórico de um concerto de Martins com a Filarmônica de Los Angeles regida por Zubin Mehta, em 1970. E a quarta mostra o pianista sexagenário trocando passes de cabeça com Pelé, na sacada do apartamento.

A trama de música, doença, glória e celebridade se multiplica ao longo de *A Paixão Segundo Martins*, documentário franco-alemão da diretora Irene Langemann, que estreia hoje em cinemas de São Paulo e Rio. É uma história do pianista que vai além da paixão pela música (e pela música de Bach em especial), não só no sentido de que a própria música o leva a superações incríveis, mas também porque outra narrativa se escuta por trás do que está na tela.

O fato de uma pedrinha ter cortado seu braço em 1966, enquanto jogava bola no Central Park, em Nova York, lesando o nervo cubital, soa característico nesse roteiro de inverossimilhanças (todas verdadeiras), que vão compondo fatidicamente uma tapeçaria de vida. Estava então no auge da fama, aos 26 anos de idade. E o acidente parece mais significativo ainda quando se olha o forro do tapete, uma involuntária alegoria brasileira.

Que um pianista clássico seja incapacitado pela paixão do futebol faria pensar em Machado de Assis. Que esse mesmo pianista abandone, então, sua arte e se devote à Bolsa de Valores – em plena era do "milagre brasileiro", nos anos 70 – faz pensar em Rubem Fonseca. Que o financista retorne depois aos palcos e se veja forçado novamente a largar o piano por problemas na mão, que vire dono de uma construtora e angariador de fundos do candidato a governador Paulo Maluf, e que seja processado pela administração desses recursos já nos traz para as sombras de algum autor ainda não surgido, capaz de dar conta do quiproquó nacional, em que a mesma figura pode surgir, no fim da fita, em 2003, interpretando o *Hino Nacional Brasileiro* (com a mão esquerda debilitada e apenas o polegar da direita) num comício de 1º de maio da Força Sindical, apresentado por Paulinho e aplaudido pela multidão.

As coisas são tão mais ambíguas porque a sinceridade musical de Martins fica evidente desde o primeiro instante. Também sua considerável coragem, ao se deixar filmar em cenas de sofrimento físico excruciante, por exemplo, ou ao comentar abertamente o caso Maluf (sem pronunciar este nome, é verdade), ou ao se lamuriar, em tom doído, pela falta de reconhecimento em seu próprio país.

Mas não é estranho, por outro lado, que não haja no documentário um único depoimento de alguém que não seja seu parente, amigo ou associado? Não é constrangedor ver Martins, sem meias palavras, se comparando a Pelé? Não faz falta ouvir um especialista em Bach, que seja, ou um outro pianista? Não faz falta escutar algum artista ou musicólogo brasileiro? Não seria pelo menos tão importante quanto mostrar o lutador Eder Jofre (de quem Martins promoveu a luta em que reconquistou o título mundial dos pesos leves, em 1973)?

O fato é que *A Paixão Segundo Martins* faz da história pessoal o mais importante num filme onde a música é instrumento de uma experiência humana incomum. E essa história é sempre contada da perspectiva do protagonista. O que talvez não seja ruim, se se tomar o filme também como mais um trabalho de interpretação do pianista (em todos os sentidos da palavra "interpretação"). Vale dizer que a força sentimental do conjunto há de desagradar muita gente, assim como seu Bach. A interpretação dessa interpretação é uma outra história ainda, em que se cruzam memórias e atualidades, apaixonantes e repulsivas, tramando o tapete em frangalhos do Brasil.

3.9.04

Ilya Gringolts

Bank Boston Hall, 8.9.04

No final do segundo movimento da *Sonata* nº 2 de Schumann (1810-56), um conhecido violista explodiu baixinho para sua companheira, conhecida violinista: "Uau". Era o comentário que estava na garganta de todo o mundo, vendo Ilya Gringolts tocar, anteontem no Bank Boston. E resumia, em três vogais, um espanto e uma alegria que resistem à teorização, mas também não podem não se fazer ouvir.

O jovem russo (21 anos) veio precedido de tantos elogios que, se não fossem suas gravações de Bach (*Sonatas* e *Partitas* para violino solo) e Prokofiev (o *Concerto* nº 1 para violino e orquestra), a gente até ficaria com um pé atrás. Mas são gravações espantosas, de um músico que soa mais na faixa de idade de Gidon Kremer ou de Itzhak Perlman do que na de Robinho e Diego. Com tal incentivo, até a longa e tortuosa viagem aos confins da Berrini parecia justificada.

Quinze minutos no jardim de árvores brasileiras fazem muita diferença; depois disso, a primeira nota da *Sonata* K. 304 de Mozart (1756-91) já era uma lição de outro mundo. Acompanhado pelo bom pianista israelense-parisiense Itamar Golan – acompanhante de Barbara Hendricks e Maxim Vengerov, entre outros – e embrulhado num fraque de forro vermelho, Gringolts tocou tudo com uma seriedade impressionante, onde "seriedade" é só a palavra que ocorre para uma mistura inabalável de concentração e paixão.

Não ri, não sorri, não fala, não é simpático nem antipático. É como se fosse a própria música, encarnada por acaso na figura do astigmático menino. Que não faz nada por acaso: cada vírgula da *Sonata* nº 2 de Bartók (1881-1945), por exemplo, tinha seu ataque e sua entoação cuidadosamente justa; cada ponto e vírgula e cada dois-pontos também.

O fato de ele tocar uma peça como essa já depõe a seu favor. Não pela dificuldade, mas pela natureza de uma composição tão arrojada e ao mesmo tempo tão reservada nas suas seduções. São proezas do gesto musical livre, ambientadas numa arquitetura modernista que chega ao limite do atonal e dá espaço para a experimentação sonora. O difícil mesmo é fazer a música preservar sua coerência, sem se dispersar em momentos isolados. E o mais impressionante foi ver Gringolts e Golan se jogarem de cabeça em cada instante, sem perder a cabeça.

Mesmo a cabeça irremediável e maravilhosamente perdida de Schumann (1810-56), nas *Peças Fantásticas* e na *Sonata* nº 2, veio se traduzir, na segunda parte do concerto, em iluminações de uma super-razão musical. Um dos traços mais característicos de Gringolts é o domínio da dinâmica: notas poderosas que logo se transformam, ou se deixam suplantar por outras no limite da delicadeza. Mas ele também deixa a gente de queixo caído quando embarca num moto-perpétuo, sem perder um segundo o fôlego.

Até os Sarasate, no bis, ganharam charmes de grande arte.

O resumo fica por conta da conhecida violinista, no fim: "Meu! Maravilhoso!". Se o conhecido casal ficou assim, que dirá de nós, com as faíscas da música queimando até tarde da noite, no longo e tortuoso caminho de volta.

10.9.04

Martha Argerich e Nelson Freire

Sala São Paulo, 19.9.04

Saindo do palco devagar, de mãos dadas e conversando, parecia até que não tinham feito nada demais. Mas tinham feito pouco menos que tudo, e a ovação da plateia era um modo franco de agradecer o milagre. Aguardado há décadas, cancelado mais de uma vez, o concerto de Martha Argerich com Nelson Freire – tocando juntos pela primeira vez no Brasil – levou a música a um limite do que pode ser, e nos tornou testemunhas de algo muito fora do comum.

Ainda no intervalo – isto é, antes das faiscantes *Variações Sobre um Tema de Paganini*, de Lutoslawski (1913-94) e da arrebatadora *La Valse* de Ravel (1875-1937) – o menino pianista Pablo Rossi já cravara a definição das coisas. "*Tocam* piano", alguém comentou. E Pablo: "Fazem muito mais do que isso". Ele tem toda razão. Sem esquecer um segundo da presença, para não dizer da alegria material das teclas, gozando o prazer de tocar piano, os dois têm a atenção voltada para outros sentidos e outras alegrias, maiores ainda.

A aceitação transcendental da música, e do que a música pode nos dar, facilitada pelo gênio humano de um e outro (e um com o outro) enche a sala de energias raras. O que não significa sempre exultação. O que dizer da reserva do Schubert que eles fizeram? Um *Rondó* (D. 951) suspenso no tempo, com toda a carga de afeto protegida por um manto de colcheias perfeitas, até a modulação dramática no meio, rememorada sutilmente na oscilação maior-menor dos últimos compassos, tocados do lado de lá da vida.

Depois disso, o Ravel soava como uma homenagem ainda mais exuberante às glórias vienenses do passado. E traduzia os encantamentos melancólicos de Brahms (*Variações Sobre um Tema de Haydn*) e os contentamentos tristes de Rachmaninov (*Suíte* nº 2), na primeira parte, para um reino de entendimento feliz de tudo.

De um concerto desses, dá vontade de descrever dezenas de detalhes, sejam musicais – o virtuosismo delirante, a sutileza das texturas estereofônicas, o pulso elástico, os baixos que pareciam contrabaixos –, sejam pessoais – o quase sorriso de Nelson antes de começar *La Valse*, os charmes de Martha com o embevecido virador de páginas, o vibrato que ela faz no pedal, ou sua cara de dor com um mi agudo, levemente abaixo do que deveria. Sem falar nas conversas saindo do palco, como se estivessem sozinhos, e não na frente de 1.600 pessoas. Mas nada disso serve de emblema daquilo que a música serve de emblema, quando os dois estão tocando. Embora seja tudo parte daquilo também.

Se eles atingem uma certa leveza, que sustenta a música por dentro, isso não vem só da graça das formas. Se tudo o que fazem é sempre tão bonito – incluindo os bis (Debussy, Guastavino, Tchaikovski e Mozart) –, isso se dá só porque, para músicos assim, a música está realmente acima de tudo. Mas nesse ponto a música se consome e fica claro que os dois, no palco, são mais importantes um para o outro até do que a própria música. O que explica, afinal, nossa comoção e nossa ovação, ante o milagre maior de todos.

21.9.04

César Camargo Mariano e Romero Lubambo

Sala São Paulo, 24.9.04

Já faz quase dois anos que César Camargo Mariano e Romero Lubambo lançaram o CD *Duo*. Foi tempo suficiente para o disco assumir condição de clássico: o primeiro real sucessor do LP *Samambaia*, que o mesmo pianista gravou com outro violonista, Hélio Delmiro, em 1981. Mas Mariano e Lubambo são ainda melhores ao vivo do que no estúdio, e deram um concerto exuberante sexta-feira, na Sala São Paulo.

"Concerto" é bem a palavra – e que diferença escutar essa música numa sala assim. Comparada às dispersões das casas de show, era como escutar o duo no quarto, com intimidade e atenção, com dedicação e cuidado, reconhecendo timbres, dinâmicas, acentos. Só que melhor, considerando o cenário. Enfim: como merece.Um exemplo só não basta, mas ajuda a entender o que se ouviu. "Fotografia" começou com o pulso lento, meio livre, as harmonias luxuosas de Tom Jobim se espalhando como aromas pelo espaço. Depois pegou um andamento mexido. E Romero Lubambo fez então uma das dezenas de solos mirabolantes que tinha em estoque para a noite, combinando inspirações de Wes Montgomery (melodias oitavadas) e Luiz Bonfá (acordes blocados), entre outros, numa síntese própria e feliz.

Na sequência, foi César Camargo Mariano quem roubou a bola, para desenhar uma rapsódia característica, a mão esquerda mantendo sempre a ginga e a emoção da ideia traduzida em acordes gigantescos da direita, num crescendo impressionante. Mudança súbita de textura e dinâmica, para a cantilena que conduziu as coisas de volta ao sonhador começo. Final: só os dedos do pianista se mexendo, sem som, num silêncio cheio de música.

Logo depois, atacaram "Curumim", do próprio Mariano, com a semínima a mais ou menos 120 (batidas por minuto ou quilômetros por hora, tanto faz). Isso significa colcheias a 240, e são muitas colcheias. Mais do que isso, só em "Mr. Jr.", de Lubambo, que eles tocaram num bloco "americano", incluindo "Joy Spring" (Clifford Brown/ Max Roach) e "There Will Never Be Another You" (Harry Warren/ Mack Gordon).

O encontro do pianista com o violonista é um daqueles que faz cada um tocar ainda melhor do que já toca. Os dois parecem livres e contentes, exercendo suas artes com uma confiança mais que natural. Gostam de tocar, de um jeito que ultrapassa qualquer formalidade e apaga qualquer receio.

Se em alguns casos isso leva a alguma distorção – como em "Rancho Fundo" (Ary Barroso/ Lamartine Babo), que eles tocaram como se a letra não tivesse a menor importância –, o resultado compensa, para quem está de coração aberto. E quem não estaria, ouvindo aquele mar de música, realizada com tamanho abandono, e ao mesmo tempo com acabamento supremo?

Do início do "Samba Dobrado" (Djavan), a música saindo aos poucos das profundezas, até o bis de "Wave" (Jobim), a música num limite da realidade, foi toda uma sucessão de alumbramentos, conduzida por dois grandes músicos em pleno domínio de si. Quer dizer: em pleno domínio de todos nós, que ficamos depois no limite de cá, pensando na vida e alumbrados, lembrando da música.

27.9.04

Johannes Oelsner

Variações Sobre Um Quarteto de Cordas
A Música de Johannes Oelsner

Direção de Ugo Giorgetti
SP Filmes, 2004

O filme é muito simples. O que, no caso, é uma virtude: filmar a música toca no limite do que podem as imagens, e a vida de Johannes Oelsner se confunde com a arte que praticou ao longo de quase 70 anos de carreira.

Nascido na Alemanha, em 1915, ele chegou ao Brasil em 1939, às vésperas da Segunda Guerra. Tocava viola com o Quarteto Fritzsche, de Dresden. A Guerra começou, o Quarteto ficou. E Oelsner nunca mais sairia daqui. Um casamento de mais de 50 anos, com Hildegard, e outro, igualmente longevo, com o Quarteto de Cordas Municipal de São Paulo, com quem tocou de 1944 até 1979, não só explicam como justificam seu carinho pelo país, que transparece a cada frase.

Ao longo desse tempo, fez amizades com Mário de Andrade, Villa-Lobos e Camargo Guarnieri, e tocou com Guiomar Novaes e Magdalena Tagliaferro, entre tantos outros nomes que definem a cultura musical brasileira do século 20. Com seus colegas do Quarteto Municipal – Gino Alfonsi, Alexandre Schaffmann e Calixto Corazza –, foi responsável pela estreia de inúmeras peças do nosso repertório e manteve a excelência da música de câmara na cidade em décadas quando isso estava longe de ser habitual.

O filme é simples: concentra-se num depoimento de Oelsner, em sua sala de estudo. Sem malabarismos de câmara, escuta as palavras dele com interesse. E com esse interesse faz eco à dignidade de uma vida de músico.

Se filmar a música toca no limite do que podem as imagens, o melhor acaba sendo pontuar as histórias com cenas de época, fotografias, documentos. Um "quarteto fantasma" (só silhuetas) faz as vezes do Quarteto Municipal, enquanto se escutam trechos de Mozart, Schumann, Dvorák, Villa-Lobos (em gravações de outros quartetos).

O antigo Quarteto Municipal virou hoje o Quarteto de Cordas da Cidade, elogiado com justiça por Oelsner, que se aposentou, mas ainda dá aulas, em Osasco, e toca em casamentos, "por prazer". Na última cena, ele sai da Igreja de São Francisco, depois de uma dessas bodas. Sozinho na noite, na Avenida Europa, ele vai caminhando, sem traço de cansaço, sem desilusão. A gente se sente pequeno, vendo de trás tanta humanidade e tanta música.

28.9.04

Les Arts Florissants

Sala São Paulo, 1.10.04

Marc-Antoine Charpentier (1643-1704) é um dos grandes poetas barrocos da morte e em sua ópera *David et Jonathas* chega a um ponto supremo da expressão do que não tem expressão. Interpretada por Les Arts Florissants, sexta-feira, a "tragédia bíblica" fez cair um véu de humanidade sobre o nanoponto miraculoso da Sala São Paulo, girando lentamente no cosmos, enquanto a uma quadra dali a desumanidade gira, mira e atira.

Se o contraste parece brutal, não é maior do que o que distingue o primeiro ato do quinto, por exemplo. Da exaltação vigorosa do início, nos tons de energia e confiança – e de precisão e elegância –, característicos do regente William Christie, chegou-se depois às delicadas devastadoras sombras do coral que lamenta a morte de Jonathas. Centrado nas apojaturas da palavra "*hélas*" ("desgraça"), alternando acordes menores e maiores, esse coral traduz um dueto amoroso do par de inimigos, no ato 4, para o domínio definitivo do que não tem medida nem nunca terá, que biblicamente também não tem remédio nem nunca terá.

O contraste só se acentua com a fanfarra triunfal que vem logo em seguida – inaudível ao cabisbaixo David, deixando o palco discreto, num silêncio de pedra. Dizer que a encenação era espetacular parece exagero, quando tudo foi feito com tamanha economia pela cenógrafa Rita de Letteriis. Assim como há dez anos, quando os Florissants fizeram uma inesquecível *Descida de Orfeu aos Infernos* no Cultura Artística, essa "encenação de concerto" tira o máximo de efeito do mínimo de artifício.

Cantores de casaco preto e camisa branca sem gravata, mas cada um com seu traço pessoal. As finas linhas vermelhas no sapato de David servem de exemplo do tipo de nuance fatídica desse figurino aparentemente neutro. Só o que não era neutro eram as roupas seiscentistas do coro de meninos, que por isso mesmo ganhavam nuance irônica. Tudo, afinal, é nuance na arte de Charpentier; mas seu gênio, redescoberto e defendido há décadas por William Christie, assegura que nada é só nuance.

Eram tantos cantores, e tão bons, aparecendo em rápida sucessão, que fica difícil destacar algum. Mas o David de Cyril Auvity (tenor agudo) e a Pitonisa de Jeffrey Thompson (idem) dividem os louros na corte da memória. Cantado pela soprano Maud Gnidaz, o papel de Jonathas se beneficiou de ambiguidades andróginas: um papel masculino gay, cantado por uma soprano encenando um homem parece bom demais para ser mentira. A ópera barroca vive de verdades assim.

Tudo, afinal, é nuance na arte de Charpentier. Que ela tenha se tornado uma das formas da vanguarda musical do nosso tempo não contradiz esse espírito. É uma das fortunas que nos protegem contra o silêncio dos espaços infinitos e contra o barulho ao redor.

4.10.04

Orquestra Sinfônica da BBC
Leonidas Kavakos
Jukka-Pekka Saraste

Sala São Paulo, 16.10.04

Um concerto desses muda o padrão de referência. Quer dizer, uma orquestra dessas cria para sempre um padrão, contra o qual medir as outras. Regida por Jukka-Pekka Saraste, a Orquestra Sinfônica da BBC virou um conjunto eletrizante de músicos e ao mesmo tempo o exemplo consumado da discrição, uma orquestra arrebatadora mas de personalidade ensaística, de uma inteligência cultivada que nem por isso perde o arrojo natural.

Só o programa de seu concerto na Sala São Paulo, sábado passado, já era um elogio à plateia. Que outra orquestra estrangeira tem coragem de tocar Alban Berg e Bruckner, ainda mais precedidos pelo contemporâneo Magnus Lindberg? A Osesp faz programas assim; mas é de casa e sabe com quem pode contar. Turistas não têm tanta confiança.

Bastava ver o programa, então, para saber que eles não estavam a passeio. Há três anos, a mesma orquestra tocou na mesma sala, regida por Andrew Davis. Já era de impressionar o domínio de cores e linhas e massas sonoras – como se não se esperasse, no mínimo, algo assim de um conjunto desse porte. Agora, com o maestro finlandês Jukka-Pekka Saraste, a BBC vira outra criatura. É a orquestra contemporânea por excelência: eficiente, elegante, expansiva sem qualquer traço espetaculoso.

Vale o mesmo para a interpretação sobriamente espetacular do violinista grego Leonidas Kavakos, solista do *Concerto* de Alban Berg (1885-1935). Obra-prima do modernismo, o "Concerto em Memória de um Anjo" foi escrito em parte para homenagear a lembrança de uma filha de Alma Mahler (viúva do compositor) com o segundo marido, o arquiteto Walter Gropius; mas também para comemorar a paixão escondida de Berg por Hanna Fuchs-Robettin, irmã (casada) do dramaturgo Franz Werfel, terceiro marido de Alma. O *imbroglio* tipicamente vienense dá um sentido cheio de sinceras ambiguidades à citação, no fim, do coral luterano barroco "Es ist Genug" ("Já Basta"), empregado famosamente por Bach numa cantata.

O que não teve nada de típico foi essa versão intimista e camerística do *Concerto*, na sequência da breve *Es Ist Genug* de Lindberg (n. 1958), lindo exercício de harmonização, por um dos principais nomes da nova música europeia. Quase severo na sua túnica preta, com o antiquado bigode preto criando um efeito paradoxalmente moderno na antiquada face comprida, Kavakos toca um pouco inclinado para a esquerda, com a perna direita fazendo contrapeso. Não poderia haver imagem mais plástica daquilo que se ouviu, um Berg bem longe do limite *kitsch* onde ele mesmo gostava de se equilibrar, sem perder as referências do outro mundo.

No Bach do bis ("Andante" da *Sonata* nº 2 para violino solo), Kavakos tocou sem *vibrato*, enchendo a sala de uma música comovedoramente austera.

Depois de tanto controle e tanta reserva, a orquestra podia fazer tudo a que tinha direito. Fez a *Nona* de Bruckner (1824-96) – só os três movimentos concluídos de fato pelo compositor. Bruckner é um problema: o problema de levar adiante a ciência sinfônica de Beethoven com os métodos de Wagner. É isso o que explica as sequências interrompidas de ideias, as muitas repetições idênticas de temas, o caráter estático e monumental de tudo, a arquitetura catedralesca, cheia de intervalos, silêncios, nichos, corredores.

Se alguém ainda não tinha entendido Bruckner antes de sábado, agora não pode mais não entender. Saraste e a BBC explicam essa música melhor que ninguém. Vale dizer: escutam e sentem Bruckner num novo plano, que faz do improvável provinciano mestre-escola austríaco um dos grandes compositores da nossa improvável hora.

19.10.04

Brad Mehldau

LIVE IN TOKYO

CD Nonesuch, 2004

A nota "lá" começa a pulsar, calmamente, na região média do piano, e não para mais. Sustenta ou atravessa harmonias, virtualmente do começo ao fim de "Someone To Watch Over Me" (George e Ira Gershwin), assim como um "sol" atravessa e sustenta as harmonias de "How Long Has This Been Going On?" (idem), na outra ponta desse disco tão bem tramado. As artes de Brad Mehldau (n. 1970) têm muito desse tipo de engenho; e as habilidades de composição, no caso, só favorecem a invenção espontânea. Ao vivo em Tóquio, o pianista americano gravou um dos discos definitivos de sua carreira, que a essa altura é a nossa carreira de ouvintes também.

Que o disco comece em lá bemol maior, para depois subir a lá e terminar em sol não pode ser coincidência. Ainda mais quando se nota que Mehldau começa e termina tocando duas canções do cantor e compositor inglês Nick Drake (morto em 1974, aos 26 anos), sendo que a última, "River Man", por um lado retoma, em outro registro, a sua gravação no antológico *Art of The Trio, Vol. 3* (1998) e, por outro, dá continuidade às longas notas "sol" repetidas pelos sopros na última faixa do disco orquestral *Largo* (2002).

O fato de ele gravar canções de rock e pop já é notável, no contexto exclusivista do jazz. E o que ele faz desfaz o limite dessas canções, para liberar o que têm de mais secreto e rico. Um gesto característico é a separação de pequenas células – algum intervalo repetido, ou um padrão rítmico básico –, que vão crescendo e se metamorfoseando, até chegar a texturas polifônicas complexas, com camadas de música deslizando umas sobre as outras.

Em alguns casos, o resultado leva a pensar nos *Estúdios Para Pianola* de Conlon Nancarrow (1912-97), com cada mão tocando num tempo próprio, não múltiplo do outro. Uma das passagens mais extraordinárias desse tipo começa aos 5min25s de "From This Moment On" (Cole Porter) e envolve três planos diferenciados. Aqui o processo de contaminação parece ter se invertido: são as energias do rock que vêm revitalizar os *standards* jazzísticos, segundo uma nova ordem das coisas, onde as fronteiras deixam de ser relevantes.

Só depois dessa educação se pode escutar a monumental "Paranoid Android", quase 20 minutos de música recriando um *tour de force* vanguardista do Radiohead. Se a canção original já era um amálgama de três, agora ganhou espaço para multiplicar suas potências, valendo-se de toda uma enciclopédia pianística: sequências de acordes blocados, ritmos motores, melodias na região aguda etc. Depois de "Monk's Dream" (Thelonious Monk), esse outro sonho faz da paranoia uma alucinação impressionante, e arranca de Mehldau outro repertório harmônico, mais duro e abrasivo, capaz de resistir até às belezas de seu mais habitual encantamento.

Em canções como as de Gershwin e Porter, o encantamento – harmonias sensuais lancinantes, melodias dolorosas, ou dolorosamente felizes – toca em verdades que só mesmo a ilusão da música pode nos dar. Em "River Man", depois, a simples oscilação maior-menor, dramatizada por um padrão do baixo e desafiada pela certeza daquele "sol" repetido, traduz o máximo num mínimo, no espírito da letra lembrada. São as liberdades do "homem do rio", ao mesmo tempo imprevisíveis e naturais, como é a arte do mais arrojado e mais natural, mais inventivo e mais simples, mais imprevisível e impressionante pianista da nova geração.

2.11.04

Osesp
John Neschling

Teatro Municipal (Rio de Janeiro), 14.11.04

Quando a orquestra atacou o segundo bis – o esperado "Mourão" de Guerra-Peixe –, ninguém mais tinha dúvida da consagração. Foi um caminho longo e tortuoso; mas finalmente, depois de tocar em Buenos Aires (2001), Nova York (2002) e Zurique (2003), a Osesp chegava ao Rio de Janeiro. Quer dizer: chegava ao Brasil, que a acolheu de braços abertos, para além de qualquer velha rixa ou rivalidade.

Tortuoso e longo também foi o caminho imediatamente anterior ao fim de semana no Municipal carioca. Nada menos do que 13 outras capitais, começando por Belo Horizonte e Brasília e continuando por Goiânia, Manaus, Belém, Teresina, Fortaleza, Natal, João Pessoa, Recife, Maceió, Aracaju e Salvador. Tinha razão o maestro Neschling ao dizer, então, que a Osesp agora passa a ser definitivamente uma orquestra do Brasil, mais do que do Estado de São Paulo – muito embora este continue sendo o seu único mantenedor oficial.

Foi o bastante para que alguém gritasse "bravo!" no balcão, enquanto o governador Alckmin colhia os aplausos do povo do Rio. Do outro lado, os camarotes oficiais chamavam a atenção pelo vazio. Eram os únicos centímetros livres do teatro, no domingo; e o silêncio dali parecia chocantemente inapropriado, em contraste com o silêncio musicalíssimo da multidão, escutando depois a *Nona Sinfonia* de Mahler (1860-1911).

Só a escolha da *Nona* já valia como voto de seriedade da orquestra e expressão de respeito e confiança pelo público. Última sinfonia composta pelo compositor austríaco, num período de crise afetiva (morte da filha, distanciamento da mulher), profissional (saída da Ópera de Viena) e musical ("perdi a claridade [...] e tenho de aprender tudo de novo", como escreveu em carta ao regente Bruno Walter), constitui virtualmente um testamento da música tonal, às vésperas de desaparecer num novo mundo. São quase 80 minutos de uma arte que repassa toda a tradição por dentro, até se despedir de si mesma no fim.

Voto de seriedade nem sempre é garantia de transcendência. O primeiro movimento é um monumento de meia hora de música, incrivelmente erguido sobre um tema mínimo (citação interrompida da sonata *Les Adieux* de Beethoven). O segundo transporta essas grandezas para o mundo natural. A Osesp mantinha suas altas dignidades, mas parecia um pouco cansada, ou fora de foco.

Então deu-se o milagre. Começou o "Rondó". Dois compassos e o pianista Nelson Freire se aprumou na plateia, verticalizado em escuta, como todos nós. Daí para a frente, era a grande orquestra dando o melhor de si, o que significa também esquecida de si, seguindo outra e maior inteligência. Nas ironias do terceiro movimento, Mahler provoca verdadeiros choques, na junção do que há de mais *kitsch* com o que há de mais transcendental. No "Adagio", fica só a transcendência, crescida e refletida, até que esse gigantesco romance em música se desfaz em ritos e sussurros.

Nem bem a última nota da viola tinha terminado e a ovação começou. A chuva de rosas, depois, foi um estranho toque carnavalesco. Mas a comoção era contagiante, e fazia pensar no que não seria o país com 14 orquestras assim, em 14 capitais. Mudava o Brasil. Alguém duvida de que seria uma mudança para melhor?

16.11.04

Orquestra de Câmara da Osesp
Nicolau de Figueiredo

Sala São Paulo, 18.11.04

Vida, confusão, burburinho, atrasos, correria, ilusão, desatino. E de repente: Bach. Com o cravista Nicolau de Figueiredo como espírito regente, e o regente-violinista Cláudio Cruz comandado a música com espírito, a Orquestra de Câmara da Osesp deu início anteontem à integral dos *Concertos Brandemburgueses*.

Figueiredo é professor no Conservatório Superior de Música de Paris. Tem carreira de grande distinção na Europa, incluindo, entre muitas outras coisas, uma gravação de *Così Fan Tutte* regida por René Jacobs e, bem recentemente, a regência de um programa Carissimi/Charpentier na Capela Real de Versailles. Em janeiro de 2005 toca na Ópera de Viena; em julho, fará uma turnê como cravista no Japão.

Quando a música pega, ele começa a gingar, jogando a magreza para lá e para cá, como se fosse o Jimi Hendrix do cravo. (Um Hendrix ruivo, aristocrático, irônico.) Quinta-feira, arrebentou no *Con-*

certo nº 1, em ré menor, de Bach (1685-1750), maravilhosamente acompanhado pelos onze músicos da Orquestra de Câmara. Ainda se deu ao luxo de ter a violoncelista Marialbi Trisolio de viradora de páginas – coreografando os desvios da música nas curvas da estrada dos ombros.

E isso não foi nada, comparado ao *Brandemburguês* nº 3, logo depois. Ninguém diria que essa turma não toca música barroca todo dia. De pé, num semicírculo, à moda antiga, os três violinos e três violas serravam semicolcheias, em contraponto feroz e feliz com os três violoncelos, o contrabaixo e o cravo. Sem imitar os instrumentos antigos, as cordas produziram um Bach ao mesmo tempo moderno e barroco, à maneira italiana. Acentos marcados, variações dinâmicas nas frases, vigor elástico das linhas.

Todo o mundo queria saber o que Figueiredo não ia aprontar no "Adagio", famosa e cripticamente curto (dois acordes, apenas). Ele atacou de súbito, na cola do movimento anterior, fez uma digressão sonhadora, mas breve, quase que só um grande arabesco, e conduziu a música sem pedantismo até o último movimento. Daí para a frente, ninguém não via mais nada, como diria Mário de Andrade, que nunca deve ter tido a fortuna de ouvir esse "Allegro" tocado desse jeito.

Foi um Bach incrivelmente sexy, o que afinal era o mínimo, para quem tinha Marialbi, Iris Regev e Soraia Landim, entre outras. A música soava tão poderosa que a gente quase não tinha tempo de olhar a tatuagem no calcanhar da violoncelista Iris, carregando Bach com a mesma confiança e senso de arrojo com que carrega lindamente o bebê na barriga.

Na segunda parte, além do *Brandemburguês* nº 6 (bonito, mas com pequenos desencontros), eles fizeram o nº 2, com solos de violino (Cruz), oboé (Gisiger), flauta doce (Ricardo Kanji) e trumpete (Dissenha). Se não teve a perfeição da primeira parte, foi no mínimo uma ótima sequência. Cláudio Cruz é Cláudio Cruz, Nicolau de Figueiredo é Nicolau de Figueiredo, e essa gente faz um Bach para compensar toda nossa confusão e desatino.

20.11.04

Orquestra Sinfônica Municipal
Zachozhaev, Gyldenfeldt, Bronk, Bruno
Ira Levin

Wagner: Lohengrin

Teatro Municipal, 21.11.04

Fazia mais de 60 anos que *Lohengrin* não era encenada por aqui. Tanto maior a expectativa, e tanto maior a cobrança dessa produção do Teatro Municipal, com direção cênica de Cleber Papa e regência de Ira Levin. Tanto maior, também, a frustração com um espetáculo cujo maior mérito é levar a gigantesca ópera, sem acidentes, do início ao fim, mas que não se arroja a muito mais do que isso, afinal.

Tannhäuser e *Lohengrin* são os dois monumentos românticos de Wagner (1813-83); quer dizer, óperas românticas, avançando o modelo de Weber, mas anteriores ainda à realização da "obra de arte total" que o compositor criaria na sequência (em *Tristão e Isolda* e no *Anel dos Nibelungos*). Aqui a "prosa musical" wagneriana ainda não aparece propriamente, exceto em momentos isolados, como na primeira cena do ato 2 de *Lohengrin*, o diálogo malévolo entre Telramund (Lício Bruno) e Ortrud (Leila Guimarães).

Muito do que seria a textura musical futura já aparece, de qualquer modo, na orquestração, seja no virtuosístico tratamento dos sopros (com muitos desequilíbrios, infelizmente, no domingo à tarde), seja na profusão de pequenas frases melódicas nas partes secundárias – o que exige muito maior transparência e delicadeza do que mostrava a Sinfônica Municipal, sem diminuir tantos bons momentos das cordas (mas o "Prelúdio" não foi um deles).

Lohengrin é um misto de drama histórico, mito e conto de fadas. Tudo o que tem de absurdo parece vencido de dentro pela mágica dos sentidos. Só assim, e com o remédio transcendental da música, pode-se aceitar a exigência do herói: um amor sem nome e sem passado, o amor absoluto de uma mulher "pura" pelo herói de "pureza incontestada", inabalável pelas contingências. Que as contingências do século 20 na Europa tornaram impossível ouvir expressões assim sem calafrios não pode mais ser tomado como acusação a Wagner, muito embora existam, sim, na ópera, os traços que permitem sua mais perversa tradução.

Se a nova montagem não parece completamente convincente, isso decerto tem a ver com o registro quase neutro – nem épico, nem mito, nem conto – adotado em cena. Fica difícil aceitar o amor total de Elsa (a soprano argentina Graciela de Gyldenfeldt) por Lohengrin (o tenor russo Leonid Zachozhaev), quando a dramaturgia não se arrisca. E se os figurinos comprometem a figura plástica de todos, a coisa fica ainda mais inverossímil.

Seria preciso toda a verve de um Sérgio Salvia Coelho para salvar a experiente soprano Leila Guimarães de seu obsessivo esgar, com a mão direita em garra e os olhos arregalados. Ela canta bem demais para este tipo de atuação caricata. Melhor saiu-se o baixo norte-americano Stephen Bronk (Rei Henrique), de uma solenidade natural; e José Gallisa, no pequeno mas expressivo papel do Arauto. Ótimo coro: estátuas, mas cantando com intensidade.

No final, como esperado, veio a pomba (os fios do teto aparecendo), o táxi-cisne chegou, e Lohengrin se foi para o Santo Graal, enquanto a gente aplaudia e sonhava com o Wagner total do futuro.

23.11.04

Duo Assad
Nadja Salerno-Sonnenberg

Sala São Paulo, 12.12.04

"Iô achus 'rmãos Assad uj mlhorij do mund'!" E quem somos nós para discordar? Era Nadja Salerno-Sonnenberg falando, com seu simpaticíssimo e inimitável sotaque, de cima do palco da Sala São Paulo. Lado a lado com os melhores do mundo, a violinista já tinha tocado uma primeira parte inteira do concerto; e a essa altura ninguém mais tinha dúvida de que ela tinha direito de falar assim. Não só pelo que eles tocam, mas pelo que ela mesma faz, com a autoridade natural de uma artista em pleno domínio da música, o que também significa pleno domínio de si.

Nascida em Roma, criada nos Estados Unidos, catapultada para a fama no início da década de 1980, quando venceu o concurso internacional Naumburg e começou a gravar discos – aparecendo nas capas com roupa de roqueira, o que na época era uma novidade total no mundo clássico –, Salerno-Sonnenberg está hoje naquele ponto da carreira quando, em retrospecto, tudo parece ter feito sentido para se chegar aonde se está. Inclusive na música: tudo agora tem a naturalidade da maestria, tudo é ao mesmo tempo de uma sofisticação muito complexa e de uma simplicidade elementar, porque nada poderia ser de outro modo.

Em cena, ela é irresitível, com sua informalidade e bom humor. Uma mistura de Jascha Heifetz e Marisa Orth, desfiando proezas de articulação e dinâmica, em contraponto com a graça mais livre.

Dizer que Sérgio e Odair Assad são parceiros à altura parece pouco. Eles vêm tocando juntos com a "madrinha" americana desde 1998, como ficou óbvio desde o começo e mais óbvio ainda ao longo do concerto. Ou deveria ter ficado: quem estava no mezanino na primeira parte ganharia muito correndo para os poucos lugares vazios da plateia, na segunda, porque as vastidões da Sala São Paulo simplesmente não fazem justiça à música de câmara, mesmo discretamente amplificada. De perto, tudo tinha mais cor, detalhe, nuance, sombra e luz.

O que valorizava muito o programa. Era domingo à tarde, e ninguém reclamaria de uma seleção tão leve: uma suíte de peças, entre aspas, "ciganas" de Sérgio Assad, quatro de Piazzolla (1921-92), um *pot-pourri* de Charlie Chaplin (temas de *Luzes da Cidade* [1931] e *Em Busca do Ouro* [1925]), uma versão da *Sonata* BWV 1016 de Bach (1685-1750), as *Danças Folclóricas Romenas* de Béla Bartók (1881-1945), *Três Danças Argentinas* de Ginastera (1916-83) e a estreia paulista dos *Three Sketches* de Clarice Assad (filha de Sérgio, autora também de um *Concerto Para Violino e Orquestra* recentemente estreado por Salerno-Sonnenberg).

Um ponto alto: as danças de Ginastera (incluindo a "Danza de la Moza Donoza", moça que ganhou novas seduções no violino). Outro: os *Sketches*. Algum tempo atrás, uma compositora como Clarice Assad seria mastigada pelas militâncias da vanguarda (com argumentos justos, naquele momento). Hoje, está livre para escrever essa música francamente tonal, metabolizando Piazzolla e Gismonti num registro próprio, na medida competente e confiante de suas ambições.

Teria sido bom escutar Salerno-Sonnenberg tocando algo que demandasse mais de si? Claro. Mas quem não viu que ela extrai o máximo de música de uma colcheia que seja? Assads idem.

Quando os irmãos fizeram o seu número chapliniano no bis, tocando os dois juntos num violão só, acompanhando virtuosisticamente a virtuose como se não fosse nada, a tarde já estava ganha e a plateia de alma limpa. Foi um desses concertos que deixam a gente feliz por cinco dias, olhando para o céu de verão e abençoando as oportunidades. Tudo até parece ter feito sentido para se chegar aonde se está.

14.12.04

Osesp
Banda Mantiqueira/ Luciana Souza
Roberto Minczuk

Sala São Paulo, 16.12.04

Naquelas circunstâncias, parecia até estranho fazer um intervalo. Corria o risco de esfriar a moçada, sem falar na plateia, àquela altura gingando alucinadamente por dentro, depois de 45 minutos de Banda Mantiqueira e Osesp, arrebentando como era de se esperar em clássicos como "Aquarela do Brasil" (Ary Barroso) e "Tico-tico no Fubá" (Zequinha de Abreu).

Mas, com a Mantiqueira, tanto faz: voltaram na segunda parte e Proveta saiu de cara esquiando no clarinete, para baixo e para cima, em "Brasileirinho" (Waldir Azevedo), acompanhado pelos 13 mosqueteiros. Sem descansar, atacaram depois "Feminina" (Joyce), em versão só para a Banda, sem a orquestra – que respondeu à altura tocando o "Batuque" de Lorenzo Fernandez (1897-1948), regido com ânimo por Roberto Minczuk.

Quinta à noite era o primeiro de três concertos que estão sendo gravados ao vivo, na Sala São Paulo, para o próximo disco da parceria Osesp/ Mantiqueira. A cantora Luciana Souza faz participações especiais. Brasileira radicada há muito nos EUA, indicada ao Grammy em 2002 e 2003, e solista à frente de orquestras como a Sinfônica de Boston e a Filarmônica de Nova York, ela encara aqui o considerável desafio de cantar coisas como "Doce de Coco" (Jacob do Bandolim/ Hermínio Bello de Carvalho), num arranjo ambicioso de Laércio de Freitas, e quatro canções de Tom Jobim – "Passarim", "Águas de Março", "Modinha" e "Pato Preto"–, amealhadas numa suíte um tanto artificiosa por Vincent Mendoza.

Com seu timbre que vai ficando cada vez mais bonito à medida que se escuta e afinação certeira – vocalises incríveis –, parecia mesmo assim um pouco intimidada no meio metro quadrado de palco que lhe coube, negociando as letras com cuidado.

Teria feito lindamente a francis-himeana "Olha a Lua" (Neschling), mas a versão instrumental (arranjo de Edson José Alves) era um dos pontos altos do programa, e um dos raros momentos de introjeção numa noite de energias para fora.

Espetacular solo do *spalla* Yuriy Rakevich na megatranscriação do "Baião de Lacan" (Guinga), que Proveta preparou para encerrar os procedimentos. Algum tempo atrás, a ideia de juntar sinfônica e banda parecia maluca; três aventuras depois, começa a soar normal. Mais do que isso: necessária, uma rotina que a gente agora aguarda, se possível a cada ano, para lavar o tempo com alegria.

18.12.04

Antonio Meneses

Teatro São Bento, 21.12.04

Eram exatamente dez e meia da noite quando o sino tocou. O violoncelista Antonio Meneses e o pianista Frédéric Meinders estavam no meio do segundo bis, uma "Berceuse" de Manuel de Falla (1876-1946); mas desta vez, ao contrário das outras, o sino entrou no tom e parecia abençoar o concerto de reabertura do Teatro São Bento, anteontem.

Antes disso, Meneses tinha tocado sozinho um pedaço do "Aboio" do compositor pernambucano Clovis Pereira (parte do *Concertino* para violoncelo e orquestra). Foi a única peça para violoncelo solo do programa; e o violoncelo – um Vuillaume, de 1840 – agora parecia outro instrumento, com muito mais volume. Acompanhado pelo piano, alguma coisa não dera certo, antes, na mistura acústica da sala, e até o Vuillaume sumira um pouco no ar.

De todas as ciências exatas, a acústica continua sendo das mais inexatas. O remodelado Teatro São Bento, amorosamente trazido de volta aos idos de 1903, data de construção do Colégio, ganhou pé-direito mais alto, cortinas de veludo na boca do palco e cortinas eletrônicas entre as paredes duplas de vidro, que protegem o auditório do som do metrô. Tem rebatedores de vidro no teto, para diminuir a reverberação e ajudar na qualidade do som. Que ainda há ajustes a serem feitos, ficou óbvio: a sala soa meio seca, quase sem harmônicos.

Mas isso é assim mesmo. A própria música, aos poucos, vai modelar seu espaço e ensinar o que fazer. De resto, só se pode aplaudir a iniciativa do reitor Dom Carlos Eduardo Uchôa Fagundes Jr. de abrir as portas dos beneditinos com tanto gosto para uma programação mensal de música de câmara, oferecida a uma plateia ecumênica.

A grande peça da noite foi a *Sonata* para violoncelo e piano de Rachmaninov (1873-1943). Composta em 1901, quando o compositor recém-saíra de uma crise depressiva, a *Sonata* vem na esteira do *Concerto* nº 2 para piano e orquestra, e tem alguma semelhança temática com ele. É uma partitura especialmente difícil para o pianista, não menos do que para o violoncelista.

Mas "difícil" não entra no vocabulário de Meneses. Para um músico desses, só existe dificuldade de conceito, não dos dedos. Quer dizer: o difícil é reinventar o "Andante" como ele reinventou, entoando a cantilena num limite da discrição, que também é um limite do sentimento. Vale o mesmo para o "Scherzando", transformado numa versão adulta de Mendelssohn.

Bem compreendido pelo pianista holandês, o pernambucano toca essa música como se pudesse ser do gosto de seu conterrâneo, o poeta João Cabral (que não gostava de música): uma arte magra, contida, com camadas de expressão por dentro.

Foi a contraparte apaixonada da espetacular *Sonata* de Debussy (1862-1918), prodigioso delírio modernista, de um "pierrô irritado com a lua". Depois de tudo isso, ninguém poderia ficar irritado com a falta de lua, enquanto a garoa cobria levemente a vista do viaduto Santa Ifigênia, e um solitário skatista desenhava arabescos com os pés, sobre o vale do Anhangabaú.

23.12.04

Gilda Oswaldo Cruz

O Piano de Claudio Santoro (II)

CD Biscoito Fino, 2004

Um dos pontos altos do disco é a sequência de *Três Prelúdios* (1983-84). A música ali soa livre como nunca, metamorfoseando-se em tempo real, com as lindas harmonias, surpreendentemente tonais (no sentido exato do advérbio e no do adjetivo também), desenhando contornos no ar, mas interrompidas aqui e ali por explosões e intervenções contrastantes. Aqui, mais do que em qualquer outra das nove peças do disco de Gilda Oswaldo Cruz – muitas delas em vários movimentos –, o compositor parece ter chegado inteiramente a si, sem amarras de fora ou de dentro.

Não deixa de haver uma ironia nisso. Nascido em Manaus, em 1919, Claudio Santoro teve uma vida longa e produtiva, cheia de reviravoltas profissionais, políticas, musicais. Professor do conservatório de música do Distrito Federal (no Rio de Janeiro), seria um dos violinistas fundadores da Orquestra Sinfônica Brasileira, em 1940. Estimulado pelo mestre Koellreutter, passou a compor com técnicas seriais, integrado ao grupo Música Viva.

Na década de 1950, compraria uma briga histórica com Camargo Guarnieri, que defendia o nacionalismo marioandradino, contra as influências da vanguarda europeia. Contingências de época à parte, o conflito permanece relevante: de um lado, o avanço formal, as inovações da linguagem; de outro, a perda de comunicação, o autoexílio do compositor em seu próprio país. Para um artista de vocação esquerdista explícita, como Santoro, que seria obrigado a exilar-se de fato do Brasil durante o regime militar, a polêmica tinha caráter profundamente pessoal.

Tanto mais notável será a solução que ele inventará no futuro mais ou menos imediato. Sem chegar às grandezas avassaladoras de Villa-Lobos e Guarnieri, Santoro representa um dos modelos de composição brasileira na segunda metade do século 20, precisamente pela mistura de cosmopolitismo e regionalismo, ou, em outros termos, de vanguarda e tradição. Isso vale tanto para as trilhas de cinema (*O Saci*, por exemplo, de 1954), como para as 14 sinfonias e 13 balés, para a ópera *Alma* (1984), os quartetos, as sonatas e as dezenas de peças para piano.

Fundador do departamento de música da Universidade de Brasília, Santoro deu aulas depois na Alemanha, até 1978, quando voltou ao Brasil, como chefe do departamento de arte da UnB. Foi então que passou a dirigir a Orquestra do Teatro Nacional de Brasília, até sua morte – no pódio, regendo –, em 1989.

Com tudo isso em mente, não deixa de ser um pouco frustrante, às vezes, a audição do repertório tão amorosamente bem gravado por Gilda Oswaldo Cruz, dando seguimento a outro disco dedicado a Santoro (2001). Pianista brasileira radicada em Lisboa e Barcelona, ela é a intérprete séria de uma coleção de peças que oscilam entre o confessional e o professoral, entre a técnica bem resolvida de um artesão da música e a resolução da técnica para além de si mesma. Naqueles pontos onde a música supera o mero digno exercício de suas próprias qualidades, o resultado é definitivo, e este retrato de Santoro ganha traços que nos cabe entender e escutar.

5.1.05

Carlos Kleiber

DVD Deutsche Grammophon, 2004

Visto da plateia, de costas, ele às vezes parecia não estar fazendo nada. Filmado de frente, do outro lado da orquestra para cá, é justamente nesses momentos que ele mais impressiona. Sua concentração tem uma intensidade total: abandona tudo o que não for ideia e som, traduzindo sentidos máximos num máximo de música e nada mais. Nesses momentos, ele regia como ninguém; e as imagens dão vida concreta às fantasias imaginadas de Carlos Kleiber (1930-2004), um dos mais raros dos grandes nomes da música da segunda metade do século 20.

Nos dois sentidos da palavra "raro": extraordinário e infrequente. Admirado por todos (inclusive colegas como Karajan e Bernstein), o maestro alemão – que cresceu na Argentina e no Chile (para onde seu pai, o igualmente famoso regente Erich Kleiber se mudara em 1934, em repúdio ao governo nazista) e naturalizou-se austríaco aos 50 anos – regia muito pouco e cancelava concertos sem pudor. Deixou seu último cargo fixo, na Staatsoper de Munique, em 1968. Não aceitou sequer o convite para assumir a Filarmônica de Berlim, escolhido pelos músicos, depois da morte de Karajan em 1989.

Só regia em condições ideais, com as melhores orquestras e um número de ensaios muito maior do que o de praxe – nada menos do que 34 para a estreia da ópera *Wozzeck* em Munique e 17 para *La Bohème* no Covent Garden (Londres). Não surpreende que sua discografia seja pequena; mas cada gravação é um marco e faz diferença na história da recepção da obra, seja de uma ópera como *Tristão e Isolda* (que ele regeu em Bayreuth), seja das valsas de Strauss que ele adorava fazer nos concertos de ano-novo em Viena.

Num mundo de celebridades polimorfas, Kleiber não abria mão do resguardo. Não tinha empresário, nem assessor de imprensa – até por um motivo simples: jamais deu uma entrevista. Toda sua energia se concentrava no exercício humano de fazer música. Seus ensaios viraram lenda, tanto pelo domínio da partitura quanto pela erudição e o bom humor, vertidos nos "kleibergramas" (auxílios mnemônicos para os músicos).

Ensaiava fanaticamente, mas prezava a espontaneidade acima de tudo. Cada concerto tinha de fazer a música nascer de novo. É o que se vê, incrivelmente, neste DVD de um concerto de 1996 com a Bayerisches Staatsorchester, tocando Mozart (*Sinfonia* nº 33), Beethoven (*Abertura* "Coriolano") e Brahms (a *Quarta*).

Nesse sentido, Kleiber representa o oposto de Herbert von Karajan (1908-89), de quem também sai uma série em DVD (Sony). Engenho e gênio à parte, Karajan foi um pioneiro do *marketing* na música clássica. Consagrou-se regendo centenas de concertos por ano e gravando um disco atrás do outro.

No final da vida, como num programa de 1984 – regendo só Richard Strauss –, também se mexia pouco no pódio. Mas a sensação que se tem é de que, de fato, a essa altura, não estava mais fazendo quase nada. A Filarmônica de Berlim tocava sozinha, com programada excelência.

Karajan e Kleiber são antípodas, e há alguma ironia na coincidência dos lançamentos. A maior de todas é ver quanto essas imagens raras de Carlos Kleiber, agora, transformam-se em verdadeiro emblema humano, resistindo de dentro à pressão de tudo o que não é música e tudo o que nos vêm de fora: imagens, produtos, barulho.

27.1.05

Cid Campos

Fala da Palavra

CD (independente), 2005

O todo é maior do que a soma das partes, mas aqui de um modo especial. Mais do que um disco de canções – treze belas canções, cada uma com suas virtudes particulares – *Fala da Palavra* é o disco que define um repertório, desbravado ou inventado há anos por Cid Campos.

A abertura do disco pode soar estranha, para os que já conhecem o seu trabalho: será mesmo um berimbau? Mas bastam alguns segundos para esse berimbau ser integrado a um campo de outra natureza, um xadrez de texturas eletrônicas. O gesto é claro e forte; e serve de chave para o disco, onde a música fala, com sons e palavras, num registro que é ao mesmo tempo de vanguarda e pop, cosmopolita e local, brasileiro e paulistano.

Aqui, como no primeiro disco, *No Lago do Olho* (2001), Cid faz parcerias com seu pai, o poeta Augusto de Campos, e outros nomes direta ou indiretamente ligados ao núcleo da poesia concretista: Arnaldo Antunes, João Bandeira, Lenora de Barros, Ronaldo Azeredo, Walter Franco, Walter Silveira. É um disco para ser lido, tanto quanto ouvido; ou melhor, lido enquanto ouvido, já que tudo aqui existe para celebrar o casamento de letra e música.

Não que seja um disco, entre aspas, "difícil". Até pelo contrário. Tudo o que Cid faz respira a brisa fácil de uma música, sem aspas, popular. Mesmo um aparentemente incantável poema em prosa de João Bandeira ganha ares de balada; e um poema visual como "A Água", de Ronaldo Azeredo, fica gravado imediata e sonoramente na memória, com sua líquida repetição de acordes descendentes.

"Sem Saída", parceria com Augusto, fecha o disco num *blues*, com destaque para o solo de violão de Felipe Avila – que toca espetaculares guitarras e forma um ótimo trio com Zé Eduardo Nazário (bateria e percussão) e Cid (baixo, teclado e *sampler*, além da voz). É um outro balanço de uma nova bossa, em que frases simples, baseadas na repetição de poucos intervalos, e harmonias minimalistas extraem muito do pouco e criam o encantamento próprio de canções não narrativas, não descritivas, sem roteiro dramático.

Certa proximidade com o *rap* é mais da superfície do que do fundo. Quer dizer: da superfície da fala cantada, não do fundo de propósitos. A briga de Cid tem outro viés, herdeira de outras batalhas pela salvação da língua, contra o excesso e contra a falta. Alguém dirá que a gama de sentidos, afinal, soa restrita, nessa fala da palavra falando da palavra. Mas que essa grande tradição da vanguarda venha se deixar ouvir assim, numa dezena de músicas despretensiosas, só reforça o insólito caráter da canção no Brasil, onde a poesia se canta como em nenhum lugar.

17.2.05

Pau Brasil

Crowne Plaza, 22.2.05

A primeira boa notícia é que o Pau Brasil está de volta. Fundado em 1979 e metamorfoseado várias vezes ao longo das décadas de 80 e 90, o grupo chega agora a essa estupenda formação, com os veteranos Nelson Ayres (teclados), Teco Cardoso (sax e flauta), Paulo Bellinati (violão) e Rodolfo Stroeter (baixo) e o novato Ricardo Mosca (bateria). Terça-feira foi a estreia, para uma pequena plateia no pequeno teatro nas catacumbas do Crowne Plaza.

O teatro era pequeno mesmo para a energia incrível que o quinteto tira do nada num segundo. Cada músico desses é um mestre, tocando com o misto de intensidade e desprendimento, em doses sucessivas ou combinadas, que só os que são realmente do ramo conseguem dominar. Em conjunto, agregam a isto uma voltagem de alegria que às vezes explode em humor, e outras tantas numa forma diferente de bem-estar, que só se pode chamar de musical.

Seja em quase clássicos como "Arte de Voar" e "Caminho de Casa", composições de Nelson Ayres, de seu disco "Mantiqueira" (1981) – prestes a ser relançado, em versão remasterizada –, seja num clássico dos clássicos como "Na Baixa do Sapateiro", de Ary Barroso, o Pau Brasil não desperdiça um compasso sequer, e vai criando espaços na música para que cada um venha dizer a que veio.

Nessa terça, para dar só um exemplo, Bellinati foi se endiabrando no violão *frame*, que ele tocou com palheta do início ao fim do show, num registro que fazia a improvável costura de Hélio Delmiro e Joe Pass, ou Garoto e Weather Report, para não dizer Baden Powell e Stanley Jordan. (Os nomes aqui servem só de atalho para o que não tem nome. E servem também de símbolo para a antropofagia oswaldiana de raiz, encontrando no grupo mais um inesperado profeta.)

A seu lado ficava o irresistível Teco Cardoso, com seu lenço de pirata e sua gentil exuberância, musical e humana. E no canto esquerdo Nelson Ayres, a maturidade em arte, segurança no meio do redemoinho, sem perder a vivacidade jamais. Tocou dois teclados, na falta de piano, que acabou nem fazendo falta. Uma espécie de novo piano elétrico do século 21, ecoando os tempos do início do grupo com arrojo e consequência.

E Rodolfo Stroeter? Se é para ficar nas misturas: caretas de Jimi Hendrix, som de Pablo Casals. Um baixo (elétrico ou acústico) rico de arpejos e corajoso no contraponto. Falar em arpejos da bateria parece demais, mas é o que dá vontade, pensando no que fez o estreante Ricardo Mosca, um desses músicos que faz a gente se reconciliar com a bateria. Caretas de Pablo Casals (quer dizer: nenhuma), som de Jimi Hendrix tocando seu solo mais cheio de nuance.

Que o grupo toca com liberdade é uma de suas maiores virtudes. Mas a precisão de ataques súbitos (como em "O Pulo do Gato", de Bellinati) e o rigor nas mudanças de pulso e compasso (como nas quebradas em 7/8 da "Baixa do Sapateiro"), faziam ver que tudo ali está subordinado a uma inteligência maior, que é de todos e não é de ninguém. O mesmo viço enchia de música o forrozão do fim.

A segunda boa notícia é que o Pau Brasil vai gravar disco novo, em março.[45] Um grupo desses já é patrimônio do país, madeira de lei que se deve preservar e cultivar.

24.2.05

---

45 Pau Brasil '2005 (Biscoito Fino). O CD Mantiqueira *foi relançado em 2005 também (Atração).*

Osesp/ Harnisch/ Dürmüller/ Fernandes
John Neschling

Haydn: A Criação

Sala São Paulo, 3.3.05

No princípio era o caos, e o caos era com Haydn (1732-1809). O que já é garantia de boa música e um augúrio e tanto para a nova temporada, que finalmente começou, na Sala São Paulo lotada para ouvir a Osesp.

No princípio da *Criação*, o caos se faz em dó menor – um dó menor que dá espaço para muitas estranhezas, e só vai se resolver no fulgurante dó maior do coral "E a Luz se Fez" (seguindo a tradução de Marcos Branda Lacerda para o texto de Gottfried van Swieten, baseado na *Bíblia* e em Milton). Este tipo de relação é típico do oratório, composto por Haydn em 1796-98, fortemente influenciado pela música de seu antecessor Haendel, que ele ouviu durante uma temporada na Inglaterra.

Também as pinturas sonoras, desde a inesquecível lua e o espetacular sol até os animais variados – leão-trombone, cotovia-flauta etc. –, inclusive Adão e Eva, num Jardim do Éden impossivelmente distante, até que a música modula para o si bemol da humanidade, um tom abaixo do divino. E incluindo até o memorável tremor de terra do fagote, e o não menos memorável episódio de violas, violoncelos e contrabaixos, sugerindo como se faz para ser fértil, crescer e multiplicar, regozijando em Deus.

Com forças menores do que as de hábito, respeitando as dimensões de uma orquestra de duzentos anos atrás, a Osesp foi regida por John Neschling, que já regera a mesma peça na abertura da temporada de 1999. A orquestra levou algum tempo para entrar de fato na música, mas tocou do início ao fim com consciência, e teve vários destaques, acima de todos o novo flautista convidado, Martin Huber.

Solistas: excelente baixo português João Fernandes (que já esteve por aqui com Les Arts Florissants), boa soprano suíça Rachel Harnisch e bom tenor suíço também, Jörg Dürmüller. É verdade que a soprano nem sempre conseguiu sustentar o que ela mesma fez em passagens como "a cura impõe-se sobre as feridas". Ou na incrível primeira sílaba da palavra "*Teuter*", em "Caro esposo...", palavra-música de Eva apaixonada. (Fernandes-Adão, a seu lado, ribombava baixinho, falando em "orvalho" e "estímulo".) Mas a expectativa criada era alta mesmo.

O ano começou sob o signo da destruição, com o fechamento sumário da Sinfonia Cultura. Que a orquestra merecia ser transformada, ninguém discute. Mas isso quer dizer apoiada, não destruída. A própria *Criação* da Osesp dá bem a medida do que pode ser uma grande obra pública musical, no espírito de Haydn: esclarecida e humana, contra tudo na vida que existe para nos dizer "não".

5.3.05

Heloísa Fernandes

Fruto

CD Maritaca, 2005

De repente, sem nenhum aviso prévio, nenhuma mudança dos tempos, nenhum arauto especial, chega este disco para pôr a música de Heloísa Fernandes no mundo do resto de nós, agora mais rico e mais bonito. Pianista e compositora, ela entra na nossa discografia com impressionante segurança e considerável arrojo, interpretando um repertório instrumental na companhia de parceiros como o percussionista Naná Vasconcelos e o violinista Cláudio Cruz – contraste de nomes que dá, por si, a medida de sua originalidade.

A primeira faixa começa com um padrão repetido de quatro notas "dó", bem no meio do teclado, num compasso de 5/4. Dois detalhes: a síncopa, que desloca o desenho desde logo (o que não é incomum), e o acento na última nota, o que é mais raro e define prontamente a qualidade de Heloísa como artesã cuidadosa de sua própria música. Não surpreende que quem cuida de detalhes como esse venha depois se mostrar a virtuosística solista de linhas sinuosas, executadas em alta velocidade e rigorosa coincidência com o flautista Teco Cardoso.

Uma de suas maiores virtudes é mesmo esse impulso, uma alegria solar e sóbria, um contentamento no ato de fazer música que nem por isso se entrega ao prazer mais fácil, nem mesmo nas cenas de improviso e nos devaneios livres (como em "Rosa", de Pixinguinha, tocada aqui num duo com o mestre contrabaixista Zeca Assumpção). A direção musical de Gil Jardim com certeza tem parte nisso, e garante uma unidade ao disco que é tanto da forma como do espírito.

Nesse contexto, o *Fruto* do título ganha também conotações particulares. De um lado, as conotações de paraíso e perda, gentilmente interiorizadas na poesia de Cecília Meireles (1901-64), cujo poema "Desenho" é citado no encarte: "aprendi com as primaveras a deixar-me cortar e a voltar sempre inteira". De outro, a ideia musical de sentidos que se criam a partir de si mesmos, para se tornarem novos, diferentes, até inteiramente mudados. E ainda: uma concretude física da música, alegorizada nas lindas fotos de frutos, de Marcílio Godoi, que fazem do encarte um complemento visual para aquilo que não tem imagem.

De onde vem essa música? De Gismonti, por exemplo, cuja arte ilumina por trás muitos momentos do disco (e a presença de seu antigo parceiro Naná parece, então, quase uma homenagem). Mas isso é só parte da história, porque uma peça como "Criança" – ambiciosa composição de quase 10 minutos para piano, cravo, violino e violoncelo – sugere outras fontes e outras conversas, menos imediatamente nomeáveis.

Ex-aluna de Gilberto Tinetti, finalista do prêmio Visa em 2001, Heloísa é uma presença discreta no relativamente discreto cenário da música instrumental brasileira, que há tantos anos vem dando frutos incríveis assim. Não faz muitos shows, quase não aparece. Cultiva sua arte com dedicação e paciência, no tempo necessário para que tudo amadureça. E então esse disco.

18.3.05

Zimerman, Andsnes, Grimaud Pierre Boulez

Béla Bartók: Concertos Para Piano e Orquestra

CD Deutsche Grammophon, 2005

"Não é possível descrever o século 20 sem descrever essas obras." Citado na contracapa do disco, o epigrama é característico de Pierre

Boulez e pede um complemento: não é possível descrever o século 20 sem descrever as descrições que o próprio Pierre Boulez lhe dá, seja sob a forma de sua própria música, seja pelo comentário ensaístico, seja, como aqui, regendo as obras que, graças a ele, vêm hoje compor um cânone temporariamente definitivo do século passado.

Chegando aos 80 anos no próximo sábado, ele é homenageado por sua gravadora com o lançamento simultâneo de nada menos do que quatro discos, dois deles dedicados à sua própria música (*Le Marteau Sans Maître*, *Dérive* e as três *Sonatas Para Piano*, tocadas por Paavali Jumppanen), outro a canções de Mahler (com Thomas Quasthoff, Violeta Urmana, Anne Sofie von Otter e a Filarmônica de Viena) e este, com os três *Concertos Para Piano e Orquestra* de Béla Bartók (1881-1945), interpretados por três solistas da nova geração – Krystian Zimerman, Leif Ove Andsnes e Hélène Grimaud –, com três grandes orquestras, a Sinfônica de Chicago, a Filarmônica de Berlim e a Sinfônica de Londres.

Boulez vem regendo esses concertos, especialmente os dois primeiros, desde a década de 1960. Com a distância pedagógica do tempo, não é exagero agora escutar em Bartók certos traços da música do compositor francês. Por exemplo, no uso marcado de combinações de tímpano e piano, que prefiguram a percussão encantatória de peças como *Plis Selon Plis* e *Rituel*. É verdade que isso só se escuta por dois motivos: em primeiro lugar, por conta da música de Boulez (que levou às últimas consequências certas sugestões de Bartók); em segundo, porque Boulez também nos faz ouvir, regendo, aquilo que sua música descobre ou inventa na obra do precursor.

E é verdade, também, que a essa altura a arte de Boulez já é segunda natureza para solistas como esses, que cresceram ouvindo suas composições e são, todos três, conhecidos por tocar o acervo contemporâneo lado a lado com o repertório tradicional. Cada um a seu modo, explora aqui as tensões entre passado e presente, até descobrir o delicado ponto de equilíbrio onde se mostra, para nós, a música de Bartók.

O mestre húngaro só cresce de estatura quando se faz ouvir na sua música as exuberâncias cosmopolitas de Zimerman no *Concerto* nº 1, ou as texturas stravinskianas e os mistérios noturnos de Andsnes, no nº 2, ou ainda a graça de um afeto acima de todas as paixões, em contraste com o incrível adágio beethoveniano de Grimaud, no nº 3.

Não há uma página sem intensidades e densidades, nessas leituras ao mesmo tempo tão transparentes, típicas do maestro Boulez da última década. E ao nos dar um Bartók como esse, renovado pelo espírito de uma geração que ele mesmo formou, Boulez nos dá também, e a si mesmo, mais um fragmento de sua grande obra, capaz de acolher seu passado com segurança e alegria, sem qualquer timbre de adeus.

24.3.05

Filarmônica de Nova York
Kent Nagano

Avery Fischer Hall, 26.3.05

Talvez não fosse a melhor, mas era provavelmente a maior orquestra já vista no palco do Avery Fischer Hall, em Nova York. Nada menos do que 126 músicos, uma versão expandida da Filarmônica, incluindo três pícolos, seis flautas, seis clarinetes e 12 percussionistas, para ficar só em múltiplos da Trindade. Tudo isso para tocar os *Clarões do Além* (*Éclairs Sur L'Au-Delà*) de Olivier Messiaen (1908-92), última e monumental obra do compositor francês.

Escrita por encomenda da própria Filarmônica de Nova York, para o aniversário de 150 anos, é uma espécie de irmã mais nova da ópera *São Francisco de Assis* (1983). Como essa, resume em onze movimentos praticamente toda a vasta produção de um dos mais prolíficos, mais admirados e mais tocados autores do século passado. Os dois inesquecíveis adágios para cordas, por exemplo, fazem pensar não só no *Quarteto Para o Fim do Tempo* (1941), mas também, indo para trás, nas *Oferendas Esquecidas* (1930) e, indo para a frente, em *Um Sorriso* (1989).

Muitas imagens musicais recordam as *Cores da Cidade Celeste* (1963); os esplendorosos corais dissonantes de metais e sopros lembram *Et Expecto Ressurrectionem Mortuorum* (1964) e o contraste de movimentos dialoga com *Dos Canyons às Estrelas* (1979). Sem falar nos cantos de pássaros, nos ritmos retrogradáveis e nas pessoalíssimas harmonias (usando os "modos de transposição militada"), que são as marcas de todo Messiaen e a essa altura já soam como uma segunda língua, que ninguém sabe falar, mas todo o mundo entende.

Alguns entendem melhor, como o regente Kent Nagano (atualmente na Deutsches Symphonie-Orchester Berlin – e prestes a assumir a Sinfônica de Montreal). Nagano rege música contemporânea com frequência incomum para maestros desse porte; no caso de Messiaen, seu entendimento tem outro calibre ainda, já que chegou a morar por um ano na casa do compositor, quando estudante.

Sábado passado, Nagano regeu os *Clarões* com uma impressionante mistura de sobriedade e agilidade, cujo resultado era a não menos impressionante intensidade. Seu grau mais alto, sem paradoxo, era o silêncio, esculpido em ângulos retos, sem retardos, em vários pontos cruciais da partitura. Cargas gigantescas de sentido se acumulavam no expressivo nada, enquanto regente, orquestra e plateia se viam suspensos num tempo sem tempo.

Um gesto análogo deixou a *spalla* das violas, Cynthia Phelps, congelada por vários segundos na última, interrompida nota da última, inacabada peça da *Arte da Fuga* de Bach (1685-1750), que a Filarmônica tocou em orquestração do compositor japonês Ichiro Nodaira. Foi esse silêncio que fez a transição, do *Concerto Para Oboé, Violino e Cordas*, do gênio luterano barroco, interpretado com confiança laica moderna pelas solistas Sherry Sylar e Sheryl Staples, para as transcendentais confianças e fiéis alegrias do pai francês.

Excepcionais em qualquer circunstância, e não só pela magnitude, os *Clarões* dissolvem qualquer ceticismo com relação à sobrevivência do acervo contemporâneo. A exuberância sonora dessa música desarma qualquer resistência; e seus fulgores ensinam a escutar também os espaços infinitos, onde o compositor se sentia tão em casa.

Ouvidos aqui, na cosmopolita capital do império, sugeriam glórias humanas que a cidade também guarda em si, reserva de memória e de futuro, capaz, quem sabe, de sustentar os tempos sombrios do presente.

29.3.5

Antonio Meneses

Cultura Artística, 25.4.05

Já era um concerto excepcional meia hora antes de o violoncelista Antonio Meneses pisar no palco do teatro Cultura Artística, segunda-feira. Nos dois sentidos da palavra "excepcional": em primeiro lugar, fora do comum – porque onde já se ouviu falar de lotação esgotada, com fila de gente na porta, num teatro de 1.200 lugares, para escutar um recital de violoncelo solo, interpretando um programa de *Suítes* de Bach (1685-1750) e música contemporânea brasileira?

Excepcional também no segundo sentido do termo: muito acima da qualidade normal, como ficou claro desde o primeiro compasso atacado pelo pernambucano no seu novo violoncelo (um Gagliano, de 1704).

Tocando desde 1998 com o Trio Beaux Arts (com quem se apresentou no mesmo Cultura Artística há seis anos), Meneses tem declarado repetidas vezes a importância de fazer música de câmara com seus parceiros, em especial com o octagenário pianista Menahem Pressler.[46] De lá para cá, é impressionante ver quanto foi capaz de descobrir virtudes próprias, que só a vivência musical é capaz de mobilizar assim.

Para além do virtuosismo técnico, o que mais impressiona é uma qualidade de energia, uma tensão, ou elasticidade da música, mantida no limite, a cada nota e cada silêncio. São cabos tensos de inteligência musical, que não deixam espaço para o menor relaxamento da atenção. Tudo está no limite, mas sem qualquer exagero, mantendo sempre a maior naturalidade. Meneses é um artista de honestidade total, e não faz nada que não seja aberto e livre de efeito.

Foi assim no Bach e assim também nas pequenas obras encomendadas a compositores brasileiros, como prelúdios: *Etius Melos* de Ronaldo Miranda (1948), antes da *Suíte* nº 1; *Praembulum*, de Almeida Prado (1943), antes da terceira; e *Preludiando*, de Mariza Rezende (1944), antes da *Suíte* nº 5. Ontem à noite, seria a vez de apresentar as composições de Marlos Nobre (1939), Edino Krieger (1928) e Marco Padilha (1955), antes das *Suítes* pares.

Ronaldo Miranda escreveu sua peça a partir do conhecido tema em arpejos da primeira *Suíte*, que ganhou acentos rítmicos brasileiros. Em forma A-B-A, com uma seção lenta no meio, baseada em outra peça de Bach, é um despretensioso estudo da "causa melódica", como quer o título em latim.

Almeida Prado – que terá sua *Sinfonia dos Orixás* apresentada esta semana pela Osesp – latinizou, também, o seu "preâmbulo"; mas a língua mais a propósito, no caso, seria o alemão, de onde vem as letras B-A-C-H, correspondentes às notas si bemol-lá-dó-si, base de sua linda cantilena e motor das dissonâncias em cordas duplas.

---

46 Ver 25.7.05.

De sua parte, Mariza Rezende optou pelo gerúndio; e tudo na sua música está mesmo se fazendo, como se fosse uma improvisação. Com direito a efeitos especiais, mas calcada no fundo da nota dó, tônica da *Suíte* nº 5 de Bach, e espetacular na quarta corda solta do violoncelo de Meneses (que ele gosta de atacar em *pizzicato*, junto com o arco).

Recém-gravadas por ele, suas *Suítes* ao vivo são ainda mais impressionantes. Na saída, a garoa fina, em pleno burburinho no *trottoir* da Nestor Pestana, sugeria sabedorias de outono, depois dessas lições de música e vida.

27.4.05

Katia e Marielle Labèque

Sala São Paulo, 1.5.05

O primeiro "fortíssimo" só veio no segundo movimento da *Rapsódia Espanhola* de Ravel (1875-1937). E seu eco no final do último, a delirante "Feria", com figuras repetidas cada vez mais rápidas, um carrossel musical que as irmãs Labèque tocaram com característica alegria, anteontem na Sala São Paulo. Este tipo de engenho, distribuindo dinâmicas no tempo com paciência, também é característico das duas, que não tocam uma nota sem controle, o que não significa tocar sem liberdade.

Para ser bem chato: Marielle teve um pequeno descuido na introdução de uma das peças de *West Side Story*, de Leonard Bernstein (1918-90). Não teve a menor importância e só confirma a frase anterior. Justamente porque elas tocam com tamanho virtuosismo e tamanha precisão, qualquer miudeza imperfeita salta aos ouvidos.

O programa começou com a *Sonata em Ré Maior*, para dois pianos, de Mozart (1756-91). As Labèque fazem de Mozart um compositor por excelência do período *Sturm und Drang*, onde calmarias transcendentais se mesclam a impulsos e rompantes – geralmente em forma de semicolcheias, correndo para cima e para baixo no teclado, ou então de grandes intervalos, que escancaram abismos no meio da escala. Mais uma vez, é exatamente porque elas controlam o pulso com tanta naturalidade que esse drama todo ganha sentido.

Na versão para dois pianos da *Rapsódia Espanhola*, o papel dos ostinatos (células musicais, repetidas muitas vezes) fica ainda mais aparente, e a arte do compositor vem à tona. Tirar tanta música de quase nada era uma sabedoria mozartiana de Ravel; explorar o máximo no mínimo é a sabedoria das irmãs.

Depois do intervalo, começou outro concerto, quase uma outra noite – e talvez fosse melhor outra noite mesmo, para não misturar. Que essa versão de *West Side Story*, para dois pianos, bateria (Pablo Bencid) e percussão (Gustavo Gimeno), em arranjo de Irwin Kostal (aprovado pelo compositor), também está cheia de encantos e simpatias, ninguém disputa. Mas o espírito da coisa é outro; e a música soava estranhamente em falso no ambiente da Sala São Paulo, num acanhamento geral que contrastava com a exuberância de Katia, meneando os cachos sobre o piano, e de Marielle com os cachos e sorrisos.

Depois disso: ovação e bis, incluindo um arranjo de "Chovendo na Roseira" (Tom Jobim), de Fábio Caramuru.

Alguém dirá que os ostinatos de Bernstein, nesse contexto, pareciam uma homenagem a Ravel, e serviam de liga para a sequência. Mas isso é conversa de especialista. As irmãs Labèque podem tudo e têm tudo (exceto creme rinse). Estão tocando, agora, sem maior preocupação, com prazer e vontade. Que há uma dose de sedução, também, nessas escolhas, é óbvio. Elas são um espetáculo, em busca da medida ideal.

2.5.05

Osesp
Li Vigni, D'Artegna, Vaduva
John Neschling

GOUNOD: FAUSTO

Sala São Paulo, 12.5.05

Já se foram os tempos em que o *Fausto* de Gounod (1818-93) era a ópera mais popular do mundo. Fazia nada menos do que 55 anos que a ópera não era tocada no Brasil, por exemplo; e a montagem da Osesp, em versão de concerto regida por John Neschling, ganhou assim quase ares de estreia.

Se esse *Fausto* – que estreou em 1859 e ficou 49 anos em cartaz (em vários países) – é relativamente pouco escutado agora, isso diz muito sobre as diferenças de sensibilidade entre o final do século 19 e os dias de hoje. O texto dos libretistas Jules Barbier e Michel Carré está tão distante do poema original de Goethe, que lhe serviu de base, quanto a música de Gounod dos ideais religiosos que ele admirava tanto em Bach (cabe lembrar que foi Gounod quem escreveu a célebre "Ave Maria", sobre as harmonias do "Prelúdio nº 1" de *O Cravo Bem Temperado* de Bach).

Fausto é a ópera por excelência da pequena burguesia francesa do Segundo Império. Para nosso gosto atual, chega a exasperar, com sua ausência de grandes sentimentos e grandes ideias, justamente ali onde tudo pede sentimentos enormes e ideias fortes. Mas não se esconde aí, também, uma lição? Sentimentos e ideias têm estilos; e os estilos têm suas vidas. Esse monumento do século 19 só poderia ser ouvido e entendido nos seus termos, que há muito não são mais os nossos.

Ou será que são, de novo? O tom piedoso de texto e música, associado ambivalentemente ao drama erótico e material do herói que vende a alma a Mefistófeles, talvez tenha mais a ver com a realidade ao redor do que se gostaria.

Se fosse para julgar pelas vozes, aliás, a ópera aqui poderia se chamar *Mefistófeles*, porque o baixo italiano Francesco Ellero D'Artegna consagrou-se o melhor em campo por aclamação. De seus companheiros solistas, o tenor norte-americano Gioacchino Li Vigni e a soprano romena Leontina Vaduva, fica difícil falar, sem cometer eventuais injustiças. Uma noite só é pouco para avaliar qualquer artista, e essa não era a noite deles.

Já Rodrigo Esteves e Denise de Freitas continuam firmes no céu tormentoso da música lírica nacional. E Carolina Faria e Michel de Souza seguraram muito bem seus papéis de apoio.

Quem realmente foi bem foi a orquestra, tocando o gigantesco *drama lyrique* como se fizesse isso desde criança, mas sem qualquer acento infantil. Regida com energia por Neschling – que está em seu elemento na ópera –, a Osesp tocou com inteligência e gana. As cordas deram um show. E o Coro da Osesp (preparado por Naomi Munakata) é sempre tão bom que a gente às vezes até esquece de elogiar.

O clarinetista Ovanir Buosi merece um parágrafo só para si. Vem tocando cada vez melhor, desde que voltou de uma temporada de estudos na Inglaterra, e anteontem seus solos, discreta mas expressivissimamente, foram uma das melhores coisas da noite.

Gounod, que por tanto tempo era uma obviedade, para nós virou um enigma. Seu *Fausto* é um monumento às meias medidas, tão fácil e estranho de ouvir na era da medida e meia.

14.5.05

Nelson Freire

Chopin: Études op. 10, Sonata nº 2

CD Decca, 2005

Chopin está nos detalhes, como se pode ver praticamente em cada compasso, nas minuciosas glórias dessa gravação de Nelson Freire tocando os *Estudos* op. 10, a *Barcarolle* e a *Sonata* nº 2. Exemplo: o que ele faz no "Estudo op. 10/1" (de 1836), o mais conhecido, gravado por legiões de pianistas. Depois dos primeiros 16 compassos – os famosos arpejos, para cima e para baixo em alta velocidade –, quando o baixo muda, num ponto onde a tendência universal é manter a pressão, Nelson Freire faz um *pianissimo* súbito e quase tira o pé do pedal, criando uma vertiginosa, suavíssima rede de notas, que abre um buraco no mundo e deixa a gente sem fôlego.

Outro exemplo: o "Estudo op. 10/6", também muito famoso, um "Andante" em mi bemol menor. Geralmente é descrito como "cromático"; quer dizer, que emprega os semitons "colorindo" as notas da escala. Assim se pode entender aquelas dezenas de notinhas subjacentes à melodia principal, do modo como habitualmente se toca. Mas Nelson Freire faz uma outra coisa: num plano separado da melodia, ele apresenta toda uma outra camada de música, onde os cromatismos não compõem propriamente acordes de passagem, mas linhas esotéricas, que se vão resolvendo numa dimensão separada, paralela e complementar à da melodia.

No primeiro caso, é como se ele reinventasse a música, de maneira jamais sonhada. No segundo, parece mais estar desvelando a verdade do "Estudo", que até hoje ninguém fora capaz de ver.

Chopin está nos detalhes, e vale a pena comparar uma nota particular dessa gravação do pianista mineiro com a de outros titãs do teclado, como Vladimir Ashkenazy e Mikhail Pletnev. É aquela nota que reina nas alturas, no ponto crucial do "Estudo op. 10/5", antes da coda. Pletnev isola esse mi bemol, acentuado, que é como quase sempre se ouve. Ashkenazy faz um pequeno retardo, antes de chegar lá. Nelson Freire, aqui – exatamente entre 1'03 e 1'04 da gravação –, faz o mais inesperado: nenhum retardo, nenhum acento especial, salvo o que a própria nota ganha por si, nesse contexto. Nesse quase nada está quase tudo da arte do pianista, que torna cada dificuldade técnica uma sigla de outros significados.

A ligação original entre o virtuosismo físico e os conteúdos expressivos da arte seria uma das marcas de Chopin, que chegou plenamente a si nesses *Estudos*, compostos aos 26 anos de idade. Com 27, estava escrevendo a *Sonata* nº 2, e ao chegar à *Barcarola*, em 1846, três anos antes de morrer, já tinha criado todo um universo novo na música.

Comparações sempre ajudam a entender uma especificidade: o mágico racionalista milanês, Maurizio Pollini, toca a *Barcarolle* com insuperável elegância. A poeta provençal, Hélène Grimaud, canta tudo com emoções vitais e mortais. Já Nelson Freire faz uma espécie de mistura da *Sonata* com os *Estudos*, reinventando ou desvelando a música em camadas, e fazendo ouvir Chopin como nunca se ouviu.

16.5.05

Hélène Grimaud

Chopin: Sonata nº 2

Rachmaninov: Sonata nº 2

CD Deutsche Grammophon, 2005

"A morte está no próprio coração da vida. A única coisa que nos permite tomar consciência disso, tolerar seu sentido e nos libertar é o amor." Não é o tipo de texto comum de se ler num encarte de disco. "[...] e no entanto, paradoxalmente, só a morte permite que o espírito encontre seu caminho até aquele ponto onde a vida recupera sua urgência", continua a autora. Características dela, as sentenças abrem uma longa meditação da pianista francesa Hélène Grimaud sobre o sentido da morte na música de Chopin (1810-49) e Rachmaninov (1873-1943), que ela interpreta em seu novo disco, recém-lançado.

"Para que existe a música, se não para dar socorro aos infelizes, salvá-los nas piores circunstâncias, devolver o coração a quem o perdeu?", perguntava Grimaud no encarte do disco anterior, *Credo* (2003) – um disco reunindo composições dos contemporâneos Arvo Pärt e John Corigliano, lado a lado com obras de Beethoven (1770-1827).

Autora de um consagrado livro de memórias, *Variations Sauvages* (Variações Selvagens, 2003), que se tornou *best-seller* na França e já foi traduzido até para o chinês, Hélène Grimaud é um dos nomes de ponta da nova geração de pianistas, e assume com responsabilidade única essa missão da música como salvaguarda da humanidade. Cada disco dela tem caráter de projeto, não apenas em termos musicológicos, mas de sentimento e ideia. E cada disco ecoa um senso ecológico da arte, como guardiã da Terra – senso análogo ao de sua dedicação aos lobos (ela ajuda a manter uma fundação de proteção aos lobos no Estado de Nova York, onde vive desde 1991).

Comparar o último movimento da *Sonata* nº 2 de Chopin tocado por Martha Argerich e por ela é instrutivo. A pianista argentina usa muito pedal e reforça o sentido tempestuoso da sequência de arpejos. Grimaud, de sua parte, cria transparências, sem perder a carreira, mas fazendo as vozes de dentro aparecer.

Já no segundo movimento da *Sonata* nº 2 de Rachmaninov, o tempo para, para dar espaço às belezas, que soam para ela como memória e esperança, perda e promessa.

Na "Marcha Fúnebre", terceiro movimento da *Sonata* de Chopin, o tempo também para, mas em outro registro, menos de passado (perda) e futuro (esperança) do que de um vasto presente, fora dos tempos – bem distinto do registro de Nelson Freire, que toca essa música com pulso e volume avassalador, grandes sombras do peso do mundo.

Eis uma pianista que escolhe tocar a *Berceuse* de Chopin "porque é toda ternura, e a ternura é um sentimento pouco visitado na música". E que toca a *Barcarolle* como "um Noturno idealizado e transfigurado", expressão de "nostalgia pelo que não foi", como se viesse "do lado de lá". Não são impressões comuns, e nada é comum para essa loba, maravilhosa pianista para quem a música, afinal e sempre, é uma questão de vida e morte.

16.5.05

Mikhail Pletnev

Tchaikovsky: 18 Peças, op. 72

CD Deutsche Grammophon, 2005

O *Concerto* nº 1 todo o mundo conhece. Arranjos da *Suíte Quebra-Nozes* também. Mas só tchaikovskófilos convictos citariam *As Quatro Estações*, ou a *Sonata em Sol Maior*. E só um tchaikovskômano muito sério lembraria das *18 Peças*, op. 72, compostas por Tchaikovsky (1840-93) no último ano de vida e virtualmente esquecidas desde então. Tanto maior a surpresa desse novo disco do pianista Mikhail Pletnev, que corrige nossa ignorância com exuberância.

Gravado ao vivo na Tonhalle de Zurique, o CD traz o ciclo completo das dezoito pequenas "peças características", com títulos como "Méditation", "Echo Rustique" e "Chant Élégiaque" – se é que se trata de um ciclo mesmo, o que o compositor não deixou claro. Para quem lê a lista, na contracapa, como se fossem os capítulos de um livro, os títulos sugerem uma espécie de romance sentimental, ou diário, à maneira da subliteratura europeia de fins do século 19. Mas essa impressão se vê curiosamente negada pela música, assim como as próprias palavras de Tchaikovsky, que declarou (numa carta a um sobrinho) ter escrito as peças "por dinheiro".

Sabe-se lá qual foi o impulso que levou o mestre russo a compor essas miniaturas, em meio aos tormentos do ano de 1893 (que acabariam por levá-lo ao suicídio, segundo pensam alguns, analisando as circunstâncias de sua morte por cólera, depois de beber água não fervida, durante uma epidemia). O resultado é um conjunto de peças estranhamente quase abstratas: como se cada gênero, ali – "berceuse", "valsa", "improviso" etc. – servisse de mote para o exercício da arte pura da composição.

Tocadas com característico brilho e evocativa intensidade por Pletnev, essas miudezas de salão ganham grandezas, ao mesmo tempo, de música de concerto e música de estudo. Se o ciclo é um diário, esse é o diário de um compositor, e seu principal assunto, a própria composição. E se tudo na vida parece sugerido, também, no op. 72, esse não é, afinal, o efeito da música? Para um compositor como Tchaikovsky, o universo se mostra numa casca de noz; e dezoito peças despretensiosas podem ser tudo o que se precisa para se dizer o que se quer.

23.5.05

Osesp
Teuscher, Danz, Cooley, Kupfer, Bauer
Roberto Minczuk

Bach: A Paixão Segundo São Mateus

Sala São Paulo, 26.5.05

Nem bem os dois milhões de fiéis acabavam de celebrar o corpo de Cristo na Avenida Paulista e o maestro Minczuk atacava o primeiro acorde de mi menor, com os graves pulsando nas profundezas e a música se erguendo aos poucos, em suspensões e dissonâncias, até a gloriosa entrada arpejada do grande coro, clamando por ajuda para cantar seu lamento e abrindo em tons arrasadores a *Paixão Segundo São Mateus* de Bach (1685-1750), para os quase dois mil fiéis melômanos reunidos mais cedo do que de costume anteontem na Sala São Paulo.

Composta em 1729, a *São Mateus* foi pensada desde o início como uma obra só, ao contrário de outros monumentos litúrgicos como a *Paixão Segundo São João* e a *Missa em Si Menor*, que reúnem movimentos escritos em ocasiões diversas. Tudo aqui se integra, musical e dramaticamente.

Só os corais, comentando a narrativa do Evangelista, já seriam o bastante para fazer dessa *Paixão* uma das maiores obras do mestre de Leipzig, mas ninguém deixaria de lado os ariosos e árias. E a narrativa, de sua parte, é uma façanha da prosódia musical, acomodando o texto às suas verdades em forma de melodia.

Dito isto, cabem os devidos elogios: ao excepcional tenor Thomas Cooley, que de última hora acumulou suas árias com a parte do Evangelista (já que o tenor escalado adoeceu); aos barítonos Thomas Bauer (Cristo) e Jochen Kupfer (Pilatos), à contralto Ingeborg Danz (sempre serena e comovente) e à soprano Lydia Teuscher (substituindo esforçadamente a esperada Sibylla Rubens); e também aos excelentes coros da Osesp (adulto, juvenil e infantil).

Roberto Minczuk já declarou muitas vezes que Bach é seu compositor favorito. Música e religião, para Bach como para o recém-nomeado titular da Orquestra Sinfônica Brasileira, são uma coisa só: impossível escutar uma sem a outra. Tanto maior o interesse de ver o que não faria com a *Paixão*. O simples fato de apresentá-la assim, numa versão integral e com o mínimo de encenação criado pela circunstância do concerto, já ensina a ouvir a música como ela pede, isto é, como cerimônia litúrgica, meio incongruamente transposta, agora, para uma plateia secular.

Entendido fora desse contexto, o Bach de Minczuk soaria, talvez, pouco barroco, para nossos padrões atuais. Não explorou muito – alguém dirá: não exagerou – os contrastes de treva e luz, manteve um pulso médio calmo, fez a balança pender mais para as sublimidades do que para os terrores e tremores. A reduzida orquestra misturava instrumentos modernos com antigos – oboés *d'amore* e *da caccia*, flautas barrocas, violoncelo barroco –, produzindo um resultado aberratório, mas convincente em seus próprios termos. Pequenos desencontros não contam. O ponto de equilíbrio de tudo era o ótimo organista (barrocamente anônimo nas notas de programa).

Estranho e iluminador paradoxo: justamente naquela música mais próxima do seu coração, o maestro controla suas paixões. Seu Bach não é mais deste mundo, talvez – e não estamos falando do Rio de Janeiro.

28.5.05

Quarteto Guarneri

Cultura Artística, 30.5.05

A maior surpresa foi Frank Bridge (1879-1941), que o Quarteto Guarneri tocou com intensidades reveladoras, anteontem no Cultura Artística. Não dá para dizer que o *Quarteto* nº 1 de Bridge foi o ponto alto de um programa que também incluía Mozart (1756-91) e Ravel (1875-1937). Mas a diferença faz diferença, quando multiplicada pela diferença que esses quatro discretos senhores sabem produzir em tudo o que tocam.

Ao longo dos últimos quarenta anos (o Guarneri foi criado em 1964), eles já tocaram tudo mesmo, sozinhos e em parceria com músicos como Artur Rubinstein, para dar um único exemplo que dispensa outros. Do quarteto original, incluindo os violinistas Arnold Steinhardt e John Dalley e o violista Michael Tree, só o violoncelista David Soyer não está mais com eles, substituído em 2001 por Peter Wiley (que antes disso atuava no Trio Beaux Arts – em que hoje toca Antonio Meneses).

Quatro décadas fazendo música contribuem uma enormidade para a tal diferença, como se ouviu, acima de tudo, no *Quarteto* de Ravel. Eis a música da felicidade, cifrada em mil acordes dissonantes, que vão se espraiando ao sol das luminosas melodias. Dava vontade de aplaudir ao final do segundo movimento, para fazer eco ao *pizzicato* (as cordas tocadas com os dedos) e oferecer algum tributo que fosse aos quatro virtuoses. Mas a plateia se controlou, sem um suspiro, até a explosão final de aplausos, "bravos", assobios e até gritos entusiasmados de alguns colegas de profissão.

Três anos depois do Ravel, em 1906, surgia o *Quarteto em Mi Menor* de Bridge, que soa ao mesmo tempo avançado e retardatário em relação a seu contemporâneo continental. Avançado porque a forma labiríntica e as exaltações fulgurantes de harmonia e sentimento já deixaram para trás a ordem mais ou menos clássica do impressionista francês. Retardatário porque essas mesmas exaltações, afinal, podem ser vistas como dando continuidade à linguagem de Brahms, por vias cada vez mais cromáticas.

Bridge ficaria famoso como professor de Benjamin Britten, talvez até mais do que como o compositor da suíte orquestral *The Sea* (1911), sua única peça relativamente bem conhecida fora da Inglaterra. Seus últimos dois quartetos são tidos como grandes obras do repertório camerístico britânico, mas acabaram, como os primeiros dois, num limbo entre a vanguarda de fins do século 19 e a vanguarda de meados do 20.

Tocado numa paleta incrível de nuances pelo Guarneri, com microdinâmicas hipersensíveis e arrojos elásticos das linhas, o *Quarteto* nº 1 alia suas expressivas harmonias a um exercício virtuosístico de contraponto, verdadeiro caleidoscópio de possibilidades. Descabelado, excessivo, imprevisível, termina pondo ênfase na melancolia, com uma solitária pequena frase do violoncelo, que leva a música silêncio adentro.

Muito diferente do Mozart que abriu (*Quarteto em Si Bemol Maior*, K. 589) e fechou a noite (uma das fugas de Bach, arranjadas por ele para quarteto). Talvez nem tanto, em retrospecto, quando se escuta tudo de novo no *replay* da memória, com o som único do Guarneri enchendo de afeto e sentido as câmaras da imaginação.

1.6.05

Ná Ozzetti e André Mehmari

PIANO E VOZ

CD MCD, 2005

Bastam alguns segundos – cinco, para ser preciso – para que a gente se dê conta de que algo muito diferente está acontecendo aqui. Diferente e espantoso: cinco segundos é o tempo que leva a primeira parte do tema da *Oferenda Musical* de Bach, uma linha isolada e sóbria tocada por André Mehmari como acompanhamento de "Pérolas aos Poucos" (Zé Miguel Wisnik/ Paulo Neves), que Ná Ozzetti, de sua parte, entoa num registro novo, para ela e para nós, projetando a canção num outro reino.

Muitas coisas se anunciam cruzada e simbolicamente neste início. Se o contraponto, em si, que o pianista vai desfiando com rigor e exuberância barrocos, já não é comum como forma de acompanhamento de uma canção popular, que dizer dessa referência explícita ao grande mestre do século 18, abandonada sem qualquer culpa no refrão, só para retornar depois, com direito até à famosa "terça da picardia" que fecha essas "Pérolas" em modo maior?

A essa altura, nós já fomos introduzidos num campo particular, num gênero sem nome, que este disco explora como nunca, e onde a canção atravessa livremente os limites que definem o dito "clássico" e o dito "popular". Uma das coisas que Ná e André nos mostram, com eloquência toda própria, é a força de uma memória que vive, meio inconscientemente, na nossa música. É isso o que torna possível tirar de dentro dela tantas figuras – latentes, adormecidas, sugeridas. Os modos como isso se dá são os mais variados, e cada um articula seus sentidos. Só para dar mais um exemplo, irresistível: a citação do tema de Nino Rota, para o filme *Amarcord*, de Fellini, na introdução (e depois, no acompanhamento) de "A Ostra e o Vento", de Chico Buarque – os relembrados ventos do inverno italiano circulando no verão do outro lado do mundo, embalando outras memórias de amor.

Claro que ninguém precisa sair à cata dessas referências. Da primeira à última faixa, o disco paralisa quem escuta, com uma beleza arrasadora e direta. A começar pelo canto. Com tantos anos de música vivida – desde o trabalho fundador com o Grupo Rumo, na década de 1980, passando pelos quatro discos solo, entre tantas outras coisas –, uma artista como Ná chegou àquele estágio quando tudo se faz num grau de refinamento sutilíssimo que, ao mesmo tempo, é o da maior simplicidade. Ar e espírito. Um traduzido no outro, a cada sílaba, e cada sílaba conquistando o corpo do que diz. Numa boa parte do disco, cabe a ela sustentar praticamente sozinha as canções, enquanto uma outra música acontece ao seu redor, comentando, de dentro e de fora, a medula do canto.

Pois, se Ná é a cantora total, André é o pianista dos pianistas, multiplicando façanhas com aquela facilidade que têm esses seres cuja língua materna parece ser feita de notas musicais. Às façanhas dos dedos correspondem outros tantos malabarismos da imaginação, jamais gratuitos, jamais ingênuos. Aqui, como no seu impressionante disco *Lachrimae*, do ano passado, chamam a atenção, em especial, duas coisas: o já comentado uso do contraponto – mil e uma frases florescendo na textura da música, com direito aos madrigalismos (a imitação musical do que está sendo dito em palavras) – e o seu uso originalíssimo do tempo, elasticamente variado, quase como um parâmetro à parte, especialmente nos solos.

Tudo isso para criar ou recriar um repertório, que agora não é mais popular nem erudito. São canções brasileiras, ponto. Canções brasileiras (incluindo as estrangeiras), que se reinventaram e nos reinventam, também, como ouvintes. Reinventam-se uma a uma, e umas com as outras: seja na junção direta – como, por exemplo, na combinação da canção tradicional gaúcha "Piazito Carreteiro" com a "Queda d'Água" de Caetano Veloso (composta depois de uma visita à cascata do Caracol, no Rio Grande do Sul, o que, mais uma vez, não vem ao caso e vem) –, seja na conversa das canções entre si, formando um quase cânone instantâneo, onde convivem os contemporâneos paulistas Zé Miguel Wisnik, Dante Ozzetti e Luiz Tatit com figuras clássicas do cancioneiro, como Pixinguinha, Lupicínio Rodrigues, Nelson Cavaquinho e Tom Jobim – sem falar no próprio Mehmari –, cada um jogando suas luzes sobre os outros e sendo iluminado de modo novo por eles.

Bastam cinco segundos para que a gente se dê conta de que algo espantoso está acontecendo aqui. É um alento, depois, pensar que se tem o resto da vida para escutar este disco. Um alento e, curiosamente, uma espécie de orgulho também. Porque quando se escuta um trabalho dessa ordem, é quase como se fosse nosso também, como se toda uma época se reconhecesse ali, onde nunca se tinha visto antes. Quase como se, pela simples graça de habitar o mundo ao mesmo tempo que eles, alguma coisa da arte de Ná e André também fosse nossa, justificando e explicando tudo o mais que se fez ou não fez. Isso é uma ilusão, claro; mas uma ilusão que explica e justifica a vida, entregue aos deuses do passado e do futuro na forma eterna de 15 canções.

***Release* do CD *Piano e Voz*.**

Orquestra Sinfônica da USP
Quarteto de Cordas da Cidade de São Paulo
Aylton Escobar

Sala São Paulo, 15.6.05

Era um concerto para comemorar o aniversário de 70 anos do Quarteto de Cordas da Cidade e o Quarteto não decepcionou. Sem falatório e sem bolo, foram os solistas do raríssimo *Concerto Grosso Para Quarteto de Cordas e Orquestra de Cordas* de Claudio Santoro (1919-89), à frente da Orquestra Sinfônica da USP, regida por Aylton Escobar. Quer dizer: comemoraram no melhor espírito do Quarteto, que desde 1935 vem tocando música brasileira lado a lado com os grandes e pequenos mestres do cânone.

Anteontem mesmo, por exemplo, já tinham tocado, ao meio-dia, na Galeria Olido, um programa reunindo Camargo Guarnieri (1907-93) e Boccherini (1743-1805), com participação do violonista Edelton Gloeden. À noite estavam na Sala São Paulo, para o concerto com a Osusp. E domingo à tarde tocam modernistas na Pinacoteca: só música da Segunda Escola de Viena (Alban Berg e Webern). Mário de Andrade, fundador do Quarteto Haydn – que viria a se tornar o Quarteto de Cordas Municipal e bem depois, em 1981, o Quarteto de Cordas da Cidade – teria orgulho do que eles andam fazendo, nesse estilo de discreta e incansável energia.

Não exatamente discreta, num flamejante longo lilás, estava a *spalla* Betina Stegmann, sempre um prazer de se ouvir. Fez um lindo solo no Santoro, ao mesmo tempo concentrado e expansivo, ecoando o solo do parceiro, Marcelo Jaffé, na viola. Nelson Rios (segundo violino) e Robert Suetholz (violoncelo) são parceiros dos parceiros e atacaram com gana as linhas brutalistas e ritmos cortados do compositor amazonino. O *Concerto Grosso* veste o esqueleto barroco de carnes tropicais – mas são os tristes trópicos do cerrado, em pleno ano de 1980, quando Santoro voltava do exílio para dar aulas na UnB, ainda sob o regime militar.

Antes disso, a Osusp tocou *Horizontes*, do carioca Ronaldo Miranda (1948), atualmente professor no departamento de música da USP. Inspirada na viagem de Colombo, é uma peça sinfônica em três movimentos, de linguagem caracteristicamente acessível e forma não menos caracteristicamente bem trabalhada. Música cenográfica, quase uma trilha para um filme imaginário, com direito a fanfarras de metais e um grande tema sentimental nas cordas (e também na trompa: ótimo solo de Luiz Garcia).

Na segunda parte, a Osusp fez *O Pássaro de Fogo* de Stravinsky (1882-1971), na versão revista de 1945 – a partitura foi escrita originalmente em 1910, para os Balés Russos de Diaghilev. Formaria depois um tríptico com dois outros grandes balés encomendados pelo empresário russo: *Petrouchka* (1912) e *A Sagração da Primavera* (1913). Aí já entramos na zona dos milagres, mesmo se a orquestra nem sempre parecia à altura deles. Regida com segurança pelo maestro Escobar (também professor da USP, como Miranda, Jaffé e Suetholz), a Sinfônica tocou com segurança, mais do que inspiração.

Foi o suficiente para confirmar a qualidade do conjunto. Eles merecem, no mínimo, um voto de confiança de quem ainda não ouviu. A Sala estava cheia e animada – um rapaz de paletó e saia, um casal no maior amasso no camarote 1, meninas de barriguinha de fora, professores de camiseta –, mas ainda não ficou lotada para a Osusp. E quem não sabe que lotação ajuda a inspiração?

18.6.05

Lincoln Center Jazz Orchestra Wynton Marsalis

Sala São Paulo, 20.6.05

E de repente ele já estava lá, caminhando e tocando no palco da Sala São Paulo, enquanto os quatorze companheiros iam tomando seus lugares. O solo peripatético justificaria a noite: uma sequência imprevisível de escalas, notas repetidas, glissandos, crescendos, decrescendos, pianíssimos roucos, fortíssimos súbitos e trinados brilhantes no trompete, desfiada por Wynton Marsalis com exuberância, o que não tem nada a ver com exibicionismo. O espetáculo da música, com ele, jamais vira música de espetáculo.

Pouco a pouco a Lincoln Center Jazz Orchestra foi entrando no jogo e quando se viu já estavam todos embalados em "Big Jim's Blues", de Mary Lou Williams. São cinco saxofones, três trombones e quatro trompetes, mais piano, contrabaixo e bateria, tocando com precisão de filarmônica, mas ânimo próprio.

Nascida em 1992, a orquestra combinou o septeto de Marsalis com antigos membros da orquestra de Duke Ellington (1899-1974), sua principal referência. E é o mesmo espírito de "pontualidade e dignidade" daqueles octogenários colegas, já falecidos, que a LCJO tem ambição de manter, como explicou Marsalis, simpaticamente traduzido pelo pianista Aaron Goldberg (que acaba de gravar um disco com a cantora brasileira Luciana Souza).

O piano rege muita coisa de dentro, nessa orquestra em que ninguém precisa de regência. Econômico, elegante, Goldberg traduz o piano de Ellington para um idioma curtido por duas, se não três outras gerações. Mas o Duke está lá o tempo todo. Também na orquestra se escuta a presença viva de Count Basie, Louis Armstrong, Billy Strayhorn e outros, acolhidos com reverência sincera e natural liberdade.

Os solos trazem à tona as marcas pessoalíssimas de cada um dos quinze virtuoses. Marsalis fazendo um espantoso "Cherokee", Victor Goines (diretor do Julliard Institute for Jazz Studies) nos agudos do seu clarinete, Wes Anderson com o mavioso sax alto: nenhum toca como nenhum; cada um tem seu som. O milagre está justamente na combinação. Fortíssimos súbitos, que depois voltam a pianíssimo e vão crescendo; ou acordes dissonantes sustentados: dois exemplos de um dos sons mais lindos que há.

No bis, o percussionista Ari Colares deu uma canja. Ouvida depois de uma irresistível sequência ferroviária ellingtoniana, em plena Estação Júlio Prestes, "Forró For All" (de Cacá Malaquias) só multiplicou dignidades – palavra que, no caso, também vira sinônimo de alegria.

22.6.05

Trio de Jerusalém

Espaço Cultural Bank Boston, 27.6.05

Schoenberg depois de Haydn soava estranho, mas não mais do que antes de Ravel. E no entanto tudo fazia sentido no concerto do Trio de Jerusalém, anteontem, no Espaço Cultural Bank Boston. Haydn (1724-1809) inventou o formato, com piano, violino e violoncelo; o arranjo de *Noite Transfigurada* de Schoenberg (1874-1951) mostrava o que é possível fazer com ele; e o Ravel (1875-1937) representa a consagração do trio, numa obra-prima do repertório moderno.

O reflexo na parede lateral de vidro criava sentidos novos para um *outdoor* na avenida. Editando palavras da placa, mandava sua mensagem: Acredita Nisso, Parceiro. Nem era preciso pedir, a partir do instante em que o violinista Roy Shiloah atacou suas primeiras arcadas. Como diria depois um conhecido maestro, "cada nota que esse menino toca tem CIC e RG". Quer dizer: cada nota vem cheia de volume e carregada de música. É o espírito de Isaac Stern – patrono (e depois parceiro) do Trio, formado em 1989 com apoio do seu Centro de Música de Jerusalém – mantido cabalística e apaixonadamente vivo numa nova geração.

Que nesse contexto a discrição do violoncelista Ariel Tushinsky era relativa ficaria claro mais tarde; por exemplo, no solo do "Outono Portenho" de Piazzolla (1921-92), que eles tocaram de bis – agora que sete entre dez músicos estrangeiros em visita à cidade fazem isso. Já a discrição do pianista Yaron Rosenthal era absoluta e conferia elegância e calma até ao "Pantoum" de Ravel, segundo movimento do *Trio*, todo cortado por síncopas.

Essa calma e elegância estavam ainda mais em seu elemento na "Passacaille", onde Ravel parte de um artifício barroco (uma linha do baixo que se repete do início ao fim, servindo de base para variações nas outras partes) para compor uma dança lenta que já não é mais deste mundo, mesmo se ainda tão presa a ele.

À epoca de sua estreia, em 1902, algum idiota da objetividade descreveu *Noite Transfigurada* como *Tristão e Isolda* tocado com a tinta fresca escorrendo na página. Se alguma coisa de verdade existe no sarcasmo, para além da influência óbvia de Wagner, teria menos peso ainda depois de se ouvir essa versão para trio, preparada por Eduard Steuermann trinta anos depois, como presente de aniversário para uma aluna, também discípula de Schoenberg.

Ao substituir, em boa medida, as sonoridades sensualíssimas do sexteto de cordas pelo registro comparativamente ascético do piano, o arranjo torna a música ao mesmo tempo mais aberta e mais oblíqua. Perde muito, sem dúvida, mas ganha, entre outras coisas, outra leitura do poema expressionista de Richard Dehmel, sobre uma mulher que revela ao seu amor estar grávida de outro homem, encontro casual do passado. Quando o ré maior inunda a sala, afinal, de luz, depois das angústias e dúvidas da tonalidade menor, essa luz não chega a ser do sol, embora também não seja a da lua.

Imagem que fica: o violinista Roy Shiloah esperando sua vez, escutando os colegas e balançando levemente para a frente e para trás, como um ancestral homem de fé. Acredita nisso, parceiro. Tem noites em que tudo cabalisticamente se liga – inclusive o *Bolero* de Ravel, depois, no rádio, escuridões da Marginal afora.

29.6.05

Il Giardino Armonico

Cultura Artística, 29.6.05

Para quem não for especialista em retórica barroca italiana, o nome do conjunto, Il Giardino Armonico, pode sugerir algo delicado e adocicado. Bastaria o primeiro compasso do primeiro solo do *spalla* Enrico Onofri, tocando o *Concerto em Ré Maior*, "Grão-Mogol", de Vivaldi (1678-1741), anteontem no Cultura Artística, para mudar de opinião.

Ele saiu serrando a quarta corda como um Gengis Khan, tirando um som rouco e louco, muito longe de adocidado e delicado. E a coisa não parava. Incrivelmente, era Vivaldi mesmo, tocado com gana por um dos conjuntos mais raçudos da música antiga.

Quando afinal parou, o contraste soou positivamente barroco. De louco e rouco a... – quem diria?, delicado e adocicado. Depois insinuante. Depois sonhador. Depois entusiasmado. No intervalo, um psicanalista e melômano veio comentar que achara a interpretação muito romântica. "Mas *isso* é o barroco", retrucou um violinista, poupando o crítico da explicação. Isso é o barroco – especialmente o barroco do Giardino Armonico, que faz pensar em Tintoretto e El

Greco mais do que em Rafael.

No caso de *Il Pianto di Arianna* (O Pranto de Ariana), de Pietro Locatelli (1695-1764), o que já era incrivelmente dramático foi ficando dramaticamente incrível, à medida que Teseu confirmava seu caráter e Ariana desmontava. Seu "devaneio de ideias" definia um dos roteiros da paixão, com lentas, excruciantes dissonâncias entrecortadas por longos, excruciantes silêncios. E os trinados da "declaração desesperada", no fim, lacravam com fúria esse teatro musical.

Tocando juntos desde 1985, com várias formações, e sob a direção de Giovanni Antonini desde 1989, o grupo milanês está devidamente consagrado, mundo afora, como expoente da interpretação barroca. Gravaram dezenas de discos, incluindo um Vivaldi *best-seller* com a cantora Cecilia Bartoli. Dessa vez, vieram com onze cordas, mais fagote e cravo. Fazem tudo com alegria, espontaneamente clara nos sorrisos e conversas entre uma peça e outra.

Antonini é também um virtuose da flauta doce. Em 2001, quando estiveram pela primeira vez em São Paulo, ele tocou um dos concertos de Vivaldi para *flautino* e orquestra (popular no século 17, o *flautino* é o *piccolo* das flautas doces).[47] Agora tocou o outro. Aqui, como no *Concerto Para Quatro Violinos e Orquestra* e ainda mais no "Grão-Mogol", Vivaldi faz malabarismos melódicos e harmônicos, com modulações aberratórias, uso expressivo de intervalos incomuns e síncopas importadas da Lombardia (e dos países eslavos). É o tipo de coisa que Antonini, Onofri e seus parceiros gostam de tocar.

Adaptado sem exagero, isso faz muito bem, também, ao anglo-germano Händel (1685-1759), de quem o Giardino tocou um *Concerto Grosso* (em si menor, op. 6/12), na primeira parte. A separação espacial entre primeiros e segundos violinos beneficia – beneficia, não: revela, ou inventa engenhosos efeitos estereofônicos, impossíveis quando os naipes ficam lado a lado. Vale o mesmo para os solos dos violinos no lindo "Minueto" que fecha o *Concerto Grosso*, op. 5/4, de Giuseppe Sammartini (1695-1750).

Um concerto desses é uma alegria, no meio da correria. Ilumina e sombreia o espírito, com energia e humor. Recarrega a vida de vida e deixa a gente feliz uma semana – louco, rouco, entusiasmado, delicado, até adocicado.

1.7.05

---

47 Ver 29.8.01.

Alzira Espíndola/ Alice Ruiz

PARALELAS

CD Duncan Discos, 2005

O disco é muito mais do que despretensiosamente aparenta. Desde a primeira audição, projeta uma espécie de visão retrospectiva: aquela que se terá depois, quem sabe, de quem está presente no presente. Tanto melhor que Alzira Espíndola e Alice Ruiz tenham feito tudo com tanto humor e leveza, nas paralelas de outro adivinhado sentimento, doído demais para ser cantado por quem tem tanto gosto de vida.

Primeiro disco da poeta paranaense Alice, sétimo da cantora sul-matogrossense Alzira, *Paralelas* reúne doze canções compostas ao longo de mais de quinze anos de parceria; entre elas intercalam-se onze poemas curtos, recitados com característica ironia. Que é e não é ironia, como tudo o que se canta, também, neste disco de registro ambíguo, delicada e safadamente atento para as minúcias afetivas da tragicomédia erótica.

Para lê-las, é preciso ter em mente essa condição fundamental, que define todos os tons, nos vários sentidos da palavra. Isso implica aprender com elas o que, para elas, está em jogo. À pergunta irrespondível, "afinal, o que quer uma mulher?", respondem as duas aqui com rara clareza. Mas é uma clareza delas, que multiplica espirais de segredo e nos arrasta sedutoramente para dentro e para fora de novo. "Quase foi paixão/ quase foi amor/, ou foi impressão", perguntam na canção que fecha o ciclo. A resposta – bem-humorada?, triste?, irônica?, trágica?, hilária? – vem com ponto de exclamação: "foi impressionante!".

Autora de onze livros de poesia, sem falar nas traduções, Alice Ruiz fez uma meia centena de letras para Itamar Assumpção, Arnaldo Antunes, Zé Miguel Wisnik e Chico César, entre outros (a maior parte delas reunidas no volume *Poesia Pra Tocar no Rádio*, de 1999). Alzira Espíndola, que começou a carreira com o grupo familiar Lírio Selvagem, trabalhou com Almir Sater, na década de 80, e integrou depois a banda Isca de Polícia, de Itamar, vem brilhando solo desde os anos 90, com destaque insólito para o disco *Nada Pode Calar* (2000), revisitando o repertório de Maysa.

Nesse disco, já se notava a marca do produtor e violonista Luiz Waack, que tem papel crucial também em *Paralelas*. Um disco de câmara assim, tão elegante nas suas informalidades, não acontece por acaso. A banda é pequena: além de Waack, só Décio Gioielli (marimba, kalimba), Sandro Moreno (bateria) e o baixista Paulo Lepetit – sempre certeiro na invenção de frases que cumprem, ao mesmo tempo, a função de guiar a harmonia e enriquecer contrapuntisticamente as coisas.

Ninguém espera de Alzira um vozeirão de Maysa. Articulando o "r" à maneira angulosa de Itamar (e Alice), evitando voos longos nas vogais, ela tem uma sabedoria particular do canto. Canta porque sabe cantar; e canta porque tem o que dizer.

Já de Zélia Duncan, que além de lançar o disco por seu selo faz participação especial em três canções, o mínimo a ser dito (e tem sido muito dito) é que chegou ao ponto onde pode fazer o que quiser. Até o silêncio dela tem camadas de música por dentro; e não é nada comparado ao tudo da voz. Que tanta virtude venha ancorada na simpatia musical e humana de projetos como esse constitui uma graça superior, ponto de fuga de todas as paralelas, onde afinal nosso tempo ganha uma cara que se pode olhar no espelho sem chorar.

8.7.05

Trio Beaux Arts

Auditório Claudio Santoro (Campos do Jordão), 21.7.05

Orquestra Internacional do Festival
Szot, Portari, Lamosa
Roberto Minczuk

PHILIP GLASS: A QUEDA DA CASA DE USHER

Espaço Cultural Dr. Alem (Campos do Jordão), 22.7.05

A plateia ainda se agitava um pouco nas vastidões do Auditório Claudio Santoro, mas o Trio Beaux Arts não conhece dispersão e estava dentro da música desde o primeiro acorde. Eram as *Variações Kakadu*, de Beethoven (1770-1827), obra-prima relativamente pouco conhecida, cheia de suspensões temporais e arrojos de fantasia. Tudo sai de um tema banal, que poderia ser esse ou qualquer outro – o que, no contexto de um festival de música, servia para abrir o concerto em tons discreta e espetacularmente didáticos.

A pertinência se revelaria maior ainda ao longo do *Trio* nº 2 de Shostakovich (1906-75), em que as suspensões beethovenianas ganham novo sentido. Composto em 1943-44, o *Trio* converge para a monumental elaboração de um tema judaico – um tema que *não* poderia ser qualquer outro – nos últimos dois movimentos. O mesmo tema aparece no *Quarteto* nº 8; ali como aqui carrega intimações do pior, resistido de dentro pela própria música.

Tocada por Menahem Pressler, ao piano, essa música diz tudo o que não se pode dizer, com uma simplicidade e uma segurança que jamais se exibe, nem se esconde. Seus parceiros, o violinista Daniel Hope e o violoncelista Antonio Meneses, parecem cada vez melhores, a cada visita; quer dizer, parecem cada vez mais com ele. Aos 82 anos de idade, tocando há exatos cinquenta no Beaux Arts, Pressler sozinho já seria uma aula e tanto para a moçada desse 36º Festival de Campos do Jordão – um dos melhores de que se tem notícia, à altura de qualquer bom festival internacional.

Na segunda parte, o Beaux Arts tocou outra peça de inspiração judaica, o trio *Vitebsk* de Aaron Copland (1900-90), inspirado na peça tradicional *O Dybbuk* e na pintura de Chagall. Nada disso era coincidência, depois do Shostakovich. Como também não foi mero acaso a semelhança entre o tema do trio de Copland e o primeiro tema do *Trio* em ré menor de Mendelssohn (1809-47): um permuta as notas principais do outro. O *Trio* é uma daquelas peças que levam alguém a escolher a música como destino. Que o destino retribua é a esperança de 180 bolsistas em Campos do Jordão.

Por enquanto, o destino levou todo o mundo para um cinema especialmente reformado, à meia-noite de sexta-feira, para assistir à ópera *A Queda da Casa de Usher*, de Philip Glass (1937). Montada com engenho (sob a direção cênica de Caetano Vilela), valorizando recursos cinematográficos – todo um cambiante cenário virtual, acenando para os primórdios do cinema de terror –, a ópera era uma das meninas dos olhos do maestro Roberto Minczuk, diretor artístico do Festival.

Passado algum tempo de seu até hoje muito mal justificado afastamento da Osesp, Minczuk chega a exibir entusiasmo com a mudança para o Rio de Janeiro, onde assume a claudicante, mas promissora OSB; e comemora sua nomeação para o cargo de diretor artístico da Sinfônica de Calgary, no Canadá, a partir de 2006. Regeu a *Casa de Usher* com simpatia, à frente da Orquestra Internacional do Festival – um conjunto de câmara, formado por professores –, em sintonia com os previsivelmente ótimos solistas Paulo Szot (o enrustido William), Fernando Portari (o histérico Roderick Usher) e Rosana Lamosa (a melismática Madeline).

Há alguma ironia na adequação da partitura de Glass (de 1988) ao conto de Edgar Allan Poe (de 1845). Um e outro têm pretensões muito maiores do que sua arte sustenta; e ambos se equilibram num limite ambíguo entre efeito e substância. Que isso fosse tratado com liberdade só pode ser bom; mas as últimas imagens no telão, traduzindo a queda da hipersensível e incestuosa casa de Usher nas crises geopolíticas deflagradas a partir de 1968, chegando a um clímax com o colapso das Torres Gêmeas, pareciam, mais do que visões da barração da força, uma forçação de barra mesmo.

O que pode haver de justiça nesse comentário, de qualquer modo, é muito pouco comparado ao que se conseguiu fazer, nas condições do Festival. Por enquanto, malgrados os terrores, a casa está longe de cair.

25.7.05

Osesp/ Bruno Leonardo Gelber John Neschling

Sala São Paulo, 4.8.05

Foi uma cena rara. Dois compassos e meio antes do fim, a plateia, que não tem nada de ingênua, começou a aplaudir. E era irresistível mesmo, depois do que o pianista Bruno Leonardo Gelber tinha feito com o *Concerto em Lá Menor* de Schumann (1810-56), acompanhado pela Osesp, anteontem na Sala São Paulo.

Gelber é um pianista de montanhas e oceanos, não de riachos e morros. E não apenas porque tem um fortíssimo impressionante, capaz de passar por cima da orquestra inteira, mas porque o desenho da música é gigantesco, e a intenção das coisas também. Quase paradoxalmente, ele parece se dar mais ainda à música nas delicadezas; mas só quase, porque é normal para todo o mundo se entregar assim ao que não é sua vocação natural.

Dois anos atrás, ele tocou o *Concerto* nº 2 de Brahms, com a mesma Osesp.[48] Não foi diferente, agora, o misto de esplendor e estranheza, virtuosismo e imprecisão. O pianista argentino esbarrou, como de hábito, em algumas dezenas de notas. E, como de hábito, isso não tem importância, face aos milhares de notas espetacularmente certas, tocadas como ninguém.

Que o primeiro movimento tenha sido o mais impressionante também já era o esperado. Concebido em 1841, quatro anos antes dos outros, esse "Allegro" é uma verdadeira fantasia para piano e orquestra: o Schumann mais expansivo e menos schubertiano. E Gelber está muito mais no seu apaixonado elemento aqui do que nas sedutoras ironias do resto.

Antes disso, a Osesp tinha apresentado o *Tributo a Portinari* de Guerra-Peixe (1914-93). Na prática, era nossa estreia com essa música, que praticamente ninguém conhecia. Regida por Neschling com sentido forte de cor e lugar, sem cair em portinarismos, essa quase sinfonia (de 1992) faz do compositor petropolitano o mais sério candidato ao panteão discográfico brasileiro que a Osesp vem construindo há alguns anos. É música que não se pode não conhecer.

O mesmo poderia ser dito da *Sinfonia* nº 3 de Arthur Honegger (1892-1955), que boa parte da plateia não ouviu porque deixou a sala no intervalo – incomum e infeliz atitude. Não sabem, literalmente, o que perderam: um monumento da música do século 20, comentário impressionante aos horrores da guerra. E nesse repertório é Neschling quem está no seu melhor elemento, regendo com grandeza uma grande Osesp.

6.8.05

Orquestra Filarmônica de Israel
Zubin Mehta

Sala São Paulo, 8.8.05

Bastaram os três primeiros acordes da *Sexta Sinfonia* de Mahler (1860-1911), martelados com impressionante peso pela Filarmônica

48 *Ver 6.9.03.*

de Israel, para que se revisse, em outra chave, o que eles tinham feito com Mozart (1756-91), antes.

Regida por Zubin Mehta, a Filarmônica não foi uma, foram duas orquestras, anteontem na Sala São Paulo: a primeira leve e elegante, virtuosística sem nada de especialmente próprio; a segunda, portentosa e original, cheia de fibra, capaz de se entregar completamente a essa música sem sem deixar levar por ela, dona de sentidos sem dono, se a expressão é possível para uma arte de resistência ao mundo dos donos do sentido.

Composta em 1903-04, a *Sexta* é tida como a mais pessoal das nove sinfonias de Mahler (dez, se se contar a inacabada). Que ela tenha o subtítulo de "Trágica" dá a medida de como o compositor se via – mesmo num contexto em que escreve os lindos retratos de sua mulher Alma, num episódio do primeiro movimento, e de seus filhos brincando na praia, no "Scherzo". Os fatídicos golpes de martelo, no final – um gigantesco, operístico martelo, ao fundo da orquestra – seriam intuições de desastres, que se seguiram na vida real: a morte de uma filha (de difteria), o desligamento da Ópera de Viena (por antissemitismo) e o diagnótico de doença cardíaca (que o mataria aos 51 anos de idade).

Mas a tragédia não é só pessoal, nessa música que "abrange o mundo", como ele disse certa vez ao colega Sibelius – e o faz com sentido acusatório, não de reconciliação. Mesmo aqui, na sua sinfonia mais "clássica", a forma é um labirinto de caminhos que se bifurcam, onde vai se encontrar os fragmentos mais disparatados de música. A totalidade é negada de dentro; e cada invocado estilo aparece como máscara de sofrimento reprimido, no sentido afetivo e também social. Tanto maior a comoção de ouvir essa orquestra, desse país, fazendo a sinfonia como uma especial vocação.

Pode ser estranho ouvir os contrabaixos à esquerda e as harpas e trompas à direita, mas a verdadeira vertigem não é da ordem da estereofonia. Vertiginosas são as violas, por exemplo, como são vertiginosos os contrabaixos e vertiginosa é a tuba. E a primeira trompa ultrapassa qualquer descrição.

A Filarmônica inteira encontra ou inventa em Mahler uma potência particular do som, que é em parte uma questão de substâncias (cada som em si) e em parte também de metamorfoses (como uma coisa se transforma em outra). Isso implica, ainda, um domínio insólito do tempo, que vai se acelerando ou desacelerando em nuanças, quando não muda bruscamente de medida.

Que o diretor musical vitalício da orquestra (desde 1981), Zubin Mehta, tem papel fundamental nisso é óbvio, a despeito de tantas críticas já sofridas pelo maestro "dos três tenores". Com a Filarmônica de Israel, ele é sempre um grande regente: imaginativo, preciso, econômico nos gestos, sem ser sovina. Capaz, ainda, da coragem que foi tocar a *Sinfonia* nº 41 de Mozart de modo tão distinto, antes de entrar com tudo no grande romance sinfônico modernista.

As vertigens já começavam ali: no final do Mozart, absolutamente no limite da velocidade, de tirar o fôlego. O mundo antes do fim. Depois, o fim do mundo: vertiginosamente igual ao nosso mundo, que não acaba nunca de acabar, na música de Mahler e fora dela.

10.8.05

Orquestra Mediterrânea

Sesc Pinheiros, 26.8.05

A ideia era tão louca que perigava dar certo. Sob a tríplice direção de Carlinhos Antunes, Lívio Tragtenberg e Magda Pucci, foram reunidos 21 músicos, de dez países – Brasil, Espanha, França, Grécia, Itália, Líbano, Marrocos, Romênia, Sérvia e Turquia –, para montar essa inédita Orquestra Mediterrânea. A Orquestra ensaiou quatro dias e fez dois espetáculos em São Paulo, durante a Mostra Sesc de Artes/ Mediterrâneo. Deixa também CD e DVD, gravados ao vivo.

Um concerto começa antes de começar, e o de sexta-feira, no Sesc Pinheiros, começou muito bem, com o palco coberto de uma sedutora parafernália de instrumentos e equipamentos. Nem tinha começado ainda e já começava de fato como se não fosse o começo, com a simpática trupe de virtuoses entrando no palco batendo papo, em clima de festa. E festa é o que foi, mais ou menos, do começo ao fim das duas horas de música – nada menos que vinte composições, mais o generoso bis para fechar a conta também em 21.

Só a chance de ouvir um instrumento como a guitarra sardenha (processada) de Paolo Angeli já valeria uma viagem ao Mediterrâneo, quanto mais ao Largo da Batata. Mescla de violão e violoncelo, com uma cabeleira de fios elétricos escorrendo pelo chão, ela é tocada alternadamente com os dedos ou com arco, e produz sons que vão da previsível corda tangida a estranhos lamentos, mugidos e percussões, de contundência ao mesmo tempo arcaica e atual.

Não há espaço para descrever outros instrumentos como o *qanokaki* grego, o *guimbri* marroquino, a viela de roda provençal, as *grallas* catalãs e o *qanoun* libanês, para ficar só nesses. E nem é necessariamente a diferença organológica que faz a maior diferença: basta ouvir o violão flamenco de Adrián Alvarado, incorporando com virtuosismo harmonias jazzísticas e/ou brasileiras. Ou os melismas da cantora sérvia Bilja Krstic, ou ainda as vozes *a cappella* dos Tenores de Bitti (Sardenha), em monofonias que soam como se os quatro tivessem um computador na garganta.

Se a reunião disso tudo é menos dificultosa do que pode parecer, é porque a natureza da música ajuda: centradas na linha melódica, com a harmonia geralmente estática, ou quase, as composições pedem grandes uníssonos (todo o mundo tocando a mesma melodia). Com muito espaço para improvisos e com riqueza de ritmo – muitos deles construídos em métricas irregulares (4 + 5, por exemplo) –, mas sem maior investimento em harmonia e contraponto, de menos interesse nas artes do Mediterrâneo.

Quer dizer: música para quem aceita as delícias sensuais do som no espaço e da linha no tempo. Por trás do projeto, deixa-se até adivinhar uma defesa dessas alegrias (muito mais do que das pouco lembradas dores). Conjugadas num espírito de mundialização, soavam como defesa contra aquilo que hoje soa sempre igual, nos mais variados lugares. As imagens projetadas em vídeo, no fim, dos próprios músicos segurando o passaporte, reforçavam o ponto com bom humor.

Que as impactantes diferenças desses músicos começassem a soar redundantemente homogêneas depois de algum tempo merece, então, ser bem compreendido: quase um sinal da nossa capacidade de aceitar o outro, sem exotismo, nem maior pretensão, num conquistado espírito de festa.

29.8.05

Orquestra Sinfônica NDR de Hamburgo
Christoph von Dohnányi

Sala São Paulo, 12.9.05

Era um casal como tantos outros, sentado bem no centro do "coro" (as cadeiras atrás da orquestra), anteontem na Sala São Paulo. Deviam estar na casa dos quarenta anos; vestidos informalmente, ele de agasalho sintético, ela com um lenço verde no pescoço. Um casal como tantos outros, mas naquele momento e naquele lugar, cinematograficamente no meio e acima da orquestra, a atenção concentrada dele e o sorriso embevecido dela serviam de emblemas para a escuta da Sinfônica NDR de Hamburgo, regida por Christoph von Dohnányi.

Só o que os sopros fizeram no final da suíte *Petruchka*, de Stravinsky (1882-1971), já seria o bastante para justificar sair de casa, numa noite que imitava o inverno chuvoso em Hamburgo. Era uma fantasia eletrizante de massas sonoras no ar, um caleidoscópio de acordes passando de um a outro como sucessivos lados de algum impossível poliedro. Música assim pede toda a atenção do mundo; mas seu efeito sublima qualquer análise, porque a gente, afinal, se perde no maravilhamento.

Uma concentração sorridente não seria, também, a pior descrição para as artes do grisalho maestro Dohnányi. Do primeiro ao último gesto, ele rege com uma intensidade sem exageros, dando mostras, o tempo todo, do prazer de estar fazendo música. Tem a orquestra, literalmente, na palma da mão; e os músicos – uma companhia mista de veteranos, músicos em meio de carreira e moçada – parecem contar sempre com ele para seu bem-estar musical.

De 1984 até 2002, Dohnányi foi diretor musical da Orquestra de Cleveland (EUA). Regente principal da Orquestra Philarmonia, em Londres, ele assume agora a NDR. Quem ouviu a orquestra nas visitas anteriores – em 1997, com Herbert Blomstedt, e em 2002, com Christoph Eschenbach – já tinha ótimas lembranças. Tanto melhor que a lembrança se torne, agora, menor do que a presença.

O mesmo vale para a própria música: composta em 1911-12, para um espetáculo dos Balés Russos de Diaghilev, *Petruchka* é uma das partituras incontornáveis do século passado, um antimonumento modernista que só se renova com o passar dos anos. Na versão da NDR, a suíte fez das continuidades a sua razão vital, em que pesem todas as rupturas e cortes.

Ou justamente por conta desses: seu gesto essencial é a "parataxe", a passagem de um assunto a outro, sem transição. Escolado desde o berço na música do século 20 – o maestro é neto do importante compositor húngaro Ernst von Dóhnanyi (1877-1960) –, e conhecido como intérprete de mestres contemporâneos, Dóhnanyi regeu um Stravinsky fluente e luminoso, onde tudo pode se transformar em tudo, ao sabor da mirabolante narrativa.

Não é exatamente análogo ao que se passa na *Sinfonia* nº 4 de Tchaikovsky (1840-93), mas também não disfarça algum parentesco, seja de método, seja de orquestração, assumido anos mais tarde pelo próprio Stravinsky. Tanto mais aqui, onde o precursor explora seus desesperos a partir de um cambiante tema "do destino".

Levado a se casar por pressão social, Tchaikovsky não deu conta da circunstância, chegando a tentar o suicídio. O casamento foi anulado em poucas semanas. Rendeu a ópera *Eugen Onegin* e a *Quarta*, que é uma das sinfonias mais contundentes de todo o repertório russo, e ao mesmo tempo uma das mais engenhosas e cheias de vida.

Pode não ter sido a melhor interpretação que a orquestra já deu dessa música. Uma das trompas teve um surto passageiro, o excelente primeiro fagote fez lindos solos, mas anticlimaticamente desafinou uma nota chave (logo corrigida), aqui e ali uma entrada poderia ter sido ainda melhor. Mas o que se ouviu foi mais que o suficiente para manter sempre focada a atenção daquele moço no coro, e reanimar o sorriso da moça.

E o que dizer do timpanista, virtuose de rufos milimetricamente bem divididos, e tocando tudo de memória? Discreto, mas alerta, à vontade na música e fazendo arte com gosto, ele serve de imagem da orquestra, que se espelha no discreto maestro para jogar uma imagem muito melhorada sobre o simples espelho da plateia.

14.9.05

Orquestra Filarmônica de Dresden
Rafael Frühbeck de Burgos

Cultura Artística, 2.10.05

No segundo compasso a orquestra já estava coesa e vibrante, inteira na música. Era o começo da *Sinfonia* nº 3 de Brahms (1833-97) – compositor que chegou a reger a própria Filarmônica de Dresden, agora sob comando do maestro espanhol Rafael Frühbeck de Burgos. O começo anunciava um meio e um fim; e o programa de domingo, no teatro Cultura Artística, incluía, desnecessariamente, Respighi (1879-1936), mas depois *O Pássaro de Fogo* de Stravinsky (1882-1971).

Pelo menos parte do enigma da *Terceira* de Brahms tem a ver com a natureza ambivalente da música, não só no plano dos sentidos, mas da forma: sinfonia e música de câmara se confundem aqui a todo momento. A elaboração melódica se baseia numa refinadíssima arte da variação, que remete mais aos quartetos e sonatas do que às obras sinfônicas da década de 1880, quando ela foi composta. E essa mesma arte vai torcendo o significado aparente de muitos temas, que podem servir, por exemplo, de abertura e de fecho, sucessivamente.

Isso exige, por um lado, transparência e atenção às minúcias; por outro, o controle total dos grandes movimentos. Regendo tudo de memória, com simplicidade conquistada, Frühbeck de Burgos mantém a Filarmônica de Dresden nos dedos. E a Filarmônica – formada, entre outros na sua história recente, pelo perfeccionista Kurt Masur, regente honorário da orquestra – responde com complexidade e algum entusiasmo (só algum, sem maior efusão).

Em 2002, a mesma orquestra esteve no Cultura Artística, regida por Roderich Kreile, acompanhada do Coro de Meninos da Igreja de Santa Cruz, para um programa de Bach e Beethoven.[49] Naquela noite de grande música, alguma frustração ficava mesmo assim no ar, pelo efeito de uma orquestra capaz de tocar sempre assim, sem maiores surpresas.

Não foi o caso no terceiro movimento do Brahms, o "Poco Allegretto", que de *poco* não tinha nada, e nem por isso perdeu suas melancolias. Era a música predileta do escritor Erico Verissimo, que teria adorado essa energia matizada de tristeza. O final, depois, um

49 Ver 24.10.02.

prodígio de contraponto, termina numa coda que alude a esses afetos mais recolhidos. Chegou a ser humanamente enfática, então, a nota do (excelente) clarinetista, que sobrou sozinha por um segundo depois do último acorde.

Não poderia haver personalidade menos brahmsiana do que Stravinsky, que em 1910, aos 28 anos, arrebentava as portas da música europeia com *O Pássaro de Fogo*. Composta para os Balés Russos de Diaghilev, a suíte inaugura a inacreditável trilogia que inclui *Petrouchka* (1912) e *A Sagração da Primavera* (1913).

Muito influenciada por Rimsky-Korsakov, a partitura é um assombro de apropriação poética: Stravinsky simplesmente se adona da música anterior e faz com ela o que quer. Que a música hoje soe mais russa do que há vinte ou trinta anos é sinal de que nossa ingenuidade diminuiu. O que não diminuiu foi a controlada loucura da "Dança Infernal", nem o estranho amor da "Berceuse", nas desoladas alturas do fagote.

No *Pássaro*, a Filarmônica de Dresden deu tudo o que se espera de uma grande orquestra: potência, fluência, inteligência, transcendência. Essa música resiste e ampara o mundo há quase cem anos. Tocada assim, pode continuar fazendo seu trabalho por muito mais.

4.10.05

Arcadi Volodos

Cultura Artística, 17.10.05

Ao final do quarto bis – uma transcrição do "Largo" do *Concerto Para Oboé e Orquestra*, em dó menor, de Alessandro Marcello (1684-1750) – aconteceu uma coisa rara. O pianista Arcadi Volodos deixou o acorde morrer e continuou escutando. A plateia nem respirava. Até que alguém não aguentou e começou a aplaudir. Viu-se sozinho e parou. Seriam mais alguns segundos de silêncio, até que começasse a ovação, no meio de uma sequência de nada menos que seis extras: meia hora de bis.

Àquela altura o russo já estava tocando, claramente, para si mesmo, o que não quer dizer que não estivesse tocando para nós também. Eram peças de uma dificuldade transcendental, coisas como a

"Marcha Rákóczy" de Liszt (1811-86), ou uma delirante paráfrase volodiana da "Marcha Turca" de Mozart (1756-91). Mas, ali como antes, na segunda parte inteira do concerto de anteontem, no Cultura Artística – quatro peças de Liszt montadas como se fossem uma sonata – a dificuldade tinha uma estranheza própria, espiritual e abstrata.

Depois de ter tocado duas sonatas pouco frequentadas de Schubert (1797-1828), a primeira, inacabada, em mi maior, e a *Sonata em Fá Menor*, D. 625, valorizando linhas internas e enfatizando os cromatismos aberratórios, com uma concentração incrível, e sem um gesto que não fosse essencial, Volodos conferia às peças de Liszt uma outra distinção.

Para além do que há de espetáculo nas proezas pianísticas de obras como o "Vallée d'Obermann" ou "La Prédication aux Oiseaux" (de *Anos de Peregrinação*), essa música, com Volodos, e depois de Schubert, soava como um exercício moderno de sonoridades em contraste e/ou em choque; mas também, e acima de tudo, como aventuras do sobre-humano, audácias imaginativas de um músico-ator, no shakespeariano palco sem palavras. Ninguém ali estava exibindo os dedos. Tudo tinha sentido musical, e esse sentido era, afinal, de uma coragem austera.

No meio da ovação, Volodos fica parado, quase sorrindo, olhando para cima. É um tipo incomum, indecifrável. Chegou a São Paulo no domingo; nem tocou num piano até uma hora antes do concerto (quer dizer: só teve meia hora de ensaio). Parece morar noutro planeta. E mora mesmo: num outro mundo, maior e melhor. É o planeta Música.

20.10.05

Orquestra Sinfônica Municipal José Maria Florêncio

BERNSTEIN: CANDIDE

Teatro Municipal, 29.10.05

Nem o transcendental otimista, Dr. Pangloss, poderia dizer que "tudo foi para melhor, no melhor dos mundos", depois da estreia de

Candide, sexta-feira, no Teatro Municipal. O que não quer dizer que esta montagem da ópera de Leonard Bernstein (1918-90), dirigida por Jorge Takla e regida por José Maria Florêncio, não tenha muitas virtudes – especialmente musicais.

Que ótima surpresa, antes de mais nada, ver a Sinfônica Municipal tocando assim. Antes de mais nada: desde a famosa "Abertura", o regente cearense, radicado há vinte anos na Polônia, fez a orquestra tocar com eletricidade e precisão. E esse vigor não se perdeu ao longo das mais de duas horas de música. Pode não ser ainda a melhor orquestra no melhor dos mundos, mas já não era a acomodada pequena versão de si mesma que parecia ter encarnado até bem pouco, sob os bem-intencionados elogios da geral.

Quando as vozes entraram, não houve espanto em ver que Rosana Lamosa (Cunegunda) e Fernando Portari (Candide) continuam em grande forma; entra ano e sai ano, o casal, este sim, mantém sua arte no melhor do seu melhor. Vale o mesmo para o barítono Sandro Christopher (Pangloss e Martin). E o trio vinha bem acompanhado por Regina Elena Mesquita (Velha Senhora), Paulo Queiroz (Governador), Sebastião Teixeira (Maximilian) e Dênia Campos (Paquette), mais um quinteto de coadjuvantes, sem falar no Coral Lírico e num pequeno corpo de baile.

O espanto era a amplificação. Toda a montagem, descrita em entrevistas como um "concerto encenado", tende mesmo é para o musical; até a tradução do texto – cantado em português na versão muito boa de Claudio Botelho, que preserva rimas e consegue manter um engenhoso registro popular a maior parte do tempo – sinaliza a vontade de fazer um espetáculo mais acessível. A amplificação das vozes tem a ver com isto, favorecendo, em particular, a compreensão dos diálogos (bem como da narrativa, lida pelo ator Luiz Guilherme, com direito a despretensiosos toques de atualização brasileira).

O resultado pode ser resumido em dois pontos: a gama de dinâmicas empobreceu muito (quase tudo soa *mezzo-forte*) e a localização espacial das vozes ficou estranhamente restrita a um ponto no centro e acima da boca de cena. Tudo parece vir de lá, não importa onde estejam os cantores – o que cria uma estranha distância entre o palco e a plateia.

Se as ironias do *Candide* original de Voltaire (1694-1778) têm sua imprevista e incrível atualização nas ironias de Bernstein, desfiando prodígios de estilização (das árias rossinianas aos corais à maneira de seu professor Randall Thompson), não se pode dizer o mesmo, com tanta segurança, da tradução cênica de um e outro aqui. Ela sofre daquela rotineira dramaturgia caricata que segue sendo uma língua franca da ópera. E, com isso, mesmo os cenários e figurinos, inspirados em Matisse – o artista da felicidade –, não acabam ganhando uma conotação quase infanto-juvenil?

Mas enfim: estão plantando de novo no nosso jardim. É um bom sinal. E boa hora para se definir, daqui para a frente, o que se quer.

31.10.05

Osesp
Skelton, Mace, Bryak, Bronk
John Neschling

Beethoven: Fidelio

Sala São Paulo, 10.11.05

O tenor Stuart Skelton ficou sentado, cabisbaixo, num banquinho, ao final de sua grande ária, no início do segundo ato; mas a plateia veio abaixo, como se fosse o fim da ópera e simplesmente não parava mais de aplaudir. Foi mesmo um dos melhores momentos na estranha estreia de *Fidelio*, em montagem da Osesp, regida por John Neschling anteontem na Sala São Paulo.

Mas logo a cena mudou, iluminando mais uma vez Antonio Abujamra, à direita do palco, atrás de uma mesa com pano vermelho, meio constrangido na leitura de rubricas entre cada número. A leitura tinha dois propósitos: um era indicar o que se passa na cena, já que se trata de uma versão semiencenada, de concerto; o outro era comentar didaticamente a ópera, com mínimos traços históricos e estéticos. O efeito era o mesmo: tornar o espetáculo mais apropriado à linguagem da televisão (a ópera estava sendo filmada pela TV Cultura).

Para quem estava vendo ao vivo, a impressão foi desconfortável. Não seria tão ruim, talvez, se os textos tivessem outro registro. Mas frases como "o tratamento vocal neste dueto indica perfeitamente a estrada que culminará com Wagner" doíam no ouvido; e isso dito em tempo real – antecipando, por exemplo, o comovente penúltimo número da ópera – só ajudava a esfriar as coisas, justamente ali onde tudo se aquece. A ópera de Beethoven (1770-1827) virou uma aula sobre a ópera de Beethoven.

Isso explica, em parte, a diferença entre a interpretação do primeiro ato e do segundo. Picotado a cada poucos minutos pela leitura, o primeiro, que tem dez números e é bem mais longo, soou brechtianamente distanciado, a despeito das virtudes de Amanda Mace (Leonora), Oleg Bryak (Pizarro), Flavia Fernandes (Marcelina), Luciano Botelho (Jaquino) e Stephen Bronk (Rocco). A ironia é que Brecht (1898-1956) fazia troça da ópera e parodiou um de seus números na *Ópera dos Três Vinténs*.

Quem gostava de *Fidelio* era o filósofo Ernst Bloch (1885-1977), para quem a mesma cena tripudiada por Brecht – a fanfarra de trompete, no fim, anunciando a chegada do Ministro (Licio Bruno) – representava um exemplo supremo de "pré-imagem da Utopia". Na versão da Osesp, a fanfarra foi espetacular: Fernando Dissenha sozinho, todo de branco, no alto do coro, atrás da orquestra (e acima do praticável, sob um véu, onde aparecia e desaparecia o coro de prisioneiros).

Se o segundo ato inteiro foi bem superior ao primeiro, isso tem a ver em parte com o menor número de interrupções, mas também com a presença do tenor Skelton, a despeito do figurino. Em tempo: o programa não indica quem fez a (boa) direção de cena, nem a (ótima) luz, nem os figurinos (cômicos? trágicos?).

Para os padrões de sua época, *Fidelio*, cuja primeira versão estreou há exatos duzentos anos, mistura dois gêneros distintos: "comédia lacrimosa" e "tragédia burguesa". Seu grande tema é o amor conjugal; e a imagem da Utopia, ali, combina aspirações sociais libertárias com um ideal humanista da relação amorosa. Desse ponto de vista, a gravidez de sete meses da soprano Amanda Mace só acrescentava sentidos à sua luta pelo resgate do marido preso. Que música incrível esse bebê vem aprendendo, lá no fundo mais fundo da voz.

12.11.05

Moacir Santos

CANCIONEIRO

3 vols., Jobim Music, 2005

"Paraíso." A palavra corria como uma senha, entre os músicos, nessas últimas semanas. Composta em 1988, "Paraíso" é a terceira faixa do recém-lançado CD *Choros e Alegrias*, que completa uma trilogia iniciada com *Ouro Negro*, em 2001, e continuada pelo relançamento de *Coisas* em 2004 (originalmente gravado em 1965). Os três discos não cobrem tudo o que ele fez, mas dão a dimensão da música de Moacir Santos, que chega agora a outro estágio de reconhecimento com a edição das partituras desse *Cancioneiro*, em três volumes.

"Paraíso" é em dó menor, mas aqui, como em vários outros casos, a tonalidade menor abriga ambiguidades de maior. Do início ao fim, o coral de metais reflete luzes de um e de outro lado da gama. Uma coisa, por exemplo, é o dó menor chegar a mi bemol maior, seu vizinho próximo. Bem outra é a harmonia passar por um mi menor escancarado, chocando com a melodia. Mas é justamente da tensão entre as notas mi bemol (que define a tonalidade menor) e mi natural (que define a tonalidade maior) que essa música escava seus mistérios, reinventando um tipo ancestral de instabilidade harmônica.

Como que a comprovar o que foi dito, o último e espantoso acorde de "Paraíso" é nada menos do que a junção de dó maior, na mão esquerda, com dó menor, na direita. E não se trata só do clássico acorde jazzístico de nona aumentada: a disposição do acorde deixa o mi natural e o mi bemol no meio, criando uma sonoridade própria. Detalhes como esse não são detalhes, são a própria música de Moacir Santos, que agora, depois de tantos anos, se pode escutar e ler como merece.

Primorosamente editadas por Zé Nogueira e Mario Adnet – a mesma dupla que produziu os discos –, as partituras de *Ouro Negro* e *Choros e Alegrias* vêm escritas para um instrumento melódico e piano. Já as *Coisas* foram transcritas no esplendor da partitura aberta, para orquestra (flauta, metais, cordas, guitarra, piano e percussão, em combinações variadas).

É um paraíso dos arranjadores. Ali está, por exemplo, a mitológica "Coisa nº 5", tema do filme *Ganga Zumba*, de Carlos Diegues (1963), no nascedouro de uma nova vertente negra da música popular moderna no Brasil, com desenhos melódicos diferentes e inusitadas complexidades rítmicas. Os afro-sambas de Baden e Vinicius nutriram-se disso – como Vinicius deixou claro, ao pedir a bênção a Moacir Santos, no "Samba da Bênção".

Três anos depois, o maestro pernambucano, então com 40 anos, mudava-se para a Califórnia, onde mora até hoje. Entre nós, sua música tem sido uma seiva meio invisível esse tempo todo, admiradíssima e esgotadíssima; novamente acessível e legível, só deve ampliar sua influência.

Uma canção como "Maracatu, Nação do Amor" (arrebatadora e engenhosamente tramada nas enarmonias de ré bemol maior/ mi maior), uma marcha-rancho como "Agora Eu Sei" (com riquezas de contraponto a quatro vozes), ou choros como "Flores" e "Cleonix" (motos-perpétuos cromáticos) são coisas que, hoje, com a dupla bênção dos discos e das partituras, vão se tornando propriedade íntima de cada um de nós. Elas compõem um acervo único de beleza e alegria, num registro raro de serenidade. Enfim: é um paraíso. O que, no caso de Moacir Santos, é só um dos nomes da música.

29.11.05

Osesp
Leila Josefowicz/ Cristina Ortiz/ Tabea Zimmermann
Mario Benzecry/ John Neschling

Sala São Paulo, 1.12.05

Foi exatamente no ponto em que o violino fica sozinho (na cadência do terceiro movimento), tocando poucas notas, com a orquestra inteira calada atrás de si, que a chuva apertou lá fora e ribombaram discretamente alguns trovões no palco da Sala São Paulo. Os rimbombos não eram só discretos e não vinham apenas na hora exata: soavam também no tom. Era o acompanhamento divinamente inesperado e justo para o que a solista Leila Josefowicz já tinha feito à frente da Osesp, anteontem.

A própria escolha do *Concerto Para Violino e Orquestra* de Shostakovich (1906-75) bastaria para merecer nosso respeito. Composto em 1947-48, no pior período da perseguição política sofrida pelo compositor – condenado por Stálin pelos "formalismos" de sua música –, o *Concerto* é uma das obras-primas do repertório moderno do instrumento. Longo, complexo, introspectivo, mas com muitos momentos também de exaltação e ironia, não dá descanso ao solista, nem do ponto de vista mecânico nem do espírito.

Para quem esperava fogos roqueiros, lembrando das primeiras fotos promocionais da então adolescente virtuose canadense, dez anos atrás, nada poderia ser mais diferente do que a serena entrada de Josefowicz. Ela atacou o primeiro movimento, "Noturno", num tom meditativo capaz de acalmar nossa futilidade em segundos. Pouco a pouco, foi se metamorfoseando, labirinto adentro da música, sem titubear nas enganosas mudanças de metro, que a Osesp, de sua parte, também tocou com engenho, regida pelo maestro argentino Mario Benzecry.

A grande notícia é que Josefowicz vai gravar o Shostakovich com a Sinfônica de Birmingham, em janeiro [de 2006]. Outra grande notícia é que a Osesp, por essa época, grava os *Choros* nº 11 de Villa-Lobos (1887-1959), com a pianista Cristina Ortiz. Sua interpretação dos *Choros*, há duas semanas, com a orquestra regida por Neschling, foi um dos pontos altos da temporada. Para todos os efeitos, era a primeira vez que se ouvia a partitura, um monumento de mais de uma hora contínua de música, em que tudo parece se multiplicar segundo outra lógica da vida.

Falando à rádio Cultura FM, que aos sábados à tarde transmite os concertos da Osesp, Cristina Ortiz dizia que tocar o *Choros* nº 11 foi "o maior desafio" de sua vida. Parece loucura pensar que todo o empenho de preparar essa peça provavelmente não tenha ocasião de se repetir. Fica a Osesp com a obrigação moral de fazer de novo o Villa; e ficamos nós na expetactiva do disco, que vem corrigir nossa perspectiva sobre a música do século passado – não só a brasileira.

Indo para a frente no século, e para trás na temporada, é preciso ao menos mencionar o *Concerto Para Viola* de Schnittke (1934-98), que a estupenda solista alemã Tabea Zimmermann tocou com a Osesp no começo de novembro. Uma geração depois de Shostakovich, Schnittke é precisamente isso: a música depois de Shostakovich. E a música depois de Schnittke? Entre as respostas possíveis, alguém citaria o *Concerto Para Violino* de John Adams, que Leila Josefowicz tem tocado com frequência mundo afora. Quem sabe não vem tocar por aqui?

3.12.05

DonaZica

CD Elo Music, 2005

Eles são bonitos, arrojados, exasperados e desabusados, e seu segundo disco cai no chão da nossa música como um meteoro. Já era de se esperar algo do gênero, passados dois anos do primeiro disco do DonaZica, *Composição*. Mas ninguém poderia prever esse *Filme Brasileiro*, que acaba de sair na série CD 7 (CDs mais baratos, com sete músicas).

Só quem viu o DonaZica ao vivo pode avaliar do que o noneto é capaz. Musicalmente a mistura já é explosiva, combinando vertentes que vão da música eletrônica à bandinha de coreto, de Jorge Ben Jor a Arrigo Barnabé, de Itamar Assumpção a Tom Zé, rap, rock e Mário de Andrade. Em cena, a combinação ganha acentos estrambóticos, que atualizam as invenções performáticas da canção tropicalista, uma geração depois das reinvenções da vanguarda paulista.

Em disco, a questão se traduz para outro campo – precisamente para este meio, o disco, afligido hoje por crises mais ou menos apocalípticas segundo a ótica do profeta. *Filme Brasileiro* é mesmo um exemplo do que pode representar um disco, confrontado com as pulverizações da música pela internet. O disco, no caso, é uma obra, composta por sete canções, ou sete cenas, ou como se queira chamar as partes do todo. E o disco tem uma ideia, que faz de cada canção um reflexo enriquecido das outras.

"Relaxe", começa a letra da primeira música, parceria de Iara Rennó com Alzira Espíndola. "Bicho-papão não dá medo a ninguém" – e a gente bem pode imaginar o que não virá pela frente, sob os augúrios de uma figura repetida no baixo (alternando compassos quaternários e ternários, à maneira de Itamar), junto com a bateria curta e funda e as econômicas figuras do contraponto na flauta (dobrada), aos quais se somam intervenções de um triângulo de baião e suspiros de moça. Isso tudo nos primeiros cinquenta segundos de música, o que dá a medida do engenho em evidência do começo ao fim do disco.

Ressalte-se o engenho da gravação, outra arte do disco como disco. Quando as três musas cantam "segure-se", as vozes vêm e vão de vários pontos, sibilinamente sedutoras nos seus "ss". Cada detalhe é pertinente, até para confirmar, onde preciso, a sua justa impertinência; e cada canção se resolve segundo leis que cria para si.

Para usar uma terminologia de Tom Zé: não são, de modo geral, canções "contemplativas", canções da beleza, mas muito mais canções "cognitivas", que provocam e fazem pensar. "Quem cozinhou o Brasil?", pergunta serenamente Andreia Dias. "500 anos de ilusão e feijão", continua ela, a caminho dos desabusos: "Passou de mão em mão", "comeu com goiabada e marmelada", "descobriu a cura que cura nada", até a uzynozônica "Quem descobriu o Brasil?/ Pegou no teu pau-/ Brasil", onde a separação dos versos crava toda uma arte da ambiguidade.

Esse é um disco dos filhos do Brasil, não só porque Iara é filha de Alzira Espíndola, e Anelis Assumpção de Itamar, mas porque a questão da gênese se deixa adivinhar por trás de tudo. Neste *Filme Brasileiro*, cabem vanguardas e atavismos de várias extrações, que o DonaZica combina como ninguém, na esperança de um final desconhecido.

10.12.05

Osesp
Gerhaher/ Barainsky/ Iráyi/ Ringelhahn
John Neschling

MENDELSSOHN: ELIAS

Sala São Paulo, 15.12.05

"Os justos brilharão como o Sol no reino do Pai." É o que diz a ária do tenor, já perto do fim do oratório *Elias* de Mendelssohn (1809-47). Não parece uma profecia realista, a curto prazo; mas existe essa música por consolo, fechando em chave simbolicamente rica mais uma temporada da Osesp na Sala São Paulo.

Na quinta-feira, o sol mal se tinha posto quando começaram os incríveis corais do oratório. Composto em 1846, por encomenda do Festival de Birmingham, foi imediatamente tomado como contraparte romântico do barroco *Messias* de Haendel. Até hoje, continua muito popular, especialmente na Inglaterra, onde dezenas de corais escolares mastigam as fugas do *Elias*.

De escolar, o coral da Osesp (preparado por Naomi Munakata) não tem nada. Soou grandioso quando a música pedia e intimista ou lírico de acordo com o texto. Falar em lirismo pode parecer estranho: não há profeta mais duro do que Elias no *Velho Testamento*. Causa até algum espanto associá-lo à figura delicada do compositor alemão. Mas é justamente a combinação da sintética, arrojada poesia hebraica com as sublimidades e sublimações vitorianas que define o tom do oratório.

Algo desse mesmo contraste se poderia notar no contraste entre a interpretação expressivíssima do barítono Christian Gerhaher, no papel principal, e as colorações menos dramáticas dos outros três solistas convidados: Claudia Barainsky (soprano), Stefanie Irányi (*mezzo*) e Oliver Ringelhahn (tenor). E também nas variações emocionais e musicais da Osesp, que, sob a regência de John Neschling, fez uma primeira parte relativamente contida, para depois se empolgar nos fogos contrapontísticos e/ou cantilenas da segunda.

Era quase como se as contradições assumidas por Mendelssohn – entre a vanguarda e a tradição, entre o sagrado e o profano, entre o coletivo e o individual – ganhassem ali uma encenação sonora, em que tudo, ao mesmo tempo, é efeito e substância. Efeito de religião, por exemplo, transformando a sala de concertos em espaço litúrgico, e substância religiosa, traduzindo sentidos do texto bíblico em linguagem musical.

Numa ária como "Es Ist Genug", que Gerhaher cantou com grande afeto, bem acompanhado pelo naipe de violoncelos, as melancolias barrocas de Bach são transportadas do século 18 para o 19, o que causa um estranho duplo impacto de proximidade e distância. Desse ponto de vista, aquele tom relativamente contido, mencionado acima, só ganhava maior pertinência.

Faltou falar das fugas: maravilhosas fugas, pontos altos do repertório romântico, que o maestro Neschling regeu com fluência e lucidez, mais do que paixão. O que não deixa de ser um modo atual de escutar Mendelssohn.

De qualquer modo, já é paixão suficiente terminar 2005 com o profeta Elias subindo aos céus no carro de fogo. 2006 começa em março, com o *Réquiem* de Verdi, que foi escrito para um poeta, não um profeta, e renova morte e vida como só a música faz.

19.12.05

André Mehmari

Beatles

CD MCD, 2005

No ponto crucial da última estrofe de "Across the Universe", exatamente onde a letra diz "*limitless* undying love" (amor imorredouro *sem limite*), a textura se abre e um grande espaço separa por alguns segundos o grave da mão esquerda do agudo na direita. Para quem quiser conferir: 1min40s da quarta faixa do novo CD do pianista André Mehmari, dedicado aos Beatles.

Gestos como esse são característicos da arte de Mehmari. Aos 28 anos, e com três discos de carreira lançados – *Canto* (2002), em que toca sozinho duas dezenas de instrumentos, *Lachrimae* (2003), com seu trio, e, em 2005, o premiado *Piano e Voz*, com a cantora Ná Ozzetti –, ele assume por consenso uma posição de ponta na música brasileira. Tanto popular quanto clássica – distinção, aliás, que no caso dele nem sempre faz muito sentido.

Neste mesmo ano de 2005, Mehmari tocou em outubro com o Quarteto de Cordas da Cidade, na estreia de seu quinteto, *Angelus* (um de dois quintetos: o outro é só para cordas). Ali, num outro contexto, veio à luz com especial relevo um artesanato próprio da composição, que agora também se pode escutar nessas 14 canções dos Beatles.

Para além do domínio das formas – se se toma a palavra no sentido mais amplo, denotando tudo o que acontece, momento a momento, com o material da música –, o que mais impressiona é seu virtuosismo narrativo. Uma habilidade fabulatória especial: passado e presente se cruzam, seja pela memória interna de cada peça, seja pela trama de referências que a música convoca naturalmente para si.

Ninguém deixará de notar esse tipo de coisa numa faixa como "Ob-la-di Ob-la-da". Talvez um compositor como Shostakovich pudesse pensar em começar a canção desse modo, com o "baixo Alberti" (a figura mais trivial de acompanhamento do período clássico) sobre o qual estilhaços melódicos vêm se sobrepor em tons "errados". Lá pelas tantas, a canção vira um pastiche de sonata de Mozart, só para depois retornar ao mais límpido Lennon e McCartney, que a essa altura já se tornaram recriadores irônicos do século 18.

Esse é o único caso tão extremo de apropriação de estilos; e tanto melhor que seja feito com tamanho bom humor. Outras referências – por exemplo, a Schubert e Messiaen, em "Blackbird" – misturam-se com total naturalidade ao maxixe "Penny Lane", para dar só um outro exemplo, sem que nada soe abusivo ou artificial. Com André Mehmari, *across the universe*, nada se perde e tudo se recria, segundo um instinto todo seu, que acolhe a música na música, com alegria.

Desse ponto de vista, fica mais nítido o projeto do disco como um todo. Cada canção propõe um problema musical, que Mehmari inventa e responde para si com os instrumentos da composição. Sem falar no instrumento propriamente dito, já que as questões musicais passam sempre também por contingências mecânicas: modos de tocar, a alegria do pianista.

Que ninguém fique com a impressão errada. Esse deve ser o disco mais imediatamente comunicativo que Mehmari já fez. Toda sua arte aqui se esconde também na arte, com um ouvido infalível para a beleza. Está saindo numa simpática série para crianças, o que pode distanciar o disco do público em geral, mas não deveria. Ainda dá tempo de dizer que é um dos melhores discos do ano de 2005, mas isso não basta: é um dos melhores discos dos anos, para trás e para a frente, naquele plano onde a música nos resolve, afinal, livres para sempre das pequenas coisas e das pequenas horas.

27.12.05

Anne-Sophie Mutter

MOZART: CONCERTOS PARA VIOLINO

2 CDs Deutsche Grammophon, 2005

Anne-Sophie Mutter deu seu primeiro concerto aos nove anos de idade, tocando o *Concerto Para Violino e Orquestra* de Mozart (1756-91). E estreou em disco aos treze, tocando os *Concertos* n°s 3 e 5 de Mozart, com a Filarmônica de Berlim, regida por Herbert von Karajan. Chegando agora aos trinta anos de carreira (a contar daquele primeiro disco), e aproveitando a ocasião – o festejado bicentenário de nascimento do compositor, em 2006 –, ela grava a integral dos *Concertos*, com a London Philharmonic Orchestra regida por ela mesma.

Este é o primeiro de três projetos de Mutter no ano Mozart. Até o final de janeiro sai um CD com três *Trios* (K. 548, 542 e 502), que ela toca com o marido André Previn (piano) e o *protegé* Daniel Müller-Schott (violoncelo). E em agosto vem a integral das *Sonatas Para Violino e Piano*, com Lambert Orkis, seu parceiro na integral das *Sonatas* de Beethoven (lançada em 2000).

O som de Anne-Sophie: poderoso, direto, expressivo – qual a palavra menos errada para generalizar o que é tão particular? Virou quase lugar-comum dizer que ela tem mais regularidade do que excepcionalidade. Mas fica difícil aceitar essa opinião, quando se ouve uma linha melódica como as que ela toca no movimento lento do *Concerto* nº 5, ou em qualquer movimento da *Sinfonia Concertante Para Violino, Viola e Orquestra*, interpretada lado a lado com Yuri Bashmet, para fechar o disco com a obra-prima das obras-primas desse repertório.

Exemplo do que ela faz numa linha lenta: a frase cresce na direção da última nota, que ganha um *vibrato* especial. Até aí, nada de tão diferente. O que distingue a violinista alemã é o fato de que, a caminho dessa última nota, eventuais notas longas recebem, cada uma, um *vibrato* diferente, ou mesmo, em alguns casos, *vibrato* nenhum, o que vira também um tipo de efeito expressivo.

Já o que ela faz nas rápidas é toda uma enciclopédia de arcadas, ataques e dinâmicas, onde o que é pequeno e delicado chega a extremos de delicadeza e minúcia, assim como o que é grande e expansivo pode ficar enorme e dramático. Se variações dessa ordem nem sempre são reconhecidas, deve ser por conta da sensação constante de propulsão, ou confiança – essa sim, transcendentalmente regular.

Vale ressaltar que se está muito longe, aqui, de qualquer tentativa de interpretação "autêntica" da música de Mozart. Tanto a orquestra (comparada pela violinista-regente, na entrevista pop do encarte, a um "automóvel Porsche – vibrante e cheio de juventude"), quanto a própria Mutter fazem um Mozart que se aproxima muito mais do repertório gravado da primeira metade do século 20 do que do registro musicologicamente imaginado de fins do século 18.

O efeito tem algo de curioso, porque, nessa era de superautoconsciência estilística, tocar como um Heifetz ou Oistrakh começa a soar, também, como um tipo específico de autenticidade. Assim como existe um Bach moderno dos pianistas (a essa altura, vários Bach), existe também um Mozart "antigo" do século 20; e é esse Mozart que Mutter reinventa, a seu modo, com um sentimento de adequação que, no caso dela, já dá para dizer que é obra de uma vida, tanto quanto a vida de uma obra.

10.1.06

Osesp
Papian, Nioradze, Dvorsky, D'Artegna
John Neschling

Verdi: Réquiem

Sala São Paulo, 8.3.06

Estranha ideia: começar a temporada com uma missa dos mortos. Claro que ninguém estava pensando nisso, no *foyer* da Sala São Paulo quarta-feira. *Réquiem* de Verdi (1813-1901) ou não, a massa estava com sede de música, depois de quase três meses de seca. Ao final do concerto, talvez o espírito já fosse outro; mas, nesse caso, era efeito da arte, que faz pensar no impensável até quando parece impossível.

O *Réquiem* foi composto em 1874, em homenagem ao romancista Alessandro Manzoni (autor de *Os Noivos*), que morrera no ano anterior. Assim como ele, Verdi tinha aspirações de fazer uma arte verdadeiramente italiana e verdadeiramente popular. Assim como ele, também, pregou a unificação da Itália. Essas ideias, no *Réquiem*, contam tanto ou mais do que a transmigração da alma e o descanso eterno ("*requiem aeternam*" é o começo, em latim, do "Introito" da Missa dos Mortos: "descanso eterno concedei-lhes, ó Senhor").

Virou clichê dizer que o *Réquiem* é mais ópera do que missa, mas a discussão parece um tanto infundada. Até que ponto a própria missa não é uma espécie de ópera? – pergunta que um compositor como Verdi só poderia responder com os meios que ele mesmo desenvolveu para escrever sua música. Incluem, entre muitos achados, o abandono da dicotomia entre recitativo e ária. Aqui tudo fala e tudo canta; e a música se adapta a cada momento do drama.

Na interpretação do maestro Neschling, a missa-ópera ganhou contrastes imensos de luz e sombra, dentro de um desenho maciço, à moda antiga – onde "antiga" quer dizer "europeia", se se pode fazer esse contraste tão exagerado entre modos de entender a música de um e de outro lado do Atlântico. A escola americana recente faria um *Réquiem* menos ponderoso, mais teatral, ressaltando justamente a carga de ópera. Aqui não se estava exatamente na igreja, mas também não no teatro; era um entrelugar, onde quem quisesse podia até falar com os mortos.

Ou melhor: era esse o lugar imaginário a que se queria chegar e que a Osesp, juntamente com seu Coro, mais o Coro da Fundação Príncipe de Astúrias (da Espanha) fez soar em muitos momentos. Alguém dirá que, em outros, a música soava um tanto presa. E "presa" não é o mesmo que "controlada": controle, na música, é uma das formas máximas de liberdade, um rigor conquistado, que soa natural.

Solistas: a parte da leoa ficou com a soprano armênia Hasmik Papian. Na quarta-feira, fez coisas lindas, trabalhando em especial as diferenças de dinâmica. Mas cantar é mesmo uma loucura, e a voz nem sempre conseguia manter todo mistério concretamente no ar.

Bem concreto era o timbre da contralto Mzia Nioradze (da Geórgia), uma contralto de verdade, com vozeirão de cobre. Ficou ao lado do ótimo tenor Miroslav Dvorsky (do Teatro Nacional de Bratislava) e do baixo italiano Francesco Ellero D'Artegna, que fez *Fausto* com a Osesp no ano passado[50] e foi chamado de última hora, para substituir um contundido – e contundido estava ele: de muletas. O quarteto fez tudo com empenho.

Ao final do concerto, então, o espírito já era outro; nem tudo ali talvez tenha vibrado impensavelmente, mas o que se ouviu bastava para animar todos nós, mortos-vivos devolvidos mais uma vez à música.

11.3.06

---

50 Ver 14.5.05.

Orquestra Experimental de Repertório Portari/ Lamosa/ Bruno Jamil Maluf

MOZART: A FLAUTA MÁGICA

Teatro Municipal, 18.3.06

O melhor de tudo era o público, lotando o Municipal, da plateia à torrinha, para ver *A Flauta Mágica*, sábado passado. Todos os ingressos foram vendidos rapidamente para as cinco récitas dessa montagem – uma adaptação dirigida por Cleber Papa de sua própria criação para o Theatro da Paz, de Belém (no Festival de Ópera de 2003). Quem diria? Ópera, em São Paulo, é um sucesso; e o Municipal vive dias de entusiasmo, depois do relativo marasmo do ano passado.

A Flauta Mágica foi composta por Mozart (1756-91) em seu último ano de vida e tem características bem diferentes das outras óperas. Foi uma encomenda do empresário (e libretista) Schikaneder para o Freyhaus-Theater, um teatro popular inserido num complexo imobiliário – seis grandes pátios, 225 apartamentos, uma igreja, uma farmácia, até um moinho d'água – fora do centro de Viena.

Para ele, Mozart escreveu uma obra em que se combinam, originalissimamente, os mais variados tipos de música: da ópera séria à bufa, da música popular ao contraponto escolástico, tudo cantado em alemão e ligado por diálogos, ao modo do *Singspiel*, uma espécie de musical alemão do século 18. A história da ópera se nutre da moda contemporânea de narrativas do "maravilhoso" (incluindo "Lulu, ou A Flauta Mágica", de Wieland), num contexto de alusões maçônicas, para um subtexto de protesto contra as políticas repressivas da imperatriz Maria Theresa. É uma história das Luzes contra a Escuridão, em pleno momento de consolidação do Iluminismo.

Na montagem do Municipal, referências de época são transportadas para um tempo fora do tempo, em que elementos oitocentistas convivem com outros repertórios de imagens, do futurismo à George Lucas aos contos folclóricos para crianças – ressaltado, nesse último caso, pela participação da Imago Cia. de Animação, um grupo de teatro-negro, que já havia colaborado com a mesma Orquestra Experimental de Repertório na espetacular montagem de *João e Maria* (2002).[51]

---

51 Ver 16.12.02.

Se nem tudo funciona tão bem neste caso, isso se deve, em boa parte, às dificuldades da dramaturgia. Muito pouco acontece quando os cantores cantam; já quando falam, nas cenas de diálogo, o espetáculo perde toda voltagem, reduzido aos clichês do "teatrinho" para crianças. Grandes artistas desabam na precariedade teatral, comprometida ainda pela tradução do texto, que oscila incomodamente entre o prosaico e o elevado. (A música é cantada em alemão, com legendas, mas os diálogos são falados em português.)

Sobre os solistas Rosana Lamosa (Pamina) e Fernando Portari (Tamino), fica difícil não repetir os elogios de hábito. O casal é certeza de qualidade, em qualquer circunstância, e a constante presença deles no palco (incluindo a impecável atuação na remontagem de *As Bodas de Fígaro*, no mês passado) não diminui seu apelo. Vale o mesmo para Lício Bruno (Papageno) – descontadas as fraquezas da encenação –, assim como para José Gallisa (Sarastro) e Sergio Weintraub (Monostatos).

Da Rainha da Noite, Lys Nardoto, não seria justo fazer juízo só pela noite de sábado, que evidentemente não foi uma das boas. E a Orquestra Experimental de Repertório merece, de sua parte, uma palavra de apoio, se não pelo brilho, ao menos pela vontade. O maestro Jamil Maluf parece mais empenhado, aqui, em manter o andamento das coisas, sem maiores percalços, do que em criar encantamentos e mágicas, o que talvez seja um limite lúcido da hora.

Tudo somado, ficou faltando muita magia à *Flauta* nessa estreia. De qualquer modo, a magia da ópera parece garantida, com o público acorrendo em massa às novas luzes no Municipal.

21.3.06

Orquestra Sinfônica da BBC Escocesa/ Michael Collins Ilan Volcov

Sala São Paulo, 28.3.06

Orquestras ruins são todas iguais; cada orquestra boa é boa à sua maneira. Regida por Ilan Volcov, anteontem na Sala São Paulo, a Orquestra da BBC Escocesa fez música sinfônica como se fosse música de câmara e música de câmara com dimensão sinfônica, num concerto onde sutileza rimava com vivacidade.

Exemplo: o início do quarto movimento, "Pas de Deux", do *Divertimento (O Beijo da Fada)* de Stravinsky (1882-1971). Um trio de violoncelo: o ótimo *spalla* convidado Eduardo Vassalo, clarinete – outro virtuose, Yann Ghiro – e harpa. Aqui era música de câmara mesmo, tocada com grande senso de delicadeza e fazendo render as ironias da partitura, toda ela uma grande homenagem a Tchaikovsky (1840-93). O impressionante é que, ao mesmo tempo, não se perdia a dimensão sinfônica, prestes a explodir nas mil e uma cores da orquestração.

Outro exemplo, bem diferente: o início da *Quinta Sinfonia* de Tchaikovsky, com um incrível som das cordas graves, em uníssono rítmico. Ou o retorno do tema principal do "Adágio" do *Concerto Para Clarinete e Orquestra* de Mozart (1756-91), com o solista inglês Michael Collins e a BBC Escocesa nas plenitudes de um *pianissimo* tão *pianissimo* que o som entrava numa outra dimensão. (Não por acaso, foi a seção que serviu de bis, antes do intervalo, atendendo à ovação da plateia. Mas já não tinha como ser a mesma coisa.)

O principal responsável por essas mágicas era o maestro israelense Ilan Volcov, de 29 anos. Juventude faz diferença. Experiência também. Volcov foi regente da Northern Sinfonia e assistente de Seiji Ozawa na Sinfônica de Boston, antes de se tornar titular da BBC Escocesa, em 2003. Rege com entusiasmo, sem afetação. Tem sempre a nota certa nas mãos e faz as coisas parecerem fáceis. Quer dizer, faz cada um de nós se sentir mais preparado, mais musicalmente inteligente do que realmente é.

Também o clarinetista Michael Collins faz as coisas parecerem fáceis; mas nesse caso só parecem mesmo fáceis para ele. Tirando, quem sabe, uns dois ou três na cidade, ninguém sonharia em tocar daquele jeito. O *Concerto* de Mozart deve ser a obra mais conhecida do repertório orquestral do instrumento. Que tenha soado novo se deve, em parte, ao criterioso e parcimonioso, mas nem por isso menos notável uso de ornamentos – desde mordentes e apogiaturas até repetições variadas de frases –, mas em maior medida à fluência geral das coisas.

Collins e orquestra tocaram um Mozart fino e gingado, um Mozart-Fred Astaire. Antes disso, a orquestra já gingara também tudo a que tinha direito no Stravinsky, versão compacta do grande balé neoclássico *O Beijo da Fada* (1928), uma das partituras mais felizes da primeira metade do século passado. A arte muda quando a gente muda; o que já foi visto como música reacionária encontra hoje seu público, capaz de ouvir aqui um Stravinsky pré-pós-moderno, habilidosa e amorosamente reinventando Tchaikovsky em seus próprios termos.

Terminar o concerto com um bombom de Stravinsky no bis foi, então, o simpático e lógico fecho para o concerto, de uma grande e simpática orquestra que se descobriu no seu jovem regente.

30.3.06

Quarteto Maogani

Auditório Ibirapuera, 14.4.06

O cenário não podia ser mais bonito: lua cheia no alto, o parque do Ibirapuera ao redor e a língua rutilante de Tomie Ohtake chamando a plateia da entrada do retilíneo Auditório, admirado pelas curvas da Oca do outro lado, Niemeyer conversando com Niemeyer como se São Paulo fosse mesmo assim. Na sexta-feira, *era* – uma Sexta-Feira da Paixão da Música, ritualizada pelo Quarteto Maogani de violões, com seus convidados Mônica Salmaso e Renato Braz.

Em 2004, o Maogani lançou seu terceiro disco, *Água de Beber* (Biscoito Fino), dedicado a Tom Jobim (1927-94) e seu círculo (Pixinguinha, Radamés Gnatalli, Villa-Lobos e outros). O show do Ibirapuera tomava como base o mote do disco, mas com muita liberdade.

É verdade que o quarteto tocou a faixa-título (de Jobim/ Vinicius), tocou seu espetacular arranjo de "Lamento no Morro" (da mesma dupla), com a melodia deslocada para lá e para cá, e tocou também o irresistível "Frevo de Orfeu" (idem). E é inesquecivelmente verdade que Mônica Salmaso – estrela do documentário *Vinicius* – cantou "Insensatez", num arranjo onde melodia e letra sustentavam a canção e os acordes teciam variações sobre a harmonia original, chegando até a trocar o modo menor pelo maior no lugar onde ninguém espera.

Também cantou "A Correnteza" (Jobim/ Bonfá) e a valsa "Imagina", primeira composição de Tom Jobim, ainda na década de 1940, que ganharia letra de Chico Buarque em 1983 (na trilha do filme *Para Viver Um Grande Amor*) e que Mônica acaba de gravar com o próprio Chico para o disco novo dele.

Mas o Maogani também tocou coisas como "Tira Poeira" (Sátiro Bilhar), "Grau Dez" (Lamartine Babo/ Ari Barroso) e uma charmosa suíte em cinco movimentos de Joaquim Calado (1848-80, criador do primeiro conjunto de choro de que se tem notícia), mais arranjos inéditos de "A Ostra e o Vento" (Chico) e "Um Abraço no Codó" (Baden Powell), com o característico trabalho de contraponto e as não menos características luminosas harmonias, cintilando em frases paralelas nas vozes internas.

Com a saída de Marcus Tardelli, agora em carreira solo, o Maogani perdeu o violão requinto, que ampliava a gama de agudos, no extremo oposto dos graves do oito cordas de Paulo Aragão. Em seu lugar, entrou o gaúcho Maurício Marques, conhecido pela mistura virtuosística de música sulina com choro. Nem tudo o que ele faz tem ainda a limpeza dos outros três; mas nada é feito sem uma intenção musicalíssima, e apuro, para ele, é só questão de querer.

No repertório de sexta-feira entrava uma maravilhosa sequência de quatro canções com Renato Braz, que não tinham nada a ver com Jobim, mas teriam deixado encantado o maestro das "suítes mateiras". A começar pela "Ave Maria" de Erotides de Campos (1896--1945), grande sucesso da década de 1920, e a continuar com coisas tão diferentes como Jackson do Pandeiro (1919-82) e Dori Caymmi (musicando versos de Fernando Pessoa). Tudo se explica e tudo se magnifica na lindíssima voz brasileira de Renato, tenor abaritonado que é um par perfeito para Mônica, a mais contralto das sopranos.

17.4.06

Izabel Padovani

DESASSOSSEGO

CD Eldorado, 2006

Abrir o disco cantando "Circuladô de Fulô" seria um gesto de loucura, se não fosse de sabedoria. Que uma e outra coisa se tocam é um dos temas, aliás, da insólita canção de Caetano Veloso, que devolve o décimo quinto texto das *Galáxias* de Haroldo de Campos à sua condição cantada e ao mesmo tempo transcende o canto de onde veio. É esse repente transcendental sobre o "circulador de flores" que se reinventa agora na versão de Izabel Padovani, chegada triunfalmente de volta ao país, depois de quase dez anos na Áustria.

Falar em triunfo não é exagero, para quem ganhou o Prêmio Visa em 2005. A produção do novo disco, *Desassossego*, faz parte da premiação e consagra outras interpretações que Izabel cantou durante o concurso, como "Frevo Diabo" (Edu Lobo/ Chico Buarque) e "Retalhos de Cetim" (Benito di Paula). Que essas duas últimas possam estar assim, lado a lado, na mesma frase como no mesmo disco, só faz sentido dentro da trama que a cantora foi capaz de tecer para seu pensado disco, alinhavando tudo com o fio da voz.

O disco consagra ainda os instrumentistas que a acompanham, na acepção mais musical e humana do termo. Com destaque para o pianista Marcelo Onofri, com quem ela vem trabalhando desde fins da década de 80, primeiro em Campinas, onde nasceu, depois em Viena, e com quem gravou os primeiros dois discos, *Mar e Bel* (1995) e *Hein?* (2000). E destaque todo especial para o baixista Ronaldo Saggiorato, um virtuose do baixo elétrico de seis cordas, seu parceiro no corajoso disco *Tons*, que a dupla – voz e baixo! – lançou no ano passado pelo selo austríaco Gillard.

Na cronologia coincidental das coisas, *Tons* virou um prefácio interessantíssimo para o *Desassossego*. No segundo, é como se explodisse, à brasileira luz do sol a pino, boa parte da carga musicalmente fissurável do primeiro, favorecida ainda pelas artes do clarinetista Anderson Alves, da violoncelista Lara Ziggiati, do acordeonista Alessandro Kramer e do baterista Nenê. Alguém decerto vai reclamar dos interlúdios jazzísticos; mas aqui, como nos discos recentes de Chico Pinheiro e Ana Luiza, para ficar só nesses dois, isso corresponde a um desejo de mudança nos moldes da relação entre canto e acompanhamento, justificado pelo alto nível instrumental a que se chegou nessa música popular de câmara. É a circulação musical das coisas.

A voz de Izabel, de sua parte, já é um capítulo da nossa música popular, com seu registro acastanhado de meio-soprano e sua ciência segura do que são vogais e consoantes. Numa hora, ela faz escutar o "lago mais tranquilo/ onde a dor não tem razão" – como diz o samba de Paulinho de Viola e Elton Medeiros, que ela canta no balanço picado de Proveta e companheiros saxofonistas da Banda Mantiqueira –, só para noutro momento chorar na avenida com o transcriado Benito di Paula.

Num e noutro disco ela gravou parcerias dos portugueses Mário Laginha e Maria João. No disco novo, foi a vez de "Pés no Chão", um *tour-de-force* da prosódia, que arrebata os ouvidos com sua etnolíngua imaginária ("pári todos os di á dê sum ná"), caindo sobre nós com a convicção da velocidade, e dizendo tudo o que é preciso para que se entenda o que não é preciso dizer.

Na sequência cuidadosa das faixas, faz todo sentido que venha depois o resgatado "Dueto" de Chico Buarque, que Izabel canta com Renato Braz: a língua brasileira cultivando ao máximo suas belezas e suas inteligências, circulando flores muito além do que pode sugerir o arranjo das cordas. Pena que nem tudo tenha o mesmo acento de inevitabilidade, num disco que quer definir um repertório pessoal. Mas a aposta é boa e os achados sustentam, com sobra, os perdidos.

O disco termina na "Suissa", sem acento e com dois "ss", como pede a letra do velho samba de Janet de Almeida e Haroldo Barbosa, com direito aqui à encenação sonora de disco antigo, passando sinuosamente à presença da voz. "*Vielen dank für die Blumen*", diz um verso no fim: "muito obrigado pelas flores" – as flores que amarram o irônico laço na ordem circular do disco. Muito obrigado mesmo – e a gente então volta a "Circuladô de Fulô", para continuar, de imediato e para sempre, escutando a cantora que voltou do frio.

2.5.06

Orquestra Sinfônica Municipal/ Coral Paulistano
Luciano Botelho
Mara Campos

MONTEVERDI: ORFEO

Teatro Municipal, 1.5.06

Por que ele se vira? A um passo de sair dos Infernos, resgatando Eurídice, por que se vira Orfeu? Essa é a pergunta central da ópera – não só da ópera *Orfeu* de Monteverdi (1567-1643), mas, no limite, de todas as óperas, desde a estreia desse primeiro marco do repertório, em 1607. A pergunta ressoa na cidade pela terceira vez num curto espaço de tempo: depois das montagens da Banda Sinfônica e de um grupo de alunos da USP, é a vez do Municipal, numa produção dirigida por João Malatian e regida por Mara Campos.

Orfeo é uma "fábula em música", como diz o libreto. Em termos de século 17, isso define um laço com a tradição dos *intermedi*, entretenimentos teatrais. Musicalmente, combina traços do madrigal com canto monódico no estilo caracteristicamente dramático e minuciosamente prosódico do compositor, além de passagens instrumentais de vários tipos e música de dança. As misturas se harmonizam num contexto de alegoria, em que tudo aponta para a dimensão moral.

A mesma ideia de mistura e, ao mesmo tempo, de distanciamento alegórico parece organizar tudo nessa nova produção. A começar pelos cenários (de Naum Alves de Souza), combinando escadarias de "mármore", descendo do palco pelo meio dos músicos e sugerindo uma corte renascentista, com as gigantescas hieráticas cabeças "gregas" (acenando para as tendências mitológicas classicistas da época), num espaço de fundo *cool* moderno (Atos 1 e 2). E a continuar pelos elegantes figurinos (de Naum e Miko Hashimoto), um tanto inexplicavelmente transpostos para fins do século 19, com modestos toques tropicalistas (homens de saias e chapéus floridos, sem falar no carnavalesco Orfeu, único destaque multicolorido).

As coisas melhoram quando pioram; quer dizer: no Inferno, que aqui é a zona da escuridão, não do fogo. É mais a "selva obscura" de Dante do que o Hades de Ovídio, mas o próprio libreto autoriza a viagem. Nas profundezas, como na luz, passeiam ninfas e faunos, em artificiais amassos, que compõem boa parte da coreografia explicitamente ingênua de Jorge Garcia.

Pequenos deslizes à parte, do ponto de vista musical-instrumental essa é uma das melhores coisas que o Municipal já fez. A diminuta orquestra de câmara acolhe um baixo-contínuo formado por cravo ou organeto e viola da gamba, liderados pelo excelente chitarrone de Ibaney Chasin – autor, diga-se de passagem, de um livro sobre os afetos musicais barrocos: *O Canto dos Afetos* (Perspectiva, 2004). Chasin também toca guitarra barroca, atuando como um animado *spalla*, inclusive para os cantores solistas.

O tenor carioca Luciano Botelho encarna Orfeo com fluência e segurança, mesmo nesse ambiente em que tudo está teatralmente tão descarnado. A parte musical é mais virtuosística do que pode parecer, seja pelas frases ornamentadas, sejas pelos cromatismos, seja pelo registro, mais grave do que comum para um tenor. As estrelas musicais são Botelho e o sempre brilhante Coral Paulistano, que comemora 70 anos (desde sua fundação por iniciativa do diretor do Departamento de Cultura, Mário de Andrade).

Pena que tudo seja mesmo tão desinspirado ao redor. Entra ano e sai ano e as coisas não mudam, dramaturgicamente, na ópera paulistana, com raras exceções. Segue o mesmo idioma engessado escolar, como se esta não fosse também a cidade de Zé Celso, Antunes Filho e Antônio Araújo, para ficar só nesses três. Nem Teatro, nem Teatrão, a ópera parece se contentar com o teatrinho.

É uma grande pena, haja vista o empenho e o cuidado do trabalho, e as virtudes musicais comandadas pela regente titular do Coral Paulistano, Mara Campos. Por que Orfeu se vira? A resposta é um segredo, se não *o* segredo da música, e sua revelação. Mas fica difícil de ouvir ali, entre os constrangimentos alegóricos e reais entre os quais *Orfeo* precisa mesmo se virar.

3.5.06

Sinfônica da Rádio WDR/ Sayaka Shoji
Semyon Bychkov

Sala São Paulo, 8.5.06

O programa era tão careta que nem toda a reputação da Sinfônica da WDR, nem todos os prodígios da violinista Sayaka Shoji, nem a oportunidade rara de ver ao vivo o maestro Semyon Bychkov pareciam estímulos fortes o bastante para sair de casa na gelada noite de segunda-feira. Uma abertura de Dvorák (1841-1904), a *Quinta* de Tchaikovsky (1840-93) e, como grande diferença, o *Concerto Para Violino* de Glazunov (1865-1936): a essa altura do campeonato, francamente, não é de animar.

Mas a orquestra é tão boa e soa boa tão rápido que ficou fácil relevar as redundâncias e se concentrar nas evidências. Bychkov já deixou há muito de ser uma estrela em ascenção para se confirmar como astro entre os discípulos do lendário maestro russo Ilya Musin (1904-99). Desde 1997 é o titular da Sinfônica da WDR, em Colônia (Alemanha), além de reger no Metropolitan (NY), no Festival de Salzburgo e no Covent Garden (Londres), entre outros lugares.

Seguindo os preceitos de Musin, reger, para ele, é uma "arte visual da comunicação", como gosta de dizer nas entrevistas. Quer dizer: ele é um regente aberto e expansivo, mexendo muito os braços, gingando no pódio. O que não quer dizer que seja espetaculoso, nem nos gestos nem muito menos na ideia da música. A WDR toca sempre com um senso incrível de planos, cada um na sua calculada distância em relação aos outros, ao que se soma um virtuosístico, elástico instinto de pulso, alterado em graduações sutis ao longo de um movimento.

O segundo movimento da *Quinta*, nesse sentido, foi exemplar, com destaque para o trompista, no famoso primeiro tema, que ganhou vida nova no palco. Ali, como em muitos pontos, a música às vezes parecia ficar em suspensão, quase em câmera lenta, sem que o pulso de fato tivesse mudado tanto. Era uma mistura de pulso e intenção, que ganharia depois outra mostra, no bis, a *Dança Eslava*, em mi menor, de Dvorák.

O *Concerto* de Glazunov, de sua parte, é um daqueles que ninguém conhece muito bem, com bons motivos. Nem a performance arrebatadora da graciosa e fogosa Sayaka Shoji, no seu maravilhoso Stradivarius, ajuda a mudar a situação. É um daqueles casos de música que, quando termina, acaba.

Do que a gente lembra mesmo, para além das intensidades da quarta corda e da afinação eletrizante da primeira, é da escultórica saia de retângulos irregulares sobrepostos. Fazia da metade inferior do corpo da violinista uma espécie de rocha natural, de onde saía um delicado tronco, com os ramos balançando ao vento da música.

Enfim: para quem não estava esperando muita coisa, foi muita coisa e mais. Se boa parte da música, ali, servia mais para o ato de fazer música do que para a consagração transcendental no reino das ideias, que seja: naquela hora, era grande arte e fazia sonhar com a música que essa orquestra não será capaz de tocar.

10.5.06

Maxim Vengerov

Sala São Paulo, 27.5.06

Dois exemplos da arte do violinista Maxim Vengerov: o primeiro foi uma longa passagem de figuras cromáticas ascendentes e descendentes, tocadas com surdina, sobre um coral de acordes do piano, ao final do "Andante" da *Sonata* nº 1 de Prokofiev (1891-1953). Vengerov, capaz de produzir um som incrivelmente intenso e volumoso, também é um virtuose do *pianissimo*, tecendo um véu de notas como se fossem veludo no ar.

Segundo exemplo: uma pequena sequência melódica no "Prelúdio" op. 34/17 de Shostakovich (1906-75), onde a primeira metade era uma simples sucessão de dois semitons, as notas grudadinhas uma na outra, tocadas em confortável *mezzo-forte*, e a continuação era essa mesma figura com a última nota um semitom acima, depois desaparecendo num glissando, tudo isso interpretado no limite sutilíssimo da audição, mas audível até a última fileira.

Cada compasso do repertório de Vengerov, sábado passado na Sala São Paulo, exibia esse grau de concentração musical. E a concentração correspondia mesmo ao repertório, que incluiu um "Adágio" de Mozart (1756-91) e a *Sonata* nº 7 de Beethoven (1770-1827), além dos modernistas russos. Foi um concerto sério, no sentido mais positivo da palavra: real, verdadeiro, feito com cuidado.

Valem os mesmos termos para o pianista Igor Levit, quase inverossímil senhor da música do alto dos seus 19 anos. Que o próprio Vengerov seja um grande senhor da arte não causa mais espanto a ninguém, mas talvez devesse; aos 31 anos, ele toca com aquela confiança suprema que habitualmente só se vê nos mestres que têm esse tempo de carreira, não de idade.

Isso talvez explique, em parte, sua atividade como embaixador da Unicef, desde 1997 – o primeiro músico clássico a ter essa atribuição. Para quem passa a vida voando de sala de concerto em sala de concerto, tocar para crianças refugiadas de guerra em Uganda, ou meninos viciados em drogas na Tailândia, decerto será um modo de alimentar a música, com os sentidos que a música pode, depois, alimentar a vida. E fazia, então, todo o sentido escutar Vengerov num concerto promovido pela Tucca (uma associação para crianças e adolescentes com câncer).

Foi um sério concerto e uma lição rara, naquele plano onde a vida, afinal, atinge a condição de música.

30.5.06

Chico Buarque

CARIOCA

CD Biscoito Fino, 2006

"Dança teu funk, o rock, forró, pagode, reggae/ Teu hip-hop/ Fala na língua do rap." É muito estranho o jeito como Chico Buarque canta esses versos de "Subúrbio", a canção que abre seu novo disco, *Carioca.* Com a boca meio mole, ele parece estar falando num limite entre a imitação e a ironia. Detalhes como esse, num disco como esse, podem servir de entrada para se começar a pensar sobre um trabalho que pede para ser ouvido e reouvido, pensado e repensado, como ele mesmo parece pensar e pesar as coisas.

Escrevendo sobre o disco na *Folha de S.Paulo* (29/5/06), Guilherme Wisnik apontava que "Subúrbio" incorpora a saudação das rádios comunitárias ("Fala, Penha/ Fala, Irajá/ Fala, Olaria"), e canta para "o avesso da montanha", onde Jesus "está de costas" – no sentido literal inclusive, considerando a geografia carioca. Pode-se ir mais longe: a canção incorpora também, em vários pontos, a prosódia do hip-hop, assim como, em outros tantos, traz para o lado de cá as nostalgias do choro-canção, sobrepondo tempos e estilos com um domínio raro das ambiguidades.

A canção responde a várias pressões de uma vez. De um lado, traduz instâncias críticas do momento, especialmente quando ouvida em sequência com as três seguintes. De outro, responde às indagações que o próprio Chico se fazia, numa entrevista a Fernando de Barros e Silva, durante as gravações da série recém-lançada de DVDs: "Talvez a canção, tal como a conhecemos, seja um fenômeno do século 20 [...]. Quando você vê um fenômeno como o rap, isso é de certa forma uma negação da canção [...] o sinal mais evidente de que a canção já foi, passou".[52]

Que a tese de Chico ecoe outra entrevista, de José Ramos Tinhorão,[53] que por sua vez repetia uma ideia de José Miguel Wisnik, dá a medida da rede de recados que caracteriza nossa música (para usar outra ideia de Wisnik). E essa rede, em *Carioca,* ajuda a pescar referências diversas, à medida que se vai ouvindo o disco e aprendendo com ele.

---

52 Folha de S.Paulo, *26.12.2004.*

53 Caderno "Mais!", Folha de S.Paulo, *29.8.2004.*

Não por acaso, já perto do fim a letra de "Subúrbio" cita "Águas de Março", de Tom Jobim, canção suprema do seu maestro soberano, que ele confessa (no DVD dedicado ao amigo) sentir sempre às suas costas quando está compondo. Mas o afeto tão positivo daquela canção chega aqui a um ponto de fuga que não se permite maiores ilusões: "Perdido em ti/ Eu ando em roda/ É pau, é pedra/ É fim de linha/ É lenha, é fogo, é foda".

Só um compositor e um poeta dessa força conseguiria incorporar o rap a Tom Jobim; e, nesse ponto, o próprio tema principal da canção (ouvido de saída em "Lá não tem brisa/ Não tem verde-azuis"), uma oscilação de duas notas, o mero intervalo repetido de segunda maior, começa a soar como a contração da terça repetida de "Águas de Março" ("É pau, é pedra..."). Que essa terça sirva de introdução para a canção seguinte pode até ser coincidência – será?

Certamente não é casual que a jobiniana "Outros Sonhos" responda a "Sonhos Sonhos São", do disco anterior, *As Cidades* (1998). Lá a fantasia exacerbava a loucura do mundo globalizado, do capital voador; o sonho agora nos leva para um falso paraíso do morro, alucinada terra da serenidade, onde se avistam os "guris inertes no chão" e tudo é descrito às avessas da intuída, violenta realidade. Se a entrada do acordeom de Dominguinhos ("belo e sereno era o som") cumpre ali a função de fazer soar a bondade, serve também de signo para alguns doces delírios, à maneira da *chanson* francesa, delírios que ganharão importância mais tarde.

Antes, do céu se desce ao chão, na "Ode aos Ratos", canção em parceria com Edu Lobo, da trilha de *Cambaio*, que agora recebe a adição de uma "Embolada" (boa tradução para *rap/ wrap*). Esse rap dos ratos, gravado com voz distorcida, serve de contraponto para a última estrofe, sobre o "saqueador da metrópole", que vai "do cano de esgoto/ pro topo do arranha-céu". Nesse ponto a "Ode" cita "Veneta", também de *Cambaio*, a canção da imigrante em São Paulo, sentada "na esquina da fome [...] da gangue da Praça da Sé". O subúrbio, como se vê, é mais embaixo.

E depois disso "Dura na Queda" – canção que abria o disco de Elza Soares, *Do Cóccix Até o Pescoço* (2002) – soa quase como um epílogo, um canto solar de resistência, face às circunstâncias que as primeiras três canções definem com uma contundência que faz pensar na poesia social do Drummond da última fase. Que um disco de canções permita, aliás, comparações assim só ressalta uma característica da nossa música popular, onde os registros se cruzam de modo insólito e pedem modos variados de recepção. Que esse cruzamento pode abarcar contextos muito diversos fica evidente ao se escutar o resto do CD, quase um outro disco, seja do ponto de vista musical, seja literário.

Não há espaço para analisar cada canção e fica valendo, então, uma tese redutora: desse ponto em diante, Chico sai de fora para dentro e vem habitar aquele espaço íntimo consagrado em canções como "Futuros Amantes" (de *Paratodos*, 1993) e "A Ostra e o Vento" (de *As Cidades*), para ficar só nessas duas do repertório da década passada. São canções onde se leva adiante a lição musical de Tom Jobim, tecendo cromatismos e inventando predestinações da harmonia. São também uma lição de resguardo, cultivando um estilo nada espetaculoso, que parece moldado para sustentar a vida possível, em meio ao caos. Com a diferença, aqui, de que Chico parece estar empenhado também em construir uma espécie de museu particular da canção, esse "fenômeno do século passado".

O disco, então, vira um acervo de modos de fazer canção, ressaltados pela ciência dos arranjos de Luiz Cláudio Ramos: à francesa ("Porque Era Ela, Porque Era Eu", com direito até à citação de Montaigne), à americana ("As Atrizes", "Sempre"), à bossa-nova ("Ela Faz Cinema"), à italiana ("Renata Maria", parceria com Ivan Lins), à moda clássica brasileira ("Leve", com Carlinhos Vergueiro), à vanguarda ("Bolero Blues", com Jorge Helder, com uma letra que reinventa os mitos de senescência de "Garota de Ipanema").

Não por acaso, o disco fecha com "Imagina", a primeira canção de Tom Jobim, composta aos 18 anos, em 1945, e que só ganharia letra de Chico em 1983. Interpretada por Chico junto com Mônica Salmaso, a canção da "lua cris" soa tão mais tocante quando se volta ao "Subúrbio" e o mundo desimaginado volta a pesar sobre os ombros da música.

Ver a música resistindo, assim, ao que ela mesma faz ver renova a lição da arte de Chico Buarque. Que essa arte seja tão ciosa de suas virtudes, e ao mesmo tempo de seus limites no mundo, que ela preserve com tanto afinco o que tem a dizer em meio ao tumulto universal, é ainda outra lição, que um disco como *Carioca* nos ensina a escutar.

www.erratica.com.br [2.6.06]
Reed. em *Cultura Brasileira Contemporânea*, ano 1, nº 1, nov. 2006

David Chew/ Fernanda Canaud

Radamés Gnattali: Obras Para Violoncelo e Piano

CD Instituto Moreira Salles/ Rádio MEC, 2006

No rancho mais fundo da memória, naquele ponto onde o passado dá a volta e toca no futuro, não há um músico brasileiro que não sonhe com a experiência de uma arte total, integrada, sem distinção entre erudito e popular, reverberando ao mesmo tempo para todos os lados. Isso hoje significa que não há um de nós – compositor, instrumentista ou ouvinte – que a seu modo não queira, também, ser um pouco Radamés Gnattali.

O próprio Radamés faria troça da pretensão. Mas reconheceria, quem sabe, que, chegando ao centenário de nascimento, e quase 20 anos depois de sua morte em 1988, começa a ganhar aos poucos a estatura que merece. Já não falta tanto para que venha, afinal, a coincidir consigo mesmo, naquele plano onde a música de um autor se confunde com a música que toda a gente traz, coletiva e intimamente, dentro de si.

Que ele seja ao mesmo tempo reverenciado por músicos eruditos – vale notar que foi membro da Academia Brasileira de Música, na apropriada cadeira de Domingos Caldas Barbosa, o grande autor setecentista de modinhas e lundus – e por músicos populares – basta pensar em homenagens como o "Sarau Para Radamés" de Paulinho da Viola e "Meu Amigo Radamés" de Tom Jobim (que chamava o amigo de "Maestrão") – faz um sentido muito justo, mas não dá, por si, a medida do cruzamento das coisas. Só mesmo no que não tem medida, nem nunca terá, na qualidade mais pessoal de sua música, pode-se apanhar concretamente essa arte brasileira que, ao mesmo tempo, ele nunca deixou de trabalhar e retrabalhar, sem um traço de preguiça, para fazer render cada achado natural da inspiração.

Impossível resumir Radamés, mas aqui vão alguns fatos. Nascido em Porto Alegre, em 27 de janeiro de 1906 – exatamente 150 anos depois do nascimento de Mozart, como tem sido muito lembrado em 2006 –, estudou piano para ser concertista; com 23 anos foi o solista no *Concerto* nº 1 para piano e orquestra de Tchaikovsky, no Teatro Municipal do Rio de Janeiro. Em fins da década de 1920, mudou-se para o Rio, onde viveria o resto da vida, trabalhando intensamente como compositor, pianista, violista – ele tocava viola também, além de violão, cavaquinho e flauta – e arranjador.

Nessa última função, foi o responsável pelos primeiros arranjos orquestrais da nossa música popular. De meados da década de 1930 até meados da década de 1960, escreveu cerca de 10 mil (!) arranjos para programas diários da Rádio Nacional, época em que teve a maior fama popular. Foi ele quem fez os clássicos arranjos de "Carinhoso" (gravada por Orlando Silva em 1937), "Aquarela do Brasil" (gravada por Francisco Alves em 1939) e "Copacabana" (gravada por Dick Farney em 1946), para ficar só nessas três.

Entre muitas outras atividades, compôs dezenas de trilhas para cinema – incluindo a do pioneiro *Ganga Bruta* (1933) –, foi parceiro de João de Barro na série de discos da "Dona Baratinha", orquestrou a *Sinfonia do Rio de Janeiro* (de Tom Jobim e Billy Blanco), apresentou-se ao longo de mais de três décadas, no Brasil e no exterior, com o seu Sexteto, foi diretor musical na TV Globo, gravou discos solo, de câmara e sinfônicos, tocando e/ou regendo com parceiros que vão desde Raphael Rabello (que ele chamava de seu "filho musical") até a Sinfônica da BBC e a Orquestra Sinfônica Brasileira. No meio disso, compôs nada menos que 270 obras de concerto, como se pode consultar no excelente *Catálogo Digital Radamés Gnattali* (org. Roberto Gnattali, 2005).

O repertório para violoncelo e piano, que cobre virtualmente toda sua carreira, é um bom exemplo da habilidade artesanal do compositor: não há um compasso que não dê evidência de seu engenho para desenvolver as próprias ideias, segundo o modo mais conveniente. Seja em peças como a *Sonata* nº 1 (1935) e "Flor da Noite" (1938, adaptada do original para violino e piano, sobre um tema apresentado a Radamés por Dorival Caymmi), de marcada influência francesa, seja na música mais explicitamente calcada em motivos brasileiros, como a "Modinha" e o "Baião" (de 1952), seja ainda em peças como a *Brasiliana* nº 9 (de 1961, redução da versão para violoncelo e orquestra, por sua vez composta a partir de uma inacabada peça para violoncelo e sexteto), a *Sonatina* (1965, adaptada do original para violoncelo e dois violões) e a *Sonata* nº 2 (1973), em que a gaia ciência brasileira da composição se faz notar o tempo todo, sem fazer alarde de sua originalidade.

A arte de Radamés Gnattali, em certo sentido, é o oposto da de um Caymmi; mas um e outro se tocam, numa tangente da expressão. A simplicidade, ou despojamento, do mestre baiano-carioca está num limite que faz fronteira com a trabalhada naturalidade do gaúcho do Rio. Um musicólogo há de apreciar as mudanças de métrica no começo da *Sonata* nº 1, por exemplo; mas tudo soa tão direto que a partitura pode causar surpresa, para quem escutou primeiro e leu depois. Também no caso de um tema como o do segundo movimento da *Brasiliana* nº 9, o que espanta é que o compositor não se tenha satisfeito com a força da ideia musical, suficiente para rasgar o coração de qualquer um. Para quem se debruça sobre as partituras, esse trabalho da composição, o artesanato sempre tão inventivo e bem resolvido, acaba ganhando um acento humanista: ressalta-se ali o labor de quem compôs, sem que o resultado queira outra coisa senão o engajamento musical de quem toca e quem escuta.

Engajamento é o que não falta, diga-se de passagem, ao violoncelista David Chew – honrando a tradição de Iberê Gomes Grosso, a quem foram dedicadas muitas dessas peças – e à pianista Fernanda Canaud, que já gravara há alguns anos um CD solo (recentemente relançado), inteiramente dedicado a Radamés. Os dois tocam essa música como ele gostaria: sem açúcar, com afeto.

"Radamés é água alta, é fonte que nunca seca", escreveu Tom Jobim num poema dedicado ao amigo. "Deu sem saber que dava e deu muito mais que tinha", continua o poema. Que o maestro soberano tivesse em Radamés um de seus modelos ajuda, aqui, a definir aquela sua fugidia medida. Ele foi – ele é – um reconhecido mestre dos mestres, cruzando as águas da música brasileira com toda autoridade e nenhuma pompa. As coisas estão mudando, de uns tempos para cá, mas o Brasil ainda não conseguiu merecer completamente a música de Radamés Gnattali. A evidência de um disco como esse só nos mostra quanto se tem a ganhar com as lições do Maestrão.

[Encarte do CD]

Quarteto Alban Berg

Cultura Artística, 21.6.06

Entre Mozart e Mozart (1756-91): sempre um ótimo lugar, mesmo se não o mais óbvio para Béla Bartók (1881-1945). Mas quem tocava era o Quarteto Alban Berg, renomado por muitas virtudes, entre elas a capacidade de organizar programas incomuns. Há três anos eles tocaram o contemporâneo Schnittke entre o iluminista

Mozart e o romântico Smetana. Agora foi a vez do modernista húngaro servir de recheio para dois quartetos do gênio de Salzburgo, no contexto mutuamente esclarecedor do concerto de anteontem, no Cultura Artística.

Três anos atrás, o Quarteto veio com a formação original, de 1971. O agravamento das condições de saúde do violista Thomas Kakuska levaram, por sugestão do próprio – um ano antes de sua morte em 2005 – à entrada no conjunto de uma aluna sua no Conservatório de Viena, a alemã Isabel Charisius (com quem o Quarteto já tinha tocado os quintetos para cordas de Mozart). Ex-violista da Filarmônica de Munique, ela assume hoje o lugar de Kakuska no mesmo espírito de uma expressividade ao mesmo tempo natural e arrojada, sem medo, com gana de música. É bem o espírito do Quarteto, que toca com arrojo e naturalidade peças do repertório tradicional e não tem medo de obras de compositores modernos e contemporâneos, como Berio, Lutoslawski e Rihm, sem falar no já citado Schnittke, e incluindo ainda nomes como o argentino Piazzolla, autor das *Tango Sensations*, e o austríaco Kurt Schwertsik, autor de *Adieu Satie* (ambas recém-gravadas por eles, ao vivo, com o bandoneonista Per Arne Glorvigen).

Essa exposição constante ao repertório atual decerto influencia o modo como eles leem, por exemplo, Mozart. Não se trata de forçar texturas aberratórias ou andamentos inusuais, mas sim de uma contaminação de sentidos, que a música de um século joga sobre a de outro, nos termos do outro.

E vice-versa, claro: mas a essa altura o Mozart que sombreia Bartók – nas incríveis passagens de acordes com surdina do *Quarteto nº 2*, por exemplo – já é um compositor diferente também, reinterpretado no que tem de mais aventuroso e rigoroso – como as passagens contrapuntísticas do último movimento do *Quarteto em Sol Maior*, K. 387, ou as harmonias iniciais do *Quarteto* K. 465 ("Dissonâncias").

Diz um velho clichê que um quarteto deve soar como uma pessoa só. Não é o caso com o Alban Berg: são quatro grandes músicos, sempre quatro grandes músicos, tocando sempre juntos, o que é outra coisa. Estimulados pela alegria visível da violista, eles tocam música nova a cada compasso. A música vive de novo, e nós com ela.

21.6.06

Osesp
John Neschling

Sala São Paulo, 24.6.06

Dois anos atrás, a Osesp apresentou o *Réquiem Polonês* de Krzysztof Penderecki, regido pelo septuagenário compositor.[54] Agora foi a vez de *Os Sete Portões de Jerusalém*, formalmente sua *Sétima Sinfonia*, na prática um gigantesco oratório, como o *Réquiem*. Nem todo o mundo terá se impressionado tanto agora como em 2004, mas o mínimo que se pode dizer é que era a chance rara de escutar ao vivo uma peça importante do repertório atual.

Diga-se de passagem que, em boa parte graças ao empenho do maestro Neschling e da orquestra, ao longo desses últimos quase dez anos, o repertório contemporâneo suscita muito menos resistência hoje do que se diz. Sábado à tarde, em plena hora do jogo da Argentina com o México, a Sala São Paulo estava quase lotada – e continuava assim duas horas depois.

Poucas vezes se viu um palco tão atulhado. As cadeiras e instrumentos formavam um labirinto, à própria imagem da cidade velha em Jerusalém. Além das forças máximas da sinfônica, a peça pede mais 4 clarinetes, 4 fagotes, 4 trompas, 3 trompetes, 4 trombones e uma tuba tocando fora do palco, sem falar no coro, nos cinco solistas (ótimos cantores poloneses convidados), no narrador (Tadeu Aguiar) e no acervo expandido da percussão, que inclui coisas como árvore de sinos, bin-sasaras, árvore de triângulos e sinos de igreja.

O monumentalismo é da essência mesmo dessa música (composta em 1996), assim como a ênfase lírica-melódica que marca toda a produção de Penderecki desde meados da década de 1970 – muito distinta, nisso, das peças que fizeram sua fama na década anterior. Comum a todas é o uso do semitom como pedra de toque da harmonia.

Mesmo a melodia, vira e mexe, retorna ao semitom: por exemplo, no início de "Das Profundezas Eu Clamo", em que o coro *a cappella* entoa uma expressiva linha cromática descendente; ou no início da seção seguinte, "Se Eu Me Esquecer de Ti, Jerusalém", em que uma escadinha semitonal ascende até sete notas iguais repetidas, sugerindo os sete portões da cidade. Também os vários solos – de pícolo, de trompa, de trombone, entre outros – exploram com sabedoria os pequenos intervalos.

---

54 Ver 12.6.04.

Se a música é pequena por dentro, ela é gigantesca por fora, e tem seu ponto alto nas grandes explosões. Regida por Neschling com característico senso dramático, essa hora e tanto de música não tem a contundência do *Réquiem*, mas impõe respeito. Alguém dirá que soa, às vezes, como uma mistura de Bruckner e Carl Orff, o que pode ser entendido como insulto ou elogio. Mas o mínimo que se pode afirmar é que a presença de Penderecki no panorama da música contemporânea está, há muito, e talvez para sempre, acima de qualquer desfeita.

27.6.06

Antonio Meneses/ Celina Szrvinsk

Palácio Boa Vista (Campos do Jordão), 15.7.06

OSB/ Nelson Freire
Roberto Minczuk

Auditório Claudio Santoro (Campos do Jordão), 15.7.06

Naquele momento da tarde de sábado, a capela do Palácio Boa Vista, em Campos do Jordão, era um dos centros musicais do universo, incandescido de dentro para fora pela música de Shostakovich (1906-75), que o violoncelista Antonio Meneses tocava bem acompanhado pela pianista Celina Szrvinsk, enquanto o frio baixava de fora para dentro pelas paredes de vidro.

Dava dó pensar que só cento e poucas pessoas tinham o privilégio de escutar Meneses assim de perto. E naquele cenário, com as montanhas cobrindo a vista de lado a lado da capela do arquiteto Paulo Mendes da Rocha. Que esse privilégio, ao mesmo tempo, correspondesse à verdade daquela música de câmara, que afinal é para ser ouvida em "câmara", seria um bom tema para a sociologia, meio esquecida hoje no debate musical.

As contradições, no caso, estavam em jogo não só fora, mas dentro da *Sonata* op. 40 de Shostakovich, assim como da *Sonata* nº 3 de Martinu (1890-1959). Um e outro são compositores da ironia, contra o mundo do absurdo. Tanto maior o sentido dessa ironia quando interpretada com tamanha intensidade; e a experiência de escutar o violoncelista a dois metros de distância só ressalta aquilo que já se escutava a 20, ou 200: uma capacidade de fazer viver cada nota, eterna enquanto dure, como se menos que isso nem fosse música.

Desde a primeiríssima nota do *Adagio e Allegro* de Schumann (1810-56) foi assim, passando também pela *Seresta* de Edino Krieger (1928), o compositor residente desse 37º Festival de Inverno, assistindo ao concerto de mãos dadas com sua mulher Neném.

Tudo isso era só parte da programação, que continuava com ninguém menos do que o pianista Nelson Freire, solista do *Concerto nº 9* de Mozart (1756-91), à frente da Orquestra Sinfônica Brasileira regida pelo diretor artístico do Festival, Roberto Minczuk. No Auditório Claudio Santoro lotado, Nelson fez a prévia do concerto marcado para 12/8 no Municipal do Rio, quando estará comemorando exatos 50 anos de sua estreia, aos 11, tocando o mesmo concerto no mesmo teatro com a mesma orquestra.

Nelson é Nelson. Foi mais ele mesmo no segundo movimento; depois pisou no pedal e deixou a orquestra sem fôlego. A OSB, de sua parte, ainda não voltou (ou chegou) a si; mas parece muito bem encaminhada, como se pôde ouvir, por exemplo, no final da *Quinta* de Tchaikovsky (1840-93). Minczuk e a OSB estão vivendo um casamento novo. Nem precisa ser eterno. Mas que dure.

19.7.06

Quarteto Borodin/ Jean-Louis Steuermann

Palácio Boa Vista (Campos do Jordão), 29.7.06

Osesp/ Jessica Dalsant
John Neschling

Auditório Claudio Santoro (Campos do Jordão), 29.7.06

Orquestra Acadêmica
Roberto Minczuk

Sala São Paulo, 30.7.06

A chuva e a neblina, na subida da serra, davam à viagem um tom de fuga para o desconhecido. O que não estava tão distante da verdade, em retrospecto, depois de ouvir o *Quinteto* de Schumann

(1810-56) tocado pelo Quarteto Borodin com o pianista Jean-Louis Steuermann, sábado em Campos do Jordão.

É que a música, nesse nível, sempre chega aonde nunca chegou, que é onde ela sempre chega quando chega a si. Que as luzes de fora da envidraçada capela tivessem se acendido exatamente na primeira nota do episódio central do segundo movimento e que farrapos de nuvens entrassem pelas frestas de ventilação enquanto o pianista se deliciava com o tema schubertiano do terceiro pareciam respostas da própria natureza ao que se estava ouvindo.

Antes disso, os peixes na água do andar de baixo já tinham dado sua delicada, saltitante contribuição, enquanto os russos apresentavam o pouco ouvido *Quarteto* nº 13 de Myaskovsky (1881-1950) e, especialmente, o *Quarteto* nº 11 de Shostakovich (1906-75), reinterpretado por eles em tom ambivalentemente sóbrio e doloroso.

O que o Borodin tocou não era menos do que um testemunho da vida em meados do século passado, recriada inesquecivelmente por eles no meio do concreto, entre as nuvens.

À noite, bem noutro espírito, foi a vez de ouvir os *Alegres Trópicos* de Gilberto Mendes (1922), com a Osesp e o Coro da Osesp regidos por John Neschling. Vinte minutos de deliciosa, engenhosa, despretensiosa música, "um baile na mata atlântica", como diz o subtítulo – e como convidava o coro, em tons afetuosamente irônicos: "*shall we dance?*". Orquestrada como um caleidoscópio de grupos de câmara, é uma peça que se quer logo ouvir de novo, por puro prazer.

Vale o mesmo para as artes da italiana Jessica Dalsant, primeira--flauta da Osesp, solista no *Concerto* KV. 314 de Mozart (1856-91). Dona de um tempo musical muito próprio, que faz as frases crescerem elasticamente sem perder jamais o pulso, ela fechou os olhos e abriu a música, de dentro para fora. Foi lindo.

No domingo à tarde, para encerrar esse 37º Festival de Campos do Jordão, o diretor Roberto Minczuk regeu a Orquestra Acadêmica (de alunos e professores), na Sala São Paulo. Além da estreia de *Ritmetrias*, do compositor residente Edino Krieger, fizeram o *Pássaro de Fogo*, de Stravinsky (1882-1971), e uma eletrizante *Quarta Sinfonia* de Tchaikovsky (1840-93). Eram os ainda desconhecidos conhecidos músicos de amanhã, dando tudo de si no começo do caminho.

1.8.06

Brad Mehldau/ Renée Fleming

LOVE SUBLIME

CD Nonesuch, 2006

Não é um disco de jazz. Para além disso, já fica difícil atribuir um gênero a essas dez canções compostas por Brad Mehldau a pedido da soprano Renée Fleming (a décima primeira, que dá título ao disco, é uma coda, separada das outras). Reunidas em dois ciclos – um com sete peças sobre poemas do *Livro das Horas* de Rainer Maria Rilke (1875-1926), o outro com três, sobre versos de Louise Bogan (1897--1970) –, as canções foram compostas para um projeto do Carnegie Hall, em Nova York, onde foram estreadas em maio deste ano, e acabam de sair em disco.

Não é de hoje que o pianista e compositor Mehldau mistura vertentes musicais num amálgama próprio. O resultado, registrado numa sequência excepcional de gravações – solo, com seu trio ou com orquestra –, merecia ser definido com algum adjetivo tirado de seu próprio sobrenome, se não fosse tão incômodo (mehldaunesco? mehldauano?). Em seu último disco solo, por exemplo, *Live in Tokyo*, de 2004, ele toca versões de pop (Nick Drake) e rock (Radiohead), transfiguradas não só pela vizinhança de compositores como Gershwin, Cole Porter e Thelonious Monk, mas por uma linguagem pianística original, capaz de combinar figurações e harmonias do jazz com recursos mais frequentemente ouvidos em compositores da música clássica do século 20, como Prokofiev e Messiaen.[55]

Gestos análogos se fazem ouvir nessas canções, mas o impulso agora é quase o contrário: elas parecem mais canções clássicas, do repertório moderno americano (mais para o conservador do que para o vanguardista), elaboradas com acento especial. Inteiramente escritas em partitura e concebidas para explorar ao máximo as artes da soprano – por consenso, uma das maiores em atividade no universo da música erudita –, as canções exigem, de imediato, uma espécie de suspensão da descrença, para quem tem alergia ao canto lírico. Não são canções de jazz; pedem outro tipo de entoação.

Duas questões interessantes, desse ponto de vista: a primeira é perceber quanto a questão da entoação, isto é, quanto a música natu-

---

55 Ver 2.11.04.

ral da fala serve de guia para o compositor. Quase tudo nas canções vem de uma exacerbação do contorno melódico nos versos de Bogan e de Rilke. Isto explica e justifica, aliás, o uso da tradução em língua inglesa do *Livro das Horas* por Anita Barrows e Joann R. Macy (editada pela Riverhead, 1996), já que as nuances de cada palavra são a fonte de cada nota e o ciclo foi feito, em primeira instância, para o público americano.

A questão é interessante, para nós, porque tem papel central na canção popular brasileira também, com especial destaque para a produção recente, abarcando uma gama ampla de nomes, que vai de Luiz Tatit, Zé Miguel Wisnik, Itamar Assumpção e Arnaldo Antunes (entre os paulistas) a Chico Buarque, Lenine e Adriana Calcanhotto (para dar mais três exemplos, bem diversos) e até figuras da novíssima geração, como Kristoff Silva e o grupo DonaZica. Todos são compositores da poesia, tanto quanto poetas da música.

A segunda questão diz respeito às liberdades da parte do piano, dada essa natureza entoativa da composição. Seja nos pequenos interlúdios que separam estrofes, seja nas texturas de acompanhamento, o piano de Mehldau tece uma teia riquíssima de figuras musicais, num idioma harmônico e rítmico que só aqui e ali deixa aparecer, explicitamente, a memória da canção popular (um *blues* em "No One Lives His Life", por exemplo, ou a quase citação de Nick Drake, em "I Love The Dark Hours of My Being"), mas que o tempo todo carrega por dentro esse repertório, como fonte de energia. Não é menos notável o uso de recursos da composição clássica, em especial os madrigalismos (sugestões do que está sendo dito nos versos, seguindo uma convenção tradicional de gestos musicais: escalas, arpejos, notas repetidas etc.). Mas o que há de novo, nessas canções, tem mais a ver com as misturas do que com o virtuosismo do artesanato.

Tanto mais tocante, assim, que o disco termine com a canção mais direta de todas: uma versão com letra (de Fleurine, mulher de Mehldau) de "Paris", uma das faixas do disco *Places* (2000). É quase uma balada, com dilacerantes linhas cromáticas, ressaltadas num interlúdio polirrítmico do piano. Ela serve, ao final do disco, para reafirmar a contundência eterna do gênero, contra tudo o que se tem dito sobre o fim da canção.

***Cult*, 9.06**

Apartment House

Sesc Consolação, 22.8.06

Os instrumentos à vista no palco incluíam castanholas, cartolinas, um ventilador, réguas amarradas em cordões, bastões de madeira, dois violinos, pedras, um balde d'água, balões, bichinhos de borracha e uma rede de cabos de força saindo de uma valise. Tudo isso para tocar *Acoustica*, de Mauricio Kagel (1931), na segunda parte do concerto do conjunto inglês Apartment House, terça-feira no Sesc Consolação.

A primeira parte não fora muito diferente. *Stones*, de Christian Wolff (1934) é inteiramente escrita para pedras. Os quatro músicos, sentados no chão, ficam inventando modos de tirar sons de cascalhos e seixos. Improvisam contrapontos e criam pequenas texturas, quase sempre delicadas e quase sempre bem a sério.

A miniópera *IRMA*, de Tom Philips (1937), faz uso de dois teclados, um LP de peças barrocas para cravo (num toca-discos em cena) e uma fita magnética com trechos interrompidos de uma voz feminina narrando cenas genericamente sugestivas e recitando termos autorreferenciais sobre a música que está sendo tocada e encenada ("frases", "gotas", "campainha elétrica" etc.).

Tudo aqui, menos a voz, está no limite da audição. Dois intérpretes ficam sentados de costas para o público, e de frente para dois espelhos. Manipulam violinos e um pequeno címbalo. Os outros dois músicos estão ao fundo, informalmente hieráticos, executando suas longas minimalistas notas nos magros teclados. A coisa se arrasta: é uma instalação visual-musical. Quando o disco acaba – uns 20 minutos –, a peça também acaba, sem drama.

Era o concerto de encerramento do Festival Música Nova, há 41 anos sob a direção artística do compositor Gilberto Mendes, agora auxiliado por Lorenzo Mammì (USP/ Maria Antonia) e Luiz Gustavo Petri (Sinfônica de Santos). Neste ano o Festival cresceu, incluindo concertos orquestrais no Auditório Ibirapuera, para plateias de até 500 pessoas, e trazendo diversos conjuntos e solistas estrangeiros, que se juntaram à turma daqui para uma semana e meia de música contemporânea na capital e na Baixada.

Nesse contexto, o concerto do Apartment House ganhava uma conotação incomum. Porque as três obras viraram agora peças de museu, acervo de referência de um dos períodos mais desvairados da música moderna. Sem o poder de provocação de há 40 anos, em plena efervescência da contracultura hippie, soam como anedotas antigas, que se escuta mais por nostalgia, ou curiosidade, do que por urgência vital.

Não deixa de ser uma pena: o que se sonhava, então, não era nada menos do que uma outra vida. O sonho acabou e, como dizia um poeta daquela hora, quem não dormiu no *sleeping-bag* nem sequer sonhou.

25.8.06

Orquestra Filarmônica Real de Galícia
Antoni Ros Marbà

Cultura Artística, 11.9.06

Era um gesto arrojado e simpático começar o primeiro concerto da Orquestra Filarmônica Real de Galícia, em sua primeira visita ao país, com uma peça de um compositor espanhol contemporâneo. Mas as *Variações Sobre um Tema de Sorozabal*, de Juan Durán (1960) logo frustraram as expectativas de quem sonhava com novidade ou mocidade, definindo um tom de competência conservadora para o concerto de segunda-feira, no Cultura Artística.

São cinco variações interligadas, sobre um tema em modo menor de uma *zarzuela* (opereta espanhola) de Pablo Sorozabal (1897-1988). Escritas para orquestra de cordas, exploram o conhecido de forma também conhecida, seja no que diz respeito à composição, seja às sonoridades. Poderiam ter sido escritas há 50 anos, ou há cinco; em nenhum dos casos fariam feio, mas também não diriam muito.

O resto do programa era só Manuel de Falla, o que levava a música para outro plano. Principal compositor espanhol do século passado, De Falla nasceu em 1876, em Cádiz, o que não deixava, agora, de ter seu sentido simbólico, para um concerto no dia 11 de setembro: a palavra "cádiz" vem do termo árabe para "juiz muçulmano". Faz lembrar da história da Espanha; primeiro da antiga, mas também da moderna, que o compositor sofreu na pele, autoexilado na Argentina durante a Segunda Guerra, até sua morte em 1946.

Faz também pensar na história dos nossos dias, que essa música acusa e confronta, com suas belezas misturadas, encantamentos de uma mestiçagem que não é só espanhola e mourisca, mas também francesa. Uma composição como *Noches en Los Jardines de España* pertence à música francesa quase tanto quanto à espanhola, num nicho criado pelo próprio De Falla, prismando luzes de contemporâneos como Debussy e Dukas.

Noches... é uma espécie de poema sinfônico para piano e orquestra, em três movimentos, ou "impressões" paisagísticas. O solista foi o mexicano Jorge Federico Osorio, um pianista viajado, que já tocou com todo o mundo e por todo o mundo. Toca sempre com clareza, articulando cada nota, sem maquiagem; mesmo os efeitos mais virtuosísticos são tratados com minuciosa honestidade. A melodia fica acima de tudo, no limite de se transformar em palavras.

Com tudo isso, soou um pouco frio, nessa noite – talvez reagindo à relativa e surpreendente frieza do conjunto. E do regente Antoni Ros Marbà, outro músico de grande experiência, hoje titular da Filarmônica de Galícia (fundada em 1996) e diretor da Escola de Altos Estudos Musicais, em Santiago de Compostela, onde dá aula boa parte dos membros da orquestra.

As coisas esquentaram um pouco na segunda metade, com as suítes *El Sombrero de Tres Picos* (três movimentos extraídos da partitura composta em 1919, para os Balés Russos de Diaghilev) e *El Amor Brujo* (outro balé, composto em 1915, depois alterado em 1928, para La Argentina, famosa dançarina de flamenco). Mas só um pouco. Teve parte nisso a portentosa *mezzo* Marina Pardo, que tem o timbre de cobre e os esgares de fúria que pede esse "amor feiticeiro".

Talvez não seja justo esperar tempestades solares de uma orquestra só porque vem da Espanha. A Filarmônica de Galícia é uma orquestra jovem e de alto nível. Para um concerto regular da temporada, foi bom; mas para um concerto bom, foi regular. Faltou a exuberância sonhada, que a boa orquestra guardou para outra data.

13.9.06

Osesp
Guelfi/ Klosinska/ Canniccioni/ Giordano/ Rojas
John Neschling

Sala São Paulo, 21.9.06

A história do marido traído que matou o amante de sua mulher; e a história do homem que se fingiu de moribundo para mudar um testamento. Não parecem as ideias mais originais do mundo, mas bastam como argumento para duas pequenas grandes óperas de Puccini (1858-1924), que a Osesp apresenta essa semana em versão de concerto, regida por John Neschling, com um elenco de nada menos do que 20 solistas convidados.

Il Tabarro (O Capote) é um conto macabro de mau casamento e infeliz adultério. *Gianni Schicchi* é uma comédia do engenho, contra a arrogância de classe. São duas pequenas obras-primas de um repertório *kitsch cult* do início do século 20. São, na verdade, duas de três óperas curtas que o compositor reuniu no *Tríptico*, de 1918. O formato de três óperas de um ato foi inspirado nos espetáculos do Grand Guignol francês: uma tragédia, um romance, uma comédia. A Osesp deixou de lado o romance (*Suor Angelica*) e se concentrou na tragédia amorosa e na dantesca comédia, quinta-feira na Sala São Paulo.

Durante a maior parte do século passado, Puccini nem foi um problema para a *intelligentsia* musical. Quer dizer: nem chegou a ser problema, era simplesmente ignorado. Mais até do que Rachmaninov, ele representava uma ideia de mau gosto sentimental e anacrônico, tão mais absurda por se tornar tão popular. Ninguém dirá que Rachmaninov e Puccini são mais importantes do que Stravinsky e Schoenberg, para citar dois de seus contemporâneos; mas a apreciação mudou e só um militante muito mal-humorado sacrificaria hoje esse repertório, que, à distância, só melhora.

Veja-se *Gianni Schicchi*, um tesouro de harmonias aberratórias (incluindo bitonalismos e acordes de quarta) e orquestração moderna. O próprio tema, que se repete em mil formatos do início ao fim, já combina harmonias de nona com acentos trocados – à maneira de... Stravinsky. E veja-se *Il Tabarro*, que homenageia *Pélleas et Mélisande* (1902) de Debussy, explorando harmonias francesas, mas faz a música se colorir com sombras de sexo e sadismo mais associadas a Alban Berg e Mahler (outros dois contemporâneos – que, aliás, gostavam de Puccini).

A Sala São Paulo não comporta ópera; mas as versões de concerto da Osesp são uma ótima solução. Cantadas sem cenário, só com um mínimo de teatro, mas com legendas e algum jogo de luz, dão a chance de ouvir essa música e imaginar a ação. (O que muitas vezes é até melhor do que assistir a uma ópera completa, com seus crônicos embaraços dramáticos. Por que não se faz mais ópera nesse formato?)

No papel principal das duas óperas está o barítono italiano Carlo Guelfi. Ele gravou o mesmo *Il Tabarro* com o regente Antonio Pappano; e gravou a *Tosca* de Puccini com Zubin Mehta. Canta como dono do papel: portentoso, tem calma e explosão na voz, em doses apropriadamente desiguais. Tem malícia, também, para imitar a voz do moribundo, sem deixar de ser ouvido na torrinha.

A Giorgetta da soprano polonesa Izabella Klosinska (solista da Ópera de Varsóvia) só não roubou os louros femininos da noite porque na segunda parte vinha a francesa Michelle Canniccioni, para fazer uma arrasadora Lauretta, com sua voz de soprano mais outonal, e seu pretinho inesquecível de estrelas, e as inesquecíveis costas.

Era tanta gente boa cantando, entre estrangeiros e brasileiros, que não cabe nem a lista de nomes. Mas é preciso mencionar, pelo menos, o tenor italiano Nicola Rossi Giordano, no papel do malfadado amante Luigi; e o tenor chileno Felipe Rojas, no papel do bem-aventurado noivo de Lauretta. E a orquestra, que continua em boa fase, impermeável às chuvas e trovoadas, resistindo a todos os capotes e malícias, que não acabam nunca na ópera da Praça Júlio Prestes.

23.9.06

Banda Sinfônica Homero Velho, Rosana Lamosa, Fernando Portari, Regina Elena Mesquita/ Sebastião Teixeira Abel Rocha

Ronaldo Miranda: A Tempestade

Teatro São Pedro, 24.9.06

Não dava pra dizer se era de propósito ou não: bem no ponto em que Próspero discute com o espírito Ariel, no primeiro ato de *A*

Tempestade, a luz apagou. Mas foi um corte de energia mesmo, que deixou o Teatro São Pedro só com luz de emergência por quase dez minutos, com os cantores congelados no palco.

Para uma encenação que explora a ambiguidade entre teatro e vida, esse foi um grande momento, recebido com bom humor pela plateia numerosa que estava lá, domingo à tarde, para assistir à segunda performance mundial da ópera de Ronaldo Miranda (1948), composta por encomenda da Banda Sinfônica. "A tempestade foi mais forte do que a gente pensava", disse o maestro Abel Rocha antes de reiniciar a música, que a Banda estreou sexta passada, com um elenco de primeira linha, incluindo as vozes de Homero Velho (Próspero), Rosana Lamosa (Miranda) e Fernando Portari (Ferdinand).

A partitura foi escrita entre janeiro e julho. Mas o compositor só conseguiu orquestrar a primeira metade; por motivo de saúde, o segundo ato teve de ser entregue a três orquestradores auxiliares. O resultado é uniforme, até porque a orquestração está limitada às forças da Banda Sinfônica – sopros e metais (mais três contrabaixos e um pequeno naipe de percussão) – e a música é de natureza tradicional.

O próprio Miranda (professor de composição na USP) descreve sua linguagem como "neotonal". Quer dizer: as sequências harmônicas podem não seguir as rotas da harmonia funcional clássica, mas tudo nessa música é tonal e é assim que ela será ouvida. Mesmo o episódio "atonal" da tempestade só tem sucesso pela diferença: é um sofisticado efeito, mais do que uma troca da razão da música.

A plateia vibra mesmo com as árias, que às vezes lembram modinhas ou serestas e às vezes ficam perto de canções de musical. Com a diferença, infelizmente, da letra. Elaborado pelo compositor, a partir da peça de Shakespeare (de 1611), o libreto jamais se eleva acima do prosaico, e com frequência cai no "versinho" ("a cantar, com as ondas a brincar"), no clichê ("deixe a vida despertar") e/ou no estrambótico ("Meu Deus, como eu queria morrer de morte seca").

Nesses termos, fica difícil escutar a partitura, composta com evidente domínio do *métier* por esse autor de duas óperas (a primeira foi *Dom Casmurro*, estreada em 1992). Tanto mais porque a montagem, dirigida por William Pereira, reduz quase tudo a um quarto vazio, que pode ser ilha ou sala de ensaio, jogando todo o peso na música. Figurinos e adereços são minimalistas; e a dramaturgia segue um padrão de comédia televisiva, comprometida mais ou menos segundo as desiguais virtudes dramáticas dos cantores.

À frente da Banda Sinfônica desde 2004, Abel Rocha vem fazendo um trabalho notável de revitalização. Fez um espetáculo com Os Parlapatões, adaptou o *Orfeo* barroco de Monteverdi, estreou no Brasil algumas peças de Villa-Lobos, regularmente encomenda composições a autores brasileiros. Tudo isso é para ser aplaudido. Cada obra tem seus riscos; e na música, como na vida, nunca é demais se arriscar.

26.9.06

Rudolf Buchbinder
Zürcher Kammerorchester

Sala São Paulo, 2.10.06

Três anos atrás, o pianista Rudolf Buchbinder esteve em São Paulo com a Orquestra de Câmara de Zurique para tocar e reger nada menos do que os cinco *Concertos Para Piano e Orquestra* de Beethoven (1770-1827), em duas noites.[56] Agora voltou, com a mesma ótima orquestra, para fazer três concertos de Mozart (1756-91), numa noite só.

Começou com o *Concerto em Sol Maior*, K. 453, obra-prima de 1784. É um dos mais inovadores de Mozart, com um esquema harmônico incomum, que inclui um segundo tema modulante e uma dramática descida para a submediante bemol (mi bemol menor) antes da volta do tema principal. Isso é linguagem para especialistas; mas qualquer ouvinte salta da cadeira ouvindo a mudança de harmonia, que aparece três vezes no primeiro movimento.

No último, marcado "Allegretto", Mozart compõe uma série de variações, bem no espírito de ópera cômica. A quarta delas, em modo menor, faz prodígios de cromatismo e aproveita para arrojos de orquestração, como os primeiros violinos dobrados duas oitavas abaixo pelos fagotes, enquanto os segundos violinos são dobrados uma oitava acima pelos oboés. Exemplos assim bastam para mostrar de que música se está falando: o paraíso das aparências sustentado pelo engenho mais sutil.

Tudo isso para entender o modo ao mesmo tempo tão natural e tão cultivado de Buchbinder ao interpretar os três concertos. Ele é um desses artistas que exalam domínio total da música. Não são necessa-

---

56 Ver 6.9.03.

riamente os maiores músicos do mundo; e os maiores nem sempre têm um domínio assim. Mas aqui e ali existe uma personalidade dessas, capaz de se situar na música com maestria absoluta, compreendendo tudo aparentemente sem esforço, exceto uma dose de concentração.

Ele foi o mais jovem aluno jamais admitido no Conservatório de Viena, aos cinco anos de idade. Hoje com 60, é conhecido como o intérprete da integral para piano de Haydn (1732-1809) e das 32 sonatas de Beethoven, sem falar nos 27 concertos de Mozart, que ele gravou ao vivo com a Sinfônica de Viena (ou, mais recentemente, nos dois concertos de Brahms, ao vivo com a Orquestra do Concertgebouw, regida por Harnoncourt).

A inteligência é uma virtude meio malfalada. Mas não há outra palavra para se referir a essa capacidade, racional e sensível, de comandar repertórios inteiros dessa ordem. Que Buchbinder o faça com tamanha tranquilidade e ao mesmo tempo funda alegria – seja num concerto como o "abstrato" K. 503, em dó maior, seja mesmo no "trágico" K. 466, em ré menor –, só aumenta nossa admiração.

A gargalhada da segunda violinista Hiroko Takehara, logo depois do último "Rondó", deu bem a medida do bem-estar de todos ali, fazendo música; era a imagem também de quem ouvia, do lado de cá.

4.10.06

Les Musiciens du Louvre
Marc Minkowski

Cultura Artística, 24.10.06

"Insuportável!" No tom que a palavra foi dita, com os olhos faiscando e as mãos batendo palmas em ritmo acelerado, ficava mais do que claro que queria dizer "sensacional!". Que foi exatamente o que disse depois a bela cantora, empolgada ao final da primeira parte do concerto de Les Musiciens du Louvre, terça-feira no Cultura Artística. E era só a primeira parte.

A essa altura da vida, ninguém mais sai de casa para escutar as conhecidíssimas *Sinfonias* n°s 40 e 41 de Mozart (1756-91), a não ser na expectativa de revelações inusitadas. Mas não é menos que isso o que se espera do conjunto do maestro Marc Minkowski, há 24 anos renovando a audição de compositores como Haendel e Rameau, sem falar no prodigioso Amadeus.

Les Musiciens du Louvre estão hoje baseados no interior da França, em Grenoble, onde mantêm, desde o ano passado, um centro de formação musical. Eles formam uma das orquestras mais vibrantes que já se viu, mesmo no contexto agora tão habitualmente vibrante da música antiga. Entre vários trunfos, contam com quatro espetaculares contrabaixos, tocando sobre um praticável, no fundo ao centro da orquestra. É um trunfo especial, porque Minkowski se destaca como regente do contraponto, e faz ouvir linhas graves e médias onde quase nunca se escuta.

No primeiro tema da *Sinfonia* nº 40, por exemplo, eram as violas que soavam, de imediato, vários decibéis acima do comum, o que dava uma nova agitação a tudo. O contraste com o segundo tema não poderia ser mais dramático. Minkowski muitas vezes faz uso desse expediente: os temas mais tranquilos são tocados com dinâmica baixa e notas secas, que soam mais baixas e secas ainda nos instrumentos antigos. A música parece ter parado no ar. Soa entre estática e etérea. Quando volta o *rock'n'roll*, depois, a cabeça explode.

Nisso, como em muitos outros detalhes, fica patente a proximidade dessa música (de fins do século 18) com as práticas barrocas, mais do que com as convenções da música sinfônica do século 19, que até bem pouco tempo serviam de base para nossa imagem do estilo clássico. A lógica da composição já era outra, mas o modo de tocar instrumentos de corda, sem falar nas flautas de madeira, trompas sem válvulas etc. evidencia uma obviedade que é também uma surpresa: Mozart vem do que estava às suas costas, não à sua frente.

Neste retorno, porém, há muito que soa como um avanço. A música cresce de dentro para fora, desautomatizada, acompanhando sua própria razão. E esses músicos tocam tudo com tanta gana que só fazem redobrar o espanto.

Para ficar num exemplo: as duas violoncelistas da última fileira. Passaram o concerto inteiro trocando bem-humorados olhares de entendimento, reagindo com olhos e ombros às minúcias da partitura, gingando na cadeira e se atirando para a frente, conforme o caso. As duas, ali, compunham juntas a imagem de muita coisa: juventude, inteligência, energia, beleza, graça. Eram uma imagem da música, que fica agora com a gente para animar os dias.

25.10.06

Antonio Nóbrega

NOVE DE FREVEREIRO

Sesc Pinheiros, 28.10.06

Os últimos minutos foram uma coisa nunca antes vista naquele teatro. Quase mil pessoas dançavam uma ciranda: os mais animados junto ao palco, outros tantos pelos corredores e nas escadarias, os mais tímidos – nem eles resistiam – só balançando sem sair do lugar, nas fileiras do Sesc Pinheiros. O pessoal da Spok Frevo tocava rindo e Antonio Nóbrega, no meio de tudo, curtia uma bem merecida e quase serena alegria.

Nove de Frevereiro é o nome de um espetáculo e de um disco (selo Brincante), segundo volume de um grandioso projeto dedicado ao frevo. O primeiro CD saiu no ano passado; ganhou o prêmio TIM 2006, na categoria "regional". Naquele como nesse, Nóbrega toca em parceria com a Spok Frevo Orquestra, fabulosa banda do Recife, criada em 1996 justamente para acompanhar o violinista, cantor e bailarino, em *Na Pancada do Ganzá*.

O disco novo conta também com a participação de uma galeria inteira de convidados, incluindo a Banda Mantiqueira e o Quinteto Villa-Lobos, e cantores como Elba Ramalho, Ná Ozzetti e Dominguinhos, entre muitos outros. Os volumes 1 e 2 juntos passam a ser, desde já, nossa antologia de referência do frevo, um acervo criterioso e irresistível.

Quem toca ao vivo, no espetáculo, é a Spok Frevo, junto a um pequeno grupo de outros músicos, em torno do cantor-violinista. "Mas o que existe de comum entre o violino e o frevo?", indaga o próprio Nóbrega, repetindo o que lhe perguntam. Resposta: "eu." E só ele mesmo toca frevo assim na rabeca – com evidentes ganhos técnicos desde que passou a estudar com a professora búlgara Eugênia Popova.

E por que "Nove de Frevereiro"? Porque a palavra "frevo" (corruptela de "fervo") aparece pela primeira vez num jornal de Recife no dia 9 de fevereiro de 1907. Estamos às vésperas do centenário, que o espetáculo comemora em música e dança, num roteiro variado, com direito a videocenário, adereços, máscaras e uma guirlanda de jovens cantoras.

Quando entra em cena o gigantesco, desconjuntado Otávio Bastos, ninguém imagina o que possa estar fazendo ali. Meio minuto depois, foram tantos giros e quebras no espaço, de guarda-chuva em punho, que a gente é que não sabe mais o que imaginar. Juntamente com seu duplo, Luciano Fagundes, e a dupla feminina, a mãe Rosane Almeida e a filha Maria Eugênia, mais o marido e pai solista – por consenso, um dos maiores bailarinos do país –, eles arrebatam a humanidade dançando.

Desde os tempos do Quinteto Armorial, de Ariano Suassuna, na década de 1970, até hoje, foram dezenas de projetos em que Nóbrega assumiu para si uma tarefa de curador tanto quanto de inventor de uma arte brasileira. Em outros momentos, o discurso ideológico, em defesa das raízes culturais, era explícito e inseparável do resto. Agora, parece ter sido incorporado de tal forma que nem é mais preciso explicitar: está tudo dito ali, com a convicção suprema da música e da dança, quando chegam a esse grau de realização.

A imagem final da plateia, tirada de si e embalada numa outra vida, tão livre e tão feliz, consagrava assim não só um lindo espetáculo e um grande disco. Essa felicidade consagrava também o amor profundo de um homem por sua música e sua dança, o que, nesse caso, significa também o amor profundo de um artista pelo Brasil.

8.11.06

musikFabrik

Sesc Vila Mariana, 11.11.06

Só o fato de um concerto de música contemporânea ter lugar no Sesc Vila Mariana numa noite de sábado já seria motivo para comemoração. Que os músicos fossem um prestigiado conjunto alemão, o musikFabrik, especializado no repertório de vanguarda, melhor ainda. Que, na hora H, a melhor coisa da noite tenha sido a peça de uma compositora de menos de 40 anos, foi um alento a mais; e quase serviu para diminuir a frustração de um programa meio morno, meio à procura de si.

Rebecca Saunders nasceu em Londres em 1967. Estudou com Wolfgang Rihm (1952), de quem o musikFabrik também tocou um interessante trio para viola, violoncelo e contrabaixo, composto há duas décadas, numa linguagem inesperada para quem associa o compositor ao neorromantismo.

O *Duo 3* de Saunders (2001) combina viola e percussão: bumbos, pratos, sinos, apitos, metalofone; todos tocados, a maior parte do tempo, com delicadeza. Inspirada numa citação do teórico renascentista Leon B. Alberti, a peça explora "cores" numa espécie de tom-sobre-tom da viola com a percussão. O percussionista emprega bastante um arco (na borda dos pratos, por exemplo) e a viola se vale de todo um arsenal de técnicas expandidas.

A passagem final, com um discreto bater descompassado de sinos, em contraponto com a frase seca e impessoal da viola, entrou de imediato na memória. Deu vontade de escutar outras coisas da compositora.

O contrabaixista Michael Tiepold satisfez logo esse desejo com um solo estrambótico extraído de *Insideout* (2003/5), "instalação" de Saunders em parceria com a coreógrafa Sasha Waltz. Da dança-teatro original, ficou o monólogo do contrabaixo, que se desarticula em fragmentos e ruminações.

O concerto incluiu uma sequência de haicais orientalizantes para flauta e violoncelo de Hans Zender (1936), melhor conhecido como regente da ópera de Hamburgo. E um "combate" musical de Iannis Xenakis (1922-2001), para trompa, trombone, tuba... e árbitro. Foi escrito segundo técnicas estocásticas (procedimentos estatísticos, envolvendo uma variável aleatória) típicas do compositor grego, mas num contexto cômico atípico, nem propriamente teatral, nem realmente cômico.

Aqui, nesse baluarte da vanguarda pós-68, assim como no *Tratado* do inglês Cornelius Cardew (1936-81), o repertório machucava seu próprio nervo exposto.

Cardew começou como aluno de Stockhausen e chegou a ser visto, em meados da década de 60, como "o maior compositor da Inglaterra desde [o polifonista medieval] Dunstable". O *Tratado*, partitura inteiramente gráfica, tocada pelos oito membros do musikFabrik, pertence a esse período.

Poucos anos depois, Cardew passaria por uma conversão radical ao maoísmo. Rejeitou seu antigo mestre no ensaio *Stockhausen Serve ao Imperialismo*, montou uma orquestra mambembe para tocar clássicos e dedicou-se a escrever canções operárias, até morrer precocemente, atropelado.

O gesto final do percussionista, desenrolando sonoramente uma fita adesiva e prendendo estantes, cadeiras e até a perna de um dos músicos, servia de alegoria involuntária dessa história. Numa improvisação, afinal, sem muito espírito, a música corria o pior dos riscos: sem chegar a soar velha para a plateia, formada por uma maioria de jovens alunos de música, ela soava velha para si mesma, nostálgica de uma utopia – quer dizer: de uma juventude – para sempre sonhada e para sempre perdida.

14.11.06

Stephen Bronk, Flávia Fernandes, Martin Mühle Quarteto de Cordas da Cidade, Marun, Camargo, Vianna Fábio Zanon

Michael Nyman: O Homem Que Confundiu Sua Mulher Com Um Chapéu

Teatro São Pedro, 29.11.06

Michael Nyman (1944) está para o minimalismo inglês como Philip Glass para o americano. Ele é o nome central do movimento – movimento cujo nome, aliás, foi ele quem deu, em fins da década de 1960. Sua miniópera *O Homem Que Confundiu Sua Mulher Com Um Chapéu*, baseada num caso clínico de Oliver Sacks, segue sendo um de seus trabalhos mais conhecidos; mas só agora, vinte anos depois da estreia, ganha uma primeira montagem latino-americana, dirigida por Iacov Hillel, com um excelente pequeno elenco regido por Fábio Zanon.

O Teatro São Pedro, tão charmoso na rua Barra Funda, mas de programação tão irregular, poderia ter mais dessas coisas. O palco pequeno acolhe bem o cenário minimalista, com um praticável geométrico, de design contemporâneo londrino, ladeado por dois telões de alta definição e outro, menor, ao fundo.

Só isso, mais cadeiras e um ou outro adereço – com toques surrealistas à maneira de Magritte –, basta para compor o mundo do neurologista, Dr. S (o tenor gaúcho, residente em Viena, Martin Mühle), e de seu paciente, o cantor e professor de música Dr. P (o americano Stephen Bronk, radicado em Belo Horizonte) e sua devotada mulher (a carioca Flávia Fernandes).

É verdade que o uso quase constante de imagens nos telões às vezes cansa e às vezes torna difícil prestar atenção nos cantores; mas gera soluções impactantes a maior parte do tempo e reforça, afinal, a ambiência expressiva repetitiva da música. Nesse contexto, até o maneirismo dos gestos convence, para recriar personagens britanicamente teatrais, na vida "real".

Minimalismo inglês, de todo modo, não é minimalismo americano. Nyman trabalhou na orquestra do compositor experimental Cornelius Cardew (1936-81); sua música toma liberdades dentro dos rigores rítmicos e harmônicos que ela mesma se impõe, e o ambiente afetivo está mais próximo dos *Lieder* românticos de Schumann – que têm importância na trama da ópera – do que das fantasias cinematográficas de Peter Greenaway, para quem fez várias trilhas. Se o libreto (de C. Rawlence) funciona, com a repetição dos testes clínicos, é uma outra história.

Boa surpresa ver o violonista Fábio Zanon tão à vontade no pódio. Essa música exige, acima de tudo, energia, para não se perder na indiferenciação. E energia ela teve, quase sempre, com o incansável Quarteto de Cordas da Cidade, mais Nahim Marun (piano), Angelique Camargo (cello) e Angélica Vianna (harpa).

Na ópera, como na vida, o famoso paciente agnósico, que confundiu sua mulher com um chapéu, não chega a se curar, mas se salva, na música e pela música. A última imagem da cabeça reluzente de Bronk, ao fundo do palco, sob uma luz esverdeada, olhando fixamente para o vazio, fica na memória como um estranho símbolo de todos nós, para quem o mundo só é compreensível na música e pela música, para além de todos os enganos e para além de todas as paixões.

3.12.06

Da Música: Fronteiras e Multiplicidades

Palavras como "fronteiras" e "multiplicidades" parecem especialmente adequadas para se falar de música, hoje.[57] Não só porque o panorama musical se desdobra em uma quantidade incomputável de categorias, vertentes, estilos, geografias – que, em grande medida, sempre existiram. Mas porque se tem consciência agora, como nunca, dessa variedade, marca característica de um tempo sem outra medida que não a do muito, e sem outra certeza senão a diferença.

Não causa espanto, por exemplo, que uma obra de referência de grande porte e de alcance internacional, como a *Enciclopedia Della Musica*, em cinco volumes, organizada por Jean-Jacques Nattiez, verdadeira suma musical para o novo milênio, comece com um artigo do semiólogo Jean Molino intitulado "Tecnologia, Mundialização, Tribalização".[58] O cenário da música se oferece, em nossos dias, simultaneamente em escala global e local; mesmo a mais autoconfiante (ou mais enlouquecida) das tribos sabe que não existe centro nessa esfera, onde o sentido está por toda parte e a razão pode até não ser de todos, mas também não é de ninguém.

Nesse contexto, há bons motivos, também, para se falar de tecnologia. Se a música nunca mais foi a mesma depois da invenção do fonógrafo de Edison, em 1877, e se há quase um século a experiência cotidiana da arte dos sons depende dos meios de reprodução sonora, quase que a despeito da atividade de fazer música ao vivo (tocando ou assistindo), não é menos certo que a transformação mais recente dos computadores em meio de produção e transmissão musical vem produzindo uma alteração espetacular nessa área, cujas consequências concretas não se pode prever com segurança, mas de cuja importância ninguém duvida. Não será exagero dizer, com Molino, que jamais se teve acesso a tantas fontes musicais, de origens tão diversas e períodos tão distintos quanto se tem hoje, virtualmente ao alcance da mão (no sentido literal do advérbio). E com certeza nunca se teve também possibilidades iguais de produção tecnológica caseira, com a opção de circular mundo afora os resultados do que se pode fazer musicalmente em casa, com qualidade equiparável à de um estúdio profissional.

O que tem seus lados bons e ruins. A simples facilitação dos meios de produção e reprodução digital da música está longe de encenar, por si, aquela utopia de reconciliação pelas forças da racionalidade imaginadas por Walter Benjamin em seu famoso ensaio sobre a obra

---

57 Os termos ("Fronteiras e Multiplicidades") foram sugeridos pelos organizadores do volume onde foi publicado pela primeira vez esse texto; o livro seria chamado assim, mas acabou tendo outro título depois.

58 Enciclopedia Della Musica. Vol. 1: Il Novecento. *Org. J-J Nattiez. Torino: Einaudi, 2001. Já existe edição francesa:* Musiques – Une Encyclopédie pour le XXIe siècle. Vol. 1: Musiques du XXe siècle. *Arles: Actes Sud, 2003.*

de arte na era de sua reprodutibilidade técnica.[59] Na música, como em tudo mais, a internet é uma gigantesca usina de equívocos e banalidades – e nem poderia ser diferente, em que pese a autoridade que se confere, às vezes, à rede, sem avaliação das fontes consultadas.[60]

Por outro lado, o advento de meios de difusão como o MP3 levou adiante um processo iniciado há mais de uma década, com o barateamento dos custos de fabricação dos CDs, o que significou nada menos do que uma pequena liberação de repertórios inteiros, outrora desprezados ou marginalizados, ou simplesmente desconhecidos. Aquilo que as grandes companhias não querem ou não podem oferecer, dentro das condições vigentes do capitalismo globalizado, oferece-se por conta própria – o que, de certo modo, também libera as companhias dessa responsabilidade, e pode então ser visto como parte do problema, mais do que uma nova solução. Não é por nada que o musicólogo John Rea, escrevendo sobre "Pós-modernismo(s)" na mesma *Enciclopedia Della Musica*, chega a falar em "pornofonia", como modalidade musical da "exploração que fazemos impunemente uns dos outros, afrontando valores associados à dignidade, à moralidade e à liberdade humana". Mas ele mesmo seria o último a criticar a existência da rede como instrumento de resistência, para os milhões de desvalidos do grande mercado musical – grande mercado, aliás, cada vez menor, a julgar pelos números que se divulga ano após ano (outra consequência do avanço tecnológico e da universal pirataria).

Quer dizer: o remédio pode ser seu veneno, assim como o veneno, seu remédio, falando por um instante como o ensaísta e compositor José Miguel Wisnik.[61] Para dar um exemplo brasileiro, no campo da música popular em que o próprio Wisnik é um expoente, pode-se dizer que hoje se conhece bem melhor a variedade musical do país do que nas décadas de 1960 e 70, quando a música popular estava no centro do debate intelectual e político, por uma série de motivos que

---

59 "Das Kunstwerk im Zeitalter seiner technischen Reproduzierbarkeit" (1935), em: Gesammelte Schriften, *vol. 1. Frankfurt am Main: Suhrkamp, 1955. Ed. bras.: "A Obra de Arte na Época de Sua Reprodutibilidade Técnica – Primeira Versão", em:* Mágia e Técnica, Arte e Política – Ensaios Sobre a Cultura. *Tradução de S. P. Rouanet. São Paulo: Brasiliense, 1987.*

60 Sobre esse aspecto, especialmente no que diz respeito aos jovens, ver a entrevista de Camille Paglia, no caderno "Mais!" da Folha de S.Paulo, *10.4.2005.*

61 Ver, em especial, o ensaio "Famigerado", em: Sem Receita – Ensaios e Canções, *(São Paulo: Publifolha, 2004) e o livro* Veneno Remédio. O Futebol e o Brasil *(São Paulo: Companhia das Letras, 2008).*

abarcam desde o advento da bossa nova e do tropicalismo até a instauração da ditadura militar. Mas justamente daí vem algum desconforto: onde antes se tinha um repertório mais restrito, mas também uma noção bem clara do que era importante, para não dizer central na nossa música, hoje se ganhou uma amostragem muito maior, sem que qualquer figura ou acervo tenha preponderância indiscutível sobre outros.

E isso, afinal, pode ser bom, assim como também a constatação de que não há política identitária capaz de resistir à sua incorporação no espaço descentrado da cultura contemporânea. Todos somos estranhos uns aos outros, mas acessíveis, ou pelo menos acessáveis também. É um espaço descentrado e dispersivo: tudo se soma e tudo se confunde na profusão de referências. Fronteiras não deixam de existir – entre os repertórios "alto" e o "baixo", por exemplo, entre o "erudito" e o "popular", entre o "nacional" e o "estrangeiro", entre as "categorias, vertentes, estilos, geografias" de que falamos antes, e assim por diante –, mas (sem querer defender a precariedade geral de recursos, que parecem cada vez mais minguados quando se entrega a gestão das artes à pura e bruta sobrevivência do mais forte), a multiplicidade não representa uma garantia, tanto quanto uma ameaça à sobrevivência de todos?

Não há resumo possível para um panorama contraditório desses, que só se deixa descrever pelo excesso, paradoxalmente representado pela multiplicação de fenômenos locais. Só o que se pode afirmar, talvez, é que qualquer estudo da música, hoje, terá de dar conta dessa dupla condição. Não é a pior exigência que se pode fazer, nem do ponto de vista musical, nem de qualquer outro. E torna a música, hoje, um campo privilegiado para se entender as formas de vida social, tanto quanto as formas mais íntimas da vida individual, de que ela dá testemunho desde sempre.

Em: Duarte de Oliveira, Ciotti, Mraz e Achatkin (orgs.),
Território das Artes *(São Paulo: Editora da PUC, 2006).*

Quarteto Brasileiro de Violões

Isaac Albéniz: Ibéria

CD Delos, 2006

O disco é tão bom que até dá receio de fazer um elogio, para não prejudicar. Mas o mínimo que se deve dizer é que essa gravação da *Suíte Ibéria*, de Albéniz (1860-1909), pelo Quarteto Brasileiro de Violões, passa a ser uma das gravações de referência da obra-prima do compositor catalão. Para ser bem claro: um registro de interesse geral, não só para os amantes do violão.

Há nisso uma justiça mais que poética. Composta para piano, entre 1905 e 1906, formando um conjunto de quatro cadernos de três peças cada, *Ibéria* tem por dentro uma espécie de violão ideal, sonhado, uma espantosa guitarra espanhola que vai se dividindo em outras à medida que a música progride, com suas mil fantasias timbrísticas e contrapuntísticas. E é justamente esse violão que se escuta agora, na transcrição do Quarteto, como se fosse a tradução da tradução, reconduzindo a música à origem.

A gravação coroa a trajetória do grupo, mais conhecido hoje como "Brazilian Guitar Quartet". De 2000 para cá, eles já fizeram mais de 200 concertos mundo afora: Estados Unidos, Europa, Japão, Hong Kong, Porto Rico, Guatemala. Onde menos tocaram foi no Brasil – só quatro ou cinco vezes –, o que precisa ser reparado.

Da formação original participavam Everton Gloeden (do Centro Tom Jobim) e Tadeu do Amaral (principal responsável pelas transcrições), mais Edelton Gloeden (USP) e Paul Galbraith (hoje em carreira solo). Os dois últimos seriam substituídos por Edson Lopes (Conservatório de Tatuí) e Luiz Mantovani (Universidade Estadual de Santa Catarina).

Foi Galbraith, inspirado no arcaico *orpharium*, quem desenvolveu um novo violão de oito cordas, uma mais aguda que a primeira corda do violão clássico, outra mais grave que a mais grave. Tocado em pé, como um violoncelo, esse violão, ou melhor, um par desses violões, foi crucial para a elaboração do repertório do Quarteto. Sonoramente, os violões juntos se aproximam, assim, da gama de um quarteto de cordas, só faltando as notas mais agudas do violino (acima do dó5).

Resolvida a tessitura, faltava criar o repertório. Nos três discos anteriores, o Quarteto gravou desde transcrições inéditas de compositores brasileiros (o *Quarteto de Cordas* nº 2 de Camargo Guarnieri, por exemplo) até as *Suítes Orquestrais* de Bach. A experiência acumulada converge para essas transcrições de Albéniz, numa interpretação de tirar o fôlego, não só pelo virtuosismo mais exuberante, em passagens rápidas e ritmos sincopados, mas também pelo virtuosismo de outra ordem, no controle muito fino dos tempos e na qualidade especial dos timbres, em planos sobrepostos.

Seis anos atrás, o pianista Daniel Barenboim tocou memoravelmente dois cadernos de *Ibéria* na Sala São Paulo.[62] Seu Albéniz parecia um precursor genial dos modernistas Ravel e Messiaen; e mais até do que Alicia de Larrocha, reverenciada pelo Quarteto no encarte, é em Barenboim que esse disco faz pensar. Eles ficam, agora, nessa companhia, sob o sol ideal de *Ibéria*, e à sombra de ninguém.

12.1.07

Orquestra dos Músicos das Ruas de São Paulo
Livio Tragtenberg

NEURÓPOLIS

CD Sesc, 2007

Ninguém escuta um disco desses para se embevecer. Escuta para se surpreender, escuta para cismar e ponderar sobre a música e muito mais que a música. Não é pouca coisa e dá bem o espírito do trabalho da Orquestra dos Músicos das Ruas de São Paulo, que desde 2004 vem fazendo história na cidade, sob a direção do compositor e saxofonista Livio Tragtenberg.

São 16 músicos, representando tradições diversas, que vão da harpa paraguaia ao forró nordestino. Alguns tocam na rua mesmo, como os repentistas Peneira e Sonhador, que se apresentam na Praça da Sé, ou Jorge do Cavaco e Franco, que há mais de 20 anos tocam na rua XV de Novembro, ou ainda Emerson Boy, saxofonista ligado a grupos de teatro de rua.

Outros tocam em restaurantes, em grupos de mariachi e/ou música latina. Verinho é sanfoneiro, conhecido dos novos forrós "uni-

---

62 Ver 11.8.00.

versitários"; Yuko Ogura (76 anos) dá aulas de sanguen, uma espécie de banjo; Reiko Nagase é professora de koto, da Associação Brasileira de Música Clássica Japonesa.

O próprio nome da orquestra já sugere a medida da estranheza, com seu tamanho espichado e a sequência de "s" difíceis de dizer. Criada para o concerto de inauguração da Galeria Olido, a OMRSP – tente pronunciar: o nome resiste à sigla, como resiste a quase todos os automatismos mercadológicos da "indústria cultural" –, a Orquestra chega agora ao primeiro disco (selo Sesc), batizado com o mesmo nome daquele concerto, *Neurópolis*.

Nada a ver com "neurose", segundo Livio. São os "nervos da cidade", invisíveis de fora, mas que fazem o corpo funcionar. No projeto análogo que ele criou recentemente em Miami, a expressão ganha acento levemente diverso: Nervous City Orchestra. De qualquer modo, são duas orquestras nervosas de cidades neuróticas.

A música não é uma coisa nem outra. Seu princípio básico é o choque: diferenças justapostas simultânea ou sucessivamente. É a vida na metrópole, onde critérios de gosto também não têm maior vigência, fora de cada grupo. Música esquizofônica. Acolhe imagens de mundo e vai se deixando levar por um ou outro caminho.

Em vários casos, o resultado é estranhamente contundente, num registro pós-tropicalista que também atualiza, a seu modo, as militâncias da vanguarda heroica da nossa música de concerto. Se tudo corre sempre o grande risco de descambar no pitoresco, isso faz parte da aventura; e o risco foi assumido com consciência. A maior parte desses músicos não exibe nem pretende exibir especial perícia. Pedem para ser ouvidos de outro modo, mensageiros do inconsciente musical coletivo.

Ninguém, então, escuta um disco desses para se embevecer. Mas é um disco que deixa cismado e deixa nervoso. Não é pouca coisa, na batalha eterna contra a pasmaceira.

9.2.07

Osesp/ Dezsö Ránki/ Nelson Freire John Neschling

Sala São Paulo, 22 e 26.2.07

No fim do segundo movimento do *Concerto Para Piano e Orquestra* nº 4 de Rachmaninov (1873-1943), o tema principal retorna harmonizado lindamente com grandes acordes, e o piano toca uma sequência de frases arpejadas, na região média-aguda. Nesse ponto, Nelson Freire fez uma coisa extraordinária: um crescendo--decrescendo elástico, sutilíssimo, uma coisa viva que se exibia aos nossos ouvidos como uma raridade da flora musical.

Esse foi só um detalhe da miríade de pequenas e grandes façanhas que o pianista mineiro desfiou segunda-feira, na Sala São Paulo. A Osesp embarca sábado para uma turnê europeia de 16 concertos, começando em Barcelona (Palau de la Musica) e passando por Zurique (Tonhalle), Viena (Musikverein) e Varsóvia (Filharmonia), entre outras cidades. O programa de anteontem era igual ao de alguns da turnê, incluindo o último, em Paris (Châtelet).

Com ou sem turnê, Nelson Freire representa um fenômeno à parte na cena musical. O documentário de João Moreira Salles (lançado em 2003) teve grande papel nisso; assim como a sua inclusão, pouco antes, na prestigiosa série de discos "Great Pianists of the 20th Century". Nelson hoje é adorado pelas plateias; tornou-se uma entidade, para não dizer uma divindade brasileira.

Nem por isso mudou o comportamento discreto, nem muito menos a dedicação intensíssima na hora de tocar. Até mesmo no previsível bis, a "Melodia de Orfeu e Eurídice" de Gluck (arranjada por Sgambati), que Guiomar Novaes gostava de interpretar e ele sempre repete em São Paulo, Nelson fez milagre, mais uma vez, calando com delicadeza – e incríveis rubatos – as 1.600 almas que um minuto antes o aplaudiam freneticamente, depois do Rachmaninov.

Na semana passada, o outro solista convidado da Osesp para a turnê, o húngaro Dezsö Ránki também fez prodígios no *Concerto* nº 2 de Béla Bartók (1881-1945). Mas a música – um dos mais aterradores e mais espetaculares trabalhos do período entreguerras –, o pianista (que já esteve por aqui muitas vezes) e os prodígios – digitais, cerebrais, espirituais – eram todos de outra natureza. Regida por John Neschling, quinta-feira, a orquestra ainda não tinha entrado completamente na música, e Ránki, ótimo pianista como é, não foi capaz de incandescer sozinho o ambiente ao redor.

Verdade seja dita: a Osesp precisa crescer muito até sábado, para fazer jus às expectativas que ela mesma se criou. Tanto na quinta quanto na segunda, ouviu-se grande música na sala, mas também se ouviu muita coisa sem fibra e a temperatura; em geral, foi morna. Sem falar em desacertos e erros, como a calamitosa entrada do Rachmaninov. Nesses dias, está tocando como uma excelente orquestra média; vários graus abaixo da média das orquestras excelentes.

Tocar a *Primeira Sinfonia* de Tchaikovsky (1840-93), ou tocar Respighi (1879-1936), dois compositores que a orquestra também vai gravar, não deve ser a maior inspiração. Mas a viagem é uma inspiração por si; Bartók é uma loucura, e tocar com Nelson Freire é sempre a maior e melhor viagem.

28.2.07

Ramiro Musotto

Civilizacao & Barbarye

CD Los Años Luz, 2006

Um argentino tocando berimbau? Pode parecer absurdo – para quem não conhece o criador da "Berimbao Modern Orchestra", a primeira orquestra do mundo de berimbaus afinados, e não escutou *Sudaka*, lançado em 2003 (o DVD, ao vivo, saiu em 2005). Radicado na Bahia desde 1984, Ramiro Musotto toca um berimbau que, a essa altura, não é mais de país algum: é um berimbau todo seu, cruzando identidades com uma verdade própria e solar.

Musotto tem participação em mais de 200 discos de outros artistas, de Daniela Mercury a Caetano Veloso e Gilberto Gil, de Marisa Monte a Paulinho da Viola e Lenine – com quem gravou o premiado *Cité* (2004). Também produziu trabalhos de Zeca Baleiro e Lucas Santtana, entre outros.

Civilizacao & Barbarye, seu segundo disco solo, abre com uma faixa de berimbau. Ou melhor, vários berimbaus, cada um afinado numa nota, de tal modo que a sequência de toques produz arpejos (acordes "dedilhados"). Há mais nessa faixa do que parece.

Tudo nasce do intervalo mais típico do instrumento, uma segunda maior, a simples alternância de duas notas, correspondendo à corda solta ou tensionada do berimbau. Só que aqui são dois acordes: um acorde menor (com sétima e nona) e seu vizinho acima. Para além da estranheza timbrística desse megaberimbau, a montagem dos acordes – e a manutenção do baixo do primeiro, na memória, sob o arpejo do segundo – cria um efeito ambíguo de tonalidade menor/ maior. E então, sobre esses acordes, um outro berimbau "canta".

A ambiguidade do conjunto, construída com meios tão simples, serve de emblema de outros recursos, de alcance sempre eficaz, ao longo das faixas. São dez cenas musicais, dez circunstâncias, mais do que "canções" – sem desprezar os vários cantos que se escuta do início ao fim, entoados por, entre outros, os convidados Chico César e Arto Lindsay, e o coro de meninos guaranis da aldeia Morro da Saudade.

Tudo isso, mais um rico arsenal de percussão, vem se nutrir de um virtuosístico tratamento eletrônico, que gera ambiências e contrapontos para a música de uma verdadeira orquestra internacional de colaboradores, mais o conjunto Sudaka essencial: Léo Leobons (Brasil/ Cuba), Sacha Amback (Rio de Janeiro), Ramirito Gonzalo (Argentina/ Bahia) e Mintcho Garramone (Argentina/ Rio).

O resultado é um ambiente sonoro original, que conversa como poucos, entre nós, com a produção latino-americana de ponta, de grupos como o colombiano Bloque e o uruguaio Bajo Fondo. Em especial, é a América negra que aparece no coração da música, irrigada de sangue musical nordestino e abrigando ainda o samba e o choro.

O que amarra tantas referências, num disco todo tramado, sem intervalos, é uma pauta política de resistência, que já se fazia soar também em *Sudaka* e agora abre espaço até para uma fala do subcomandante Marcos e narrativas do bando de Lampião. As referências são cruciais para o projeto estético libertário de Musotto; se correm o risco de virar efeito, por outro lado acenam com uma pertinência de propósitos que reforça o empenho da empreitada.

Mas é a força da música, afinal, que sustenta tudo. E essa força fala mais do que os discursos: nessa música, composta com tanto engenho a partir de elementos tão simples, o que se faz ouvir, afinal, é um convincente, afetuoso "sim", contra tudo que nos diz "não" na barbárie e na civilização.

9.3.07

Fábio Zanon

Scarlatti: Sonatas

CD Musical Heritage Society, 2006

Os cravistas mantêm uma espécie de legitimidade moral nesse repertório. Mas a legitimidade musical de pianistas e violonistas nem pode ser posta em dúvida, ancorada em toda uma tradição de grandes interpretações e grandes transcrições das *Sonatas* de Domenico Scarlatti (1685-1757) – às quais se soma agora essa extraordinária coleção de peças transcritas e interpretadas pelo violonista brasileiro Fábio Zanon.

Scarlatti já era um compositor reconhecido quando deixou Roma para assumir o posto de tutor musical da princesa Maria Barbara, em Lisboa. (Sua presença na corte portuguesa foi ficcionalizada por José Saramago, na *História do Cerco de Lisboa.*) De lá, ele seguiria a princesa para a Espanha, onde passou o resto da vida.

Há uma certa justiça estética, então, em tocar Scarlatti no violão, tendo em vista a influência do instrumento sobre a escrita original para cravo. Mas Zanon argumenta, em suas ótimas notas no encarte, que não se deve exagerar o "violonismo": há tanto de Itália quanto de Espanha nas *Sonatas*; e o violão tem muito a aprender com essa música, para além de eventuais mimetismos.

O disco reúne 13 peças, de caráter variado. Não há uma que não seja uma pequena aula de composição; e não há uma que não seja, também, uma aula de interpretação, num registro que não tem, nem poderia ter, qualquer ambição "autêntica", mas rende tributo o tempo todo ao tanto que nos ensina a escola de interpretação da música antiga.

Basta ver, por exemplo, o que Zanon faz dos ornamentos – todo um capítulo da arte da música barroca. Pouco tempo atrás, os violonistas, de modo geral, tocavam trinados, mordentes, grupetos, apogiaturas etc. empregando "ligados" (mais de uma nota, com um só ataque), numa corda só. Isso vem mudando aos poucos; e Zanon, de sua parte, exibe uma verdadeira galeria de ornamentos, muitos deles usando várias cordas, e alimentando a música de dentro com pequenos prodígios de charme e fantasia.

Não é o caso de contrastar essas versões com a dos cravistas: são tradições diversas. Mas que sua interpretação pode ser comparada com a de grandes pianistas dá a medida de sua realização. Tocando a

Sonata K. 474, por exemplo, ele pode ser escutado lado a lado com Horowitz, que gravou um antológico disco só de Scarlatti em 1964. O pianista tem refinamentos únicos e sonha a *Sonata* em modo quase schumaniano; o violonista moderniza as curvas, articulando os ornamentos como um texto (muito superior, nisso, à gravação de outro pianista, András Schiff).

Sua *Sonata* K. 11 é decidida e movida, quase marcial; muito diferente dos lirismos de Ivo Pogorelich – mas não são esses, na comparação, que parecem excêntricos? Mikhail Pletnev faz da *Sonata* K. 404 uma aventura de arroubos e surpresas; Zanon também, embora o instrumento, aqui, revele seus relativos limites (mais em relação ao piano do que ao cravo, sem dúvida).

Como todo compositor de gênio, Scarlatti é infinito; e a história de suas *Sonatas* é a história de suas versões. Nessa história, agora, as transcrições e interpretações de Fábio Zanon abrem lugar para si mesmas, e recriam ou inventam um compositor genial, que é também um genial compositor para o violão.

23.3.07

Osesp/ Juliane Banse
Christoph Poppen

Sala São Paulo, 12.4.07

A Osesp está de volta, depois da turnê europeia; e a temporada de concertos finalmente começou. Começou bem: Strauss (1864--1949) e Mahler (1860-1911), regidos pelo maestro alemão Christoph Poppen, com a participação da soprano Julianne Banse, quinta-feira na Sala São Paulo.

Banse é um dos nomes de ponta da cena musical alemã. Entre muitas outras coisas, gravou *Fidelio* com a Filarmônica de Berlim regida por Simon Rattle e a *Quarta Sinfonia* de Mahler com a Orquestra de Cleveland regida por Pierre Boulez. Também canta música contemporânea (Kurtág, Holliger) e faz música de câmara (canções de Schubert com o pianista Maurizio Pollini).

Ela veio a São Paulo para fazer as *Quatro Últimas Canções* (1948) de Strauss, celebérrimo ciclo sobre versos de Eicherdorff e

Herman Hesse. São canções que tocam num limite do que a música pode dizer: o limite, justamente, a intuição de uma passagem para o nada, ou para o tudo.

Tanto Banse quanto seu marido, o maestro Poppen, são artistas de grande elegância e controle. São do time de Apolo. Deram ao Strauss um tom inteiramente livre de sentimentalidade, só aquecido de dentro pelas afinações perfeitas da voz.

Que o próprio Strauss não era livre de sentimentalidade é o mínimo que se pode dizer de um compositor tantas vezes no limite não do nada, mas do *kitsch*. O efeito, afinal, foi curioso: a música tinha tudo a ganhar, mas será que não perdeu alguma coisa também? As *Canções* soaram lindas, mais rápidas e menos portentosas do que de hábito. E um pouco mais frias.

Depois veio a *Quinta* de Mahler, que a Osesp já tocou várias vezes. Além de regente da Orquestra de Câmara de Munique, Poppen é violinista, membro do Quarteto Cherubini e afeito a incursões pelo violino barroco – como na histórica gravação da *Partita* nº 1 de Bach (ECM, 2001), em um disco que também traz corais luteranos cantados pelo Hilliard Ensemble, para mostrar a base secreta do último movimento, a "Chaconne".

Quer dizer: é um músico-ensaísta, de temperamento crítico e moderno. Visto de costas (da plateia), é relativamente comedido, sério, quase sóbrio. Visto de frente (do coro), aparece bem mais expansivo, abrindo olhos e boca, vibrando a batuta. Também menos intenso: mais concentrado do que entregue.

Entre o segundo e o terceiro movimentos, fez um discreto gesto positivo com o polegar direito para o trompista Ozéas Arantes. A plateia inteira podia ter feito o mesmo, para saudar a grande estrela da noite, capitaneando um naipe expandido de sete trompas.

Regida por Poppen, a *Quinta* teve muitos bons momentos. A paródica valsa em *pizzicato* no "Scherzo", por exemplo; e o coral de metais no fim, com as suspensões caindo em cadeia, como se ainda fosse possível celebrar alguma glória no mundo em pedaços. Se não chegou a ser memorável, isso fica na dívida do primeiro concerto efetivo da temporada paulista, que começa tarde, mas começa bem.

14.4.07

Budapest Festival Orchestra
Iván Fischer

Sala São Paulo, 16.4.07

A música começou vários segundos antes do primeiro som. Foi um silêncio e tanto, enquanto o maestro Iván Fischer mantinha a batuta erguida e perscrutava o vazio, de olhos fechados. Até que, afinal, teve início o tremulando dos violinos, e a portentosa *Sétima Sinfonia* de Bruckner (1824-96) começou seu percurso por céus e infernos, encarnados com gosto pela Budapest Festival Orchestra.

Antes disso, na primeira parte de seu concerto de anteontem, na Sala São Paulo, inaugurando a 95ª temporada da Sociedade de Cultura Artística, os húngaros tinham feito uma versão irretocável da pouco tocada *Sinfonia Concertante*, para oboé, clarinete, trompa, fagote e orquestra, de Mozart (1756-91). A rocambolesca história da partitura – desaparecida antes da estreia, em Paris, em 1778; redescoberta muito tempo depois, já no século 19 – faz parte do fabulário mozartiano. Mas a instrumentação incomum não favorece a execução frequente, o que é uma pena.

Só o que fez o oboísta Dudu Carmel já valia o ingresso: gingando e dançando, no compasso de sua própria inspiração, ele coreografava em gestos simples o que não tinha nada de simples na dança dos sons. É um oboísta de oboístas; e veio muito bem acompanhado pelos impronunciáveis solistas da orquestra, Szöke (trompa), Ács (clarinete) e Benkócs (fagote).

Outro quarteto notável, mais tarde, foram os intérpretes das tubas wagnerianas, que Bruckner emprega explicitamente em homenagem a Wagner. A BFO é uma orquestra que faz música de câmara no meio da tempestade e tempestades na delicadeza. E o maestro Fischer, de sua parte, faz render o jogo de timbres tanto quanto os labirintos temáticos do mestre austríaco. Tubas wagnerianas são insubstituíveis.

Quando esteve aqui pela última vez, em 2003, a BFO tocou uma sinfonia de Schubert (1707-1828) com flautas, clarinetes e oboés à frente das cordas.[63] Dessa vez, Fischer dispôs, no Mozart, os três contrabaixos distantes um do outro, espalhados no fundo do palco; e, no Bruckner, o naipe inteiro dos contrabaixos ao fundo também, em linha. O efeito, nos dois casos, reforçava dramaticamente os sons graves.

---

63 Ver 18.9.03.

Ele rege com segurança total e intensidade natural. A orquestra responde inteira e naturalmente. No bis, fizeram uma das *Danças Folclóricas* de Bartók (1881-1945), que deixou a gente com saudade – com vontade – do século 20.

18.4.07

Joanna MacGregor
Britten Sinfonia

Cultura Artística, 2.5.07

Não dá para não ser simpático a uma pianista clássica com *dreadlocks* até a cintura e um histórico que inclui parcerias com o jazzista sul-africano Moses Molelekwa e o tablista indiano Talvin Singh, entre outros, e um projeto combinando a *Arte da Fuga* de Bach (1685-1750) com a obra de Moondog (músico de rua nova-iorquino da década de 1950).

Também não dá para não ter simpatia por uma orquestra de câmara que toca Britten (1913-76) e Stravinsky (1882-1971), lado a lado com compositores contemporâneos como o estoniano Arvo Pärt (1935) e o argentino Osvaldo Golijov (1960) – e esses junto a grandes nomes da música popular de ponta, como Frank Zappa (1940-93), Django Bates (1960) e Egberto Gismonti (1947).

Enfim: simpatia é o que não faltava, antes do concerto da Britten Sinfonia com Joanna MacGregor, quarta-feira passada, no Cultura Artística. A orquestra é excelente; a pianista, nessa noite, foi um pouco menos que isso; e o programa era arejado e arrojado. O saldo foi bom, mesmo sem chegar ao tanto que se esperava.

MacGregor começou tocando o *Concerto Para Teclado*, em fá menor, de Bach. "Para teclado" soa como tradução politicamente correta, para salvar os pianistas. É um concerto para cravo (transcrição de um extraviado concerto para violino). Foi tocado pela inglesa com isto em mente o tempo todo: dinâmica entre *pianissimo* e *mezzo-forte*, quase sem usar o pedal. Tudo muito distinto dos pianismos que ela mostraria depois no caricato pós-tango *Levante*, de Golijov, ou no *Forrobodó* e no *Frevo* de Gismonti (que mesmo assim ficaram devendo alguma coisa dos fogos de Gismonti tocando).

Bom mesmo foi o *Concerto em Ré Para Orquestra de Cordas*, de Stravinsky, modesta obra-prima neoclássica, uma das tantas pequenas peças perfeitas do autor de tantas grandes obras-primas. Antes disso, o ponto alto foi Britten: *Lachrymae (Reflexões Sobre Uma Canção de Dowland)*, para viola e orquestra de cordas, precedida de três canções do próprio Dowland (1563-1626), em arranjos irregulares para piano e orquestra de MacGregor. A terceira canção, "Can She Excuse" (tocada com gana, só pelas cordas) serve de base para o Britten; e foi muito bom – ao mesmo tempo esclarecedor e musical – ouvir as peças nessa sequência.

Se o violista Martin Outram começou com problemas, depois tocou lindamente, destrinchando virtuosismos como se não fossem nada. Notas erradas, de qualquer modo, nunca são o que define uma noite. As poucas dele, no início, ficavam logo fáceis de desculpar. As da pianista, nem tanto, sem desprezar sua originalidade e coragem de fazer as coisas de um jeito novo.

Quem não esperava muito deve ter se surpreendido. Quem esperava tudo, teve menos. Mas isso, afinal, é uma das leis da vida, e o concerto teve a grande virtude de animar o repertório com forças vivas de renovação.

7.5.07

Piotr Anderszewski

Cultura Artística, 14.5.07

O mundo num grão de areia, o universo numa casca de noz, ou seja qual for a imagem: é a experiência completa da música, em 33 variações a partir de uma valsa banal. Compostas por Beethoven (1770-1827) sobre um tema proposto pelo editor Diabelli, as *Variações* op. 120 são, possivelmente, a maior de todas as suas obras para piano. Receberam uma interpretação corajosa e incomum de Piotr Anderszewski, anteontem no Cultura Artística.

Quase ninguém toca as *Variações Diabelli*, muito menos ao vivo. São cerca de 60 minutos de música, passando pelos humores mais diversos e exigindo virtuosismos de toda ordem, além de uma capacidade suprema de concentração. O estilo tardio de Beethoven tem ali sua manifestação consumada: uma arte em que tudo se cria e tudo se transforma, com base nos elementos mais simples.

O modo de Anderszewski ter tocado a *Suíte Inglesa* nº 6 de Bach (1685-1750) na primeira parte do concerto já dava a medida do que vinha. Mal atacou o "Prelúdio" e a plateia foi tragada para dentro de outro tempo, uma ordem musical serena, que impunha silêncio e atenção. Quase sem pedal, articulando tudo com cristalina clareza, o polonês fez um Bach sobriamente sensual, ou sensualmente austero, se vale o paradoxo. Um Bach forte e essencial, que só deixou perceber outras potências do piano na "Giga", já anunciando o Beethoven.

Nas entrelinhas, depois, ficava a homenagem de Beethoven a seu modelo, as *Variações Goldberg* de Bach. Tanto mais que Anderszewski manteve o estilo ao mesmo tempo rigoroso e desprendido, como seu paletó com camiseta, só que no tamanho certo e nas cores ideais.

Exemplo de sequência controladamente variada: as tonitroantes oitavas na mão esquerda, na variação 7, em contraste com os mistérios chopinianos na variação 8, seguidos de uma variação 9 cuja reprise elevava surpreendentemente a dinâmica, preparando os fogos de artifício lisztianos da variação 10, para encerrar um primeiro bloco musical.

Nas últimas sonatas de Beethoven, fica aparente seu interesse por formas "abertas", livres da dialética de temas e tonalidades característica do modelo clássico. A variação é uma forma livre, porque pode se multiplicar ao infinito; e não é menos que isso o que se quer.

Um infinito natural, com direito até à "seção áurea", que se encontra em tantas formas da natureza (como conchas e ondas) e que se repete aqui nas divisões da grande forma. A famosa variação 20, só de acordes, define uma proporção – 34:21/ 21:13 – que se espelha na quebra entre as variações 28 e 29, dividindo as últimas 13 variações (13:8/ 8:5). São coisas que só a análise revela, mas qualquer um sentiria, atento às artes do pianista.

Assim como sentiria também as presenças, tangíveis e intangíveis, de Schumann (na variação 30), ou Händel (na grande fuga dupla da variação 32). Toda uma história do piano se resume nessas *Variações Diabelli*. É uma história infinita, que se repete e se renova nas mãos de Piotr Anderszewski.

16.5.07

Orquestra Sinfônica Brasileira
Kurt Masur

Teatro Alfa, 30.5.07

A essa altura da temporada, ninguém mais sai de casa, enfrentando a Marginal Pinheiros, a garoa e o frio de 11 graus, para escutar pela enésima vez a abertura *Mestres Cantores* de Wagner (1813-83), a *Sinfonia Inacabada* de Schubert (1797-1828) e a *Novo Mundo* de Dvorák (1841-1904), a não ser por um motivo muito especial. O motivo era especial mesmo, quarta-feira, no Alfa: a presença do maestro Kurt Masur, diretor da Orquestra Nacional da França e da Filarmônica de Londres, em visita ao Brasil para reger a Orquestra Sinfônica Brasileira.

Masur, que regeu por décadas a Gewandhaus de Leipzig e depois a Filarmônica de Nova York (da qual é diretor emérito), já esteve em São Paulo duas vezes, em 2001 e 2003,[64] sem falar em sua atuação à frente da Orquestra do Festival de Campos do Jordão, no ano retrasado. Na época em que veio reger a Osesp, Roberto Minczuk era o regente assistente; e Minczuk, que foi trompista da Gewandhaus, é descrito por Masur como "um filho". Com a ida de Minczuk para a OSB e Campos do Jordão, o "pai" (prestes a completar 80 anos) vai com ele. Hoje à noite rege a OSB em concerto gratuito na praia de Copacabana.

Sua postura no palco nunca foi bonita. Não é um maestro de gestos expressivos, nem se esforça para fazer qualquer coisa que não seja organicamente ligada a uma intenção musical. E suas intenções são sempre orgânica e expressivamente focadas na partitura, compreendida como um todo: nada acontece por efeito local.

O que não quer dizer que cada detalhe não seja motivo de cuidado. Masur é um grande mestre do contraponto: uma de suas maiores virtudes é a capacidade de fazer ouvir duas ou três coisas ao mesmo tempo, todas com clareza e frequentemente de modo nunca percebido antes, mesmo nas peças mais conhecidas.

A abertura *Mestres Cantores* sempre será um prato cheio para esses virtuosismos; e a OSB se saiu muito bem, tocando com gosto e confiança, fazendo ouvir um sentido internalizado da música. Se isso não se repetiu no resto do programa, exceto em alguns momentos, fez ouvir, de qualquer modo, uma sugestão concreta do que pode se

---

64 Ver 12.7.01 e 2.8.03.

tornar essa orquestra. A OSB melhorou muito sob a direção de Minczuk; mas parece ter estacionado cedo. Haja empenho e haja coragem para o salto.

A nota especial da noite, literalmente, ficou com os solos do corne inglês (Victor Astorga), no segundo movimento do Dvorák. Musicalíssimo, afinadíssimo, mudando por dentro o tempo da música, sem alterar o pulso.

Se não foi uma noite inspirada, serviu para registrar a assinatura de Masur nesse trabalho de reconstrução da OSB, agora descrita, com justo orgulho, como a orquestra "da cidade do Rio de Janeiro". Se é bom para o Rio, é bom para o Brasil, o que inclui a cidade de São Paulo.

2.6.07

Osesp/ Ovanir Buosi
John Neschling/ Victor Hugo Toro

Sala São Paulo, 31.5.07

O compositor John Corigliano (1938) está em São Paulo desde o início da semana, acompanhando os ensaios de três peças suas que a Osesp tocou quinta-feira, repetiu ontem e toca de novo hoje à tarde na Sala São Paulo. Mesmo para um compositor de tamanho renome – ele é hoje, por consenso, um dos grandes mestres da música norte-americana do último quarto de século –, a ocasião é especial: uma noite inteira dedicada à música de um autor vivo, só com peças inéditas no país. O concerto de quinta foi espetacular.

Regida por John Neschling, a Osesp abriu o programa com *Torneios*, de 1966. Primeira obra de Corigliano para orquestra, é um exercício virtuosístico de cores e conjuntos, onde os instrumentos se digladiam, num torneio de naipes.

Na sequência, o "fenomenal" (palavra de Corigliano) primeiro clarinete da orquestra, Ovanir Buosi, foi o solista no *Concerto Para Clarinete*, de 1977, com a Osesp regida pelo maestro assistente, Victor Hugo Toro. O *Concerto* começa direto com uma cadência do clarinete, saindo do nada e esquiando no ar, em arpejos estrambóticos. Dali para a frente, são muitas cadências, extraordinariamente difíceis, entremeadas de explosões expressivas da orquestra.

O segundo movimento é uma elegia, em homenagem ao pai do compositor, que foi *spalla* da Filarmônica de Nova York, e a sua amizade com o colega clarinetista Stanley Drucker. Um inverno das almas, aquecido no pequeno fogo possível.

A tocata final inclui 4 trompas, 2 trompetes e 2 clarinetes espalhados em cantos distantes do auditório, alterando lamentos semitonais e saraivadas de notas repetidas, num contraponto 5.1 com o fustigado solista, de pé na tempestade, entre poderosos tímpanos esterofônicos. Ovanir foi aclamado como raramente se viu na Sala São Paulo.

A trovoada dos tímpanos era pouco, comparado ao que viria, na *Sinfonia* nº 1 (regida por Neschling): 3 tímpanos, mais 2 conjuntos de grandes tambores, rugindo como não se via desde o *Réquiem* de Berlioz. Angulosa, variada, rica de alusões e memórias (como o *Tango* de Albéniz, num piano de armário fora do palco, ou uma tarantela), a *Sinfonia* foi escrita para comemorar amigos perdidos pela Aids. Soa hoje como um comovente monumento sonoro, que guarda em si não só a memória dessas vidas, mas de toda uma época, estranha e dura.

Foi um programa e tanto, para quem não conhecia Corigliano; e melhor ainda para os que já conheciam e tinham agora uma chance de escutar toda essa música ao vivo. A ideia deveria virar hábito: uma vez por ano, uma noite com um compositor do nosso tempo. A Osesp tem vocação para a música dos séculos 20 e 21. A plateia pode até estranhar um pouco; mas é a sua cara, no espelho, e tem muito a revelar.

2.6.07

Yo-Yo Ma/ Kathryn Stott

Sala São Paulo, 18.06.07

Foram só dois bis – um “Prelúdio” de Gerswhin (1898-1937) e “O Cisne” de Saint-Saens (1835-1921) –, mas àquela altura, se tivessem tocado 20, a plateia não arredava dali. E não era para menos: superaguardado, hipermidiatizado, o concerto do violoncelista Yo-Yo Ma, acompanhado pela pianista Kathryn Stott, transformou logo em pó todo o *hype* da antecipação, consumido na hora pela força da música.

Não é fácil entender por que alguns músicos têm isso, enquanto tantos outros não têm. O apelo público é uma combinação sem receita de talento, inteligência, senso de oportunidade, sorte, investimento, personalidade. Nem sempre a música resiste a seu sucesso. Mas, com Yo-Yo Ma, tudo parece natural e justo, como soa justo e natural tudo o que o ele faz com seu instrumento.

A impressão final, depois de Schubert (1797-1828), depois de Shostakovich (1906-75), depois de César Franck (1822-90), é a de um artista que sabe se levar até onde pode – mais do que pode a maioria –, sem que isso passe, em momento algum, por exibição. É um músico de grande intensidade, fabricando sentidos a cada compasso, jamais desatento ou distante. Está dentro da música do começo ao fim; e o caminho de cada peça vira também um caminho emocional, vivido por quem toca e por quem escuta.

Mesmo as duas peças menores do programa, dois agrados para a turnê latino-americana, primeiro o *Grand Tango* de Piazzolla (1921-92) e depois "Bodas de Prata/ Quatro Cantos", de Egberto Gismonti (1944), que Yo-Yo Ma gravou no CD *Obrigado, Brazil*,[65] cresceram nessa companhia e sobreviveram à vizinhança. Artes também da pianista inglesa, que tem dedos e imaginação, sem ofuscar o carisma do parceiro.

Os dois respiram juntos e vão modelando circunstâncias musicais, que passam de uma a outra em transições sutis. Isso foi verdade na variadíssima, irônica *Sonata* de Shostakovich, e não menos verdade na famosa *Sonata* de Franck (transcrição para violoncelo do original para violino). Foi verdade, aliás, desde o começo, com a *Arpeggione* de Schubert; ou, para ser exato, desde antes do começo, com a não identificada fantasia oriental (com tema quase schubertiano) que Yo-Yo Ma atacou no violoncelo solo, como prelúdio.

Pensado em retrospecto, o programa parecia mais coerente ainda, uma linda noite de música, sem um traço de preguiça, nem de pretensão. Quem faz música assim sempre ensina a ir além da música. Quem vai além, pode voltar a ela, agradecido e feliz.

21.6.07

---

65 Sony, 2003.

Osesp
Yoram David

Berlioz: Romeu e Julieta

Sala São Paulo, 21.6.07

Nem todo grande compositor é grande para todos e para sempre. A sensibilidade muda; a inteligência muda; e a compreensão da música também. Hector Berlioz (1803-69) é um bom exemplo disso: estranho no seu próprio tempo, tem sido periodicamente reavaliado, segundo critérios que mudam também. E continua estranho, como se ouviu quinta-feira na Sala São Paulo, com a Osesp interpretando a sinfonia dramática *Romeu e Julieta*, regida por Yoram David.

Para nosso gosto, hoje, a própria mistura de sinfonia instrumental com narrativa dramática já soa incomum, até incômoda. Tanto mais com as indicações de cena, pairando sobre a música como legendas de filme mudo. Soa esdrúxula, agora, a combinação de árias (uma no começo, outra no fim), seções corais (espalhadas ao longo dos 90 minutos da peça) e música descritiva sem palavras, num gênero híbrido.

Mas foi justamente essa hibridez que definiu certo estilo "literário" da música do século 19. A aproximação entre literatura e música, e o entendimento de que a música também pertence ao reino das ideias foram mudanças cruciais naquele período; e precisam ser levadas em conta não só quando se escuta um *Romeu e Julieta*, mas tantas outras obras, como o *Lobgesang* de Mendelssohn, ou *Rinaldo* de Brahms. É a romântica "religião da arte", também uma "religião da educação", oposta à cultura do entretenimento.

Com tudo isso, não fica fácil apreciar espontaneamente as virtudes dessa sinfonia. A plateia decerto ficou frustrada com as breves aparições da meio-soprano americana Michelle DeYoung e do baixo alemão Matthias Hölle, duas grandes vozes do cenário internacional, para cantar suas respectivas partes. E é frustrante mesmo ter alguém como DeYoung – que gravou Berlioz regida por Colin Davis, canta Mahler com Boulez e Wagner com Barenboim – e não programar mais música com ela.

Onde o estranho produz encantamento, que qualquer um pode espontaneamente ouvir, é na orquestração. Os mesmos acordes graves de metais e sopros que soavam mágicos para Wagner continuam sendo mágicos; não menos do que as delicadezas (*glockenspiel* e harpa) e as veladuras (cordas na "Cena de Amor").

Regida pelo maestro israelense – a essa altura, quase um "regente convidado" da orquestra –, a Osesp tocou com fluência, mais do que inspiração. Teve muitos momentos de brilho e vários belos solos (o oboísta Arcádio Minczuk, o clarinetista Sérgio Burgani, a harpista Liuba Klevtsova). Mas Berlioz segue sendo estranhamente distante, tanto quanto estranhamente próximo; e essa música pede um esforço mais-que-humano para acordar nossa sensibilidade.

23.6.07

Cristina Ortiz

Auditório Claudio Santoro (Campos do Jordão), 25.7.07

Já no terceiro bis, o intervalo de semitom abrindo o primeiro tema de *Alma Brasileira* de Villa-Lobos (1887-1959) ecoava o semitom do tema da *Sonata em Lá Menor* de Schubert (1797-1928), no começo da noite. Foi coincidência; mas não existem coincidências, e fazia todo o sentido para fechar um programa tão bem tramado como o da pianista Cristina Ortiz, quarta-feira em Campos do Jordão.

Foi assim, por exemplo, que três *Intermezzi* de Brahms (1833--97) – op. 117/2, op. 118/2 e op. 118/6 – viraram uma sonata em três movimentos, como a de Schubert; e que quatro *Estudos* de Chopin (1810-49) – n°s 1, 5, 7 e 12, todos do op. 25 – compuseram outra sonata: *allegro, scherzo, adagio, presto.*

Também as outras obras, dois *Impromptus* de Schubert, do op. 90, e duas peças de Debussy (1862-1918), não estavam juntas por acaso, formando unidades tanto do ponto de vista tonal quanto temático e afetivo. No caso de Debussy, isso envolvia ainda uma tácita relação aquática, entre *Reflets Dans l'Eau* (Reflexos n'Água) e *L'Isle Joyeuse* (Ilha Alegre), já que a última foi inspirada num galante "Embarque para Citera" – embarque para a ilha do amor – do pintor setecentista Watteau.

Descrito assim, pode parecer cerebral. Mas a pianista baiana não tem nada de fria; e "cerebral" não seria o termo para definir uma rede tão viva de relações musicais. Para os inspirados padrões de Cristina Ortiz, esse pode não ter sido o concerto mais inspirado; mas estava muito longe do contrário e teve vários momentos de inspiração.

Ela é sempre mais expressiva nos grandes gestos do que nas filigranas. E arrebatadora nos arrebatamentos. É uma artista do êxtase. Fez ribombar as infinidades do auditório Claudio Santoro no final do Debussy, por exemplo, um dos grandes momentos de plena alegria da história da música. Depois do esforço, ficou ali, bufando e sorrindo, sob a chuva de aplausos.

Vale notar que ela tocou num piano problemático, para dizer o mínimo, um Steinway que há muito deixou de ser um Steinway. Tornou-se um lindo esquife, com boas lembranças de si.

O concerto foi cheio de idiossincrasias simpáticas, desde os toquinhos de madeira para deixar o banco do piano inclinado até o morcego que não resistiu ao segundo Brahms e adejou pelo palco, sob o olhar hipnotizado da plateia e sobre a cabeça alheia da pianista.

A plateia não era das mais fáceis, com uma alta concentração de colegas, desde o pianista Jean-Louis Steuermann (brasileiro radicado em Londres, como Ortiz) até o maestro Roberto Minczuk, diretor do Festival de Campos do Jordão, passando pelas dezenas de alunos. Cena entrevista durante o *Impromptu em Sol Bemol* de Schubert: uma menina bem jovem, a mão direita entrelaçada com a do namorado, e a mão esquerda no ar, desenhando a linha de notas, com expressão embevecida. Deve ser bom ter aulas com Cristina Ortiz.

Para quem gosta de música, esse julho em São Paulo foi um deserto molhado. Enquanto isso, nas montanhas de Campos, brilhava o sol quase toda noite nas salas de concerto, depois do calor das aulas. O concerto de Cristina Ortiz – corajosa, chegada na quarta mesmo, depois de 72 horas em trânsito – foi um ponto alto nessa última semana de um Festival que continua dando certo, no país onde as coisas geralmente só têm continuidade no erro.

30.7.07

Gustav Mahler Jugendorchester/ Thomas Hampson Philippe Jordan

Sala São Paulo, 27.8.07

Thomas Hampson é um cantor tão impressionante e são tão impressionantes as canções de Mahler (1860-1911) que, ao final da primeira parte, podia-se dar por encerrado o concerto da Gustav Mahler Jugendorchester, e sairia todo o mundo alimentado de música até o ano que vem. Mas ainda tinha a *Sexta Sinfonia* inteira pela frente, um incentivo e tanto para permanecer na Sala São Paulo, considerando a força da meninada e do regente (quase tão jovem quanto eles) Philippe Jordan.

Hampson é o barítono dos barítonos. Tem uma voz capaz de fazer tremer as paredes da Estação Júlio Prestes, mas jamais emprega essa potência em qualquer sentido que não seja valorizar o que está cantando. Foi ele mesmo o responsável pela edição crítica das canções do ciclo *Des Knaben Wunderhorn* (A Trompa Mágica do Menino), que não chega a ser um ciclo, mas sim uma coleção de 24 canções compostas por Mahler em vários períodos.

Os textos vêm da coleção de antigos poemas alemães, recolhidos por Brentano e Arnim em 1808. De fonte semelhante vêm também os poemas de outras duas canções de Mahler que Hampson cantou com a GMJO, orquestradas na década de 1980 por Luciano Berio.

O conjunto de seis canções formava uma espécie de sequência, centrada na figura de soldados perdedores, trucidados num mundo violento, em que a única salvação é o afeto. O gênio de Mahler transforma poemas simples em música de enorme contundência, com camadas de sentido. E a encenação de Hampson, alterando a expressão do rosto, virando as mãos, erguendo ou baixando minimamente o tronco, era toda a ópera que se quer: quase nada exceto o teatro da música, encenado no palco e na grande sala da pequena cabeça de cada um de nós.

À frente de uma orquestra cuja média de idade gira em torno de 23 anos, o maestro suíço, de 31, agia como um veterano. Jordan é hoje o principal regente convidado da Ópera de Berlim; e tudo indica que será um dos grandes nomes dessa nova geração. Rege com uma lucidez musical que jamais perde o pulso, nos dois sentidos da palavra: tempo e paixão. E não faz teatro: dança com os braços, para esclarecer a música.

Fundada por Claudio Abbado em 1986, a GMJO, que a cada ano seleciona músicos de países da Europa para uma temporada de aulas, ensaios e concertos, é o maior celeiro de talentos do continente. Tocando a *Sexta*, a gigantesca orquestra (só de violinos, são 38) fez de Mahler, ao mesmo tempo, filosofia e vertigem, alucinação e crítica.

Mahler é um mundo: o nosso mundo, dinamitado por dentro e refeito como ideia. Uma ideia reforçada ali pela presença concreta de tanta gente moça, salva mais uma vez pela música.

29.8.07

Cancioneiro Vinicius de Moraes

Rio de Janeiro: Jobim Music, 2007

Que Vinicius seja o letrista de "Chega de Saudade", "Garota de Ipanema", "Marcha da Quarta-Feira de Cinzas", "Canto de Ossanha", "Desalento", "Arrastão", "Sem Mais Adeus" e "O Filho Que Eu Quero Ter" (para ficar só nessas) já é o bastante para fazer dele um dos maiores poetas da canção brasileira. Que ele seja o autor de "Valsa de Eurídice", "Serenata do Adeus", "Pela Luz dos Olhos Teus" e "Medo de Amar" (entre outras) faz dele também um compositor antológico, só menos conhecido porque nem todo o mundo sabe que essas canções são de sua autoria: letra e música.

Todas estão incluídas no *Cancioneiro Vinicius de Moraes*, que reúne 57 partituras representativas do mundo musical de Vinicius. Faz quase 50 anos – desde o milagre de *Orfeu da Conceição* (1958), que inaugurou a parceria Tom-Vinicius – que esse vem sendo o nosso mundo, sucessivamente reinventado em outra chave à medida que Vinicius vai fazendo sua obra, sozinho ou em parceria com Tom, Baden Powell, Carlos Lyra, Chico Buarque, Edu Lobo, Francis Hime e Toquinho (para ficar nos mais assíduos), além de outros colegas menos regulares, que incluem, por exemplo, Pixinguinha e Moacir Santos.

"Como letrista, Vinicius não conheceu limites [...] reinventando-se e reinventando gêneros com total desenvoltura", escreve Eucanaã Ferraz, em sua elegante introdução. "Fortaleceu uma tradição cultural e ao mesmo tempo elevou enormemente o padrão da música popular no Brasil." Se a canção se tornou um dos maiores patrimônios da nossa cultura – um acervo raro de poemas cantados, com tratamento musical muito rico, nos mais diversos estilos –, isso se deve em boa medida à presença fulgurante de Vinicius. O que só não é uma verdade óbvia porque, de tão óbvia, acaba passando despercebida, tão natural para nós como o céu e as águas.

Grafadas sob a curadoria de Paulo Jobim, com o mesmo apuro já evidenciado no *Cancioneiro Jobim* (2000) e no *Orfeu* (2003), revelam pequenos e cruciais detalhes, como o dó bequadro no início de "Minha Namorada" ("se você *quer* ser minha namorada"), ou a diferença entre o dó natural ("Ah, que *linda* namorada") e o dó sustenido ("Essa *coisa* toda minha"), na primeira estrofe dessa mesma canção. Ou as harmonias ambíguas de "Medo de Amar", oscilando entre dó sustenido menor com sexta e lá menor com sexta, e o mapa modulatório de "Pela Luz dos Olhos Teus", que desce uma terça menor, volta à tônica e depois vai subindo por semitons, conferindo variedade a uma linda melodia que, sem isso, corria o risco de ficar repetitiva – duas coisas que só podem ter sido um presente de Tom para Vinicius, no mesmo espírito das ofertadas harmonias de "Valsa de Eurídice".

Elas servem de emblema para uma verdade do poeta que o *Cancioneiro* traz agora como nunca à luz dos olhos nossos. Como letrista, ele foi, sem dúvida, um dos maiores nomes da lírica amorosa de todos os tempos. Como parceiro, viveu como poucos o dom da amizade, recriando-se a si mesmo e aos outros, em forma de canção. E se, de certo modo, todos nós somos também parceiros de Vinicius, isso nos explica e nos justifica, hoje e para sempre, enquanto leitores e ouvintes do melhor que o país já fez.

3.9.07

Quarteto Arditti

Sesc Vila Mariana, 12.9.07

A essa altura, Ligeti (1923-2006) e Xenakis (1922-2001) são clássicos. O que não quer dizer que sejam muito tocados; e a chance de escutar dois quartetos de cordas de compositores desse porte, interpretados por um grupo do porte do Quarteto Arditti, não era de se perder por nada. Tanto melhor que o programa de anteontem, fechando a programação do Festival Música Nova, ainda trazia outras obras bem recentes, incluindo a música de dois brasileiros, Felipe Lara (1979) e Alexandre Lunsqui (1969).

O Quarteto Arditti existe desde 1974, com várias escalações, mas dedicado sempre e exclusivamente à música contemporânea. Já gravou mais de 150 discos e ganhou muitos prêmios. Toca música de vanguarda como se fosse Schubert – e não seria ótimo se outros quartetos tocassem Schubert como se fosse vanguarda? Em espírito, se não na forma, todos os compositores são vanguarda, antes de virar história.

É verdade que a "vanguarda" há muito deixou de ter esse papel explícito de "militância" (para ficar no vocabulário marcial). Mas o espírito permanece vivo, como se viu ao longo de mais um Festival Música Nova, há 42 anos sob a direção artística de Gilberto Mendes e de um tempo para cá sob a heroica direção executiva de Lorenzo Mammì (em São Paulo) e Luiz Gustavo Petri (Santos).

Quarta-feira, no Sesc Vila Mariana, o Arditti tocou dois quartetos de compositores ingleses: o relativamente pouco conhecido James Clarke (1957) e o quase notório Brian Ferneyhough (1943). O primeiro trabalha com massas sonoras contínuas, que vão se alterando por dentro, com ritmos imprevisíveis, num espaço harmônico interessantemente árido. Já Ferneyhough, grão-mestre da Nova Complexidade, vem se mostrando cada vez mais aberto para uma dimensão particular de lirismo, num registro em que a música parece a ponto de se despedir de si. O *Quarteto* nº 5, de 2006, termina já do lado de lá, observando rastros do que restou.

Corde Vocale, do sorocabano Felipe Lara, foi composto no ano retrasado. As "cordas vocais" do título são metáforas para as vocalizantes cordas do quarteto, que se comunicam irregular e contrapuntisticamente, numa nebulosa sonora. Doutorando em composição na Universidade de Nova York, sob orientação de Mario Davidovsky e Tristan Murail, Lara escreve num idioma que conversa com a eletroacústica e a música espectral.[66]

Outro nome de ponta da jovem geração brasileira, o paulistano Alexandre Lunsqui também está em Nova York, fazendo doutorado na Universidade de Columbia. Estudou, entre outros, com Murail e Ferneyhough. Sua peça *Mobile.Mutatio* estreou pelas melhores mãos, nesse concerto. Tudo aqui é sempre interessante: não há um compasso sem ideia, e a seção final, de rarefações, fica na memória de imediato.

Depois disso, ainda vieram o *Quarteto* nº 2 de Ligeti e *Tetras* de Xenakis, tocados com precisão e gana. Ontem à noite o Arditti ainda faria a estreia de um quarteto de Flo Menezes (1962). Música viva na cidade, para delirar e pensar.

14.9.07

---

66 A interpretação do Arditti de Corde Vocale *está registrada no CD* Quatro Visões Contemporâneas na Música Paulista *(Gravina, 2008), que também traz composições de Alexandre Lunsqui, Leonardo Aldrovandi e Ignacio Campos.*

Banda Sinfônica do Estado
Rosana Lamosa, Céline Imbert, Leonardo Neiva
Abel Rocha

Gian Carlo Menotti: O Telefone

Francis Poulenc: A Voz Humana

Teatro São Pedro, 20.9.07

A ideia foi muito boa: reunir numa noite duas pequenas óperas da telefonia, adaptadas para a Banda Sinfônica. O que significa três vozes: a soprano Rosana Lamosa e o barítono Leonardo Neiva na comédia *O Telefone*, de Gian Carlo Menotti (1911-2007); e a *mezzo* Céline Imbert no monodrama *A Voz Humana*, de Francis Poulenc (1899-1963). Com direção cênica de Caetano Vilela, a *double-bill* estreou anteontem, no Teatro São Pedro, sustentando seus charmes com algum esforço, mas disfarçando o esforço com charme.

Foi o próprio maestro Abel Rocha quem fez as transcrições das partituras originais para orquestra sinfônica, reduzidas aqui para os metais e sopros da Banda. Nessas circunstâncias, reclamar da falta das cordas seria um abuso, embora sentir falta delas, especialmente na *Voz Humana*, seja humano. O mais importante é que o projeto do maestro, de revitalizar a Banda adaptando tudo o que for possível, permanece digno de elogio; e a Banda só tem de apurar as arestas, musicalmente falando, para fazer jus à empreitada.

Composta em 1947, *O Telefone*, que já teve grande sucesso, hoje soa como peça de época. Um pouco boba, bastante previsível, de um conservadorismo sem redenção, faz do nunca consumado pedido de casamento, sempre interrompido por mais um telefonema, sua única e repetida graça. Vilela traduziu a cena para a atualidade – celulares, *laptop* – e as personagens viraram uma estilista, bem cantada por Lamosa, e seu *fiancé*, idem, por Neiva. Faltou nuance no teatro, talvez, mas não dá para tirar champagne das meio rossinianas (sem o brio de Rossini), meio puccinianas (sem o sangue de Puccini) pedras.

Já *A Voz Humana* (1959), baseada numa peça do modernista Jean Cocteau, foi encenada em *décor* de época, estilizado no cenário de enquadramento torcido (o mesmo nas duas peças, com efeito bem distinto). Antes do Poulenc, que a essa altura, depois de memoráveis versões anteriores, em 1987 e 1999, pertence a Céline Imbert por direito, vieram duas canções do repertório de Edith Piaf, em bons arranjos do compositor residente da Banda, André Mehmari. Era uma Piaf, então, na "vida real", a mulher que se desespera falando pela última vez com seu amor ao telefone.

Céline é um sonho de Poulenc que o próprio não teve a sorte de sonhar. Ou melhor: Poulenc é um sonho de Céline, que agora é também um sonho de todos nós, em noites de paixão e nostalgia.

22.9.07

Orquestra Barroca de Veneza
Giuliano Carmignola

Cultura Artística, 24.9.07

O lenço de seda na lapela pode dar uma falsa impressão. Mas é um emblema perfeito para o estilo de aristocrática excentricidade do violinista Giuliano Carmignola, que tocou Vivaldi (1678-1741) e Tartini (1692-1770) anteontem, com a Orquestra Barroca de Veneza, no Cultura Artística.

Nenhum romancista teria coragem de inventar um sobrenome desses para quem toca música barroca: é a música dos mil e um ornamentos, mil e um torneios e caraminholas. A vida real não tendo esses pruridos, Carmignola é confirmadamente o nome de um dos maiores virtuoses do violino barroco, tão bem servido de virtuoses hoje em dia.

Para quem cresceu ouvindo música barroca tocada por conjuntos como I Musici e Academy of St. Martin in the Fields (entre outras excepcionais orquestras de câmara), o barroco que se escuta agora é um outro mundo e faz aquela escola parecer tão exoticamente antiquada quanto os discos grandes de plástico preto. Desde a década de 1920, com o pioneiro trabalho da cravista Wanda Landowska, até meados da década de 1980, tocava-se o barroco seguindo uma regra básica: só dois tipos de dinâmica, forte ou fraco. E uma frase forte era forte do início ao fim, uma frase suave idem.

De lá para cá, as coisas mudaram muito; e o que um músico como Carmignola faz com cada pedaço de frase tem mais variação – não só de dinâmica, mas de acento e timbre – do que um movimento inteiro àquela moda antiga da música antiga. Que ele explore tantas nuances com tamanha naturalidade só ressalta a maturidade de toda uma geração de intérpretes, que tem nesse músico um exuberante discreto herói.

Foi pena o maestro e cravista Andrea Marcon não ter vindo (por problemas de saúde na família). O cravo acabou substituído por alaúde e/ou teorba e/ou guitarra barroca. E o alaudista Ivano Zanenghi assumiu então o posto de parceiro do solista, não apenas nos vários pequenos trechos em duo, mas pelas bem-humoradas trocas de olhares e piadas. Zanenghi foi Sancho Pança para o Quixote de Carmignola; e os dois arrebentaram moinhos e carneiros, na companhia de um agilíssimo exército de cordas.

Tocado assim, Vivaldi só melhora. O que se conhece de sua obra é pouco: *As Quatro Estações* mais meia dúzia de concertos. Mas são dezenas e dezenas de outras peças, em que as figuras musicais se substituem como num caleidoscópio, integradas pelo engenho da forma. O virtuosismo, ali, é da essência, encarnado no teatro do intérprete. Tocado por Carmignola e Veneza, o barroco é um festival da imaginação, música abstrata e sensualíssima ao mesmo tempo. O barroco – surpresa! – é barroco; e faz do ornamento e da excentricidade um caminho humano da sabedoria.

26.9.07

Osesp/ Peter Donohoe
John Neschling

Sala São Paulo, 4.10.07

Todo o mundo saiu com as mãos doendo, só de ver o pianista Peter Donohoe tocar o colossal *Concerto* de Ferrucio Busoni (1866-1924). "Colossal" mais no sentido de desmesurado do que de assombroso: são 70 minutos de música, com apenas um intervalo entre o terceiro e quarto dos cinco movimentos, que a Osesp, regida por John Neschling, apresentou anteontem na Sala São Paulo.

Busoni foi o maior virtuose do piano no início do século 20. Reconhecido como sucessor de Liszt (1811-86) – de quem a orquestra tocou o poema sinfônico *Os Prelúdios* –, ele era, nas palavras do compositor Kurt Weil (seu aluno), "o último renascentista". Nascido na

Itália, passou a maior parte da vida em Berlim. Falava muitas línguas, tinha uma biblioteca de renome, escreveu um influente tratado sobre a música do futuro, era respeitado também como regente, promoveu a estreia alemã de peças de compositores como Debussy e Bartók, e ganhou a admiração até dos colegas mais difíceis, como Schoenberg.

O *Concerto Para Piano Principal e Instrumentos de Arco, Sopro e Percussão, Com um Coro Final de Vozes Masculinas, a Seis Partes* foi escrito pelo até onomasticamente prolixo Ferrucio Dante Michelangelo Benvenuto Busoni em 1904. Tem a ambição de renovar o gênero, fazendo do solista um elemento central da orquestra, não um herói contraposto à massa. Combina temas caracteristicamente cromáticos e texturas contrapontísticas – cabe lembrar o interesse de Busoni pela música de Bach, da qual fez muitas transcrições – com melodias e ritmos italianos, convergindo para um coral místico, sobre versos (em alemão) do poeta dinamarquês Adam Oehlenschläger (1799-1850).

Se a parte do piano exige incrível tenacidade do pianista, não exige menos da plateia: Busoni é um sucessor de Liszt também no sentido de elevar a música à condição das mais altas formas de poesia, o que aqui a transporta às elevações da filosofia e da religião. Que o resultado soe tão irregular, para não dizer confuso, para não dizer tedioso, parece agora um acidente de época, que faz desse *Concerto* um dos maiores monumentos *kitsch* do pré-guerra.

Que os maus versos do fim, "Senti-vos próximo de Alá.../ De todo vivificado está agora o mundo morto", ganhem hoje outro sentido é um acidente do nosso tempo, que não salva o *Concerto*, nem qualquer um de nós.

6.10.07

Sergio Tiempo

Cultura Artística, 22.10.07

Nelson Freire/ Lenardo Hilsdorf

Teatro Municipal, 15.10.07

Não seria fácil escolher o ponto alto dessa gloriosa semana do piano em São Paulo. Mas também não seria fácil competir com o terceiro movimento de *Gaspard de la Nuit* tocado por Sergio Tiempo anteontem, no Cultura Artística.

Aos 35 anos, com carreira internacional consolidada, incluindo turnês com sua grande incentivadora Martha Argerich, gravações com o violoncelista Mischa Maisky e concertos com orquestras do porte das Sinfônicas de Chicago e de Montreal, o venezuelano é um dos nomes mais brilhantes da nova geração. Tem uma facilidade digital no limite do insultoso, como se pôde bem ver, não só na obra-prima de Ravel (1875-1937), mas também na *Valsa Mefisto* nº 1 de Liszt (1811-86).

Que ele tivesse escolhido uma sonata de Haydn (1732-1809) – nº 50, em ré maior – para começar a noite já dava a medida dos seus interesses, que não guardam nada de exibicionismo, mesmo com tanto para exibir. Tocou um Haydn cheio de vida: um dramaturgo do iluminismo, entregue sem qualquer traço de melancolia ao teatro das formas. Depois se lançou nos espaços infinitos da *Sonata* nº 3 de Chopin (1810-49).

Que Nelson Freire tivesse tocado a mesma sonata de Chopin uma semana antes, no Municipal, permitia uma comparação rara, iluminando o estilo de um e outro. Nelson faz um Chopin mozartiano, em que nada jamais parece exagerado, nem diminuído. É o compositor dos compositores, um abstracionista, tecendo arabescos da paixão. Já Tiempo amplifica e subtrai as coisas do início ao fim dessa música em que tudo varia o tempo todo: andamento, ataque, textura. Rendas levíssimas cedem lugar a exasperações, recitativos, comentários, linhas cantadas como árias sem palavras.

Tudo é interessante o tempo todo, mesmo quando se pode discordar disso ou daquilo. Um romancista jamais poderia batizar seu pianista de Tiempo, porque soaria inverossímil (como um arquiteto chamado Espacio, ou um médico, Salud). Mas Tiempo parece mesmo um grande artista do tempo: seu grande salto se dá na quarta dimensão, para além do infinito espaço dos dedos.

Foi ovacionado ao final pela inexplicavelmente rarefeita plateia (nem tão inexplicavelmente, na mesma noite em que o baixo holandês Robert Holl cantava na Sala São Paulo). Mais bonito que o aplauso foi o silêncio, depois do *Noturno* em fá maior de Chopin, no primeiro bis: vários segundos de suspensão, até o pianista indicar a volta à vida normal.

O concerto de Nelson Freire inaugurava uma nova série de concertos, "Piano Solo", em dobradinha São Paulo-Rio. Cada programa traz um artista consagrado – até o fim do ano virão Diana Kacso, Cristina Ortiz e o diretor da série, Eduardo Monteiro – precedido por um pianista jovem. No dia 15, foi a vez de Leonardo Hilsdorf (n. 1987), aluno de Monteiro na USP e vencedor de alguns concursos nacionais.

Apresentou duas *Peças Líricas* de Grieg (1843-1907) e a *Rapsódia Espanhola* de Liszt, sem acusar a pressão da circunstância. Tem fibra e tem presença; articula e respira a música.

Não seria fácil competir com o terceiro movimento de *Gaspard de la Nuit* tocado por Sergio Tiempo; mas Nelson Freire tocando o último movimento da *Sonata* op.110 de Beethoven (1770-1827) – a música apoiada em si para sair, afinal de si – e o "Finale" da *Sonata* de Chopin – a música caindo em si para chegar ao mais fundo de si – foram outros eventos sem competição. Momentos supremos da música, outros dois grandes saltos, levando a gente de carona até o próximo milagre.

24.10.07

Osesp John Neschling

TCHAIKOVSKY: SINFONIA Nº 1

CD Biscoito Fino, 2007

Pyotr Ilitch Tchaikovsky (1840-93) carrega a fama de ser um dos compositores mais famosos da história da música. A fama da fama é verdadeira, mas será que se pode dizer o mesmo, hoje, da fama musical? Comparado a outros nomes, como Bach, Beethoven e Mozart, sua música ainda é bem menos conhecida.

Deixando de lado os balés *Quebra-Nozes* e *O Lago dos Cisnes* (de que só se escutam, habitualmente, poucos trechos), as *Sinfonias* nºs 4, 5 e especialmente a nº 6 ("Patética") e, em menor medida, o *Concerto Para Violino*, não dá para afirmar que a música do compositor russo – mais de uma centena de peças – seja tão popular assim.

Faz sentido então que a Osesp se lance numa integral das sinfonias e outras peças orquestrais de Tchaikovsky, regidas por John Neschling. O projeto, por um lado, põe a orquestra no pé da legítima igualdade com outros grandes conjuntos que já gravaram uma ou mais sinfonias do mestre de São Petersburgo. Por outro, reforça a distinção do time paulista, que sempre teve na escolha criteriosa do repertório um de seus trunfos.

Tanto melhor que a *Sinfonia* nº 1 venha junto com a abertura *Romeu e Julieta*. Primeira indisputada obra-prima de Tchaikovsky, estreada em 1870 (e revista dez anos depois), a abertura ganha uma interpretação de referência da Osesp, com as cordas rasgando corações no grande tema de amor (faixa 5, 8'02), depois da introdução cromaticamente intensa e do rock em alta velocidade na briga entre Montechios e Capuletos (5'49).

Romeu e Julieta foi composta por sugestão do compositor Balakirev (1837-1910); e as tonalidades escolhidas por Tchaikovsky para a exposição, si menor e ré bemol maior, são uma espécie de homenagem a ele, que adorava dois sustenidos e cinco bemóis. A abertura, a bem dizer, é um poema sinfônico, acenando também para Liszt (1811-86) – muita harpa! – e, de modo mais expressivo ainda, Glinka (1804-57), de quem vem a ideia dos acordes cromaticamente ligados, sustentados por uma nota longa (ver *Ruslan e Ludmilla*).

A abertura integra os vários temas de modo muito mais coerente do que a *Sinfonia* nº 1, o que não chega a ser demérito para essa, embora represente justamente o tipo de coisa que ainda faz de Tchaikovsky *persona non grata* para a análise musical. (Autores da importância de Charles Rosen e Carl Dahlhaus, por exemplo, mal se referem a ele.)

Mas quem não se entrega ao mendelssohniano "Scherzo" dessa sinfonia? O próprio título, *Sonhos de Inverno*, reforçado no primeiro movimento, "Sonhos de um Dia de Inverno", espelha com luzes próprias o *Sonho de uma Noite de Verão* de Mendelssohn (1809-47). Regida por Neschling com um misto invernal de leveza e volume, dançando na neve, essa música cura qualquer letargia estival. A valsa, depois (faixa 3, 3'01), já é remédio e veneno de outra ordem: um sonho russo, delírio e delícia, fantasias do corpo em movimento.

E quem não admira o contraponto cromático – violinos descendo em semitons, baixos subindo – do episódio (faixa 4, 8'57) que conduz à explosão final do último "Allegro"?

Tchaikovsky, quem diria, ganha um inesperado aliado do outro lado do mundo, 140 anos depois da estreia da *Sinfonia*. Tocado com tanto empenho, ele chega de novo a si mesmo; quer dizer, volta a ser o desconhecido que sua música nos faz conhecer de novo a cada vez, naquele ponto onde cada um de nós, também, volta a ser desconhecido, fora e dentro de si, na música.

28.10.07

Orquestra Filarmônica de Varsóvia/ Antonio Meneses Antoni Wit

Cultura Artística, 5.11.07

A seção final do *Concerto Para Violoncelo* de Elgar (1857-1934) é um desses milagres da arte, inimitável e sem explicação. Uma frase plangente vem caindo, caindo, cada vez cai de outro ponto, parece que nunca mais vai parar de cair, para dentro e para o fundo de alguma indecifrável verdade. Ouvir essa música tocada por Antonio Meneses foi um privilégio e tanto, encerrando a temporada do Cultura Artística anteontem.

Já se tornou tão previsível fazer elogios ao violoncelista pernambucano que cabe agora algum cuidado, para não deixar de elogiá-lo só por causa disso. Chegando aos 50 anos, o recém-nomeado professor do Conservatório de Berna (Suíça) segue tocando com a mesma intensidade que tinha aos 25, quando interpretou o *Concerto* de Elgar pela primeira vez, acompanhado pela Sinfônica de Londres regida por Claudio Abbado. Cada nota, com ele, vai a um limite da expressão, sem jamais passar desse não nomeado limite, sua medida musical.

Acompanhado aqui pela Orquestra Filarmônica de Varsóvia, regida por Antoni Wit, ele fez um Elgar menos nostálgico do que de hábito. Menos eduardiano, menos "inglês", se se pode usar o termo entre aspas. Quase nada, de fato, em Elgar corresponde a isso; mas, do modo como se toca sua música às vezes até parece que sim.

Composto logo depois da Primeira Guerra Mundial, em 1919 – ano da morte de sua mulher, depois do que Elgar nunca mais escreveu uma nota –, o *Concerto* é a obra-prima do autor das *Variações Enigma* e da marcha *Pompa e Circunstância*, para citar duas de suas obras mais conhecidas, e do também impressionante oratório *The Dream of Gerontius* (que a Osesp apresenta na semana que vem).

Começa de chofre com uma cadência para o violoncelo solo. E termina voltando ao começo, depois de passar pelo moto perpétuo do segundo movimento e pelas confissões do terceiro. O violoncelo toca quase sem descanso. Entre as virtudes de Meneses está a capacidade de concentração, que não vacila nunca, nem nas alturas da corda lá, nem nas profundezas dos graves, que parecem mesmo atraídos para baixo pela força da gravidade.

A orquestra tem papel de mero acompanhante neste *Concerto*. Antes dele os poloneses tocaram a "Abertura" da ópera *Guilherme Tell* de Rossini (1792-1868). Foi bonito – com destaque para o naipe de colegas violoncelistas –, sem chegar a ser memorável. Uma boa orquestra europeia, cumprindo suas competências.

Claro que a Filarmônica, depois, deve ter feito muito bem a *Primeira Sinfonia* de Brahms (1833-1897), regida pelo vigoroso Wit. Mas há certos casos em que a música, depois de ouvida, precisa de silêncio, para ir decantando aos poucos. Vai caindo, caindo, para dentro e para o fundo de alguma indecifrável verdade. O Elgar foi assim. Depois de ouvir Meneses, não havia Brahms que valhesse o silêncio – ou o barulho dos carros, subindo a Consolação.

7.11.07

Zhu Xiao-Mei

J. S. Bach: O Cravo Bem Temperado, vol. 2

CD Mirare, 2007

Na longa entrevista do encarte, Zhu Xiao-Mei fala de sustentar cada frase, nos prelúdios e fugas de *O Cravo Bem Temperado*, como "a chama de uma vela numa noite ventosa". Também fala da dificuldade de evitar os maneirismos, por um lado, e a austeridade, por outro; e de uma potência da música ligada ao senso de continuidade, que não é outra coisa, afinal, senão "a continuidade da vida".

Essas e outras imagens servem para sugerir, "aquilo que é tão difícil expressar com palavras", e que a audição desses discos torna imediatamente sensível e compreensível: uma visão pessoalíssima da música de Bach (1685-1750), não só como invenção das formas, mas também como testemunho, ou salvaguarda. Tocados como ela toca, esses 24 prelúdios e fugas são verdadeiros instrumentos de salvação

– salvação de todos nós, agora, como já o foram, num sentido bem literal, para a própria pianista.

Nascida em Xangai, em 1949, a menina-prodígio Xiao-Mei estudava Bach desde pequena com o professor Pan Yiming, no Conservatório de Beijing. Deve a ele a noção de que a música exige, além de controle técnico, uma formação cultural ampla e domínio do espírito e do corpo. Com a Revolução Cultural de Mao Zedong, em 1964, esse início de vida seria bruscamente interrompido. Adolescente, foi enviada para um campo de trabalho agrícola, o que aliás aceitou sem revolta, convencida dos ideais maoístas. Denunciou o próprio pai e assistiu à cerimônia de humilhação pública de seu antigo professor.

"Posso perdoar tudo – menos Mao", diz ela hoje. Essas e outras memórias estão no seu livro recém-lançado, *La Rivière et Son Secret* (ed. Robert Laffont).[67]

Depois de cinco anos sem música, lentamente foi voltando ao piano. Conseguiu uma partitura do vol. 2 do *Cravo*, que copiou inteira à mão. Estudava num quarto com temperatura próxima de zero, depois de convencer os guardas de que se tratava de arranjos de música folclórica chinesa.

Foram muitos anos assim, até 1980, quando Xiao-Mei emigrou para os Estados Unidos. Trabalhou como garçonete antes de conseguir vaga no Conservatório de Boston; depois na Universidade de Marlboro, com Rudolf Serkin. Mas não se adaptou aos EUA. Faz 20 anos que mora em Paris, onde é professora no Conservatório Superior de Música.

"Sou pessimista", declarou numa entrevista ao *Figaro* (13/12/07). "Vejo o mundo sem cores, sombrio. Luz, para mim, quer dizer serenidade; e é na música, às vezes, que consigo encontrá-la." A frase dá outro sentido às delicadezas dessa gravação, que alterna o mais preciso rendilhado do contraponto com vagas líquidas da melodia. Pressão e leveza, movimento e estase, camadas e camadas de música sobrepostas num outro tempo, que deixa entender tudo, como se fosse uma versão viva do espaço.

Tudo aqui parece num limite do possível, sem exibir o menor exagero. Tudo respira, na fronteira de algo profundo ou preciso demais para qualquer outra forma de expressão. O que esse algo pode

---

67 *Já existe edição brasileira:* O Rio e Seu Segredo *(Rio de Janeiro: Objetiva, 2008).*

ser ela mesma sugere, quando diz que não busca outra coisa, senão "a melhor qualidade possível de silêncio".

24.12.07

Philippe Jaroussky
Le Concert d'Astrée/ Emmanuelle Haïm

Carestini

The Story of a Castrato

CD Virgin Classics, 2007

Está aí algo que nenhum de nós jamais ouviu: uma voz de menino num tórax de adulto. Tecnicamente, um *castrato* – e o último castrado verdadeiro deixou de cantar (no Coro da Capela Sistina) em 1913. Os *castrati* foram as maiores estrelas da música nos séculos 17 e 18; entre eles Carestini, cuja vida e obra ressurgem agora, glamorosa e virtuosisticamente, no novo disco do contratenor Philipe Jaroussky.

Virtuosismo e *glamour* não faltam ao próprio Jaroussky, que aos 29 anos já virou referência no circuito da música antiga. Ainda adolescente, ele aparecia no filme *Farinelli* (1994), que aliás dramatiza a história do maior rival de Carestini. De lá para cá, gravou meia dúzia de CDs, cantou em produções importantes de ópera (regido por Minkowski e William Christie, entre outros) e fez um legendário primeiro recital solo em Paris, em março de 2006, cantando justamente essas peças do repertório de Carestini.

Giovanni Carestini nasceu em 1700. Com 13 anos, já conhecido por seu talento vocal, foi acolhido por um cardeal milanês. Logo faria sua estreia em vários teatros da Itália, onde vigorava a proibição papal contra a presença de mulheres na cena. Uma década depois, era disputado por compositores da Europa inteira e recebia cachês equivalentes aos de um *megastar* pop de hoje. "Quem ainda não ouviu Carestini, não sabe o que é a perfeição do canto", escreveu o compositor Hasse, que também elogiava sua "inteligência dramática", louvada pelo cronista inglês Charles Burney.

Foi para Carestini que Händel (1685-1759) escreveu o papel principal de suas óperas *Arianna in Creta*, de 1734, e *Ariodante*, de 1735. Essa última inclui a antológica ária "Scherza, Infida", que concentra muitos ingredientes da arte do *castrato*, recriados com brilho próprio por Jaroussky: pureza de agudos, virtuosismo ornamental, bravura nos saltos, escalas e outras figuras de articulação rápida, tudo isso somado a uma ousadia que ultrapassa a técnica e colore tudo de ambiguidades sexuais.

Händel e Gluck (1714-87) – de quem Jaroussky interpreta uma ária de tormento amoroso-marítimo, "Sperai Vicino il Lido" – são os dois grandes compositores do disco. Os outros são Porpora, Capelli, Leo, Hasse e Graun, nomes de destaque há trezentos anos, hoje uma esquadra de espectros, assombrando profundezas nas notas de rodapé. São representantes de um estilo, a média muito bem realizada, ao contrário das outras duas exceções eternas.

Para evitar mal-entendidos, vale ressaltar que Jaroussky é um contratenor, não um *castrato*. Na linguagem da época, é um "falsetista"; quer dizer, canta no falsete, com força igual à das outras cordas vocais. (Exemplos próximos, num outro universo: Milton Nascimento, quando está lá nas alturas, e Edson Cordeiro, que, não por acaso, de algum tempo para cá vem se dedicando à música barroca.)[68] Nesse disco, Jaroussky vem muito bem acompanhado pelos parceiros do concerto parisiense, a orquestra de câmara Le Concert d'Astrée, regida por Emmanuelle Haïm.

A combinação de virtuosismo técnico e dramaturgia erótica, encarnada na elegância discreta de um artista como Jaroussky (e sua sedutora maestrina), parece simbólica de alguma coisa sem nome, que tanto marcou o século 18 como marca, de outro modo, o nosso tempo. A um passo do *kitsch*, ou do perverso, controladamente no fio de uma navalha musical e sexual, a voz do contratenor brilha hoje de novo sobre o céu das cidades, jogando suas influências sobre a pequena vida e a pequena morte de cada um de nós.

31.12.07

---

68 Ver o CD Contratenor *(Paulus, 2005), em que canta Händel, Vivaldi, Gluck e outros.*

Keith Jarrett/ Gary Peacock/ Jack DeJohnette

My Foolish Heart (Live at Montreux)

CD (duplo) ECM, 2007

Em seu tom mais tipicamente ranzinza, Keith Jarrett relembra, no encarte, os problemas de som, de luz e de calor, e a frieza inicial da plateia, durante um concerto no Festival de Montreux, em julho de 2001, com seus parceiros de um quarto de século, o baixista Gary Peacock e o baterista Jack deJohnette. O trio tocava "muito melhor que de hábito" nessas circunstâncias, mas a plateia continuava distante, depois de 45 minutos. Até que Jarrett, de surpresa, atacou em ritmo de *ragtime* um clássico de Fats Waller, "Ain't Misbehavin'".

"*Ain't misbehavin'/ I'm savin' my love for you*" (Não estou aprontando/ Estou guardando meu amor pra você), diz a letra da canção de 1929, que no contexto ganha outro sentido. Dali em diante plateia alguma resistiria às paixões de Jarrett e companheiros, tão bem gravadas nesse disco. A começar pela improvável sequência de três *ragtimes* – além desse, eles tocam outro Fats Waller, "Honeysucke Rose", e uma balada de Lorenz Hart e Richard Rogers, "You Took Advantage of Me" – a "primeira e única vez" que tocaram ao vivo versões *ragtime* de canções de jazz. E a continuar por uma antológica recriação de "Straight, No Chaser", de Thelonious Monk.

Tudo o que em Monk é aberratório – as harmonias cromáticas (no caso, a repetida oscilação entre segunda inversão de tônica e a dominante com quinta aumentada), as melodias cortadas (pedaços de melodia, que voltam sempre ao começo e avançam aos trancos e barrancos), as escalas que se sucedem numa lógica própria – será explodido ou implodido nessa versão de mais de dez minutos, que rompe, em muitos pontos, certa inominada fronteira entre a vanguarda do jazz e a vanguarda da música de concerto. Nas mãos de Jarrett, em particular, a música de T. Sphere Monk (1917-82) conversa com a música de compositores de outras esferas, como G. Ligeti (1923-2006) e L. Berio (1925-2003).

Um ano depois de Montreux, Jarrett faria uma excursão solo pelo Japão. E em 2005 lançaria um CD duplo, *Radiance* (ECM), com a gravação de um concerto em Tóquio, também disponível em DVD.

O cruzamento de registros chega ali a um máximo de invenção, onde cada faixa parece composta em outro gênero, passando do mais tonalmente livre ao mais simples e à vontade. Em 2006 sairia outro CD solo duplo, ainda mais impressionante, *The Carnegie Hall Concert* (sempre ECM).

O que ele faz nesses discos reinventa sua própria arte do piano. Nesse estágio de maestria, ele pode acolher as mais variadas influências sem perder por um segundo a particularidade. Tudo vira Keith Jarrett.

Para além disso, ninguém como Keith Jarrett tem o toque de Keith Jarrett; e talvez ninguém seja capaz, como ele, de tocar, num momento, uma melodia reduzida à essência, sem quase nada ao redor (como fez nas 11 canções do já clássico *The Melody at Night, With You*, de 1999)[69] e noutro instante a mesma melodia multiplicada em mil arabescos, fantasticamente desenovelados segundo alguma lei da renovação espontânea.

No concerto de Montreux, prodígios assim se realizam em outras bases, camerísticas. Mas em retrospecto os solos futuros se deixam escutar nos solos e duos e trios do passado. É assim, por exemplo, que se pode ouvir a independência de timbres entre a mão direita fazendo a melodia de baladas lentas como "My Foolish Heart" (Washington/ Young) e, especialmente, "Guess I'll Hang My Tears Out To Dry" (Styne/ Cahn) e a esquerda sustentando acordes noutro plano, como se fosse uma orquestra de cordas num adágio. Ou as mirabolantes curvas e ângulos percorridos em alta velocidade em "Four" (Miles Davis) e "Oleo" (Sonny Rollins).

Na conclusão do texto do encarte, o pianista não deixa dúvidas sobre a intensidade da aventura. Agradece aos parceiros por compartilharem a "batalha pela sobrevivência artística", num mundo "de falsidade, leviandade, imitação, acanhamento, apatia, inconsciência, preguiça, exibição, ignorância e autoengano". Contra tal diagnóstico, até a música parece pouco remédio. Coisa de um *foolish heart*, um "coração ingênuo": como o dele, como os deles, como o nosso.

1.2.08

---

69 Ver Notas Musicais, *pp. 127-9. Ver também 11.11.03.*

Cecilia Bartoli

Maria

CD Decca, 2007

"Em resumo: só em Paris se entende hoje o que é o canto. [...] La Malibran é a rainha da Europa – um assombro!" São palavras de Chopin, numa carta de 1831. "La Malibran" era Maria Malibran (1808-36), *mezzo*-soprano espanhola, a figura mais celebrada da música europeia nas décadas de 1820 e 1830. Primeira mulher a atingir a distinção de diva, dona não só de uma voz rara, mas de uma biografia romanesca, marcada por liberdades e tragédias, Maria reencarna em grande estilo no novo projeto da cantora Cecilia Bartoli.

La Bartoli, de sua parte, tem se mostrado uma rainha e tanto. Consegue se manter no alto da lista de celebridades no competitivíssimo mundo da música clássica, lançando discos de grande vendagem um após o outro, sem pisar no pisado e sem abrir mão de interesses musicológicos, nesse contexto mais raros até do que a voz. O disco anterior, *Opera Proibita* (Decca, 2005) voltava-se para o repertório barroco durante o período da proibição da ópera em Roma, no início do século 18. Projetos recentes incluem um disco dedicado a Salieri (2003) e outro a Gluck (2001).

A palavra "projeto" vem bem a calhar. Cada disco serve, naturalmente, para a *mezzo* romana exibir seus dotes; nem por isso deixa de apresentar um repertório incomum e/ou uma visada própria. Já era assim desde o início da carreira, com um disco como o de canções italianas do século 18 (*If You Love Me*, 1992), reverberando depois no *Italian Songbook* (1997) dedicado ao *bel-canto*, para ficar em dois exemplos.

Maria representa um passo especial nesse percurso. Para além do disco, do DVD (com um documentário) e do "museu móvel" de artefatos de Malibran, que Bartoli vai exibir em concertos ao redor do mundo (disponível também no *site* www.mariamalibran.net), o projeto joga ironicamente com a identidade cambiável das cantoras, ressaltada com acento *kitsch* no encarte ilustrado de 150 páginas e com um clímax programado para o concerto de gala, em Paris, dia 24 de março, no bicentenário de Malibran. No auge, aos 41 anos, Bartoli parece agora uma Malibran feliz, maior do que ela mesma sem Maria.

Foi para a impetuosa Malibran que Bellini (1801-35) escreveu o papel de Amina em *La Sonnambula*. Além de uma ária e uma cabaleta dessa ópera, Bartoli canta também no disco uma versão desde já antológica da famosíssima "Casta Diva", de *Norma*. Será uma gravação de referência, por vários motivos, a começar pelos timbres mais escuros que o comum: a orquestra La Scintilla, regida por Adam Fischer, usa instrumentos do século 19, afinados como na época, 10 Hz abaixo da afinação atual, e a cantora explora ao máximo os inusuais graves.

Malibran foi a primeira estrela do canto depois da época de ouro dos *castrati*, e as ambiguidades vocais-sexuais dessa mulher capaz de ir do mi grave (abaixo do dó médio) ao dó agudo, duas oitavas e meia acima, ganham em Bartoli uma segunda exuberante vida.

Foi para Malibran também que Mendelssohn (1809-47) compôs a cena "Infelice", para voz, violino e orquestra, que Bartoli resgata do esquecimento, apoiada por Maxim Vengerov.

Nem tudo no disco é dessa qualidade. Muitos dos compositores interpretados com sucesso pela diva romântica são figuras sem maior relevo, hoje: Pacini, Persiani, seu pai Manuel García (grande tenor, que cantou na estreia de *O Barbeiro de Sevilha*), Hummel, Halévy (cuja ópera *Clari* será reencenada na Ópera de Zurique este ano, com Bartoli) e ela mesma, enquanto autora. Mas o disco consegue a proeza de tornar até essa música de menor interesse surpreendentemente interessante. Para dizer o mínimo, faz ouvir, com atenção e prazer, o que quase ninguém conhecia; e transforma um esquecido acervo romântico em música de novo.

Que Cecilia Bartoli está cantando como ninguém já é ponto pacífico, a essa altura. Nesse disco, faz prodígios de trinados, notas repetidas, portamentos, dinâmicas. Que ela seja a artista que é, para além do virtuosismo, que continue nos dando tantas lições, faz dela uma figura ainda mais rara. É uma companhia e tanto para se cultivar, ano após ano e disco após disco, sempre com assombro e gratidão.

6.2.08

Kim Kashkashian/ Robert Levin

Asturiana

CD ECM, 2007

Música às vezes tem essa força: dois ou três compassos bastam para pôr de novo a vida em foco e equilibrar o coração. Como aqui, na "Asturiana" que abre e dá nome ao disco de Kim Kashkashian e Robert Levin, todo dedicado a canções argentinas e espanholas. A conhecida peça de Manuel de Falla (1876-1946) ganha uma segunda e expressivíssima vida, sem palavras, nessa versão para viola e piano.

Uma segunda e uma terceira, porque eles tocam a "Asturiana" de novo, mais adiante no disco, já como um movimento das *Sete Canções Populares Espanholas.* E tocam de novo, mas com novidades, porque agora se trata de *outra* transcrição. Faz pensar numa fotografia revelada ao contrário: o que era agudo virou grave e vice-versa, nas três grandes partes da melodia.

Nem será essa a única peça repetida e reinventada no CD, que inclui duas interpretações de "La Rosa y el Sauce", do argentino Carlos Guastavino (1912-2000), a 17 faixas de distância uma da outra. E duas versões de "Triste", de Ginastera (1916-83). Pensado como programa de concerto, com uma ordem muito bem planejada de obras, o disco se permite essas audácias, que só estimulam a inteligência do ouvido, quase paradoxalmente nos seus pontos de maior encantamento afetivo. Tudo o que neles sente está pensando – até porque nessa outra vida a diferença entre uma coisa e outra não existe.

Professora do New England Conservatory of Music, em Boston, Kashkashian é uma daquelas artistas sobre quem há muito tempo não resta a menor dúvida. Simplesmente se sabe que ela existe e que toca viola, e isso representa para todos nós uma reserva de sabedoria e talento.

Comprometida com a música contemporânea, encomendou e/ou gravou obras de Gubaidulina, Kurtág e Pärt, entre outros, sem falar num disco inteiro de obras de Berio[70] e de seu interesse na música do compositor armênio Mansurian. (Ela nasceu em Michigan, numa família de imigrantes armênios.) Em paralelo, entre muitos projetos, gravou as sonatas para viola da gamba e cravo de Bach, com

---

70 Voci *(ECM, 2001).*

Keith Jarrett, e mantém um quarteto com Gidon Kremer, Daniel Phillips e Yo-Yo Ma, além da parceria com Robert Levin, com quem gravou as *Sonatas* de Brahms e a *Sonata* de Shostakovich.

De sua parte, o nova-iorquino Levin é um dublê de pianista e *scholar*: professor de Harvard, renomado por seu trabalho de restauração dos ornamentos na música do período clássico, gravou concertos de Mozart e Beethoven com maestros como Hogwood e Gardiner, e peças de Schubert para fortepiano com Malcolm Bilson. Desde a década de 1980, vem fazendo música de câmara com Kashkashian.

Além de Ginastera, de Falla e Guastavino, o disco inclui *tonadillas* de Granados (1867-1916), canções do catalão Montsalvatge (1912-2002) e do argentino Buchardo (1881-1948). Canção = poesia + música. Mas toda a arte da prosódia (o casamento entre poesia e música) fica aqui no plano do imaginário, sem muita ajuda no texto em inglês do encarte. Poesia e canto, de qualquer modo, estão por conta da viola, que entoa tudo para além da voz, em contato direto com o que mora dentro de cada palavra.

E não é isso, afinal, o que importa, nessa outra vida das canções? Cantar, sentir, pensar: tudo ali chega a um outro plano, que só por falta de melhor termo a gente ainda chama de "canção". Todas as canções vêm de lá. E todas querem voltar para lá. No mais, cada um saberá dizer, para si mesmo, do que se trata: da música, da vida, da contornável ou incontornável diferença entre uma coisa e outra.

6.3.08

Osesp/ Heidi Grant Murphy/ Nathalie Stutzmann John Neschling

Mahler: Segunda Sinfonia

Sala São Paulo, 6.3.08

Em Mahler (1860-1911) nada se perde, tudo se transforma. Transformação e perda, aliás, são dois grandes temas da *Sinfonia* nº 2, a "Ressurreição", regida por John Neschling anteontem, na abertura da décima temporada de concertos da Osesp na Sala São Paulo, nove anos depois de ter sido ouvida na inauguração da Sala, em 1999.

A contralto francesa Nathalie Stutzmann foi a grande estrela do palco lotadíssimo de músicos (sem contar os músicos que tocam fora do palco, nas incríveis cinematográficas passagens do último movimento). Ela é a cantora mahleriana por excelência: timbre original, intensidade constante, inteligência poética e uma expressividade capaz de dar sentido humano a cada frase. Canta para salvar a vida, canta como se a música fosse muito mais, até, do que o encontro entre verdade e beleza.

Em 2003, Stutzmann esteve em São Paulo cantando Schumann e compositores franceses, no Cultura Artística.[71] Voltou em 2005, para fazer a cantata *Alexander Nevsky*, de Prokofiev, com a Osesp. Agora parece ainda maior, justamente quando canta menor, enchendo o auditório sem esforço, sorrindo, nutrida numa dimensão de dentro da música de Mahler. O peito arfando, depois de cantar "Urlicht", uma quase-canção folclórica transcendentalizada, sugeria mais o custo afetivo de abrir a boca para falar da vida e da morte do que qualquer desgaste físico ou musical.

A seu lado, depois, a aguardada soprano norte-americana Heidi Grant Murphy ficava numa situação difícil, mesmo com a ajuda do estupendo coro (Osesp mais Coral Paulistano), no gigantesco canto do fim.

A arte de Mahler destrói qualquer pretensão de unidade, seja pela forma labiríntica, seja pelos choques entre materiais contraditórios, seja ainda pela dose de ironia que se mistura desafiadoramente ao que há de mais grave. Por implicação, corrói a ideia do mundo real, que ali parece uma máquina desgovernada. Só a força livre da humanidade, nascendo do espírito da música, terá poder agora de dar sentido ao que não tem sentido.

Talvez tudo isso soe muito metafísico; mas só para quem não ouviu a música. Em Mahler, é o que faz diferença. Nalguma medida, é o que a Osesp ainda estava devendo a si mesma, quinta-feira, sem desvalorizar as virtudes evidentes da menina que chega aos 12 anos dessa sua segunda vida (de 1997 para cá) e sem querer implicar com os problemas dos metais, dentro e fora do palco.

Em retrospecto, a música de Mahler engolia as teatralidades do início: Hino Nacional, aliança explícita com o ex-governador (agora candidato a candidato a prefeito) Geraldo Alckmin, presente no camarote, em contraste com o agradecimento protocolar ao gover-

---

71 Ver 9.4.03.

nador Serra, ausente. Ironias sobre ironias, para essa Sinfonia da Ressurreição.

8.3.08

Banda Sinfônica/ Jean Louis Steuerman Abel Rocha

Cultura Artística, 26.3.08

Osesp Xian Zhang

PROKOFIEV: IVÃ, O TERRÍVEL

Sala São Paulo, 27.3.08

Messiaen (1908-92) é sempre interessante, Jean Louis Steuerman continua um dos maiores pianistas brasileiros e a Banda Sinfônica se superou tocando *Oiseaux Exotiques*, na abertura da temporada, quarta-feira no Cultura Artística. Regida por Abel Rocha, a Banda nem parecia a mesma que acabara de fazer a estreia da *Abertura Sobre Ostinato* de André Mehmari (1977), com esperada competência, mas um pouco em clima de ensaio geral, ainda à procura de um sentido mais claro das coisas.

Mehmari foi o compositor residente da Banda no ano passado. Escreveu várias peças que devem entrar para o repertório da nossa música de concerto; na outra ponta do programa estava a *Suíte Tropical*, de Ronaldo Miranda (1948), primeiríssima peça encomendada pela Banda a um compositor, em 1990.

Atacando as fantasias ornitológicas do gênio católico francês, Steuerman soou como seu intérprete predestinado: ao mesmo tempo direto, aberto e cheio de nuanças, separando os planos da música em camadas. Composta em 1956, essa é uma de três peças da época que têm por base o canto dos pássaros (objeto apaixonado de estudo do compositor ao longo de toda a vida).

O conjunto de 17 músicos – 11 sopros e metais, 6 percussionistas – não tem vida mole nesse paraíso de trinados, silvos, fragmentos de melodia. O *piccolo*, em especial (Adriana Coronato), faz as vezes de uma esvoaçante alma livre, sob os céus de graça e de luz. A partitura é difícil para todo o mundo; todos tocaram com gana, cada um com cor própria, e sem esquecer do piano. O melhor da Banda, tocando coisas de um estranho amor.

Nada mais distante desse mundo do que as violências e magnificências de *Ivã, o Terrível*, a cantata cinematográfica de Prokofiev (1891-1953), que a Osesp tocou na noite seguinte, regida pela chinesa Xian Zhang.

Originalmente feita para um filme de Eisenstein, composta em tempos de guerra (1944), a música foi transformada em cantata autônoma postumamente, em 1961, pelo maestro que regeu a trilha, Stasevitch. Pede um grande coro – as forças somadas do Coro da Osesp e do Coral Lírico de Minas Gerais, mais o Coro Infantil da Osesp –, narrador (Odilon Wagner), contralto (Adriana Clis) e barítono (Stephen Bronk) – fora a orquestra com tudo a que tem direito, incluindo duas harpas e três saxofones.

A Osesp vive para tocar música assim; e o repertório da primeira metade do século 20 talvez seja seu maior trunfo. Sob a direção da diminuta, energética, seguríssima regente convidada (atual regente associada da Filarmônica de Nova York), a orquestra faz de *Ivã, o Terrível* um ambivalente épico, que mina por dentro as atrocidades narradas. Que o sanguinário Ivã do século 16 e o ditador Stálin se confundem aqui fica evidente, em retrospecto; mas a evidência está disfarçada de segredo, e o segredo seduz com espetacular orquestração. Sem falar no espetacular assobio do fim, que vibra na alma como nenhum passarinho.

29.3.08

Osesp
Peter Maxwell Davies

Sala São Paulo, 3.4.08

Ano passado foi John Corigliano. Antes disso, vieram Penderecki e Tan Dun, entre outros destaques da música contemporânea na programação da Osesp. Em 2009 será a vez de Sofia Gubaidulina. E quinta-feira era *Sir* Peter Maxwell Davies (1934) quem subia ao pódio da Sala São Paulo, para reger duas peças de sua autoria, além de sinfonias de Mozart (1756-91) e Haydn (1732-1809).

Vibrante, sorridente, elétrico, *Sir* Peter tem uma carreira de distinção como regente, muito mais por reger suas próprias obras do que por pretensões de maestro. Rege com clareza, sem batuta; e sempre sabe exatamente o que quer. Já era assim em fins da década de 1960, quando surgiu no panorama como *enfant terrible* da música inglesa – expressão que virou clichê a seu respeito, mas não deixava de ser verdade.

Na época, ele era "Max", e formava um triunvirato com outros compositores de Manchester, Alexander Goehr e Harrison Birtwistle. Primeiro com os Pierrot Players, depois com o Fires of London, excursionou mundo afora, para apresentar suas antológicas peças de *music-theater*, como *Eight Songs For a Mad King* (que ele trouxe inclusive a São Paulo). Era um tropicalismo europeu na música de concerto: Händel e Beatles, Schumann e foxtrote, combinados em drama, com ou sem palavras. Na música de Maxwell Davies, as lições modernistas do *Pierrot* de Schoenberg nutriam o teatro absurdo de Harold Pinter; e o grande Britten (1913-76) parecia ter encontrado o seu sucessor.

De lá para cá, a história tem sido um tanto frustrante. Goehr virou catedrático em Cambridge, sem maior renome para além do círculo acadêmico. *Sir* Peter (um *Sir* é sempre conhecido pelo primeiro nome), morando há 30 anos no isolamento das Ilhas Orkney, na Escócia, galgou todos os patamares de reconhecimento oficial, mas sua música há muito deixou de ter o impacto que já teve. Dos três, Birtwistle – hoje *Sir* Harrison – foi provavelmente quem melhor cumpriu o destino de juventude, compondo uma obra sempre pessoal e sempre nova.

Mavis in Las Vegas (1997), primeira peça no concerto da Osesp, assume-se como abertura leve. Ironiza a cultura brega, com referências a Liberace, Elvis Presley, órgão elétrico em capela de casamento. Com Maxwell Davies, as coisas nunca são menos do que engenhosamente orquestradas; e aqui ele tem um prato cheio, saltando de quadro em quadro como num curta alternativo. O resultado convencerá ou não na mesma medida do humor: *funny* ou *silly*?

Já o *Strathclyde Concerto* (1996) não tem nada de bobo. Último de uma série de dez concertos escritos para a Scottish Chamber Orchestra, faz uma espécie de retrato sonoro das tormentosas Ilhas Orkney, com sugestivos nevoeiros. Só quando afinal se escuta um tema *folk*, passando do *piccolo* ao contrabaixo, à viola e ao violino, que a pressão do que vem de fora parece engolir o que vem de dentro.

Passada a tormenta, a música amanhece esmaecida na memória – sem diminuir as virtudes da orquestra, em ótima forma, e sem ofender a imagem de *Sir* Peter, que segue sendo uma das imagens da música do nosso tempo.

5.4.08

Quarteto de Cordas da Cidade

Teatro Municipal, 17.4.08

O programa fazia mais sentido do que parece. Com as devidas grandes diferenças, tanto Johannes Brahms (1833-97) quanto o jovem compositor paulistano Alexandre Mihanovic são exploradores da tradição; e escutá-los lado a lado ajuda a tirar as proteções do ouvido. Um ilumina o outro, seja pelas glórias, seja pelos limites, expressivamente interpretados pelo Quarteto de Cordas da Cidade de São Paulo, anteontem no Municipal.

Dia 8/4, na Galeria Olido, o Quarteto já fizera uma pré-estreia do *Quarteto* nº 2 de Mihanovic. Um número 2 que é número 1, porque o primeiro até hoje não foi terminado. Mais conhecido como guitarrista de jazz e arranjador – é dele, por exemplo, o arranjo de "Beijo Partido", no CD da Osesp com Mônica Salmaso –, Mihanovic recebeu a encomenda de escrever "algo como seis quartetos" para o QCCSP.

O nº 2 divide-se em quatro movimentos, cada um homenageando um mestre do passado: Stravinsky, Bartók, Haydn, Mozart. As homenagens não são óbvias, mas também não são cifradas: gestos característicos, forma, até a estrutura tonal alude aos homenageados. Tudo é feito com fluência, tudo muito bem escrito para quarteto. Mas não será um daqueles casos em que a maior virtude pode ser o maior impedimento? Ou essa música não corre o risco, afinal, de soar como um excepcional pastiche?

A pergunta se impunha à luz do *Quarteto* nº 1 de Brahms. Estreado em 1873, ele é supostamente o fruto de duas dezenas de quartetos jogados fora – história verossímil quando se sabe que Brahms destruiu aproximadamente dois terços de sua produção total. Eram as obras de estudo, só um processo para chegar ao resultado.

Ninguém como Brahms dominou a tradição; mas ninguém

melhor que ele compreendeu que essa tradição só podia ser revivida, nas obras, com dificuldade. Nada nessa música é fácil, embora nada seja difícil de ouvir.

O *Quarteto* nº 1, por exemplo, põe em jogo a série dos quartetos "Razumovsky" de Beethoven (1770-1827), assim como a tradição de música leve vienense (no "Allegretto"); mas faz de tudo uma espécie de campo de forças, em que se cruzam o novo e o antigo segundo uma lei original.

Que um concerto suscite tais questões só pode ser bom. Faz honra ao espírito de Mário de Andrade, responsável pela criação do primeiro quarteto de cordas de São Paulo (em 1935), ancestral em linha direta desse. E o Quarteto de Cordas da Cidade está em ótima forma, tocando com segurança e brio.

São Paulo, quem diria, conta hoje com pelo menos três grandes quartetos de cordas: o QCCSP, o Quarteto Osesp (que toca amanhã, na Sala São Paulo, com o pianista francês Jean-Philippe Collard) e o Portinari (de membros da Osesp, também). Aproveite quem puder, porque não existe repertório melhor do que esse.

19.4.08

Sinfônica de Bamberg/ Matthias Goerne Jonathan Nott

Sala São Paulo, 5.5.08

Com Gustav Mahler (1860-1911) a canção chega a um limite de si. Fala conosco do lado de lá, como se o nosso mundo já fosse uma memória, ou uma ruína, e cada um de nós a testemunha do desastre. Este parece especialmente o caso no ciclo *Des Knaben Wunderhorn* (A Trompa Mágica do Menino), antologicamente cantado pelo barítono alemão Matthias Goerne, com a Sinfônica de Bamberg regida por Jonathan Nott, segunda-feira na Sala São Paulo.

Tudo fica ainda mais eloquente quando se pensa na história da orquestra, fundada logo depois da Segunda Guerra, em 1946, com músicos alemães refugiados. A Sinfônica de Bamberg se tornaria uma espécie de embaixadora da nova Alemanha; segue até hoje fazendo turnês pelo mundo. Desde 2000 é dirigida pelo inglês Jonathan Nott, também principal regente convidado do Ensembe Intercontemporain, o conjunto de música contemporânea do compositor Pierre Boulez.

Bamberg e Nott tocaram pela última vez aqui em 2003, num programa que trazia, entre outras coisas, a *Sinfonia* "Renana", de Schumann (1810-56).[72] O grande barítono Matthias Goerne, de sua parte, veio a São Paulo há oito anos, para cantar nada menos que os três grandes ciclos de *Lieder* de Schubert (1797-1828).[73] (Ele agora está gravando, pela segunda vez, a integral de canções de Schubert, em 12 CDs.)

Nada é coincidência, como sabiam Mahler e seu psicanalista, o doutor Freud. Assim, o coral de trompetes no "Adagio" da *Segunda Sinfonia* de Brahms (1833-97), que a Sinfônica de Bamberg tocou na segunda parte do concerto, anteontem, remetia indiretamente ao coral de metais no quarto movimento da "Renana"; assim como a canção do "Sermão de Santo Antônio aos Peixes" remete, diretamente, ao "Scherzo" da *Segunda Sinfonia* do próprio Mahler e ainda à *Sinfonia* de Berio (1925-2003), que incorpora o movimento.[74] Num e noutro caso, o jogo de referências invertia agora, com plena consciência, a direção do tempo; e dava a medida da arte desses músicos.

Faz poucos meses que outro grande barítono, Thomas Hampson, cantou seis dessas 11 canções na Sala, acompanhado pela Gustav Mahler Jugendorchester. A diferença entre Hampson e Goerne é esclarecedora. O primeiro faz um Mahler dramático, operístico, cada canção transformada numa cena. Já Goerne parece que canta para dentro da música, tanto ou mais do que para fora. O drama é interno. Cada canção se transforma em devaneio, expressiva e delicadamente individual.

Sem prejuízo das amplidões orquestrais, a música de Mahler ganha com ele uma outra dimensão. É música de câmara sinfônica, se se pode dizer isso. Cada sílaba, uma pequena cifra. Esplendidamente, discretamente acompanhado pelo regente, o ciclo é a música da música, nos dois sentidos da expressão (essência e referência).

Depois disso, a *Segunda Sinfonia* já era também o Brahms do Brahms. Um acontecimento, para não ser esquecido, já para lá do meio do caminho, na vida desses nossos tímpanos tão fatigados.

7.5.08

---

72 Ver 30.5.03.
73 Ver 24.8.00.
74 Ver 22.6.02.

Nelson Freire

Cultura Artística, 6.5.08

Nem sempre os concertos dele são assim. O mais comum é que Nelson Freire precise de algumas peças até entrar naquela sua dimensão característica e única, um tempo próprio que configura a música segundo uma outra lei. Mas terça-feira, no Cultura Artística, ele já entrou transfigurado, encantando tudo em que punha a mão.

A começar por Bach (1685-1750), que nunca é um começo qualquer e muito menos nesse programa, tão incomumente construído. Nelson Freire tocou um *Prelúdio Para Órgão*, em sol menor, na transcrição de Ziloti, seguido da *Fantasia Cromática e Fuga*. O primeiro virou um estudo de planos, com o desdramatizado sol grave pulsando nas profundezas enquanto a melodia falava diretamente com Deus, acima do coral interno.

E a *Fantasia*, sem qualquer pretensão de autenticidade barroca, alçou-se a um alucinante improviso, arpejos chopinianos à procura de um tom, até cravar na fuga seu desejo de ordem. Ainda bem que o pianista esbarrou de leve numas notinhas, para afirmar sua humanidade.

Tocar depois as *Cenas Infantis* de Schumann (1810-56) podia parecer estranho. Mas não era apenas a sequência de tonalidades (sol menor, ré menor, sol maior) que preparava o Schumann: tudo ali respira o ar da polifonia bachiana, de modo direto ou sugerido. A música de Bach é uma das maiores descobertas do século 19 e representou, para compositores como Schumann e Chopin (1810-49), a possibilidade de inventar música em outras bases, depois do acachapante Beethoven (1770-1827).

Do modo como Nelson Freire tocou o terceiro movimento, por exemplo, "Pega-Pega", era impossível não perceber que os arpejos de Schumann revivem os arpejos de Bach. (O contexto aqui era outro, diferente da sua gravação de 2002.) E do modo como tocou "A Criança Que Pede" ou "Quase Sério Demais" não dava para não ouvir de novo as texturas do *Prelúdio Para Órgão*, só que ainda mais amaciadas.

Do modo como ele tocou, por fim, "O Poeta Fala", não dava para dizer nada: era o poeta falando, do lado de lá da experiência, convocando 1.100 almas para um silêncio além da música.

A segunda parte do concerto abriu com dois pequenos *Prelúdios*, op. 34, de Shostakovich (1906-75) e o *Poema* op. 32/1 de Scriabin

(1872-1915). Três exemplos de onde foi dar o contraponto de Bach, já distante da origem, mas ainda falando a voz do pai. O lindíssimo *Poema* servia de escala também, antes de entrar nas vastidões da *Sonata* nº 3 de Chopin, que Nelson Freire gravou em 2003 e tocou em São Paulo no ano passado, mas agora se fazia ouvir nova, de novo.

O grande assunto ali é Bach; ou melhor, como combinar a polifonia bachiana com as melodias operísticas de começo do século 19, Bellini e Donizetti. A heterofonia (a mesma melodia tocada fora de fase, por mais de uma voz) é uma das soluções mais originais de Chopin nesta sonata, mas está longe de ser a única. Veja-se o "Largo", uma homenagem à ópera italiana, onde as três camadas, logo depois do começo, compõem uma virtual orquestra acompanhando um dueto. Só que os baixos, agora, ecoavam mais que nunca aqueles baixos bachianos do "Prelúdio".

Um pequeno enrosco no "Finale" parecia ironia de roteirista, para voltar ao começo de um programa tão incrivelmente executado. E tanto mais certo que o bis começasse com uma *Mazurca* de Chopin e passasse a uma transcrição (por Myra Hess) do coral da cantata *Jesus Alegria dos Homens*, de Bach. Depois disso, só Villa-Lobos (1887-1959): nosso Bach, que Nelson Freire toca como ninguém, e promete gravar em 2009.

8.5.08

Orquestra Sinfônica Municipal
Stephen Bronk, Céline Imbert
Rodrigo de Carvalho

Béla Bartók: O Castelo do Barba-Azul

Teatro Municipal, 11.5.08

A primeira imagem surge de súbito, inesperada e chocante: são imensas agulhas, tesouras, instrumentos cirúrgicos, em fantasmagóricos tons de raio X, passando no ar à frente do palco. Ao fundo, sobre a rampa cinza, num espaço de sombras, está o malfadado casal: a apaixonada Judite (soprano Céline Imbert) e o inapaixonável Barba-Azul (barítono Stephen Bronk). Abriu-se a primeira das sete portas do castelo do Duque, sete dimensões de um homem, assombrosamente desenhadas nesta montagem do diretor Felipe Hirsch e da cenógrafa Daniela Thomas.

A estreia paulista da ópera de Béla Bartók (1881-1945) foi domingo à tarde no Teatro Municipal, com a orquestra da casa regida por Rodrigo de Carvalho; mas a produção original é do Palácio das Artes, em Belo Horizonte, onde foi encenada em 2006. A riqueza magra da cena estabelece desde pronto uma espécie de expressionismo minimalista, se se pode falar assim. São as artes de Hirsch e Thomas, auxiliados pela luz de Beto Bruel e pelo desenho de projeção de Henrique Martins.

Tudo está minuciosamente coreografado, mas não há qualquer artificialismo, justo ali, onde tudo é tão artificial. Desde o prólogo – a cabeça do ator Guilherme Weber, solta no ar, recitando as sugestivas perguntas do libretista Béla Balázs, que redefinem em tom moderno a lenda seiscentista de Perrault –, até o fim – a cabeça do Duque, desaparecendo lentamente no escuro –, não há um detalhe que não faça sentido, nesse jogo de espelhos, incluindo as sete portas, que são também monumentais lápides espelhadas.

Para os dois cantores, perdidos nessa noite limpa, nada acontece e tudo se dá. À medida que se vão sucedendo as visões de cada sala (as tesouras, os alvos militares, a grande tela digital de cifras, os galhos secos, o panorama Google Earth, as lágrimas, os crânios), também se vai intensificando o xadrez sem tabuleiro do casal. Cada uma será afinal invadida pelo vermelho sanguíneo; e neste contexto até o fato de a orquestra encobrir, muitas vezes, a voz de Céline Imbert não chegava a prejudicar o efeito. O contraste com o tom severo de Bronk soava estudado e natural, como o resto.

A Sinfônica Municipal, de sua parte, alternava momentos de brilho com outros em que a mágica da instrumentação não chegava a ultrapassar sua promessa. Foi estupendo o acorde brutal de sol maior na quinta sala; foi mágico o silêncio depois; foi uma pena o lá bemol da retomada. O maestro assistente da OSM, que morou anos na Hungria, rege Bartók como segunda língua; mas, assim como o texto aqui foi cantado em alemão, também o texto da música soava às vezes estrangeiro, as dissonâncias menos afiadas do que em Budapeste.

São muitas catástrofes, húngaras e universais, das mais íntimas às mais públicas, adivinhadas nessa premonitória ópera de 1911. Ganham nessa montagem um memorial da maior eloquência, sem nenhum gesto de grandiloquência, resistindo com sombras e nuvens a tudo o que nos faz esquecer.

13.5.08

Staatskapelle Berlin
Daniel Barenboim

Sala São Paulo, 25.5.08

O primeiro ataque foi tão poderoso que mal dava tempo de perceber e já estava a plateia inteira tomada pela música, transcendida de si pelas artes de Wagner (1813-83), em primeiro lugar, mas em segunda e crucial instância pela potência da Staatskapelle Berlin, regida por Daniel Barenboim. Era a "Abertura" da ópera *Mestres Cantores de Nuremberg*, enchendo a Sala São Paulo de dó maior, anteontem à noite, no primeiro de três concertos da orquestra (que tocou ontem e volta a tocar hoje à noite).

Oito anos atrás, Barenboim esteve na mesma sala com a Sinfônica de Chicago, fazendo Wagner e Mahler.[75] Desta feita, escolheu três sinfonias de Bruckner (1824-96), uma por noite, começando pela *Sétima*.

Existe uma caricatura do século 19, mostrando a silhueta de Bruckner pegando rapé numa caixinha oferecida por Wagner. Serviria bem de ilustração para o programa da Staatskapelle Berlin. Mas não havia nada de caricato nos "Mestres Cantores" de Barenboim, o contraponto espetacularmente claro, sem que isso implicasse qualquer diminuição da pressão, musical e emotiva. Cada compasso, com ele, vale a vida; e a vida parece valer cada compasso.

Foi assim também no "Prelúdio de Amor e Morte" de *Tristão e Isolda*, com as cordas da orquestra mostrando a diferença que faz diferença, e o crescendo final rumo a si maior já preparando, a seu modo, o monumental mi maior de Bruckner, depois do intervalo.

Barenboim rege tudo com tanta certeza (sempre de memória), que parece natural. Mas está mais para sobrenatural reger de cor a *Sétima* de Bruckner, um labirinto de temas que se repetem onde não se espera e se fazem esperar onde não estão. A música, aqui, parece

---

75 Ver 10.10.00.

não ter destino, nem necessidade de destino. A forma, ao contrário do que se dá no precursor Wagner, tem mais a ver com a apresentração dos mesmos materiais por vários lados do que com um processo linear e/ou dramático.

No extremo oposto da esfuziante abertura da "Abertura" de Wagner estava o anticlimático silêncio no "Scherzo" do Bruckner: um dos mais dramáticos, irrespiráveis silêncios já ouvidos na Sala São Paulo. A música parecia ter sido sugada para dentro. Depois disso, até as suspensões e prolongamentos ou, por outro lado, até as oitavas abertas na orquestra inteira em uníssono pareciam um alívio, senão uma solução.

Não havia jeito de dar bis, depois de um monumento desses; e o gênio argentino – sempre simpático, com a audiência tanto quanto com a orquestra – estava absolutamente certo de não tocar mais nada. Foi música para encher os ouvidos e a alma; uma orquestra de sonho, passando e ficando no sonho de vida de cada um de nós.

27.5.08

Orquestra Experimental de Repertório
Eiko Senda/ Paul Charles Clarke/ Silvia Tessuto
Jamil Maluf

Giacomo Puccini: Madame Butterfly

Teatro Municipal, 21.6.08

O momento crucial foi na metade do segundo ato, quando a Butterfly, acreditando na volta de seu amado Pinkerton, depois de três anos, pede que lhe tragam o véu que usava no dia do casamento. No canto direito do palco estavam ela e sua ajudante, olhando o navio ao longe; enquanto isso, a mesma ex-gueixa, remoçada, reaparecia ao centro, ajudada por três jovens a vestir seu *obi* branco.

Para além da beleza do momento – delicadamente coreografado por Susana Yamauchi (e aplaudido em cena) –, rompiam-se ali explicitamente as convenções realistas da montagem que, de resto, já vinham sendo explícita mas delicadamente explodidas pela cenografia de Tomie Ohtake (ovacionada no fim).

Dirigida por Jorge Takla, essa produção de *Madame Butterfly*, que estreou sábado passado no Municipal, vive mesmo do contraste entre realismo e fantasia, empregando os dois termos no sentido dramático, tanto quanto psicológico.

Encarnada pela soprano japonesa (radicada há mais de uma década no Brasil) Eiko Senda, a Madame Butterfly de Puccini (1858-1924) seria uma estranha anti-heroína para estar na cidade justamente na semana em que se comemoram os cem anos da imigração japonesa. Mas as ambiguidades da ópera, pensando bem, não são inadequadas, se se quiser ir além das eulogias de praxe.

Como aponta Jorge Coli, em suas notas de programa, existe uma "problemática" Puccini, que não tem a ver apenas com a antivanguardista pressão sentimental da música, mas também com a relação conflituosa entre Ocidente e Oriente. Isso se dramatiza no libreto de Giacosa e Ilica – herdeiros de uma longa tradição, que converge na *Madame Crisântemo* de Pierre Loti, fonte direta da ópera – e ganha inesquecível força na partitura – continuadora, por sua vez, de uma linhagem de óperas como *Lakmé*, de Delibes, e *A Africana*, de Meyerbeer.

Nesse contexto, tanto mais força ganhava a cenografia minimalista de Tomie: dezenas e dezenas de composições abstratas, sucedendo-se umas às outras pelas trocas de cor – quer dizer: de luz – num cenário fixo composto por um bloco tripartido de madeira ao centro (a casa), contraposto a um plano maior (o céu, a noite, o mundo). Tudo aqui parece totalmente interiorizado, mas se deixa ver por fora: a cada passo da música, mudam cores e texturas, como muda o coração.

Com isso, até a dramaturgia convencional se eleva a uma espécie de teatro nô ocidentalizado. E ali, para além dos dotes de Eiko Senda, cantando o "seu" papel por excelência, apareciam muito bem todos os seus parceiros de tragédia: Silvia Tessuto (a serva), Lício Bruno (o cônsul), Sergio Weintraub (o casamenteiro) e ainda, um pouquinho decepcionante na estreia, o tenor inglês Paul Charles Clarke (Pinkerton).

Regida pelo diretor musical Jamil Maluf, a Orquestra Experimental de Repertório, se não chega a tirar toda a música da música, também não abafa nada e toca com evidente empenho.

Faltou falar do grande dueto no Ato 1. Estranho pensar que é numa cena dessas, tão melodramática, que enfim se escuta o que é o amor. Mas é, e foi, e será, como se pode ver no Municipal.

24.6.08

Quarteto Alban Berg

Cultura Artística, 2.7.08

Para quem esperava uma performance especialmente comovida, talvez tenha sido um pouco frustrante. Mas não será o Quarteto Alban Berg que vai se render, agora, aos sentimentalismos; na "turnê da despedida" faz concertos como sempre: repertório sem concessões, interpretação analítica da música, entrega rigorosa e intensa a cada detalhe. Foi assim anteontem, no Cultura Artística e pode-se imaginar que será assim hoje, na Sala Cecilia Meireles, no Rio.

Faz 37 anos que eles tocam a melhor música de câmara do passado e do presente – e do futuro, se se pensar no grande número de peças estreadas por eles (muitas registradas em disco, também). Do quarteto original, permanecem o primeiro violino, Günther Pichler, e o violoncelo, Valentin Erben. Gerhard Schulz, o segundo violino, está no grupo há mais de 25 anos. A novata é a violista Isabel Charisius, que assumiu o posto depois da morte de Thomas Kakuska, em 2005.

De 1997 para cá, foi a quinta vez de ouvir o QAB no Cultura Artística.[76] Quem teve o privilégio, terá também a lembrança, a ser refratada para sempre na história da música de cada um de nós. O programa dessa semana não podia ser mais característico: o *Quarteto* op. 77/1 de Haydn (1732-1809), o *Quarteto* op. 3 de Alban Berg (1885-1935) e o op. 132 de Beethoven (1770-1827). Berg fica a meio caminho, entre Haydn e Beethoven e nós; e essa proporção, no contexto criado pelo QAB, nos incita a ouvir a música de outro jeito.

Bem no meio do caminho mesmo, até no sentido drummondiano, fica a obra-prima modernista de Berg, composta em 1910. Aqui, como em toda sua música, são as transições que regem o sentido das coisas. O filósofo Theodor Adorno nos ensinou a compreender melhor essa arte, em que tudo se transforma o tempo todo, e "a negação da própria existência [...] é a lei que governa suas ações" (em *Alban Berg, o Mestre das Pequenas Transições*, 1968).

Para Adorno, o que mais caracteriza a obra de Berg é "a cumplicidade com a morte, uma atitude urbanamente cordial com respeito à sua própria extinção". Tais frases poderiam ser gravadas como epígrafe no memorial imaginário do QAB, acompanhadas pela gravação de uma peça como essa, tocada como eles tocaram: a música se

---

76 Ver 10.7.00, 9.7.03 e 21.6.06.

expondo e retraindo, num tipo mais-que-vienense de *Schwung* – um suíngue não só rítmico, mas também das dinâmicas, do tom, da intensão expressiva geral.

Seu antecessor é Haydn, mas seu ponto de chegada, invertendo a flecha do tempo, é Beethoven, para onde afinal convergem todos os quartetos. Só assim se entende, entre outras coisas, o que eles fizeram em algumas passagens do op. 132: uma espécie de movimento parado, uma agitação imobilizada, que depois se libera com força radiante.

Entre as lições do QAB fica essa: a influência, na música, é uma via de duas mãos. Não deixa de ser um consolo, para quem se acostumou a escutar esse quarteto ao longo das últimas quatro décadas. Cada um de nós, agora, leva eles por dentro, para continuar a viagem na melhor companhia.

4.7.08

Bossa Nova: Tom Jobim

"Um cantinho, um violão/ Este amor, uma canção..." Quase todo o mundo, em quase todo o mundo, conhece este cantinho e esta canção. De tão conhecida, nem sempre se percebe quanto exibe de sabedoria, musical e poética. Composta em 1960, com letra e música de Tom Jobim, "Corcovado" serve bem de exemplo daquele artesanato moderno na criação de canções que define a bossa nova, que define uma ideia do Brasil, que define até hoje uma ideia ou um sonho de nós mesmos.

São só duas notas, oscilando para lá e pra cá: "mi-ré-mi-ré, mi-ré-mi/ mi-ré-mi, ré-mi-ré-mi...". Tocadas a seco, sem harmonia e sem acentos, nem chegam a ser uma melodia: parecem apenas material bruto, mera repetição do intervalo de segunda maior, que qualquer criança poderia tocar na primeira aula de piano.

Assim funcionam várias canções de Tom Jobim dessa fase, que vai de fins da década de 50 a meados da década de 60 – a bossa nova foi curta. "Insensatez", por exemplo (de 1961, parceria com Vinicius de Moraes), que repete também duas notas, um intervalo de segunda menor: "Ah, insensatez/ Que você fez..." (mi, fá-mi-fá-mi/ fá-mi-fá-mi...). Para não falar do exemplo mais radical, o autoexplicativo

"Samba de Uma Nota Só" (1960, com Newton Mendonça), cuja ironia maior está na segunda parte, com todas as notas da escala vertiginosamente subindo e descendo, contrapostas à "nota só" de antes.

O milagre, que transforma algo tão simples em música tão incrível, tem a ver com as harmonias, por um lado, que vão colorindo de sentidos cambiantes essas poucas notas repetidas e, por outro, com a prosódia, a relação entre palavra e melodia, que confere acentos rítmicos inesquecíveis a cada pedaço de melodia e significados afetivos não menos impossíveis de esquecer.

A mitologia de imagens e costumes da bossa nova – o cantinho e o violão – artificiosa e generosamente inventada por seus próprios artistas, mais tarde repetida até a náusea em versões publicitárias, ajudava a esconder a arte na arte e afinal lançava essa arte a um outro plano, avesso a qualquer exibição de autoconsciência.

Tom Jobim é o grande mestre moderno da composição de canções no Brasil. Melhor do que qualquer outro, ele tem o gênio capaz de extrair o máximo do mínimo. É uma qualidade arquitetônica da sua música, digna de Niemeyer e Le Corbusier (entre outros mestres modernistas que o jovem arquiteto Jobim estudou), combinada a uma exuberante habilidade de incorporar tradições musicais diversas. De Chopin a Garoto, de Ravel a Gershwin, de Villa-Lobos a Caymmi, tudo vira matéria viva nas suas mãos, modulável no espaço da canção.

Que a modernidade musical, essa impressionante arte de potencializar elementos mínimos, servisse de inspiração e suporte para a arte dos poetas foi uma felicidade, que em boa medida se deve ao milagre Vinicius de Moraes. Outro tanto se deve ao milagre João Gilberto, que soube entoar essa nova poesia cantada, um grau crucial acima da voz falada, e sintetizar o samba no violão.

O resultado compõe um verdadeiro modelo novo de canção popular. Reconhecido no mundo inteiro como exemplo supremo na arte da canção, esse modo de fazer as coisas segue estimulando, direta ou indiretamente, o pensamento dos nossos cancionistas.

Segue também definindo uma visão moderna e brasileira da música, "na dimensão da eternidade".[77] Com a obra de Tom Jobim, que começa na bossa nova e depois se diversifica e multiplica, a partir

---

77 *"A bossa nova passou na prova/ Nos salvou na dimensão da eternidade", diz a letra de "Cinema Novo" (Gilberto Gil/ Caetano Veloso), no CD* Tropicália 2 *(1993).*

de suas próprias lições, a civilização brasileira resolve-se a si mesma em chave nova, tecnicamente avançada e metafisicamente leve. O resto é mar.

10.7.08

Orquestra Sinfônica do Theatro Municipal do Rio de Janeiro
Gun-Brit Barkmin/ Ana Botafogo
Roberto Minczuk

Kurt Weill/ Bertold Brecht: Os Sete Pecados Capitais

Auditório Claudio Santoro (Campos do Jordão), 9.7.08

Não dá nem para começar a desenredar as ambiguidades de comemorar a Revolução Constitucionalista de 1932 com uma encenação de *Os Sete Pecados Capitais*, composta um ano depois por Kurt Weill (1900-50), com libreto de Brecht (1898-1956). Elas só se multiplicavam anteontem no Auditório Claudio Santoro lotado – inclusive corredores e escadarias, onde se apertavam alunos desse 39º Festival de Campos do Jordão, dividindo a atenção entre palco e celular.

Que a situação parecia brechtiana é algo que o próprio dramaturgo teria apreciado. Como teria apreciado as artes da soprano alemã Gun-Brit Barkmin, da Ópera Cômica de Berlim, não apenas no "balé cantado" de 1933, mas também nas cinco canções que ela apresentou na primeira parte, acompanhada sem muito charme pelo holandês John Snijders, mas esbanjando charme para compensar.

Ela estava poupando a voz; e a primeira parte nem era necessária, especialmente sem tradução das cruciais letras (duas em alemão, três em inglês). Mas foi o jeito de aumentar o programa e fazia sentido aproveitar um pouco mais de uma cantora-atriz dessas.

Dois anos atrás, Barkmin já tinha colaborado em montagens da peça pela Ópera de Lyon (França), regidas pelo mesmo Roberto Minczuk, diretor artístico do Festival. E, no mês passado, cantou de novo com Minczuk, nessa produção dirigida por Carla Camurati no Theatro Municipal do Rio de Janeiro – circunstância que rendeu uma parceria com a bailarina Ana Botafogo e seus dois *partners*, Douglas Ravadielli e Pedro Cassiano.

É uma estranha peça, mistura de ópera, teatro épico brechtiano e dança, satirizando as "virtudes" de uma bem-sucedida vida nas cidades da América moderna. A coreografia original foi criação de Balanchine; não a dançada aqui, de autoria não declarada.

Com uma artista como Ana Botafogo, qualquer ação vira imediatamente expressão: ela instila vida até no gesto mais gasto e até nas formas narrativas mais previsíveis. Soma-se a isso um talento histriônico que nem sempre tem chance de aparecer, mas aqui teve direito até a pequenas cenas e pequenas falas.

O cenário (de Henrique Talmah) combina um labirinto de tule, ao centro, com um grande círculo translúcido azul, no canto, atrás do qual fica o bom quarteto masculino, pontuando a história (destaque para o tenor paraense Atalla Ayan, ao lado de Stephen Bronk, Ricardo Tuttmann e Homero Velho). Tule, círculo e tudo mais são cobertos, quase todo tempo, por projeções cinematográficas, em preto e branco, reproduzindo ou imitando filmes da década de 30.

Num palco menos largo, a combinação de tantas coisas – incluindo as legendas, nas laterais – seria mais fácil de ver e faria maior sentido. No Alasca do Claudio Santoro, não há globo ocular que dê conta; e o contraponto das cenas às vezes passava batido. Um pecado, mas não chega a ser capital.

Talvez haja algum excesso mesmo nessas sobreposições, que acabam transformando sentido em cenário. Mas é um cenário, afinal, para essa música e para essas letras, que obrigam a gente a pensar sobre a vida, três quartos de século depois do 9 de julho. Não é a menor lição de um Festival, que segue como pode seu caminho.

11.7.08

Orquestra Sinfônica Municipal
Senda, Vanucci, Ferreira, Freitas e outros solistas
José Maria Florêncio

Richard Strauss: Ariadne em Naxos

Theatro Municipal, 17.8.08

A explosão virtual de fogos de artifício, no fim, fazia pelo menos três sentidos.

Por um lado, era a imagem autoconscientemente irônica do grande amor entre Ariadne e Baco, não menos autoconsciente nem menos ironicamente transfigurados na caracterização da soprano Eiko Senda e do tenor Marcello Vanucci, estrelas dessa nova montagem da ópera *Ariadne em Naxos*, de Richard Strauss (1864-1949), dirigida por André Heller-Lopes, com regência de José Maria Florêncio.

Por outro lado, realizava a fusão entre "real" e "virtual", na coincidência entre o final da história de Ariadne – a peça-dentro-da-peça, que constitui o segundo ato da ópera – e a anunciada queima de fogos de artifício na festa do milionário vienense, que ordenou a mistura de comédia e tragédia numa peça só e exigiu que tudo terminasse "em ponto" na hora dos fogos.

Por outro lado ainda, involuntária mas, nesse ponto da *nossa* história,[78] inevitavelmente, ecoava os fogos olímpicos – tanto mais quando se lembra que foi Strauss quem compôs as marchas triunfais das Olimpíadas de 1936, encomendadas não por um milionário vienense, mas por outro austríaco, Adolf Hitler.

E isso não é apenas coincidência fortuita, porque na obra de Strauss estão sempre se enovelando os fios da música, em tramas que misturam as paixões humanas com as paixões do mecenato e da política.

A montagem de Heller-Lopes é a primeira a ser vista na cidade, 92 anos depois da estreia dessa versão da ópera, parceria de Strauss com o libretista Hofmannsthal (a primeira versão, de 1912, não incluía o "Prólogo" que, na verdade, é o Ato 1).

Começa com a orquestra de câmara à vista, depois baixando ao fosso, num dos tantos gestos marcantes dessa produção que explora com engenho a natureza metaliterária do libreto. Coxias e bastidores

---

78 Isto é: em plenas Olimpíadas de 2008.

estão à vista o tempo todo no "Prólogo", que inclui participações "reais" da equipe de produção – incluindo uma ponta da inconfundível senhora ruiva, recepcionista do Municipal, agradecendo aos aplausos lado a lado com seu duplo.

O "Prólogo", por direito, é de Denise de Freitas, no papel travestido do Compositor. A meio-soprano passa a ser dona dessa personagem, cantando num registro que só favorece seus timbres mais graves. Cabe registrar aqui: Denise é hoje uma das maiores cantoras e maiores artistas do Brasil. Só não foi mais ovacionada porque a plateia não fazia ideia de que não voltaria na segunda parte.

Quem voltou, com a mesma espoleta teatral e vocal, foi a soprano Andrea Ferreira, que já fizera par com ela em *João e Maria* (2002)[79] e agora brilha, sensual e cômica, como a marlenedietrichizada Zerbineta.

Ariadne em Naxos exige um elenco numeroso. Entre os destaques, não dá para não mencionar Leonardo Neiva (o Professor de Música), as ninfas oitocentistas Adriana Clis, Gabriella Pace e Edna d'Oliveira – elevadas numa plataforma, para assistir do alto ao grande dueto final de Senda e Vanucci, depois baixadas de novo, desvelando um céu de estrelas e refletores (ecoando a descida da orquestra, no começo, e servindo de exemplo do rico contraponto cênico), Caio Ferraz, como Mordomo, aplaudido em cena aberta (por um papel falado!), e o Arlequim modernista de Homero Velho, ícone dos comediantes trágicos no anti-Olimpo de Strauss.

Correndo pelos salões da mansão clássica, o fio de Ariadne é verde fosforescente. Serve de símbolo – impactante, simples, arrojado e bem-humorado – dessa montagem que arrisca tanto, mistura tanto, e onde afinal tudo dá olimpicamente certo.

19.8.08

---

79 Ver 16.12.02.

Celso Sim

Vamos Logo Sem Paredes!

CD Gaia Discos, 2008

Na carteira de identidade o sobrenome é Simões. Mas faz muito tempo que ele vestiu a camisa do Sim e saiu por aí. Não é de levar canivete no cinto, mas carrega sempre um imaginário pandeiro na mão: está sempre pronto para cantar. Celso Sim é a música em estado de pessoa, e a música em estado de pessoa vive à procura de pessoas em estado de música, ainda bem para nós, que gostamos tanto de ouvir.

Nos *shows* de lançamento do disco, assim como nos muitos *shows* que tem feito ao longo dos anos – desde a parceria com Jorge Mautner em fins da década de 80 e depois os anos de Teatro Oficina, passando recentemente pelo projeto Cidadança, com os meninos da periferia de São Paulo, para ficar só nesses três –, ele desfia o cancioneiro brasileiro de ponta a ponta, do samba à bossa nova e à tropicália, da seresta ao rock e ao baião. Com ele, vamos sempre sem paredes.

Agora, neste seu terceiro disco solo, faz uma opção econômica, bem radical. A maior parte do repertório são canções que ele mesmo compôs, ou para as quais fez letra (parceria com Pepê Mata Machado), ou as duas coisas. Vale ressaltar: não é um cantor que compõe, nem um compositor que canta; é um compositor-cantor, tanto quanto um cantor-ator, inventor para si mesmo de um plano onde essas coisas não têm mais diferença.

O disco traz também canções de outros nomes da jovem vanguarda paulista (Guilherme Wisnik, Cacá Machado, Vadim Nikitin) e carioca (Fred Martins, Marcelo Diniz), lado a lado com dois clássicos: Adoniran Barbosa (1910-82) e Robert Schumann (1810-56). Dois clássicos recriados com uma liberdade impressionante, num registro capaz de amarrar as pontas da vanguarda e da jovem guarda, sob o espírito do poeta da Antropofagia, Oswald de Andrade.

É só no fim do caminho que se chega à "Saudosa Maloca" de Adoniran, projetada no presente do futuro; no meio, tem um *Lied* de Schumann e do poeta Heine, em versão brasileira – num arranjo impagável, do qual o versionista ainda não se recuperou.

Falando em arranjos, é preciso falar de Paulo Lepetit, que fez quase todos, e foi o principal responsável pela produção musical do disco. Chamado para organizar, veio logo para confundir as coisas, no sentido preciso do termo: fundir tudo com tudo. O elenco da bem nomeada Voodu Music inclui o "diretor de humor" Gigante Brazil (percussão e bateria), Marcelo Jeneci e Adriano Magoo (teclados e sanfonas), e Webster Santos (guitarra, cavaquinho, bandolim, violões), além do baixista, que só por inversão irônica se pode chamar Lepetit.

Na mão deles cada canção se revela como nunca, cada sugestão de melodia e poesia se veste e reveste na imprevista medida de sua imagem. Não são, na maioria, músicas de elaboração harmônica ou dramática, canções que se narram em tramas no tempo. São estados do mundo, fixados na lírica desse transamba original e atualíssimo. Tudo somado, o que se tem é um retrato compacto do baixo alto pop de invenção, decidida escolha do cantor-compositor que podia fazer o que quisesse.

O disco abre com uma canção de liberdade, um samba de luz acesa, pedindo passagem para suas alegrias, enriquecido por uma citação de Noel Rosa, que só agora, parece, vem a si. Dali em diante, dá-se todo um trajeto de terrores e ternuras, de angústias e argúcias, em contraponto amoroso. Melancolia e alegria nunca estão longe uma da outra; e a tristeza não tem fim, mas é sempre uma tristeza que balança.

É um disco feliz. É triste, mas é feliz; consegue e sabe ser feliz.

De um artista tão generoso como Celso Sim, a gente só pode mesmo agradecer o presente. Não existe troco possível – nem, afinal, necessário –, mas pode-se mandar de volta algumas frases, extraídas da obra do transfadista Fernando Pessoa, que parecer ter escrito uma epígrafe do disco por antecipação:

> Não quero fechos nas portas!
> Não quero fechaduras nos cofres!
> Não quero intervalos no mundo!
> Quero voar e cair de muito alto!

***Release* do CD *Vamos Logo Sem Paredes!*.**

Osesp
Anthony, Moser, Schnaut, Titus
John Neschling

Richard Strauss: Salomé

Sala São Paulo, 28.8.08

Santa ignorância: faltavam só uns dois minutos para a cabeça de João Batista aparecer numa bandeja de prata quando duas moças decidiram que já tinham ouvido o suficiente e deixaram a sala. Perderam a ascensão do grande globo de luz, que subiu hidromecanicamente no elevador do piano, fazendo as vezes de cabeça degolada, para confrontar Salomé. Mal tinham saído os saltos-7 e a orquestra se encaminhava para os cromatismos mais extremos, elétrica e elasticamente dramatizados nessa versão de concerto da ópera, que estreou sexta-feira na Sala São Paulo, regida por John Neschling.

Salomé estreou em Dresden, em 1905. Mas a produção que entraria mesmo para os anais da música moderna foi a de maio de 1906, em Graz (Áustria). Foi para lá que convergiu um contingente impressionante de grandes nomes, querendo ouvir a novidade de Richard Strauss (1864-1949). Estavam na plateia Gustav Mahler, Arnold Schoenberg, Alban Berg e Giacomo Puccini. E também o adolescente Adolf Hitler, que anos mais tarde nomearia o compositor para um alto posto do governo nazista.[80]

Escrevendo no *New York Times* um ano mais tarde, um médico reclamava que *Salomé* era "a exibição mais detalhada e explícita das mais horrendas, nauseabundas, revoltantes e impublicáveis características de degradação que jamais ouvi, li ou imaginei". Palavras que hoje soam caricatas, mas servem para dar ideia do grau de arrojo musical e literário da ópera, baseada na tragédia de Oscar Wilde, inspirada na *Bíblia*.

Na versão da Osesp, com um bem-pensado mínimo de teatro, a grande invenção cênica é a cisterna: o poço do piano, de onde ribombam os sermões do impressionante barítono norte-americano Alan Titus. É de lá que ele surge, depois, numa bata branca e descalço, para resistir impassível ao assédio da enteada de Herodes. Com seu vestido

---

80 Sobre essa ocasião, vale a pena ler o capítulo 1 do livro de Alex Ross, O Resto É Ruído. Escutando o Século XX. *Trad. C. Carina e I. Kuck. São Paulo: Companhia das Letras, 2009.*

vermelho decotado, também descalça, sua compatriota Susan B. Anthony faz uma Salomé hollywoodiana: loira platinada, orgulhosamente frívola, devotada ao exercício sensual de si mesma. Não chega a convencer como adolescente (velho problema da ópera); mas canta com segurança e estilo um dos papéis mais difíceis do repertório.

Herodes (o tenor Thomas Moser, da Ópera de Viena) e Heródias (a *mezzo* alemã Gabriele Schnaut) formam um casal vocalmente dramático e afetivamente insuportável. A rubrica poderia ser: "casal de milionários: dinheiro demais, poder demais; e nada mais". Nada mais, exceto as vozes, que se prestam muito bem às perversidades da partitura. Vieram de smoking e longo; e Herodes, sim, convencia como padrasto lascivo.

A grande questão musical em Strauss é a expansão da tonalidade, ou melhor, a multiplicação dos cromatismos, sem cair na imobilidade. São mais de 100 minutos contínuos de música, com poucas divisões claras, tudo se espraiando de um modo que é virtualmente o oposto do que se costuma associar ao modernismo (economia de meios, linhas retas, exploração máxima de elementos mínimos). Uma das poucas cenas separadas é a famosa "Dança dos Sete Véus". Exige, como tudo aqui, grande virtuosismo da orquestra, com destaque para os solos da flauta malemolente e malevolente de Jessica Dalsant.

Foi pena o erro da luz no ultimíssimo momento, que revelou Salomé morta correndo para a coxia e um contrarregra recolhendo os tronos. Depois de tudo ter saído tão bem, depois de a orquestra tocar com tamanha inteligência uma partitura dessas, não deixava de ser irônico o pequeno grande tropeço humano.

Que o repertório da primeira metade do século 20 é um ponto forte de John Neschling já se sabe há muito. E a combinação de temas aqui – moralidade, sexualidade, autoridade, judaísmo, modernidade – só serve de estímulo a mais, para uma produção que não chega a ser inesquecível, mas não é de se esquecer.

1.9.08

Opera Nova Zürich
Lia Ferenese

Sesc Vila Mariana, 12.9.08

A "cena" final é um deslumbramento. Estranhamente sereno, sonoramente aberto, com grandes acordes agudos nas cordas e sopros, simulando sinos eletronicamente prolongados, enquanto a cantora entoa a primeira cantilena real da ópera inteira, sonhando com "belos domingos nas províncias tranquilas" e a "alegria da brancura mais limpa". "Cena" vai entre aspas porque nada se encena, de fato, embora tudo se imagine nesse compactado *Lohengrin* de Salvatore Sciarrino, apresentado sexta-feira pela Opera Nova Zürich, com a soprano Lia Ferenese, no teatro do Sesc Vila Mariana.

O siciliano Sciarrino (1947) é um dos compositores mais prolíficos da música contemporânea, autor de mais de 150 obras. Nem por isso chega a ser um dos mais tocados, mas também não é dos menos. Que sua música tende a ficar restrita aos fóruns especializados – como era o caso aqui, neste concerto do Festival Música Nova – não deve ser usado como acusação, a não ser que a acusação seja geral, contra o repertório inteiro.

Sciarrino escreve num limite entre o audível e o inaudível, música delicadíssima, mas também expressivíssima, com microvariações timbrísticas e explorações de sonoridades inusuais, especialmente aspiradas e sopradas. Nos últimos anos, tem se dedicado em especial às peças dramáticas: nada menos que seis, de 1998 para cá.

Lohengrin estreou em 1984. Toma por base um texto do poeta simbolista Jules Laforgue (1860-87), que subverte o mito tornado operisticamente célebre por Wagner (1813-83). Só quem fala é Elsa, injustamente acusada de ter matado o irmão, salva afinal pelo cavaleiro Lohengrin, que chega montado num cisne – o irmão enfeitiçado –, mas não pode ter seu nome conhecido.

Na ópera de Sciarrino, autodefinida como "ação invisível", não há cenários nem ação. Basta uma cadeira, uma mesa, um copo d'água e um microfone, à frente da orquestra de 20 músicos. E uma cantora como a argentina Lia Ferenese, capaz de dar vida à sucessão dramática de sussurros, soluços, grunhidos e chiados, gradualmente se transformando em palavras italianas, à medida também que a confusão mental de Elsa vai se deixando ver e ouvir.

Antes disso, na primeira parte, os suíços, entrosados com alunos da USP, apresentaram duas peças do conterrâneo Klaus Huber (1924), outro praticante de sensibilidades limítrofes, entre o silêncio e o som, entre o passado e o futuro.

Sempre presente no presente, o Festival Música Nova permanece uma reserva de diferença, contra a repetição do mesmo. Falando nisso: não dá pra entender a ausência de mais alunos, músicos, compositores na plateia relativamente minguada. Só o Sciarrino já valeu o mês. Quem ouviu, viu; quem viver, virá.

15.9.08

Hespèrion XXI
Jordi Savall

Teatro Abril, 16.9.08

Uma verdade difundida da musicologia estabelece proporções diretas entre vertentes de excelência da música popular ao longo do século 20 e o fenômeno social e cultural da mestiçagem – especialmente o cruzamento de correntes africanas e europeias no solo do Novo Mundo. Que esse processo não é só da música popular e que de fato começa muito antes era o mote do concerto do Hespèrion XXI, acompanhado pelas vozes da Capela Real da Catalunha, sob a direção de Jordi Savall, anteontem no Teatro Abril.

O título do concerto serviria como nome de um ensaio sobre o assunto: *A Rota do Novo Mundo – Músicas de Fogo e Ar: Homenagem à Mestiçagem Musical – Encontro de Músicas e Culturas na Península Ibérica e na Ibero-América*. Só isso já basta para comprovar a originalidade de propósitos de Savall, que segue sendo, por consenso, um dos maiores, senão o maior virtuose mundial da viola da gamba. Cada programa que ele dirige tem alto interesse musical e interesse para além da música também, até porque a música, para ele, jamais se esgota em si.

Ninguém diria que os compositores reunidos no programa merecem figurar entre os maiores gênios da alta renascença, ou do baixo barroco. A maior parte não é conhecida nem dos especialistas (nomes como Bartolomeu Cáceres ou Frei Filipe da Madre de Deus); e muito do que se ouviu não chega a ser memorável individualmente.

Mas o conjunto é interessantíssimo, tanto mais em contraste com pequenos mestres ibéricos, como Luis del Milà e Diego Ortiz.

O interesse vem justamente desses cruzamentos musicais pouco conhecidos entre África, Península Ibérica e Novo Mundo. Só assim se entende as síncopes das *negrillas*, *guarachas*, *mestizos*, que para nossos ouvidos mestiços soam tão naturais. Assim se aceita, com a maior facilidade, o acento das castanholas, sempre na última semicolcheia do compasso, no "Dindirindin" de Mateo Flecha (1481-1553); ou os ritmos de guarânia (1-2-3, 1-2-3/ 1-2, 1-2, 1-2) em Juan Garcia de Zéspedes (c. 1619-78), invertidos (1-2, 1-2, 1-2/ 1-2-3, 1-2-3) na levada náuatle de "Tleycantimo choquiliya", do português Gaspar Fernandes (1566-1629).

Vale citar a erudita nota de programa de Rui Vieira Nery (da Universidade de Évora): "Quando um *villancico* dava voz a personagens africanos falando numa nascente versão crioula do castelhano ou do português, misturada com palavras soltas em banto ou ioruba, tendia a incorporar os fortes esquemas rítmicos [...] das danças africanas, assim como efeitos antifonais [alternância entre solistas e o conjunto] dessa mesma tradição". Não custa ressaltar: estamos falando do século 16.

Foi grande pena a ausência da soprano Montserrat Filgueras, por motivo de saúde. Criadora com Savall, em 1974, do Hespèrion XXI, ela teria cantado as cantigas amorosas, que ficaram faltando para compor o panorama, tanto musical quanto afetivo.

Mas se o concerto não teve todo o calor que sugeria, isso se deve mais, decerto, às vastidões do Teatro Abril – substituto extemporâneo do Cultura Artística, tristemente incendiado. Mesmo com a amplificação discreta (ou nem tão discreta, na segunda parte) os 10 instrumentistas e 6 cantores pareciam distantes, estranhamente transplantados de algum reino da imaginação. A própria plateia dava a impressão de não saber direito como aplaudir, fora de seu hábitat.

Nada disso importa para a lembrança do que se ouviu. Um músico como Jordi Savall cria seu próprio mundo por onde passa. E esse mundo é o que fica, afinal – o que ficará –, quando tudo mais no mundo tiver passado: teatros, plateias, cada um de nós.

18.9.08

Leif Ove Andsnes

Sala São Paulo, 29.9.08

O Scarlatti do bis foi tão sensacional – uma cascata de pérolas, subindo e descendo espanholadamente no teclado – que quase não deixava pensar nas relações musicais e extramusicais caracteristicamente tramadas pelo pianista Leif Ove Andsnes, em seu concerto de anteontem, na Sala São Paulo. Mas não foi à toa que ele escolheu esta sonata barroca, depois do prelúdio espanhol "La Serenade Interrompue" de Debussy (1862-1918),[81] que por sua vez não estava lá por acaso, depois de "A Grande Porta de Kiev", último movimento dos *Quadros de Uma Exposição* de Mussorgsky (1839-81), muito estimado pelo compositor francês.

Tudo o que faz o pianista tem este grau de engenho e coerência. Aos 38 anos de idade, respeitado tanto pelo virtuosismo quanto pelo arrojo dos projetos, ele é um dos nomes de ponta do instrumento. Toca os mestres dos séculos 18 e 19 assim como os do século 20, incluindo os da segunda metade – a propósito, prepara-se para gravar o *Concerto* de Lutoslawski[82] e peças de Gyorgy Kurtág, além de um CD com quintetos de Brahms e Schumann (com o Quarteto Artemis).

Começou o programa com a *Sonata em Dó Menor*, D. 958, de Schubert (1797-1828), uma das obras-primas do último ano de vida do compositor, prodigioso ano em que compôs nada menos que duas outras sonatas, além da *Sinfonia* nº 9, do *Quinteto Para Cordas* e de dois grandes ciclos de canções. Andsnes toca um Schubert que conviveria bem com Lutoslawski, outro mestre de massas sonoras cambiantes, girando ao redor do impossível centro.

Tudo é controlado e límpido; mas a limpidez e controle não devem enganar ninguém. Por dentro de tudo fica o Schubert mais humano que se quer. É um compositor capaz de acolher a dor e transformá-la, imediata e magicamente, num instrumento de entendimento de si – entendimento sempre positivo, apesar de tudo.

A vizinhança com a *Sonata* "Ao Luar" de Beethoven (1770-1827) só ressaltava essa forma insólita da lírica, apolineamente desesperada. Porque mesmo a mais lírica das texturas em Beethoven tem com

---

81 Agradeço a Sergio Adorno a identificação do prelúdio de Debussy, no calor da hora.
82 Ver 16.1.02.

Andsnes um enorme grau de confiança, quase o reverso das luzes crepusculares de Schubert. Pensando assim talvez se pudesse aceitar melhor a contrastante, bizarra sequência de tonalidades entre uma e outra sonata (dó menor, dó sustenido menor: um desconfortável semitom de distância).

Depois do intervalo vieram os delírios russos de *Quadros de Uma Exposição* (1874). Quase sempre se escuta essa música como uma coleção de peças características, no limite do grotesco e/ou do caricato. Com Andsnes, o efeito às vezes é o contrário, descaricaturando o conhecido. No caso de "Samuel Goldberg e Schmuyle", que do modo como habitualmente se toca é um pioneiro exercício de antissemitismo, a nova interpretação revela ou cria ali uma sincera voz profética, nas profundezas, em contraponto com sugestões de lamento, nas alturas, uma e outra humanizadas com dignidade.

O Mussorgski de Andsnes cresce de estatura do ponto de vista formal também: aqui e ali, parece um precursor do nosso contemporâneo Ligeti, tanto quanto dos modernistas Debussy (outro inventor de mágicas pianísticas) e Ravel (que orquestrou os *Quadros*). Exemplo: as harmonias dissonantes aveludadamente suspensas, nas "Catacumbas"; ou, logo depois, o tema da "Promenade", em notas repetidas nas alturas, sobre um intuído vazio.

Só foi pena o número de vazios bem concretos na plateia. Seria inexplicável, não fosse a noite do *Rosh Hashaná*. Quem estava lá não se frustrou: foi um grande jeito de terminar 5768 e começar 5769. *Shaná tová.*

1.10.08

Quarteto Osesp Lilya Zilberstein

Sala São Paulo, 19.10.08

Normalmente é no segundo, mas neste caso foi no terceiro movimento que a música se incendiou. Atacando as escalas blocadas com vigor característico, a pianista russa Lilya Zilberstein levou junto seus quatro mosqueteiros. Foi naquele ponto que o *Quinteto* de Schumann (1810-56) deu o salto, jogando as mais de mil pessoas da plateia para aquela dimensão de arrebatamento da qual, depois, só se sai à base de palmas e bravos.

Formado por expoentes da orquestra, o Quarteto Osesp ganhou uma série própria de concertos, dentro da temporada de música de câmara da Sala São Paulo. Aproveita a vinda de solistas da sinfônica e outros convidados para tocar também quartetos e quintetos com piano (e o *Sexteto* de Brahms). Foi assim no domingo, e dá pena pensar que tenha sido o último concerto deles nesse ano.

Um programa que abre com a "Grande Fuga" de Beethoven (1770-1827) já diz de cara a que veio. Que a segunda peça fosse o *Quarteto* "Rosamunde", de Schubert (1797-1828) não era uma escolha previsível; mas iluminadora, porque as várias passagens contrapuntísticas em Schubert são mesmo uma homenagem a Beethoven, assim como preparam o *Quinteto* de Schumann – que, por sua vez, termina com uma espetacular fuga, outra homenagem ao precursor.

Lilya Zilberstein, que fez o *Concerto* nº 3 de Prokofiev com a Osesp na semana passada, não é uma pianista que encanta desde o primeiro toque. Mas encanta no segundo e não perde mais o lugar. Toca com grande segurança e sentido de propósito; tem um volume de som impressionante; e fraseia tudo com aquela naturalidade que, pensando bem, não tem nada de natural: é a mais refinada das conquistas, uma depuração permanente do excesso.

Eis aí, aliás, um segredo aberto de como eles tocaram Schumann. Se Beethoven faz música de afirmação, com vetor para fora, e Schubert da aceitação, com vetor para dentro, Schumann compõe a música do desejo e do amor, na fronteira entre o dentro e o fora, entre o excesso e a falta, exigindo alternadamente "a mais" e "a menos".

Composto em 1842, o *Quinteto* é uma daquelas peças que a gente nem pode escutar muitas vezes, para não gastar. Só o segundo movimento – outra homenagem a LvB, uma "marcha fúnebre" que relembra a "Heroica", assim como recria em chave própria o *Trio* op. 100 de Schubert – já serve de lastro para uma vida. As cintilâncias do "Scherzo" e o "Allegro" depois, já bem para os lados do Leste, jogam a música e todos nós na fantasia de *outra* vida, mais livre, mais sensual. Não por nada, começa aí a grande fuga, dionisíaca e estoica ao mesmo tempo.

Tocado com esse grau de virtuosismo e entrega, o *Quinteto* fica na memória para sempre. E segura nossa onda até maio de 2009, quando o Quarteto Osesp volta à Sala São Paulo.

21.10.08

Martha Argerich

CONVERSA NOTURNA

DVD Biscoito Fino, 2008

Uma das cenas mais incríveis acontece logo no começo do filme e leva pouco mais que alguns segundos. Filmada de costas, Martha Argerich se aproxima de um piano, numa sala de ensaio. Sem se sentar, desfere uma sucessão de escalas cromáticas com a mão direita, para cima e para baixo, com velocidade e fluência características, como se não fosse nada. Dá um sorriso e se afasta.

É bom rever a cena depois, com a lembrança de um comentário feito ao final do filme. Na música, é preciso se preparar 150%, diz ela, para chegar a um resultado de 60%. E o que mais vier é fruto do instante.

Vale dizer que aqui, também, neste documentário de pouco mais de 60 min., dirigido por Georges Cachot em 2002 e agora lançado no Brasil (Biscoito Fino), muito do que passa por espontâneo terá tido 150% de preparação da pianista – seja pela circunstância específica, seja por uma vida inteira de dedicação.

Que ela é uma das artistas mais carismáticas que já se viu não é qualquer novidade; mas o filme deixa à mostra um carisma de outra ordem, mais íntima, à medida em que se vai vendo e ouvindo essa argentina tão sedutora aos 62 anos de idade (hoje 67), falando à meia voz e olhando meio de lado para a câmera, envolta no seu manto preto Miyake e ladeada por jovens músicos de aparência levemente exótica e sugestivamente boêmia.

Outra cena: um bis em Zurique (Suíça), em 2001. Martha ataca a *Sonata* K. 141, de Scarlatti (1685-1757), um virtuosístico exercício de notas repetidas, no pulso mais rápido que jamais se imaginou. Com ela, não parece só o mais rápido, mas o mais certo e o mais natural. É um dos raros momentos em que a dificuldade técnica transparece no rosto da pianista. Mas transparece do modo mais delicado e bem-humorado: num biquinho que ela faz com a boca, além de cantarolar as melodias.

Humor, aliás, é uma das qualidades que ela mais admira, inclusive na música: em mestres do período clássico como Beethoven e Haydn, assim como nos modernos Prokofiev e Shostakovich. Suas risadas são irresistíveis. Parece servir de lastro para a loucura de uma vida exposta a plateia atrás de plateia, sob o risco permanente do desastre.

"Se errar uma nota, eu morro", lembra de ter dito a si mesma, ajoelhada no banheiro de um teatro, aos nove anos de idade, antecipando uma lição do seu maior mestre, Friedrich Gulda (1930-2000). "Não vou errar", resolveu – e nunca mais errou. Sabe que não vai errar, por isso não erra.

Ao mesmo tempo, sente-se à beira do nada, a cada vez. "I have to... *plonger*" – "tenho de... mergulhar" – , comenta, misturando línguas. Só quando começa a tocar, está de novo em controle, a ponto de se deixar vulnerável, "porque é quando se está vulnerável que as coisas acontecem".

Um ensaio do *Concerto* de Schumann (1810-56) é outro ponto alto do filme, que tem a virtude de exibir longos planos-sequência, sem malabarismos. Um segundo antes de começar, Martha olha para o alto, bufa, faz um espalhafato no teclado. Um segundo depois, concentra-se e ataca a música que ela toca como ninguém.

Mergulhada em Schumann, ela nos leva de roldão. Ninguém resiste a seus encantamentos. O filme é um filme é um filme, mas Martha é Martha é Martha e sai da tela para preencher nossa vida, com as paixões da música e da personalidade.

5.11.08

Gidon Kremer Piano Quartet

Sala São Paulo, 10.11.08

O programa começou com uma espécie de prólogo, a *Aurora*, para violino, de Eugène Ysaÿe (1858-1931). Sai do nada e faz nascer o sol, num registro pré-impressionista que demanda grande virtuosismo. O que nunca foi problema para Gidon Kremer, não só um dos mais prodigiosos violinistas em atividade, mas também um dos músicos mais arrojados e interessantes.

Nada do que ele toca deixa de ter originalidade, além de convicção musical. Foi bem o caso nesse retorno à Sala São Paulo, acompanhado por três conterrâneos bem jovens, membros da Kremerata Báltica, que o letão fundou em 1997.

Abrir a noite com Ysaÿe, por exemplo – lendário violinista, a quem César Franck (1822-90) dedicou sua *Sonata* – ganhava outro sentido na sequência, com o arranjo para violino e piano do *Prelúdio, Fuga e Variação* de Franck.

Ouvida na versão original, para órgão, a música não fica imune às mudanças de gosto que o tempo nos impõe. Para muitos de nós agora, está no limite tênue do *kitsch*. Recriada em duo e reimaginada por um músico tão fino, a arte do compositor belga só tem a ganhar.

Kremer toca, muitas vezes, num registro que parece ser menos do que a música pede. Toca para dentro, quase sem vibrato. Quando se expande, depois, com característica intensidade, o efeito é arrebatador. Em plano menor, essa lição foi introjetada pela violoncelista Giedre Dirvanauskaite e pelo pianista Andrius Zlabys, seus parceiros no *Trio* nº 2 de Shostakovich (1906-75).

Aqui se chega ao coração das trevas do século passado. Composto em 1944, em homenagem a um amigo recém-falecido, o *Trio* recria e resiste, de dentro, ao pior. Ainda há pouco, não eram muitos que se entusiasmavam com o sarcasmo de Shostakovich, com suas ironias e sua melancolia, misturados em tramas improváveis. Agora vai virando consenso que ele é um dos maiores compositores modernos, definindo uma era.

Só as arcadas em *crescendo*, de baixo para cima, numa sucessão de pequenos trechos em homofonia já justificavam a noite. Pareciam dizer o que não pode ser dito e que ali só não escutou quem não quis.

Foi curioso, depois, entrar no *Quarteto* em dó menor, op. 60, de Brahms (1833-97), com a participação muito especial da violista Ula Ulijona. Dizer que Brahms antecipa Shostakovich não faz sentido; mas nessa noite era a sensação real e irreal, para quem retornava ao *Quarteto* depois de ouvir o *Trio*.

Do lado de lá e do lado de cá da catástrofe, um e outro se entendem, percorrendo labirintos. No centro ficam os músicos, guiados e inspirados por Gidon Kremer, que escuta, entende e toca como ninguém.

12.11.08

Orquestra Sinfônica Municipal
Denise de Freitas, Marcello Vannucci
Jamil Maluf

Camille Saint-Saëns: Sansão e Dalila

Teatro Municipal, 24.11.08

Há mais coisas no céu e no palco, decerto, do que sonha nossa vã filosofia. São tantos símbolos, ironias e alegorias nesta montagem de *Sansão e Dalila* que nós, filisteus, provavelmente deixamos passar alguma verdade, se não *a* verdade. Dirigida por André Heller-Lopes e regida por Jamil Maluf, a ópera de Saint-Saëns recebe aqui uma encenação que ao mesmo tempo atualiza e distancia as referências, misturando eras com facilidade análoga à do próprio compositor.

Nisso está sua virtude; nisso está sua fraqueza. Desde sempre Saint-Saëns foi admirado pela facilidade para escrever em qualquer estilo e criticado pela dificuldade de encontrar, afinal, um registro inteiramente seu. Mestre do contraponto, como fica claro nesta ópera, por exemplo, nos momentos virtuosísticos do coro – o excelente Coral Lírico, superpovoando a cena –, ele se esforça para criar um estilo que combine a monumentalidade da Grande Ópera francesa com os rigores formais da escola classicista (à maneira de Brahms) e técnicas de transformação motívica (à maneira de Liszt). O resultado soa muitas vezes teatral, no mau sentido, seja porque a coerência interna da música acaba escondida, seja porque vem à tona como exercício, no limite do pedante.

Quem melhor definiu seu dilema foi o compositor Berlioz, para quem o jovem Saint-Saëns já sofria de "falta de inexperiência". Toda essa carga ganha representação na montagem de Heller-Lopes, com cenários de Hélio Eichbauer. Os hebreus e filisteus bíblicos aparecem em cena com estilização de fins do século 19, combinada a toques orientalistas, numa ambiência que também põe em jogo nosso próprio misturado gosto. Grandes *tableaux* fazem pensar nas cenas neoclássicas de pintores como Ingres e David; mas também em Dolce & Gabbana.

O cordão enrolado no braço dos judeus ortodoxos é de um vermelho fosforescente – e vermelho é a cor crucial, do começo ao fim. Mais tarde, no terceiro ato, Sansão, "sem olhos em Gaza", surgirá em cena contra o balé desses cordões fosforescendo, no limite do cômico. (Depois vem o balé, propriamente, no limite do sério, durante o famoso episódio orquestral, melhor momento da OSM.) Mais impactantes são os globos oculares projetados no espaço, ecoando nos dois grandes globos do templo. Sinais dessa ordem se multiplicam do começo ao fim.

A encenação rígida também é pródiga de sinais. Raramente escapa de uma linguagem engessada, o que faz sentido neste contexto, mas não deixa de ser uma pena, especialmente com cantores tão bons como a meio-soprano Denise de Freitas (Dalila), o tenor Marcello Vannucci (Sansão) e o barítono Leonardo Neiva (Sumo Sacerdote). O trio está cantando com segurança e engajamento – tudo o que falta num simples beijo ou abraço, para não falar das cenas mais sensuais. Cantam como entidades; beijam como bonecos.

O final é um anticlímax: colunas de brinquedo, desabando sob música vazia. Não deixa de ser um comentário autoirônico às ruínas da arte de Saint-Saëns, que seguem caindo sobre nós com toda a força de suas fraquezas.

26.11.08

Luisa Francesconi, Leonardo Neiva e outros solistas Coral Paulistano, Camerata Barroca, Teatro da Vertigem Tiago Pinheiro

Henry Purcell: Dido e Enéas

Central de Produção Chico Giacchieri, 6.12.08

Primeiro aninhada em rolos de papel bolha, depois sentada numa vitrine de vidro vazia, no canto do galpão, Luisa Francesconi acabava de cantar, lindamente, a famosa ária suicida da rainha Dido. Enrolava agora fita isolante na boca e no pescoço – aquela fita listada amarela e preta, que demarca cenas de crime – enquanto se ouvia, de um pequeno aparelho de som portátil a seus pés, a repetição gravada de um trecho da ária, embalando a rainha, reduzida agora à peça morta de museu.

A cena dá a dimensão de arrojo e invenção dessa montagem da ópera *Dido e Enéas* de Purcell (1659-1695), dirigida por Antônio

Araújo, com participação de atores do seu Teatro da Vertigem. Estreada em setembro, para marcar a inauguração da sede definitiva da Central de Produção Chico Giacchieri (galpão cenográfico do Teatro Municipal, atrás do estádio do Canindé), a ópera voltou a cartaz na semana passada, sempre sob a direção musical de Tiago Pinheiro, regendo o ótimo Coral Paulistano e uma Camerata Barroca *ad hoc*, formada por músicos da Orquestra Experimental de Repertório, mais teorba/ guitarra barroca e cravo.

Faltou dizer duas coisas na descrição da cena de morte da rainha. A primeira é óbvia: na versão original, as coisas não se dão bem assim. A segunda é que aqui, depois de morta, surge em cena um menino (que já aparecera antes, agarrado ao pescoço de Dido) e deixa no seu colo um cartaz com os dizeres "Dido e Enéas 2008". E mais uma: a luz (de Guilherme Bonfanti) transporta tudo para outra dimensão, não só do espaço, mas do tempo – o nosso tempo.

Tudo nessa montagem, com "dramaturgismo" de Silvia Fernandes, foi cuidadosamente reimaginado: transportado para os dias de hoje (figurino, contexto – ambiente empresarial, migrações de africanos para a Itália) e, de maneira bem específica, para o próprio galpão (com direito ao uso de um caminhão e de um ônibus, sem falar em ferros, canos, pátio, árvores, o céu anoitecendo). Os riscos são do *métier*; aqui e ali, detalhes parecem escapar do registro, como esse menino trazendo a legenda, ou o Espírito que porta a mensagem de Júpiter ao herói Enéas, ordenando que abandone a Rainha e parta para fundar a nova Troia – será que o mensageiro precisava mesmo ser um motoboy trazendo um envelope da FedEx?

Mas são detalhes, como o esdrúxulo acento no nome do herói, que não comprometem uma das montagens mais originais de ópera em muito tempo na cidade. Do início ao fim, são vários planos em contraponto. Aos atores cabe a contrarregragem explícita. É o plano "real", que tem um efeito importante: confere ao artificialismo na atuação dos cantores uma dimensão superteatral, em que cada gesto vira uma espécie de comentário de si.

Para além do teatro e do metateatro, fica a música do gênio barroco, conduzida com energia, sem pretensões de interpretação "autêntica", mas também sem esquecer dessa ambição. Francesconi e Leonardo Neiva cantam o casal trágico: Rosemeire Moreira é Belinda, e Silvia Tessuto, a Feiticeira.

Não é fácil dar vida a personagens tão alegóricos, num roteiro tão abreviado como esse, em que nenhum caráter tem tempo de evoluir. Por conta disso mesmo, a montagem de Antônio Araújo acaba indo mais longe: faz da vida uma das máscaras da morte e toca, assim, de dentro para fora, na essência da ópera, lá dentro do galpão de produção.

9.12.08

London Symphony Orchestra
London Symphony Chorus
Thomas, Fujimura, Davislim, Rose
Colin Davis

MICHAEL TIPPETT: A CHILD OF OUR TIME

CD LSO, 2008

O filho do nosso tempo é o bode expiatório. Na visão do compositor Michael Tippett (1905-98), qualquer agressão é agressão a si mesmo, qualquer guerra é fratricídio, toda perseguição expia a própria culpa e todo homem é o bode. Relativamente pouco conhecido fora da Inglaterra, seu grande oratório *A Child of Our Time* permanece um dos libelos definitivos contra o horror do século passado, como se comprova nessa gravação ao vivo da London Symphony Orchestra, com solistas e coro, regidos por *Sir* Colin Davis.

Em 1938, um diplomata nazista foi morto em Paris, em protesto pela perseguição aos judeus. A retaliação veio na forma de um dos piores *pogroms* da história, a "Noite de Cristal": numa única noite (9 de novembro) mais de 200 sinagogas foram destruídas na Alemanha e em outras partes da Europa; 91 judeus, assassinados e mais de 25 mil deportados para campos de concentração.

Tippett, um pacifista convicto – que passaria meses na prisão, durante a Segunda Guerra, por se recusar a servir, e seria ativista da paz pelo resto da vida –, reagiu aos fatos com um oratório em três partes, espelhado nas obras barrocas de Bach e Haendel. O título vem de um romance de Ödön von Horváth, *Ein Kind unserer Zeit* (1938); mas o libreto saiu da pena do próprio compositor, seguindo o conselho do poeta T. S. Eliot, que preferiu não se engajar na parceria.

Do ponto de vista literário, foi grande pena Eliot não ter aceito o convite. Mas de outra perspectiva, não: dali em diante, todos os libretos de Tippett seriam criados por ele mesmo (inclusive os das cinco óperas), com resultados poeticamente canhestros, mas característicos, indissociáveis dos ideais desse pacifista junguiano comunista e gay, capaz de se tornar, afinal, um dos mais admirados e amados artistas de uma ilha de tradição belicosa, conservadora e anti-intelectual.

Assim como o texto de *A Child of Our Time* incorpora registros diversos – da retórica bíblica ao protesto político, do lamento lírico à meditação antroposófica –, também a música bebe em fontes diversas, recompondo tudo num idioma neoclássico. Entre outras influências assumidas por Tippet, destacam-se os *negro spirituals* ("Go Down, Moses", "Deep River" e outros); são para ele o equivalente dos corais luteranos nas Paixões de Bach. Cada um aparece reescrito numa linguagem muito próxima do original, mas mantendo sempre a textura contrapontística rica e os ritmos em camadas sobrepostas, meio fora de fase, que são a marca do compositor.

Consagrado com essa peça, estreada em 1944, Tippett se tornaria um dos maiores nomes da música inglesa por décadas, ao lado e um pouco à sombra de seu amigo Benjamin Britten. Não deixa de ser estranho pensar que um homem tão firme em suas radicalidades pudesse escrever música, afinal, tão palatável, no limite do conservadorismo. Mas isso também faz sentido para o ideário do artista; e ganha agora um acento mais livre de contingências: a música vive e sobrevive.

A gravação regida por Colin Davis foi feita ao vivo em dezembro de 2007, com a excelente LSO e muito bons solistas. De lá para cá, as circunstâncias mudaram – em Gaza, em Bagdá, em Washington –, o que só dá ao oratório ainda mais pertinência. A música de Tippett é uma mensagem de sabedoria, que a estupidez do nosso tempo só faz tornar mais necessária, enquanto novos bodes vão expiando velhas culpas por toda parte.

21.1.09

Anne-Sophie Mutter

Sofia Gubaidulina: In Tempus Praesens

CD Deutsche Grammophon, 2008

"Não há atividade mais nobre do que recompor a integridade espiritual pela criação de música." As palavras da compositora russa Sofia Gubaidulina estão numa entrevista de 1989 (*Oganok*, nº 33), mas seguem iluminando sua obra, que não é pequena e ganha um acréscimo extraordinário com este concerto para violino e orquestra, *In Tempus Praesens* (2007), recém-gravado por Anne-Sophie Mutter, com a Sinfônica de Londres regida por Valery Gergiev.

Nascida em 1931, no Tartaristão (na ex-União Soviética, hoje parte da Rússia), residente na Alemanha desde 1992, Gubaidulina tornou-se por consenso um dos maiores nomes da música contemporânea. Divide com Schnittke (1934-98) a distinção de sucessor de Shostakovich (1906-75). Mas, enquanto esses dois têm uma ligação mais direta, seja pelo tipo de construção musical, seja pelo seu caráter intelectual e emotivo, ela envereda por outros caminhos.

Na música de Gubaidulina, não há lugar para a expressão individual: tudo serve a uma espécie de voz suprema, que é de todos e não é de ninguém. Essa dimensão mística da música se instala desde os primeiros compassos. Técnicas ocidentais avançadas se combinam com desenhos melódicos da liturgia ortodoxa russa. Combinam-se também, muitas vezes, com o uso de instrumentos raros do Cáucaso ou do folclore asiático.

No caso desse concerto – seu segundo, depois do antológico *Offertorium* (1980), gravado por Gidon Kremer –, o conjunto de timbres inclui um cravo amplificado e um piano, que aparecem no meio da gigantesca orquestra, com direito a três tubas wagnerianas e seis percussionistas (mas nenhum violino).

Serviu de inspiração inicial o nome em comum da compositora e da solista: "Sofia", no sentido que tem para a cristandade ortodoxa, sinônimo de "conhecimento divino", fundação de tudo o que se dá. As duas coisas – acervo de timbres e conhecimento essencial – são exploradas uma em relação à outra ao longo dos 32 minutos do concerto, dividido em cinco movimentos sem pausa.

Partindo do violino solo, em cantilenas ascendentes, com pequenas intervenções orquestrais, a música vai se abrindo em leque, cada vez com mais instrumentos. Que tudo termine, afinal, de novo na solista, evanescendo sozinha num agudíssimo fá sustenido, não chega a causar surpresa, mas nesse ponto já não se está mais à espera de sustos, espetáculo: o mundo já ficou para trás, e nós também.

A própria Gubaidulina fala em J. S. Bach (1685-1750) como seu maior modelo. Nada melhor que o disco inclua dois concertos para violino e orquestra do mestre barroco, tocados e regidos por Mutter, com os Trondheim Soloists. Estranha, linda, paradoxal gravação: andamento e fluência da música antiga, especialmente na orquestra; vibrato e dinâmica do século 20 nos solos, sem que haja propriamente desacerto.

O contraste joga a solista para a frente, não para trás desse outro "tempo presente" do passado.[83] Para a frente no tempo e para dentro dos afetos: tudo aqui faz jus à arte de uma violinista para quem cada nota é conhecimento divino, na sua mais sensual e presente encarnação.

11.2.09

András Schiff

Ludwig Van Beethoven: Sonatas op. 109, 110, 111

CD ECM, 2008

Um detalhe na introdução da *Sonata* op. 111 serve para definir o caráter dessa gravação das últimas três sonatas de Beethoven (1770-1827) pelo pianista András Schiff.

A introdução é lenta e "majestosa", como indica o compositor. No último compasso antes de virar "Allegro con brio ed appassionato", a mão esquerda começa um trinado, na região grave (faixa 8, 1'25). Está grafado em fusas: 32 notas por compasso. O trinado continua, sem interrupção, no compasso seguinte (1'29), mas escrito em semicolcheias: 16 notas por compasso.

A maioria dos pianistas acelera o tempo nessa passagem. É o que se escuta, por exemplo, nas gravações de Guiomar Novaes (de 1966), Daniel Barenboim (1984) e Sviatoslav Richter (1991). Já Schiff

83 Quanto a isso, vale lembrar sua gravação de concertos de Mozart, comentada em 10.1.06.

adota outra leitura. Baseado na proporção matemática (32/16), assume que o pulso do "Allegro" deve ser o dobro do da introdução – o que, por sua vez, significa que a introdução não é tão lenta como habitualmente se toca.

Parece um detalhe, mas não é. Para um pianista desse porte, não existe diferença entre atenção analítica à partitura e compreensão poética da música. Tanto mais em três obras como essas, realizações supremas do chamado "estilo tardio" de Beethoven, em que a forma, levada ao limite, vira o desafio da música: cada elemento, cada pequeno acontecimento será elaborado até que a música consiga, afinal, se liberar de si.

O trinado em fusas e semicolcheias da op. 111 foi comentado em detalhe por Charles Rosen, autor do estudo de referência sobre o estilo clássico (*The Classical Style*, 1971), num outro livro, só sobre as sonatas de Beethoven: *Beethoven's Piano Sonatas* (2002).[84] Citado por Schiff na longa entrevista do encarte, Rosen está entre as bases musicológicas desse último CD, assim como dos sete precedentes, compondo a integral das sonatas de Beethoven pelo pianista húngaro.

Baseado diretamente nele ou não, o que se escuta são dezenas de pequenas diferenças de fraseado, articulação, dinâmica e uso do pedal, às vezes com efeito dramaticamente novo. Veja-se a reprise da "Arietta", no terceiro movimento da *Sonata* op. 110. Schiff interpreta a primeira versão da melodia como música "vocal", o que todo o mundo faz; mas como ninguém, depois, encena dificuldades de enunciação – uma fala sufocada, entrecortada – nessa repetição estranha e ainda mais expressiva da melodia.

Sem falar no próprio instrumento: contrariando a unanimidade atual do Steinway, ele alterna esse com um Bösendorfer vienense, mais aveludado. "Não é por acaso que [o vienense] Schubert [1797-1828] soa especialmente bem num Bösendorfer", escreve Schiff. "E muitas das sonatas de Beethoven nos fazem pensar em Schubert [...]" Qualquer ouvinte atento pode perceber a diferença, aqui, entre o Bösendorfer da *Sonata* op. 109 e o Steinway das outras duas.

Sobre isso também, não dá para dizer que é um detalhe. É o piano. É o corpo e o espírito da música, elaborada em chave própria por um grande artista.

15.2.09

---

84 The Classical Style *(Londres: Faber, 1971 e reeds.);* Beethoven's Piano Sonatas – A Short Companion *(New Haven: Yale University Press, 2002).*

Osesp
Yan Pascal Tortelier

Sala São Paulo, 5.3.09

A orquestra está com ele. Nem poderia ser de outro modo, já que os próprios músicos indicaram o nome do maestro Yan Pascal Tortelier para assumir interinamente o lugar de John Neschling, demitido pelo Conselho da Fundação Osesp em janeiro.[85] Mas isso em si não explica o grau de empenho da orquestra, da primeira à última nota do concerto de abertura da temporada, anteontem na Sala São Paulo.

Empatia existe ou não existe. Música é o resultado de muitas coisas, algumas mais misteriosas do que outras. Essa ligação de músico para músico figura entre as principais na cozinha metafísica de sons e afetos, cujo efeito qualquer plateia percebe. E a plateia percebeu: ovacionou maestro e orquestra já no final da primeira parte; e saiu contente no intervalo, brindar à vida.

Três pequenas cenas resumem o enredo. Cena 1: a entrada de Tortelier, sério e compenetrado, para reger o *Hino Nacional*, como de praxe no primeiro concerto do ano. Sem falas, sem drama, um músico de alto nível fazendo seu trabalho.

Cena 2: um lindo solo do clarinetista Ovanir Buosi, no "Adagio" da *Sinfonia* nº 2 de Rachmaninov (1873-1943). Não só o solo, uma pequena maravilha de dinâmicas no limite do possível; mas o rosto

---

85 Sobre a demissão, ver o artigo "Renovação de Orquestra e Criação da Sala São Paulo São Marcos da Era Nechling" (Folha de. S.Paulo, *23.1.09). Vale citar alguns trechos desse artigo: "Depois de três anos de atividade, o Conselho [da Fundação Osesp] resolveu chamar especialistas para estudar melhor como se administra uma orquestra, segundo padrões internacionais. A notícia chegou ao maestro, que a interpretou da pior forma e reagiu anunciando pela imprensa sua decisão de não prosseguir à frente da Osesp depois de 2010. [...] Com este longo ciclo da orquestra chegando ao fim, ninguém pode tirar do maestro a glória de ter realizado, contra todas as expectativas, o mais ambicioso e mais bem-sucedido projeto musical nessa área de que já se teve notícia entre nós. [...] A renovação da Osesp, a partir de 1997, e a construção da Sala São Paulo (inaugurada em 1999) são marcos de um período que será conhecido com justiça como a Era Neschling. Não só se chegou a resultados musicais de alto nível, mas mudou-se a forma de administrar as coisas [...] criando um modelo hoje seguido, em alguma medida, por muitas instituições. O mínimo que se pode dizer é que a Osesp de Neschling desprovincianizou a música clássica brasileira, com repercussões em outras áreas também".*

da flautista Jessica Dalsant, de costas para Ovanir, na cadeira à frente, apreciando a arte do colega: uma sucessão espontânea de pequenas expressões acompanhando a melodia, o tipo de coisa que só acontece quando os músicos estão de bem consigo mesmos e com a música.

Na cena 3, a música já tinha acabado e Tortelier voltava pela segunda vez ao palco para agradecer. Fez sinal para que os músicos levantassem, mas ninguém se mexeu. Sinalizou de novo, mas os músicos insistiam em ficar sentados, batendo palmas e batendo pés. Por fim, o maestro deu um abraço no *spalla* Emanuele Baldini e subiu ao pódio, para viver sozinho um instante de felicidade.

Foi tudo bonito; tanto mais nas circunstâncias, com a demissão traumática de Neschling ressoando na rua Mauá e mil e um comentários circulando no meio musical.

Há muito tempo a Osesp não tocava com tanta gana; violinos e violas deram um show. Pelo menos no Rachmaninov. Antes disso, tocaram com evidente brio as *Variações Enigma* de Elgar (1857-1934); mas era difícil julgar, para quem estava no Coro, atrás da orquestra, ouvindo tudo com a perspectiva invertida.

Tortelier regeu o programa inteiro de memória. São peças que ele deve reger até dormindo: classicões, mais para o gosto médio da plateia de Manchester, onde ele foi regente titular da Filarmônica da BBC (1992-2003) e segue regendo regularmente, do que para os interesses avançados da audiência da Sala São Paulo, ensinada por Neschling.

Antes do concerto, havia mesmo quem dissesse que uma noite de Elgar e Rachmaninov não parecia a melhor escolha para abrir a temporada da Osesp e que a programação caracteristicamente arrojada da orquestra já corre risco. Os defensores da mudança respondem que a troca de regente se deu há meros 45 dias e que o mais importante, nessa hora, será garantir a continuidade do projeto.

Um pouco de água na fervura faz bem: cabe lembrar que Tortelier não assumiu o cargo de diretor artístico. Está aqui como regente titular temporário, para tocar o barco, se possível com brilho. Um tanto de fogo, por outro lado, é vital; e desse ponto de vista compreende-se melhor a escolha. Tortelier foi direto ao coração. A curto prazo é sempre o melhor caminho; e a longo prazo também.

7.3.09

Ian Bostridge/ Leif Ove Andsnes

SCHUBERT: THE WANDERER. LIEDER & FRAGMENTS

CD (duplo) EMI, 2008

A grande surpresa vem na última faixa. Depois de nada menos do que 30 canções, divididas em dois discos, surge esse "Adeus à Terra", um poema recitado, com acompanhamento de piano. Foi composto por Schubert (1797-1828) para uma peça teatral de um autor pouco conhecido, Adolf von Pratobevera. Tecnicamente nem é uma canção (um *Lied*), e sim um "melodrama": versos falados. Mas aqui a canção como que chega a seu grau zero, a palavra com música por dentro, a língua virando música. Tanto mais nessa interpretação do tenor Ian Bostridge, acompanhado por Leif Ove Andsnes.

O inglês e o norueguês já haviam gravado juntos o ciclo *Winterreise* de Schubert. E um CD de Andsnes tocando a *Sonata* em lá maior, gravado em 2002, incluía, como bônus, quatro canções com Ian Bostridge, recolhidas novamente aqui. A parceria não poderia ser mais justa. Um e outro são artistas "de projeto", para quem a música existe no mundo e deve guardar consciência disto. Cada disco, cada concerto deles parece pensado como um livro, ou como um ensaio de crítica, naquele registro em que crítica e poesia viram uma coisa só.

Um e outro têm interesse também na música do nosso tempo. Andsnes, por sinal, lança este mês um novo disco, *Shadows of Silence* (Sombras do Silêncio), dedicado exclusivamente a compositores contemporâneos: Sørensen, Dalbavie, Kurtág e Lutoslawski. Em 2009 estreia também um projeto em colaboração com o artista plástico sul-africano Robin Rhode, recriando em nova chave os *Quadros de Uma Exposição* de Mussorgski (que ele tocou na Sala São Paulo, em setembro do ano passado).[86]

Isso faz diferença, para quem toca Schubert? A resposta óbvia é "sim", não apenas pelo que representa de abertura espiritual, mas ainda mais concretamente pela diferença sonora que um repertório pode inspirar no outro. Libertadas do conforto da convenção, a estranheza das canções de Schubert só tem a ganhar – e muitas delas soam mesmo profundamente estranhas, aberratórias, exceções ao gênero do qual são supostamente o modelo.

---

86 Ver 1.10.08.

Exemplos abundam num disco rico de surpresas. Não apenas pelas raridades, como o melodrama de Pratobevera, ou a peça de abertura, "Viola", quase uma cena operística (com versos de Franz von Schober), 13 minutos de música, em variados estágios de atribulação. Mesmo um clássico conhecidíssimo, como "A Morte e a Donzela", ganha contornos novos. O caráter teatral do embate entre a moça e a morte – um tema urgente na Viena oitocentista, onde moças e moços morriam cedo –, vem dramatizado no contraste de timbres da voz: dos agudos claríssimos da primeira parte para as profundezas de um ré grave que ninguém adivinharia na garganta de um tenor.

O nome do disco vem de "Der Wanderer" (de 1819), com versos de F. Schlegel, uma de tantas canções centradas na figura do "Caminhante" visionário e solitário, comum na poesia de início do século 19. Aqui se escuta, mais uma vez, a arte do *Lied* elevada à simplicidade suprema: uma voz, dizendo palavras, no limite impreciso entre linguagem falada e música cantada, e um piano, que acolhe e transforma o que se diz em tons para além do que se diz. São só duas estrofes e a canção se esvai, o caminhante se afasta. Fica um branco. Fica um espaço. Ou melhor, fica um vazio. Ficamos nós, com Schubert, ouvindo um piano e uma voz.

25.3.09

Osesp
Sasha e Gennady Rozhdestvensky

Sala São Paulo, 27.3.09

Dizer que "o programa foi longo" soava como eufemismo, para quem saía do estacionamento às 15 para a meia-noite. Mas o tom geral das conversas não era de cansaço; estava mais para admiração, ou espanto. Nem podia ser diferente, depois da *Sinfonia* nº 10 de Shostakovich (1906-75) tocada pela Osesp na última sexta, sob a regência de Gennady Rozhdestvensky.

Estreada em 1953, meses depois da morte do ditador Stálin – que atormentou repetidamente o compositor ao longo dos anos –, a "Sinfonia" é um monumento da música do século 20, talhado numa estranha espécie de pedra. Começa com uma longa, sombria meditação nas cordas, em texturas contrapontísticas, e aos poucos deixa o mundo inteiro entrar, com direito a citações variadas, mudanças extremas de humor e obsessivas, autoirônicas repetições do acrônimo "DSCH" (de *D*mitri *SCH*ostakovich, no sentido musical germânico: ré-mi bemol-dó-si).

A *Sinfonia* sozinha já daria uma noite. Antes dela, a Osesp tinha tocado o que era, virtualmente, outro programa completo: *As Estações* de Glazunov (1865-1936) e o *Concerto* nº 1, para violino e orquestra, de Prokofiev (1891-1953), com o solista Sasha Rozhdestvensky, filho do maestro. Tudo somado valia um grande romance histórico-político-estético da cultura russa ao longo do século, dividido em três partes: "Visões do Paraíso", "À Beira do Abismo", "Depois do Desastre".

A seu modo, o concerto dialogava também com o programa da semana retrasada, quando a Osesp tocou Mozart (1756-91) e Ravel (1875-1937), regida por Tortelier. A soprano alemã Juliane Banse passou das árias de Mozart para a *Shérezade* de Ravel como quem vai da vida ao sonho, e abriu espaço para arrebatadoras nostalgias em *La Valse*. A plateia foi à loucura e a orquestra teve de bisar um trecho do Ravel.

Com acento diferente, o *Concerto* de Prokofiev ficaria bem nessa companhia. Escrito em 1917, encarna um ideal de encantamento lírico, às vésperas da Revolução; em retrospecto, parece desdizer do futuro.

Sasha Rozhdestvensky tem um sentido muito fino de dinâmica nas linhas, segurança total nas diabruras, intensidade na corda sol. Faltou, talvez, um pouco de projeção, aqui e ali; e a música soou inesperadamente menos calorosa do que se poderia esperar – assim como os cumprimentos frios entre pai e filho.

Agora o pai. Aos 77 anos, Rozhdestvensky já regeu tudo o que importa e muito do que não importa tanto também. Diretor artístico do Teatro Bolshói, em Moscou, desde 2000, foi lá que famosamente, aos 20 anos de idade, regeu *O Lago dos Cisnes*. Conheceu todo o mundo, envolveu-se com a música do seu tempo – Schnittke, Gubaidulina, Denisov, sem falar em contemporâneos mais velhos, como o próprio Shostakovich – e gravou cerca de 800 obras, em mais de 400 discos.

Rege ao rés do chão; quer dizer, sem pódio, no mesmo nível dos músicos. Quase não se mexe. Às vezes não se mexe mesmo, fica só escutando. Mas ninguém duvida por um segundo do seu controle absoluto da situação. A música que se escuta é a música que ele escuta, e que faz aparecer na orquestra sem aparente esforço. Viveu tudo, ouviu tudo, pode olhar pra trás e fazer entender o que foi a música, num século extraordinário e aterrador.

30.3.09

Trio 3-63

CD Sambatown, 2009

"Radamés y Pelé." O título da primeira faixa serve de senha para entrar nesse disco, em que se cruzam tantas coisas com a naturalidade ao mesmo tempo espontânea e artificiosa daquele "y". Os maestros do piano e da bola são homenageados por Tom Jobim como outros tantos Orfeus da Conceição, num campo em que não existe mais diferença entre alto e baixo, grego e carioca, muito menos preto e branco. Melhor dizendo: as diferenças se completam e se somam, numa mistura brasileira que aqui pelo menos, na música, resolve suas contradições de modo iluminado e exemplar.

O disco leva a sabedoria do "y" à última potência. Onde mais se teria coragem de gravar, no mesmo álbum, um lundu de Joaquim Callado (1848-80) e uma peça como "Chronos II", para flauta e efeitos eletrônicos, de Roberto Victorio (n. 1959)? E essas lado a lado com os "Motivos Nordestinos" do mestre percussionista da OSB, Luiz D'Anunciação (n. 1926), que aqui vira vizinho não só de uma pequena virtuosística fantasia de Guerra-Peixe (1914-93), mas de dois lundus de Pixinguinha (1897-1973)?

Mas tudo é tão natural para o Trio 3-63, tudo feito com tanto engenho e empenho, que se torna também natural para quem escuta. Cada um deles três sempre viveu cruzando fronteiras, falando várias línguas da música.

O pianista Paulo Braga, para começo de conversa, criador do celebrado Departamento de Música Popular do Conservatório de Tatuí (SP), nos idos de 1990, e professor no Centro de Estudos Musicais Tom Jobim (grande escola estadual de música, em São Paulo), também ganhou reconhecimento pelo trabalho com o Trio Bonsai, com Mônica Salmaso e com Arrigo Barnabé – com quem lançou em 2008 o CD *Ao Vivo em Porto* –,[87] para ficar só nessas parcerias recentes. Além disso, compõe: veja-se a linda hermeticaegbertica "Nhonhô da Botica".

Marcos Suzano, um dos percussionistas brasileiros de maior renome dentro e fora do país, companheiro musical de artistas como Gilberto Gil, Carlos Malta e Pife Muderno, Sting e Joan Baez, exerce ainda as funções de diretor artístico do Festival Percpan e apresenta oficinas regularmente na Europa, no Japão e nos EUA. Toca sem parar, do Norte ao Sul: em 2007, lançou *Satolep Sambatown* com o compositor e cantor gaúcho Vítor Ramil. Na sua música, o pandeiro é irmão do *sampler*: tudo ganha um corpo ao mesmo tempo inusitado e ancestral, renascido no terreiro eletrônico.

Sobre a flautista, antes de dizer qualquer coisa, é melhor ouvir. Qualquer exemplo serve; podemos ficar com um bem do começo. Faixa 1, 8s. Nessa e nas duas notas longas seguintes, desenhando o final da segunda frase de "Radamés y Pelé", o que ela faz são três *crescendos*, cada um levemente maior e diferente dos outros, cada um com sua dose delicada de *vibrato*, que se vai impondo de dentro para fora até que o som dispara nos dribles verticais de notas curtas correndo a escala de alto a baixo. Detalhes como esse se multiplicam a cada compasso de cada faixa. Cada um traz em si uma história da música, concentrada e renovada, levando adiante com fôlego todo próprio a tradição que começa justamente com Joaquim Callado, passa por nomes como Patápio Silva, Pixinguinha e Altamiro Carrilho, e hoje vive como nunca em Andrea Ernest.

"Fôlego" é bem o termo, não só porque estamos falando de flauta. Para quem já tocou de tudo – seja com a OSB, seja com o Pife Muderno, seja interpretando Moacir Santos com o Ouro Negro, seja participando de discos de Caetano Veloso, Chico Buarque, Edu Lobo e Milton Nascimento, entre muitos outros, seja gravando um repertório de peças eletroacústicas brasileiras e francesas (a sair em 2009), seja ainda no antológico CD de *Choros Amorosos* (também no prelo)[88] –, todo segredo e toda beleza da música parece que agora convergem para o simples ato de soprar. Mas o ato não tem nada de simples: só vira arte quando faz parar o tempo, como ela faz, respirando a pulsação da música, e reiventando a nossa pulsação.

Um mais um mais um é igual a três; mas três são um. As diferenças se somam e se completam, numa mistura brasileira. Só quem conhece tanto pode chegar, como eles, a tal espontaneidade. E só

---

87 O disco (selo Atração) registra a suíte Clara Crocodilo, *de Arrigo Barnabé, em versão para dois pianos.*

88 Já lançado: selo Sesc Rio de Janeiro, 2009.

quem está tão à vontade na música, em todas as músicas, pode misturar tantas cantigas assim. Começa com Tom Jobim. Termina com Pixinguinha. Entre um e outro, são mundos, mil brasis, onde a gente agora vai se perder e encontrar de novo, espantado, encantado, feliz.

Release do CD Trio 3-63.

Coral da Academia do Festival de Música de Schleswig-Holstein Orquestra Elbipolis Rolf Beck

Haendel Gala

Sala São Paulo, 14.4.09

Que um concerto todo dedicado à música de Haendel (1685--1759) caísse precisamente no dia em que se celebrava seu bicentenário de morte era uma coincidência significativa. Podia-se imaginar uma noite especial, escutando o Coral da Academia do Festival de Música de Schleswig-Holstein, com a Orquestra Elbipolis, sob a regência de Rolf Beck. Se na hora H, anteontem, as coisas não foram tão quentes na Sala São Paulo, isso tem mais a ver com o formato da aula-concerto, que combina sem muito engenho um *pot-pourri* de peças do compositor com comentários falados.

A música clássica esteve, está e estará sempre sob o risco, real ou imaginado, de perder seu público. Nessas circunstâncias, só se pode aplaudir quem tem a coragem de inventar novas formas de concerto. Puristas reclamariam da sequência de obras para coro e orquestra, extraídas de oratórios diversos de Haendel. Mas a vida é curta e a música longa demais para purismos.

Também não há por que reclamar da ideia de justapor música e textos. O anti-intelectualismo vigora no meio musical desde a época do próprio Haendel, que padeceu por décadas na Inglaterra, acusado de escrever música "difícil", até se tornar o "compositor nacional" no fim da vida. Se havia do que reclamar, aqui, era justamente da falta de voo nas falas, limitadas quase exclusivamente a traços biográficos superficiais, que afinal não enriquecem a escuta.

De um lado do palco sentava-se o ator Sérgio Viotti, em trajes setecentistas, incluindo peruca, no papel do compositor. Do outro, encenado por Daniel Warren, seu biógrafo, o romancista Romain Rolland (1866-1944), prêmio Nobel em 1915, hoje esquecido. Um e outro disseram seus textos com artificiosa naturalidade, mas não havia como tirar leite da falta de pedras: nenhum sopro de dramaturgia, nenhuma brisa de ideia. Acidentes da vida, viagens, doenças, política grande e pequena – e a noção tácita de que isso, de alguma forma, explicaria a música.

O contrário talvez esteja mais perto da verdade. A música de Haendel tem poderes; e a cada vez que a orquestra atacava um *fugato*, a cada vez que o coro entoava seus triunfos e tribulações, não havia como não reagir. A Orquestra Elbipolis – de Elba, o rio Elba, em Hamburgo – faz um barroco leve e ligeiro, sem muito ornamento. Cabelos modernos, gravatas coloridas, ripongas no violoncelo e no contrabaixo: uma moçada alegre, mandando ver. O coro parece mais careta, mas só na aparência, não na música.

Antes da Sala São Paulo, a Elbipolis foi a Heliópolis, para seis oficinas no Instituto Baccarelli. Isso sim teria feito a alegria do compositor. Dois séculos e meio depois de sua morte, a música de Haendel continua viva, entre crianças e adolescentes na periferia de uma cidade do Brasil. "Whatever is, is right" (Seja o que for, é o que deve ser), canta o coro em *Jephtha* (1751). Da perspectiva da eternidade, talvez; aqui, na prática, não. A própria música de Haendel é uma das coisas que faz diferença, para que as coisas não sejam sempre como são.

16.4.09

Orquestra Sinfônica Municipal/ Luis Filipe Lutero Rodrigues

Camargo Guarnieri: 3 Concertos para Violino e a Missão

DVD + CD-ROM, Centro Cultural São Paulo, 2009

Triste, estranha sina de Camargo Guarnieri (1907-93). Bem ao contrário de seu contemporâneo Villa-Lobos, que cultivava um senso afinadíssimo de oportunidade, o compositor paulista parece ter passado não só a vida, mas até a posteridade tendo de se esforçar para não ser mal compreendido. O lançamento dessa caixa – projeto coordenado por Francisco Coelho (curador de música do Centro Cultural São Paulo), com DVD e CD-ROM reunindo gravações ao vivo de três peças para violino e orquestra, outras gravações históricas, partituras, textos, entrevista, materiais de arquivo e um documentário – pode ajudar a desfazer o mal-entendido e/ou a má vontade de quem ainda não descobriu um de nossos maiores músicos.

O DVD traz a gravação ao vivo dos dois *Concertos* para violino e orquestra (o primeiro de 1940; o outro, de 1953), mais o *Choro* (de 1951), todos a cargo do jovem violinista Luis Filipe, radicado há anos na Alemanha. Que um músico desses não seja mais conhecido no país simplesmente não faz sentido. Acompanhado pela Sinfônica Municipal, regida por Lutero Rodrigues – responsável pelo trabalho de recuperação e preparação das partituras –, Luis Filipe toca as três virtuosísticas peças com intensidade e segurança, um artista natural que encontrou sua música.

Que o *Concerto* nº 1 não fosse ouvido há quase 60 anos é realmente absurdo; mas faz parte do esdrúxulo sentido da carreira do compositor. Reconhecido como mestre, em alguma medida Camargo Guarnieri sofreu por isso mesmo: nas décadas que deviam ser suas, caiu da escada da história. Um de nossos compositores mais impressionantes, ao adotar a bandeira marioandradina da brasilidade acabou sendo visto como conservador, passadista. Ficou rapidamente ultrapassado, sem chegar a ter passado. Só agora, quem sabe, com as gravações e interpretações da Osesp e projetos como esse, a força de sua música começa a abrir espaço para outro grau de reconhecimento.

Falando em Mário de Andrade, o CD-ROM inclui nada menos do que a gravação de campo de 220 melodias, coletadas durante a famosa Missão de Pesquisas Folclóricas de 1938 (iniciativa de Mário à frente do Departamento de Cultura), e a transcrição em partitura das mesmas, trabalho que ocupou Camargo Guarnieri ao longo de dez anos. São aboios, acalantos, caboclinhos, tambores de mina que soam de novo agora, com as vozes tão vivas de quem não está mais aqui. Vozes do Brasil profundo, modelo e medula para toda a música do compositor.

Há uma forma de justiça em ver a música de Camargo Guarnieri voltando à luz do dia pelas mãos de um músico tão jovem (destacando-se à frente de uma equipe de mais de 130 pessoas envolvidas no projeto). Ao que tudo indica, 15 anos depois da morte do autor ela vai achando jeitos de sair da história, para entrar na vida de todos nós, que afinal aprendemos a ouvir.

22.4.09

Osesp/ Schagidullin, Shtoda, Neiva, Los, Montalvo e outros solistas Isaac Karabtchevsky

Verdi: Falstaff

Sala São Paulo, 22.4.09

Uma das melhores cenas da ópera vem no começo do Ato 3. Molhado e humilhado, depois de atirado no rio literalmente com a roupa suja da mulher que tentou seduzir, Falstaff se lamuria e fala mal da humanidade. Mas basta começar a falar e o milagre se renova: pouco a pouco vai voltando a energia do mais vital dos homens, e a música de Verdi (1813-1901) torna isso possível não só de ver, mas de ouvir. Foi assim, mais uma vez, anteontem na Sala São Paulo, com o barítono russo Albert Schagidullin no papel-título, um elenco estelar de vozes e a Osesp regida por Isaac Karabtchevsky.

Dirigida por André Heller-Lopes, a produção semiencenada faz mais do que só sugerir, mas não avança o sinal na dramaturgia. Um ou outro aparato cênico (cadeira, cesto, biombo) é o suficiente; na grande cena final da floresta basta um único carvalhozinho em miniatura, simbólica e bem-humoradamente postado à beira do palco.

Fora isso, há o desenho de luz economicamente espetacular, com destaque para a projeção de sombras sobre o noturno coro mascarado; ou para o *crescendo* de luz pela sala inteira enquanto cresce o ciúme do marido traído. Nos dois casos, a luz vira ao mesmo tempo cenário e narrador irônico.

É um prazer ver e ouvir cantores desse nível fazendo discreto bom teatro para a grande música. Composta nos últimos anos de vida do compositor, inspirada nas *Alegres Comadres de Windsor* (1597) de Shakespeare, *Falstaff* (1893) é uma partitura impressionantemente arrojada – tanto mais porque não chama a atenção para seus arrojos.

Está muito longe do modelo de outras obras-primas como *La Traviata* e *Aida*, ou mesmo de sua antecessora, *Otello*.

Com notáveis exceções, aqui não se tem mais as características árias, cavatinas, cabaletas, separadas do resto da música e imediatamente memoráveis. Tudo na música flui ininterruptamente e tudo vem da palavra, elevada à condição de música por um aparente pequeno mágico toque de gênio.

Pequeno ou grande: como nas inúmeras cenas de contraponto virtuosístico, em combinações variadas das nada menos que 10 vozes solistas. Tudo converge para a "fuga cômica", que Karabtchevsky – soberano do começo ao fim, sem maior vibração, mas muito à vontade na frente da orquestra – levou num ritmo acelerado.

Cantores, cantores e mais cantores: começando por Schagidullin, expressivo e engraçado. Compensa o volume relativamente menor da voz com a natural graça. Só falta ser obeso, como pede o papel. Leonardo Neiva (Ford) entrou de última hora e fez bonito, gol do Brasil, tabelinha com Denise de Freitas (Meg). Maravilhosa mesmo estava a soprano francesa Marisol Montalvo (Nanetta), não só pelas costas bronzeadas. São todos de alto nível: Inna Los (Alice) e Anna Kiknadze (Quickly), Daniil Shtoda (Fenton), Oliver Ringelhahn (Caius), Marcos Thadeu, Pepes do Valle e o Coro do Osesp. Verdade que no Ato 1 ainda não havia muita liga no conjunto; depois, pegou.

"Tudo no mundo é uma piada" cantam eles, no mozartiano final. A frase é do libretista Boito, e dá outro acento para o "tudo no mundo é teatro" de Shakespeare. Tudo é piada: e a música de Verdi faz dessa piada a maior sabedoria, que ajuda a gente a continuar indo ao teatro.

24.4.09

Alexandre Tharaud

Sala São Paulo, 3 e 4.6.09

Que o segundo movimento do *Concerto Para Piano e Orquestra* nº 23 de Mozart (1756-91) é um dos mais bonitos do repertório deve ser consenso; para além disso, a escolha em especial desse concerto fazia um sentido também especial. Não só porque o jovem pianista francês Alexandre Tharaud toca Mozart como um predestinado, mas também porque o segundo movimento ganha uma homenagem explícita no *Concerto em Sol* de Ravel (1875-1937) e Tharaud já se consagrou como intérprete deste seu conterrâneo – de quem tocou duas peças num recital solo, quarta-feira.

Em 2007, o pianista lançou um CD com obras do gênio barroco francês Couperin (1668-1733). Alguns anos antes, gravara um disco só de Rameau (1682-1764), a quem dedicou metade do seu primeiro concerto na Sala São Paulo.[89] Fazer essas peças para cravo no piano exige, além de virtuosismo digital, toda uma carga de audácia, face às exigências musicológicas da interpretação "autêntica". Pois Tharaud toca os barrocos franceses como ninguém e faz do piano um instrumento novo da música antiga.

Quarta passada, no primeiro ataque, já fez um ornamento tão extraordinário que deixava a gente com aquela sensação rara de espanto: algo lindo e diferente, estranho e maravilhoso. O teclado de um cravo não permite variação de volume; a música soa sempre no mesmo plano sonoro. Imitar isso ao piano seria caricato. Tharaud se permite criar planos distintos entre as vozes, sem chopinizar as coisas, mas o bastante para revelar segredos pouco intuídos em Rameau. A música ficava mais e mais interessante a cada novo estágio da *Suíte em Lá Maior*. Tudo sob domínio de uma respiração musicalíssima, conferindo uma espécie de serenidade alegre às teatralidades da superfície.

Ali, como depois no Ravel (*Sonatina* e *Tombeau de Couperin*), as plasticidades ornamentais da música são figura e fundo ao mesmo tempo. Podem parecer só ornamento; mas não estão "ornamentando" nada: são a coisa em si. Elegante e discretamente abusadas, luxuosas sem ostentação, ganhavam uma imagem alegórica nas abotoaduras negras do pianista, rimando com os sapatos e dançando no ar.

Nada mais natural, depois, que Tharaud viesse a se revelar um grande intérprete mozartiano também. Anteontem, à frente da Osesp regida por Yoram David, ele fez quase o contrário do que fizera com Rameau: recriou as rendas de arpejos e escalas em texturas incrivelmente fluidas, sem deixar de articular cada nota, mas sem dramatizar crescendos ou diminuendos. E essa aparente neutralidade tocava num grau zero da beleza que depois, no famoso segundo movimento, podia então sair de dentro de si para as expressões do fora.

---

89 Tic Toc Choc. Alexandre Tharaud Joue Couperin *(Harmonia Mundi, 2007).* Alexandre Tharaud Joue Rameau *(Harmonia Mundi, 2001). Vale mencionar também sua gravação da integral para piano de Ravel (Harmonia Mundi, 2003).*

É verdade que a Osesp nem sempre entrava nessa mesma dimensão. Mas isso não deixava de ser interessante, ressaltando o conflito entre solista e orquestra. Contrastava de outro modo ainda com as sombras da *Sinfonia de Réquiem* de Britten (1913-76), de um lado, e os êxtases da *Sinfonia* nº 5 de Sibelius (1865-1957), de outro – dois compositores que não cessam de melhorar, décadas depois de sua morte. Lições de música, lições de vida, naquele plano onde essas coisas não se distinguem mais.

6.6.09

Arvo Pärt

In Principio

CD ECM, 2009

Essa música entra direto na medula, caindo do nada em direção ao nada pelo fio terra de cada um de nós. Na falta de outro termo, fala-se de Arvo Pärt (1935) como um compositor "minimalista", mas a palavra só vale se for dada a ela um outro sentido, diferente do de hábito. Estamos muito longe das repetições ritmicamente complexas e harmonicamente simples de compositores como Philip Glass e Steve Reich. Neste outro mundo, mínimo é sinônimo de essencial, o que não significa redução de meios, mas concentração de propósitos.

O que dizer, por exemplo, da pequena peça coral *Da pacem Domine* (Dai-nos paz, Senhor)? Encomendada pelo mestre catalão da música antiga Jordi Savall, foi composta em 2004 como tributo às vítimas do atentado terrorista em Madri. Tem sido ouvida na Espanha todo ano desde então, nessa ou em outras versões, com instrumentos. É uma peça "mínima" porque reduzida a uma sequência de acordes que vai caleidoscópica e dissonantemente se alterando; mas nada sugere o imprevisível caminho desse lamento, que se nutre ao mesmo tempo de canto gregoriano e música do Leste da Europa, da música contemporânea de concerto e do canto sem estilo e sem data que a humanidade desde sempre inventa para se consolar.

Com outras qualificações, pode-se dizer algo análogo de *Für Lennart in Memoriam*, para orquestra de cordas. Encomendada pouco antes de sua morte, em 2001, pelo próprio presidente Lennart Meri (segundo presidente eleito da Estônia depois do fim da União Soviética, também historiador e cineasta), foi tocada na sua cerimônia fúnebre. Traz na partitura um texto russo litúrgico, não para ser cantado, apenas para sinalizar a intenção melódica e ressaltar a expressão de cada frase.

A música, aqui, se liga à tradição dos ícones, obras de arte que não existem para representar, mas sim para dar acesso a outra dimensão, tornada presente no ato de ver. Vincula-se ainda às vertentes hesicastas do cristianismo oriental: o apaziguamento das paixões e o repouso físico como meio de escapar das ilusões. Tudo em Pärt potencializa essas três linhas: minimalismo, ícones, hesicasmo.

Recém-lançado na Europa, o novo disco reúne seis peças recentes (2000-06), interpretadas pela Sinfônica Nacional da Estônia e Coro Filarmônico da Estônia, regidos por Tönu Kaljuste. É seu 12º CD na ECM, cujo selo "New Series" foi inaugurado há 25 anos exatamente com o álbum *Tabula Rasa* de Pärt.

Nascido na Estônia num fatídico 11 de setembro, há 74 anos, Pärt emigrou para a Alemanha em 1980, aproveitando uma onda de vistos para judeus que queriam deixar o bloco soviético (ele é católico ortodoxo, mas casado com uma judia). Vive na Alemanha e nessas últimas três décadas veio a se tornar um dos compositores mais tocados e mais gravados não só no circuito da música de concerto, mas também nas telas de cinema e em palcos de teatro e dança mundo afora. Caso raro, talvez único: um compositor de música contemporânea que, sem fazer a menor concessão, fala imediatamente a qualquer ouvinte.

Isto é o caso, em especial, com as peças em que emprega a técnica do "tintinábulo", que ele mesmo criou. (Tintinábulo = sineta.) A base da composição passa a ser uma única nota, explorada a partir de sua série de harmônicos (na prática: dó-mi-sol-dó) e da escala diatônica que leva dessa nota à sua oitava (dó-ré-mi-fá-sol-lá-si-dó). Escala e harmônicos vão se sobrepondo contrapuntisticamente e ganhando ramificações. O efeito é incomum: a música não sai do lugar, mas parece que muda constantemente.

"Aqui fico sozinho com o silêncio", escreveu o compositor.[90] "Descobri que me basta uma única nota bem tocada. Essa nota, ou essa

---

90 Citado em P. Hillier, Arvo Pärt *(Oxford: Oxford University Press, 1997), p. 87.*

pausa, um momento de silêncio, me consolam." Toda sua música talvez não seja outra coisa senão a tentativa de descobrir essa nota e esse silêncio, por trás de todas as outras ou no fundo da sua ausência. Dentro ou por trás dessa nota se cria a presença de quem ouve. No fundo ou para além da sua ausência, a música já nos deixou para trás: são os lamentos da música para a música, na vastidão de um deus, ou de ninguém.

10.6.09

Epílogo: Os Tempos da Música

ó quanto tempo cabe numa canção
Paulo Neves, "À Contraluz"[91]

Existem dois tempos na música. Um é o tempo da superfície – que não tem nada de superficial, no sentido pejorativo da palavra. É tudo o que se escuta, compasso a compasso: cada nota, cada tema, cada frase, criando seu próprio tempo musical, sobreposto ao tempo do relógio.

Quando a música começa, inaugura essa outra dimensão. Escutar significa entrar nesse outro tempo. E tocar também é uma forma de escutar.

Mas existe um outro tempo, de fundo – com tudo o que essa palavra implica. Quer dizer: por trás ou por baixo do que se escuta existe um tempo de outra ordem ainda, um pulso mais largo, que rege as coisas de dentro.

Digamos que é como a respiração da música. Assim como se pode falar muitas palavras, rapidamente, respirando devagar, também se pode tocar muitas notas, *prestissimo*, sobre um grande pulso lento. Eis aí, por sinal, um paradoxo dos instrumentistas: tocar rápido é tocar devagar. Para tocar rápido, convém sentir a música num pulso mais lento, máximo divisor comum de colcheias, semicolcheias, fusas, semifusas.

Para quem acompanha cantores – mais especificamente, para quem acompanha canções –, será sempre crucial achar uma proporção boa entre os dois tempos. No caso da canção brasileira, em que há uma relação tão rica entre poesia e música, e a poesia incorpora os ritmos da fala, quem acompanha precisa mesmo respirar junto com o canto. As palavras têm seu tempo. O que está sendo dito importa mais do que tudo, e é preciso achar não só o jeito, mas o tempo certo de dizer. Ou melhor: os tempos: de cada palavra, isolada, e da intenção geral do canto. Superfície e fundo.

São dois tempos, então, mas há ainda um terceiro. Esse está fora da música, no sentido formal. Mas não no sentido humano. Porque a música não se restringe às notas de cada peça, nem a um conjunto de obras.

---

91 A canção de Paulo Neves foi gravada por Jussara Silveira, no CD Entre o Amor e o Mar *(Maianga, 2006).*

Fazer música começa muito antes e termina bem depois de cada apresentação. Fazer música envolve achar ou construir certa disponibilidade, que implica descobrir ou inventar outro tempo, também. Ensaios são tentativas de chegar lá, tanto no sentido musical quanto vital.

Ser músico é se dar para esse outro tempo. O que, aliás, ajuda a explicar por que, depois de tanto estudo e tanto ensaio, depois de tanto show e tanto concerto, depois de tanta entrega, o que fica enfim de mais precioso para os músicos não é propriamente a música. O que fica é algo de mais intangível, tão sutil e concreto como o tempo.

Dizer que o que fica somos nós pode soar simplório ou presunçoso, mas se aproxima do que pede pra ser dito. Porque o que fica, afinal, da música, não são as notas, não são as músicas, nem as imagens e sensações, toda a verdade e a vaidade de subir num palco para fazer música. O que fica são os encontros, musicais e humanos. Nós somos o resultado.

O que fica não são só melodias e harmonias. O que fica são afetos, criados e trocados por ocasião e sob o signo da música. São sentimentos e sensações, iluminações num outro tempo, que a música faz nascer e perceber, para além de seu próprio encantamento.

O que a música nos dá de mais raro são essas aberturas, essa respiração. Um tempo da vida vivida, tempo vivo. É só nesse tempo que a música pode chegar a si – o que significa sair de si, para nos tirar das mil e uma abstrações cotidianas, incluindo a própria prática da música.

Nesse tempo toda a ficção da vida afinal se desmancha. Não dura, nem tem como durar. Mas nesse tempo, adivinhado a cada vez, mesmo se nem sempre ao nosso alcance, a música nos ensina a viver.

***Cara & Coroa*, nº 6, Verão de 2009**

Uma Aula: Trauma e Memória em Schumann[92]

Partindo do pressuposto de que somos todos "românticos", ou "pós-românticos" – sem desconhecer que seria interessante pensar nos pontos em que *não* o somos –, vamos nos concentrar aqui nas linhas de continuidade que existem entre o Romantismo e aquilo que é nossa circunstância hoje (sem nome definido ainda, mas nossa atualidade).

Em geral, as rupturas são mais interessantes e definem o que distingue um momento de outro. Nas rupturas se distingue o que somos, contrastados ao que fomos. Mas neste contexto de um ciclo de palestras intitulado *Somos Todos Pós-Românticos?* talvez seja melhor comentar algumas das *continuidades* que se percebem entre o Romantismo e nossa contemporaneidade. Algo que já está lá, na música romântica – e que é relevante para além da música, também.

Vale a pena apontar, em especial, até que ponto a música do Romantismo assume uma condição que não tinha antes e que passa a ter na primeira metade do século 19. Hoje talvez não goze mais desse estatuto, mas a música naquele período passa a ser uma força importante no panorama da cultura, de forma impensável antes. E um momento crucial para isso é justamente a passagem do século 18 para o 19.

Se precisássemos definir um momento, um início da modernidade na música, a passagem do século 18 para o 19 faria mais sentido do que a do 19 para 20, como é habitual. Podemos justificar isto com alguns exemplos. Mas antes cabe rever três citações muito breves, só para se ter uma ideia do que acontece nessa passagem.

Se se quisesse dar uma data para a inauguração da modernidade na filosofia, 1791 não seria a pior: é a data de publicação da *Crítica do Juízo*, de Kant – por consenso uma das obras que instauram a modernidade no pensamento europeu. E na *Crítica do Juízo*, então, num famoso parágrafo onde discute a hierarquia das artes, Kant vai nos dizer que a música fica no grau mais baixo, dentro do panorama das artes que compõem a cultura e o pensamento. Compara a música ao perfume e

---

92 Este texto é uma transcrição corrigida de uma palestra apresentada no ciclo Somos Todos Pós-Românticos?, *organizado por Clarisse Fukelman, no Centro Cultural Banco do Brasil, Rio de Janeiro (26.9.2002). O registro oral foi preservado, com alguns retoques aqui e ali. Publicado em* Novos Estudos/ Cebrap, *vol. 67 (novembro de 2003).*

à decoração de ambientes. A música nos levaria "da sensação à ideia vaga". Uma frase memorável – mas não exatamente o que se espera do maior pensador da Europa, contemporâneo de Mozart e Haydn.

Em 1791, Haydn está com a maior parte de sua obra composta e Mozart no seu último ano de vida. E o maior contemporâneo deles, geograficamente próximo e conhecedor (circunstancial) de suas obras, mesmo assim continua acreditando que a música não pertence ao discurso da cultura. A música nos leva "da sensação à ideia vaga". Quer dizer: para Kant, ela não chega a constituir pensamento.

Pouco mais tarde, na década de 1810, Hegel profere as não menos famosas palestras sobre estética, reunidas postumamente como *Lições de Estética*. E ali ele nos diz que "a música torna a interioridade inteligível a si mesma" – uma expressão muito bonita. Claramente, sua visão de música já é muito distinta da que tinha seu maior antecessor na história da filosofia alemã.

A terceira citação é de 1830, do *Mundo Como Vontade e Representação*. O parágrafo 52, onde Schopenhauer escreve que a música é "a expressão da vontade em si". Em outras palavras, a música, que era apenas um perfume, quarenta anos antes, e não era para ser levada a sério como discurso da cultura, agora é vista como a arte central. 1830: quer dizer, um contemporâneo de Wagner – mas, em termos da obra que Wagner viria a escrever, ainda um pouco antes do principal –; e Schopenhauer terá uma influência importante sobre o pensamento de Wagner, quando a música de fato se torna a arte central, por algumas décadas.

Essas três citações servem para se mapear, de modo quase anedótico, a transformação da condição da música, de arte inferior com a qual não nos precisaríamos preocupar, a uma arte central para o pensamento. Vale a pena contextualizar isto um pouco mais, antes de ouvir alguns exemplos.

Essa mudança na avaliação da música se dá em um momento que corresponde ao que chamamos de "modernidade", mas que se poderia chamar também de "ceticismo", o momento da instauração do ceticismo na filosofia "moderna". Se há algo que define essa filosofia moderna, quer dizer, pós-kantiana, é a noção do ceticismo – o ceticismo filosófico propriamente, ou o ceticismo linguístico. E também, cerca de cem anos adiante, o ceticismo psicológico, ou mais especificamente psicanalítico: Freud completa uma herança, um legado de vários ceticismos, ou seja, de desconfianças com relação àquilo que é possível conhecer e aquilo que é possível expressar. Em outras palavras, este ceticismo tem a ver com duas noções, que estão em jogo quando se fala da tradição do ceticismo: a representação e o conhecimento.

Nosso primeiro tema, então, é o da *representação*. Isto é: tudo o que entra em jogo quando se fala do que está entre nossa consciência e os fenômenos, entre a consciência e a experiência. (Ou entre pensar com imagens e pensar com textos.) Em termos da linguagem literária, em particular, aquilo que fica entre o que é possível resgatar de experiência bruta e o que é figurado na linguagem.

Isto que está entre a consciência e os fenômenos, no intervalo entre experiência e conhecimento, passa a ser problemático na modernidade. Não que não fosse reconhecido antes. Não podemos ter a ingenuidade de imaginar que um tema desses tenha nascido em 1791; mas passa a ser visto de forma diferente e se torna um problema. Um dilema e um tema incontornável.

O lugar por excelência da música de Beethoven é esse intervalo. Para tornar isso mais concreto: pode-se dizer que, com o compositor Beethoven, na primeira década do século 19, a música passa a ser um problema *para si mesma*. O debate entre sentido e expressão, característico dos mais diversos poetas românticos – de Wordsworth e Coleridge a Leopardi e Hölderlin –, tem sua tradução musical contemporânea na obra de Beethoven. Em certa medida, ele é o primeiro e será o último compositor moderno por isso mesmo: o que se dá depois dele, em boa medida já está anunciado e contido em sua obra, onde a forma é tematizada e o processo de compor passa a ser assunto da própria composição.

Isto nunca existiu antes. Para um compositor como Mozart, por exemplo, havia uma transparência no ato de compor, impensável para Beethoven, que se debate obsessivamente com o próprio exercício da composição, a cada nova composição. Exemplo de como isto se dá: escute-se qualquer gravação da *Sétima Sinfonia* de Beethoven, prestando atenção na longa introdução do primeiro movimento. Ela vai indo, vai indo... até que estanca praticamente numa nota só, repetida muitas vezes. Essa nota fica parada, sem variação de ritmo, só se repetindo, neutramente, seja na mesma altura ou na oitava abaixo. Parada por vários segundos. A sensação que se tem é de uma agulha de LP travada num arranhão; mas é uma agulha travada pelo próprio compositor. Como se a música deixasse de ser música por alguns segundos e o compositor pudesse nos mostrar, naquele intervalo, os materiais dos quais a música é feita. Como se nos desse os tijolos da construção: não é mais música, naquele momento em particular isso que se escuta não é mais música, é puro som. E Beethoven consegue fazer essa metamorfose (e seu inverso) num espaço muito reduzido de tempo, de forma extraordinária e memorável. Justamente a passagem daquilo que é música para aquilo que é som, matéria bruta; e, logo em seguida, a nota repetida, aquele som parado, começa a ganhar um desenho rítmico, ganha um acorde por baixo, e afinal entramos de verdade no primeiro movimento. (Aliás, só neste ponto nos damos conta de que tudo o que veio antes era uma introdução, coisa que não se poderia saber até ali, só retrospectivamente.) A partir daquele momento, a música de novo volta a ser música e aquele som bruto se transforma novamente em som com sentido, som musical.

A *Sonata* op. 110 tem algo muito parecido com isso, no início do terceiro momento, um longo recitativo. É como se fosse um recitativo cantado, mas "cantado" no piano: a música encena uma voz que não diz palavra alguma, mas soa como se estivesse cantando, numa cena de ópera. E aqui também ela se trava uma nota só, 27 vezes um "lá". Repetindo o gesto da *Sétima*, assim como a música estanca, depois de uma seção inicial, e se transforma em matéria bruta, puro som, esse som depois será mais uma vez trabalhado até ganhar sentido musical.[93]

Esse tipo de gesto tem a ver com o problema de representação, como começa a ser percebido pelos compositores, filósofos e poetas da primeira geração do Romantismo. E este será um dos nossos temas aqui.

O segundo tema é o do *conhecimento*. Os dois temas são gigantescos, mereceriam um ciclo inteiro de palestras cada um. Sobre a questão do conhecimento, vamos ter de compactar uma enormidade de coisas num número mínimo de frases. O que está em jogo não é só, como vimos, a possibilidade de a linguagem *exprimir* aquilo que se quer exprimir, mas também aquilo que é possível *conhecer*. Aquilo que nos é dado conhecer deixa de ser algo simples, direto, natural, imediatamente acessível. Um pouco mais adiante, no final do século 19, o escritor Henry James vai definir o real como "aquilo que não se

---

93 Um comentário mais detalhado sobre esses exemplos pode ser lido em meu ensaio "Beethoven's Ironies", em: David Greer (ed.), Musicology and Sister Disciplines: Past, Present, Future *(Oxford: Oxford University Press, 2000), pp. 428-38.*

pode *não* saber". Uma frase maravilhosa; parece Lacan, mas é Henry James. Aquilo que não se pode não saber é o real, mas aquilo que não se pode não saber só é acessível na sua inacessibilidade.

Dá para seguir adiante por essas voltas: aquilo que não se pode não saber só é possível saber não sabendo. Só é possível sabê-lo enquanto algo inacessível. Ou, de forma mais interessante, o que de fato nós vamos conhecer é o *fracasso* em conhecer. Este é outro gesto que vai se repetir muito, a partir da virada do século 18 para o 19. Seria ingênuo simplesmente reconhecer que não se pode não saber aquilo que não se pode não saber. Isso seria mais ou menos fácil. O que não é fácil – e expressa a medida da consistência de pensamento dos poetas e dos compositores românticos – é que o conhecimento que se dá é o conhecimento do fracasso em conhecer aquilo que não se pode não conhecer. Uma volta a mais no parafuso da interpretação, para usar a famosa figura de um conto de Henry James [*The Turn of the Screw*]. Ali se intui aquilo que a gente poderia conhecer, se não tivéssemos fracassado justamente nisso.

Se fôssemos agora traduzir para este contexto o que vimos antes sobre a representação: reduzindo brutalmente as coisas, pode-se dizer que a problematização do intervalo que existe entre consciência e fenômeno, de um lado, e o reconhecimento de que o conhecimento só é possível como conhecimento do seu próprio fracasso, de outro, compõem juntos o que se chama "Romantismo". Chegamos aqui aos dois grandes polos do pensamento romântico: do ponto de vista da representação, a questão da *ironia*; do ponto de vista cognitivo, a questão do *sublime*.

Repetindo: todos esses são temas gigantescos e estamos passando muito rápido por eles; a ideia é de que, pelo menos, isto nos dê um vocabulário diferente, menos formalista do que o habitual, para pensar a música de um compositor como Schumann, por exemplo.

A questão da ironia, então, tem a ver com o quê? Com a torção que a linguagem exerce sobre si, a cada vez que se reconhece como instrumento daquilo que procura expressar. É esse tipo de distanciamento da linguagem com relação a si mesma que os românticos, como Schlegel e Novalis, chamavam "ironia". Ou seja, não tem exatamente a ver com a "ironia" no sentido mais prosaico da palavra; não significa ser irônico no sentido de ser gracioso, de ter duplo sentido, embora nesses casos a língua esteja também se torcendo sobre si. E o sublime, o polo oposto, é justamente aquilo que cancela o que há de irônico na linguagem – porque o sublime nos faz intuir, nos faz ter a sugestão daquilo que está para além de tudo o que é irônico na linguagem. Quem conhece o fracasso em conhecer alguma coisa maior do que o próprio conhecimento pode, ao mesmo tempo, gozar a exuberância desse reconhecimento.

Com o sublime, nós nos tornamos capazes de imaginar algo que nos ultrapassa. Nesse instante, essas torções todas da linguagem com relação a si mesma deixam de ter importância. O polo do sublime e o polo da ironia lutam um com o outro. É impossível ter uma obra irônica e sublime ao mesmo tempo. Uma obra irônica pode ter momentos em que deixa de ser irônica e vice-versa, mas o sublime cancela a ironia, assim como a ironia, por definição, cancela o sublime. E esses dois polos organizam não só a poesia, mas também o pensamento musical do período romântico.

Existe outro tema, ainda, que se poderia abordar longamente, um tema muito importante para o romantismo e, mais adiante, para a modernidade, que é a questão da *memória*. Ela tem a ver com o conhecimento e a representação, na medida em que a memória é justamente aquilo que permite a entrada do real na consciência.[94] Em outras palavras, aquilo que não era possível como conhecimento imediato pode, quem sabe, tornar-se acessível à medida que há um deslocamento de tempo, um cruzamento de tempos. E esses tempos podem ser retrabalhados pela linguagem ou pela composição, nos labirintos da memória onde nos deparamos, seja num poema como o *Prelúdio* de Wordsworth, no início do século 19, seja num romance como *Em Busca do Tempo Perdido*, de Proust, em meados do século 20, e dezenas de outros exemplos da arte moderna.

Com todos esses temas em mente – ceticismo, representação, conhecimento, memória – vamos escutar agora duas canções do compositor romântico alemão Robert Schumann.

Schumann viveu de 1810 a 1856. Se se considerar que Beethoven atuou na primeira geração do Romantismo (e não na última do Clas-

---

94 Sobre esse assunto, ver os ensaios de Cathy Caruth ("Modalidades do Despertar Traumático – Freud, Lacan e a Ética da Memória") e Geoffrey H. Hartman, "Holocausto, Testemunho, Arte e Trauma", em A. Nestrovski e M. Seligmann-Silva (orgs.), Catástrofe e Representação *(São Paulo: Escuta, 2000). Ver também, de Hartman,* Scars of the Spirit – The Struggle Against Inauthenticity *(Nova York: Palgrave, 2002).*

sicismo), Schumann seria da segunda geração; mas o mais convencional é pensar em Schumann como compositor da primeira geração romântica, contemporâneo de Berlioz e Chopin. Era crítico musical, também; foi dos primeiros a reconhecer o gênio de Chopin, sobre quem escreveu uma resenha antológica. Escreveu também sobre Brahms, de quem foi o grande mestre, e que viria a se tornar seu maior sucessor na música alemã.

Aos 30 anos redondos, em 1840, Schumann escreve três maravilhosos ciclos de *Lieder* (canções): *Myrthen*, sobre versos de Goethe e outros poetas, o *Liederkreis*, op. 24 e *Dichterliebe*, esses últimos dois a partir de poemas de Heine (outro grande nome do romantismo alemão). Tudo somado, são mais de 50 canções. É um ano miraculoso da canção europeia.

Dichterliebe [Amor de Poeta] disputa com o *Winterreise* de Schubert a distinção de ser o ciclo de canções mais conhecido e mais importante do século 19, que é o grande século desse gênero musical. Reúne 16 *Lieder* que Schumann escreveu num espaço inacreditavelmente curto de tempo. Se 1840 é o grande ano, essa é a grande semana da canção na Europa: do dia 24 de maio até 1º de junho de 1840, Schumann escreve o ciclo inteiro.

Vale a pena escutar alguns exemplos, começando com a canção nº 1, "Im wunderschönen Monat Mai".[95] Esta é a primeira canção do *Dichterliebe*. Falamos em dificuldade de representação. Agora a dificuldade começa conosco. Como falar, depois de uma canção dessas?

Vamos começar pela letra, para ir abrindo caminho. Os versos de Heine, numa tradução prosaica, sem métrica nem rima, querem dizer mais ou menos o seguinte: "No maravilhoso mês de maio, quando todos os botões se abriam, então no meu coração o amor nasceu" (primeira estrofe); "no maravilhoso mês de maio, quando todos os pássaros cantavam, então revelei a ela minha ânsia e meu desejo" (segunda estrofe). Não se deixem iludir pela tradução tosca.

---

95 Há muitas gravações do Dichterliebe, *facilmente acessíveis nas lojas ou por internet. Entre as mais recomendadas, estão a do tenor Ian Bostridge (EMI, 1998) e a do barítono Dietrich Fischer-Dieskau (DGG, 1979, relançada na série "Classikon", 1993). Uma versão em português, de minha autoria – ou melhor, uma versão traduzida* para a canção popular brasileira *– foi gravada por Ná Ozzetti e André Mehmari, no CD/ DVD* Piano e Voz, *vol. 2 (MCD, 2007), com o nome "Clara". Outra canção do mesmo ciclo, "Igh Grolle Nicht", que em minha versão brasileira passou a se chamar "Pra Que Chorar", foi gravada por Celso Sim, no CD* Vamos Logo Sem Paredes! *(Gaia Discos, 2008).*

Heine é um grande poeta e um virtuose das ironias – ironias amorosas, em particular. O que parece simples, só parece. Toda catástrofe já vem embutida nesses botões de maio. O registro não tem nada de simplório; algo que a música de Schumann nos faz entender desde o primeiro momento.

Vale a pena lembrar o começo da canção. Como é o início? E como ela se divide em partes? Ouvir de novo sempre ajuda, quando se quer pensar mais de perto sobre a música, para além do primeiro impacto emocional. Depois de ouvir pela primeira vez, passado o encantamento, vale a pena manter a cabeça fria e tentar identificar a forma, ver o que acontece.

Assim como no poema, são duas estrofes, duas metades, exatamente iguais. A voz canta exatamente a mesma coisa duas vezes. Mas não vamos nos adiantar. Podemos ficar só nas primeiras duas notas, o início da canção. Deveria ser uma oitava... mas não é. O que se escuta – uma sétima maior – tem efeito altamente dissonante: é o que se espera num compositor como Stravinsky, ou Webern, não em Schumann. Não se pode começar uma canção assim em 1840. Não faz sentido gramatical.

A única explicação razoável é a seguinte: do ponto de vista da música deste período, uma dissonância assim é sempre uma nota de passagem. Tem de estar vindo de uma consonância, e a dissonância precisa ser resolvida. Se esta canção começa diretamente no intervalo dissonante, a única explicação é que ela *já começou*. Estamos pegando a coisa no meio. A nota vem de cima. Falta a primeira nota, mais aguda: a primeira nota não se escuta. Isto porque a canção é cíclica: ouve-se duas vezes a mesma coisa, o piano vai fazer no final da canção exatamente a mesma coisa que fez no início. A canção é infinita, o cantor poderia começar de novo. Duas vezes é suficiente para entender que poderia ficar circulando para sempre. Tanto mais que está se falando de desejo, de ânsia, de um amor que não se resolveu ainda, e esse canto está pelo menos sugerindo que esse desejo ou ânsia é infinito. Não há resolução. E isso já é possível interpretar a partir das primeiras duas notas da canção.[96]

Os compositores românticos estão trabalhando neste nível de sofisticação; em outras palavras, estão *lendo* a poesia. O que se tem

---

96 Vale a pena ler as análises de Charles Rosen, em A Geração Romântica *(São Paulo: Edusp, 2000), pp. 79-88; e Carl Dahlhaus,* Nineteenth-Century Music *(Berkeley: University of California Press, 1989), p. 258.*

aqui já constitui uma interpretação do poema, conduzida de forma quase inacreditável, com o mínimo de elementos. É uma canção que se escuta pela primeira vez e se fica tomado, não dá para pensar, é tão bonita, tão encantadora, que se fica completamente tomado. E parece uma canção muito simples, equivalente neste sentido da métrica e da rima simples de Heine. Mas Schumann nos faz ler a poesia por trás da poesia "simples" de Heine. Faz uma leitura irônica de um poema irônico da primeira geração do Romantismo.

Outro exemplo: o final da primeira estrofe, onde a voz canta "die Liebe aufgegangen" (o amor surgiu). A nota que corresponde à sílaba "gan" fica um semitom abaixo da nota mais aguda do piano, logo depois. Quer dizer, é uma tecla branca (voz), em choque com a tecla preta vizinha (piano), outra dissonância brutal. Não só a voz fica em suspenso neste ponto – e a linha da voz simplesmente acaba ali, no ar –, mas se vê jogada num plano de ruptura, de contradição, de uma tensão harmônica tremenda, criada pelo piano. Piano que, de sua parte, não faz exatamente um acompanhamento – faz mais do que isso, como se fosse um protagonista também. O piano vira alguém que fala, que comenta e interfere naquilo que o cantor está fazendo.

Na segunda estrofe, o mesmo trecho corresponde à palavra "Verlangen" (desejo, ânsia). Amor e desejo ficam assim, lançados para cima, no ar, e logo jogados em conflito – conflito que é tanto "de dentro" da música quanto metafórico, na medida em que a composição nos faz interpretar premonitoriamente os versos de Heine. Que a história vai acabar mal já deu para perceber. E o pior é que a canção é circular, infinita... – fica presa para sempre, nessa neurose maravilhosa.

Valeria a pena, neste contexto, ouvir outra canção do mesmo ciclo, a nº 13, "Ich hab' im Traum geweinet" (Chorei no meu sonho). São três estrofes:

Primeira: "Chorei no meu sonho. Sonhava que estavas na tumba. Acordei – e as lágrimas corriam-me pelo rosto". Segunda: "Chorei no meu sonho. Sonhava que havias me deixado. Acordei – e continuei chorando, longa e amargamente". Terceira: "Chorei no meu sonho. Sonhava que ainda eras gentil comigo. Acordei – e as lágrimas continuam a cair".

Essa canção é profundamente estranha. E o que ela tem de mais estranho? Não é a relação entre a voz e o piano? Como se dá isso, na primeira estrofe? Não se dá: a voz canta sozinha no início, *a cappella*, o piano faz só a cadência. Depois a voz canta de novo, seguida da cadência no piano sozinho. E a segunda estrofe repete exatamente este formato: a voz canta *a cappella* e uma cadência do piano fecha as frases. Só na terceira estrofe as coisas mudam. Começa com o piano, não com a voz, o piano tocando acordes mais longos, com pedal. Quando entra a voz, muda a melodia, gerando uma tensão dramática inesperada. No auge dessa tensão, a voz se interrompe. Volta a cadência seca do piano. E a partitura acaba com várias pausas, antes dos dois acordes básicos do fim – que poderiam ser um retorno ao início.

Essa é mais uma canção circular, implicitamente sugere uma volta ao início. Pergunta: por que a terceira estrofe seria diferente das outras? Falamos antes na questão do tempo e da memória, e uma canção como essa nos deixa ver até que ponto o tema está em jogo para um compositor como Schumann.

Fazendo uma interpretação abreviada: na primeira estrofe, diz o narrador, "sonhava que estavas na tumba". Presumivelmente, ela não está na tumba ainda. Isso é projeção, uma estrofe de prognóstico, coisa imaginada (quem sabe até, a essa altura, desejada). É uma estrofe do futuro.

Na segunda estrofe ("sonhei que havias me deixado"), não é preciso ser muito sutil para perceber que ela já o deixou. Ou ele não estaria cantando desse jeito. Quer dizer, aquilo que começou lá atrás – naqueles "lindos brotos do maravilhoso mês de maio" – já feneceu, para dizer o mínimo. Aliás, para bom entendedor, quando se ouve um ciclo romântico e a primeira canção fala em botões de rosas se abrindo... dá para começar a chorar. Não vai dar certo. Na canção 13 do ciclo *Dichterliebe* já se está neste pé. Segunda estrofe: "sonhei que havias me deixado" – e ela o deixou mesmo, ou seja, é a estrofe do presente.

São estrofes estranhas, não musicais, praticamente não cantadas. Tudo quase falado, um recitativo seco. O canto, no sentido mais habitual, só começa na terceira estrofe: "sonhei que ainda eras gentil comigo". É a estrofe do passado: a canção está ao contrário, vai do futuro para o passado. Começa no futuro, vem para o presente e acaba no passado. E é justamente ao chegar no passado que algo se destrava. Em outras palavras, é só o passado, a memória, que permite o nascimento da canção. Só esse descompasso de tempo, a percepção de algo já acontecido, pode liberar a música, de uma forma que o futuro e o presente não podem.

Muito mais poderia ser dito de Schumann, mas esses exemplos bastam para demonstrar quanto figura e sentido estão ligados, não só na poesia, mas também na música do Romantismo. E quanto, numa realização tão curta como uma canção, com meios tão econômicos, é possível pôr em jogo tudo aquilo que vimos antes: a relação entre o que é interno e o que é externo, entre linguagem e experiência, os grandes temas da representação, do conhecimento e da memória.

Basta escutar de perto canções como essas para reconhecer as continuidades que definem, em boa medida, a música do nosso próprio tempo. Mas vale repetir, como antes, que isto não significa o fim dessa história. Caberia agora identificar aquilo que *não* é romântico nem pós-romântico em nós, para além inclusive da própria ideia romântica de ruptura. Mas isso fica para outras canções, em outros ciclos, e outros ciclos de canções.

Índice de Nomes e Obras

Agradecimentos

A José Miguel Wisnik, grande parceiro musical e intelectual, e o mais rigoroso dos críticos.

Aos colegas que encomendaram e/ou editaram esses textos, na *Folha de S.Paulo* e em outras publicações: Adriano Schwartz, Alcino Leite Neto, Almir de Freitas, Antônio Flávio Pierucci, Bruno Saito, Cassiano Elek Machado, Cássio Starling Carlos, Clarisse Fukelman, Cristina Fibe Gambirasio, Edson Zampronha, Eucanaã Ferraz, Francisco Bosco, José Luiz Herencia, Leonardo Cruz, Lucia Valentim, Marcos Augusto Gonçalves, Marcos R. Flamínio Peres, Maria de Lourdes Sekeff (*in memoriam*), Maria Esther Maciel, Maria Rosa Duarte de Oliveira, Marília Scalzo, Milton Ohata, Naief Haddad, Naira Ciotti, Nelson de Sá, Oscar Pilagallo, Raquel Cozer, Sandra Mraz, Sérgio Dávila, Sylvia Colombo, Tereza Novaes e Vera Cecília Achatkin.

A Otavio Frias Filho, diretor de redação da *Folha*, pelo apoio constante desde 1992.

Aos parceiros musicais, muitos deles previamente assunto de resenhas, agora companheiros de palco e de estúdio, meus grandes mestres: André Mehmari, Andrea Ernest, Benjamim Taubkin, Cacá Machado, Celso Sim, Dimos Goudaroulis, Eveline Hecker, Jussara Silveira, Marcelo Jeneci, Mariana de Moraes, Ná Ozzetti, Paula Morelenbaum, Sérgio Reze, Suzana Salles, Swami Jr., Tom Zé, Zé Celso Martinez Corrêa (com o Teatro Oficina) e Zélia Duncan, sem falar no Zé Miguel.

Aos colegas e amigos que fizeram comentários pontuais ou gerais, sobre um ou mais de um desses textos: Aida Tavares, Carlos Eduardo Lins da Silva, Fábio Zanon, Gilberto Mendes, Guilherme Wisnik, Inês Pedrosa, Lígia Petrucci, Marcelo Coelho, Sergio Adorno, Sidney Molina, Thaís Nicoleti de Camargo e Yudith Rosenbaum.

A Ana Busch, diretora da Publifolha, e Luciana Maia, editora responsável, meus anjos da guarda na editora; e aos generosos colegas de todo dia: Camila Saraiva, Nina Bandeira, Paula Marconi de Lima e Thiago Blumenthal (que tocou a edição desse livro), mais Mariana Metidieri e Soraia Scarpa, no naipe de produção gráfica, sem esquecer dos amigos que trabalharam conosco e depois foram para outros lugares: Fernanda Diamant, Júlia Duarte, Rodrigo Villela. E a Paula Astiz, que criou a capa e o projeto gráfico.

A minhas assistentes, Marta de Freitas e Maria Marta Pereira da Cruz.

A meus pais, Marcos e Ester Nestrovski, reserva de afeto e apoio incondicional.

Em casa: a minhas filhas Lívia e Sofia, leitoras e revisoras de vários textos, hoje companheiras de aventura, na música, nas letras e em tudo mais. Ao Felipe e à Camila, começando outras notas musicais em duo.

E a Inês Bogéa, a primeira leitora em todos os sentidos da expressão, que me fez cortar, modular, corrigir e melhorar muitas resenhas; e que aproveita para me corrigir, modular, cortar e, com alguma sorte, melhorar o que for possível, dia após dia, ano após ano.

An Die Musik

Franz Schubert/ Franz von Schober

Du holde Kunst, in wieviel grauen Stunden,
Wo mich des Lebens wilder Kreis umstrickt,
Hast du mein Herz zu warmer Lieb entzunden,
Hast mich in eine beßre Welt entrückt!
    (in eine beßre Welt entrückt)

Oft hat ein Seufzer, deiner Harf entflossen,
Ein süßer, heiliger Akkord von dir
Den Himmel beßrer Zeiten mir erschlossen,
Du holde Kunst, ich danke dir dafür!
    (du holde Kunst, ich danke dir dafür)

1817

Sopro Só

Um som no ar, abrigo na hora mais incerta
E o coração nem sabe a quem agradecer,
Na agonia, quem me mostra essa janela aberta
E assim, tão leve, me leva pr'outro mundo –
    Um outro mundo, maior e melhor.

Um sopro só, suspiro, sílabas no vento,
Sobre um acorde bom, nas cordas do violão,
Abre outro mundo, outro segredo, outra revelação
E eu fecho os olhos e sigo e a voz me leva –
    A voz me leva, um sopro no ar.

Ela, eu vivo o tempo todo com ela

Versão: Arthur Nestrovski (2005).

Sobre o Autor

Arthur Nestrovski (Porto Alegre, 1959) é articulista da *Folha de S.Paulo*, onde escreve sobre literatura e música desde 1992. Autor de *Debussy e Poe* (1986, Prêmio Jabuti), *Ironias da Modernidade* (1996), *Notas Musicais* (2000), *Palavra e Sombra* (Ateliê, 2009) e *Três Canções de Tom Jobim* (com Lorenzo Mammì e Luiz Tatit, 2004), organizou as antologias *Figuras do Brasil* (2001), *Música Popular Brasileira Hoje* (2002), *Em Branco e Preto – Artes Brasileiras na* Folha,*1990-2003* (2004), *Aquela Canção – 12 Contos Para 12 Músicas* (2005, Prêmio UBE), *Lendo Música – 10 Ensaios Sobre 10 Canções* (2007) e *O Brasil Não Existe! Ficções e Canções* (no prelo), entre outros livros.

Editor da Publifolha desde 1999, foi professor titular na pós-graduação em comunicação e semiótica da PUC/ SP (1991-2005) e palestrante convidado em diversas instituições brasileiras e estrangeiras (como USP, Unicamp, Unesp, Johns Hopkins University e The Salzburg Seminar). Escreveu também nove livros para crianças; entre eles, *O Livro da Música* (2000) e *Bichos Que Existem e Bichos Que Não Existem* (2002, Prêmio Jabuti de "Livro do Ano" de Ficção).

Em 2004, voltou à atividade musical como violonista e compositor, apresentando-se e gravando com artistas como Zé Miguel Wisnik, Zélia Duncan e Tom Zé, entre outros, no Brasil e no exterior. De lá para cá, lançou os CDs *Jobim Violão* (2007; reedição 2009) e *Tudo o Que Gira Parece a Felicidade* (2007), além de dois DVDs e trilhas para espetáculos de dança; fez também a direção musical do programa *Vila Sésamo*, da TV Cultura. Suas composições e letras têm sido interpretadas por artistas como Maria João Pires, Jussara Silveira, Ná Ozzetti, André Mehmari, Ricardo Castro, Suzana Salles, Celso Sim, Izabel Padovani e Teatro Oficina, entre outros.

Este livro foi composto nas fontes Minion e Myriad
e impresso em agosto de 2009 pela Prol Gráfica
sobre papel chamois fine dunas 75g/m².